1st 15⁰⁰

PETER FREIMARK / INA LORENZ
GÜNTER MARWEDEL
JUDENTORE, KUGGEL, STEUERKONTEN

PETER FREIMARK / INA LORENZ
GÜNTER MARWEDEL

Judentore, Kuggel, Steuerkonten

Untersuchungen zur Geschichte der deutschen Juden,
vornehmlich im Hamburger Raum

HANS CHRISTIANS VERLAG, HAMBURG
1983

HAMBURGER BEITRÄGE
ZUR GESCHICHTE DER DEUTSCHEN JUDEN
BAND IX

Für die Stiftung Institut für die Geschichte der deutschen Juden, Hamburg,
herausgegeben von Peter Freimark

Der Schutzumschlag zeigt die Grenze zwischen Hamburg und Altona an den Schlachterbuden in einer Fotografie aus der Zeit um 1890. Links neben den beiden Grenzzeichen ist die schmale eiserne Stange zu sehen, die einen Torpfeiler des Judentores bildet. Der (nicht sichtbare) metallene Draht ist im zweiten Stockwerk des zweiten Hauses befestigt, das damit als anderer Torpfeiler fungiert (Staatliche Landesbildstelle Hamburg).

CIP-Kurztitelaufnahme der Deutschen Bibliothek

Judentore, Kuggel, Steuerkonten: Unters. zur
Geschichte d. dt. Juden, vornehml. im Hamburger Raum /
Peter Freimark... – Hamburg: Christians, 1983.
(Hamburger Beiträge zur Geschichte der deutschen
Juden; Bd. 9)
ISBN 3-7672-0803-2

NE: Freimark, Peter [Mitverf.]; GT

© Hans Christians Verlag, Hamburg 1983
Alle Rechte der Verbreitung, auch durch Film, Funk, Fernsehen,
fotomechanische Wiedergabe, Tonträger jeder Art,
und des auszugsweisen Nachdrucks sind vorbehalten
Gesamtherstellung Clausen & Bosse, Leck
Printed in Germany
ISBN 3-7672-0803-2

Inhalt

Die Umschrift hebräischer Buchstaben basiert auf dem revidierten Entwurf der Empfehlung ISO/R 259–1962.

m	מ	zero	א
n	נ	b, v	ב
s	ס	g	ג
ʿ	ע	d	ד
p, f	פ	h	ה
ṣ	צ	w	ו
q	ק	z	ז
r	ר	ḥ	ח
š	שׁ	ṭ	ט
ś	שׂ	y	י
t	ת	k, ḵ	כ
		l	ל

Abweichungen liegen vor bei eingeführten Namen – etwa Personen- und Monatsnamen – und Begriffen, sowie bei Buchtiteln.

VORWORT

Mit dem hiermit vorgelegten Band 9 der «Hamburger Beiträge zur Geschichte der deutschen Juden» stellt das Institut für die Geschichte der deutschen Juden erstmals Arbeitsergebnisse in Form eines Sammelbandes vor. Wenn auch in Zukunft wieder bestimmte Themen und Bereiche als Monographien behandelt werden sollen, so ist doch ebenfalls daran gedacht, derartige Sammelbände von Zeit zu Zeit erscheinen zu lassen. Hierfür sprechen zwei Gründe. Zum einen ist es das Fehlen einer eingeführten Fachzeitschrift in der Bundesrepublik Deutschland, die sich schwerpunktmäßig mit der deutsch-jüdischen Geschichte beschäftigt. Dies hat dazu geführt, daß eine Reihe von Arbeiten, die im Institut entstanden sind, in allgemein-historischen und ausländischen Fachzeitschriften sowie in Sammelbänden und Festschriften publiziert wurden. Gegen eine derartige Diversifikation ist prinzipiell nichts einzuwenden, trotzdem spricht einiges dafür, eigene Arbeitsergebnisse, die nicht den Umfang einer Monographie erreichen, in der genannten Reihe zu veröffentlichen.

Gewichtiger freilich ist der zweite Grund. Bei den fünf Beiträgen dieses Sammelbandes handelt es sich überwiegend um Spezialuntersuchungen, die als Zeitschriftenaufsätze zu lang wären. Sie greifen bisher kaum beachtete Themen aus dem Bereich der deutsch-jüdischen Geschichte auf. Eine derartige Spezial- oder Einzelforschung will unter Beachtung von historischen Wirkungs- und Kontinuitätszusammenhängen im Wege einer diskursiven und deskriptiven Darstellung weiße Flecken auf der Forschungs-Landkarte löschen oder wenigstens verkleinern. Ohne hier auf die jüngst intensivierte Diskussion um Spezialforschung und Gesamtgeschichte eingehen zu wollen,[1] kann doch festgestellt werden, daß Untersuchungen dieser Art, bei denen eine diachrone Behandlungsweise vorherrscht, weniger methodologisch als vielmehr inhaltlich Neuland erschließen, was auch daraus hervorgeht, daß ein Großteil der benutzten Quellen dem herkömmlichen Historiker auf Grund der linguistischen Gegebenheiten nicht zugänglich ist.

In der Darstellung wurde über die oft beklagte «Segmentierung der Geschichtsforschung und Geschichtsschreibung» hinaus bewußt eine fächerübergreifende Betrachtungsweise angestrebt, die sich (aus sachlichen

---

1 Vgl. hierzu zuletzt Grete Klingenstein / Heinrich Lutz (Hrsg.), Spezialforschung und «Gesamtgeschichte». Beispiele und Methodenfragen zur Geschichte der frühen Neuzeit (Wiener Beiträge zur Geschichte der Neuzeit, Bd. 8), Wien 1981.

Gründen) im Einzelfall allerdings unterschiedlich darstellt. Ausgehend von der sich verändernden sozialen und mentalen Situation der jüdischen Minorität im Hamburger Raum werden u. a. rituelle Probleme und solche der Stadttopographie, der literarischen Rezeption, der gemeindlichen Jurisdiktion und der jüdischen Jugendbewegung behandelt. In besonderer Weise wurden hierbei Erkenntnisse aus dem Bereich der Judaistik, der modernen Stadt- und Verwaltungsgeschichte, der Literaturwissenschaft und der Geschichte des Verbandswesens berücksichtigt. Bezugspunkt und lokale Vorgabe für alle Beiträge, deren Themen über einen Zeitraum von über 250 Jahren angesiedelt sind, war die Hamburger Region, von der sich Stränge bis nach Dänemark und Palästina erstrecken.

Um der Gefahr einer reinen Fachesoterik zu begegnen, wurden in den Beiträgen bestimmte Entwicklungen breiter dargelegt und die Anmerkungen mit Sacherklärungen ausgestattet, die auch dem interessierten Laien einen Zugang zu der oft spröden und komplizierten Materie verschaffen wollen. Das mag dem Fachmann und judaistisch Vorgebildeten vielleicht überflüssig erscheinen, es dürfte aber für eine breiteres Zielpublikum nützlich sein. Dieser Ansatz wurde bewußt gewählt und bis in die Quellenarbeit zurückverfolgt, ihm lag die Überzeugung zugrunde, «daß die didaktische Dimension der Historie nicht eine der Forschung aufgesetzte Sache der Darstellung ist, daß sie vielmehr bis in die Fragestellung und die Methoden der Forschung hineinreicht.» [2]

Sehr herzlich zu danken ist einer Vielzahl von Institutionen und Personen für die Materialbeschaffung und viele nützliche Hinweise. Dies gilt zunächst einmal für das Staatsarchiv Hamburg und seine Mitarbeiter, unter ihnen vor allem Frau Barabas und den Herren Dr. Schneider, Sielemann, Dr. Stein und Wagner, sowie dem Staatsarchiv Würzburg. Zu danken ist weiter dem Landesarchiv Schleswig-Holstein (Schleswig), dem Landsarkivet for Nørrejylland (Viborg), dem Rigsarkivet (Kopenhagen) und dem Stadtarchiv Plön. Zu danken haben wir Herrn Oberrabbiner Dr. Bent Melchior (Kopenhagen) für Auskünfte über die Geschichte des Kopenhagener Oberrabbinats, Herrn Leitenden Archivdirektor Prof. Dr. Wolfgang Prange (Schleswig) für Auskünfte über den Geschäftsgang der Deutschen Kanzlei, Herrn Oberassistent cand.phil. Siegfred Heimann (Det kongelige Bibliotek, Kopenhagen), Herrn Bibliothekar Erich Hoppe (Dansk Centralbibliotek for Sydslesvig, Flensburg), sowie Frau Dr. Ingrid Belke (Deutsches Literaturarchiv-Schiller Nationalmuseum, Handschriftenabteilung, Marbach), Frau Dr. Jutta Bohnke-Kollwitz

---

2 Karl-Ernst Jeismann/Siegfried Quandt (Hrsg.), Geschichtsdarstellung. Determinanten und Prinzipien, Göttingen 1982, S. 6.

(Germania Judaica, Köln), Herrn Thomas Held (Hamburg), Frau Tamar Knani (Tel Josef / Israel), Herrn Dr. Fritz Landshoff (New York), Frau Dr. Sybil Milton (Leo Baeck Institute, New York), Herrn Senator David Schuster (Würzburg), Herrn Martin Seiler (Stadt- und Universitätsbibliothek Frankfurt a. M.), Herrn Dr. Mosche Zimmermann (Hebräische Universität Jerusalem) und Frau Susanna Zuzok (Staats- und Universitätsbibliothek Hamburg).

Zu besonderem Dank ist das Institut für die Geschichte der deutschen Juden Herrn Dr. Bernhard Jacobson (Petach Tikva) verpflichtet. Herr Dr. Jacobson hat dem Institut in der Vergangenheit mehrfach Materialien aus seinem Privatbesitz zugänglich gemacht. Es muß rückschauend als ein glücklicher Umstand angesehen werden, daß sich hierunter ein in den zwanziger Jahren entstandener Briefwechsel zwischen der damals 21jährigen Elfriede (Fritzi) Chwolles (Hechaluz) und dem etablierten Dramatiker und Sozialisten Ernst Toller befand. Dieser Briefwechsel steht im Mittelpunkt des letzten Beitrags dieses Sammelbandes.

Hamburg, im Oktober 1982   Peter Freimark

ERUW / ‹JUDENTORE›

Zur Geschichte einer rituellen Institution im Hamburger Raum (und anderswo)

Peter Freimark

Rituelle Gegenbenheiten sind gemeinhin den Anhängern der betreffenden Religion vertraut, sie werden von ihnen ausgeübt und von Generation zu Generation tradiert, wobei es in bestimmten historischen und sozialen Situationen auch zu Veränderungen in der Intensität der rituellen Ausübung kommen kann. Von Angehörigen anderer Glaubensgemeinschaften sind Einsicht in und Verständnis für derartige rituelle und kultische Institutionen und Abläufe nur bedingt zu erwarten, da sie ihrerseits kultisch und dogmatisch fixiert und vom Wert der eigenen Auffassungen überzeugt sind. Erklärungsversuche – oft mit apologetischer Tendenz –, zu Papier gebracht von Theologen und Schriftstellern, erreichen im allgemeinen nur einen sehr kleinen Teil von Angehörigen anderer Religionsgemeinschaften, ihr Einfluß ist an sich immer vergleichsweise gering gewesen. Bei Stellungnahmen hingegen, die die eigene Glaubensposition affirmativ absichern und Grundaussagen und Praktiken anderer Religionen in Frage stellen oder herabzusetzen beabsichtigen, ist die feststellbare Wirkung zumeist deutlich größer.

Bei Riten, die quasi im geschlossenen Raum – etwa in der Synagoge – praktiziert werden, ist die Wahrscheinlichkeit, daß sie von Angehörigen anderer Religionen als befremdlich oder anstößig empfunden werden, vergleichsweise gering, wenn dies auch nicht ausgeschlossen werden kann. Handelt es sich jedoch um Praktiken, die in der Öffentlichkeit, d. h. in diesem Fall an topographisch exakt lokalisierbaren Orten, abgewickelt werden, wird das Interesse – und oft auch der Argwohn – von Andersgläubigen stärker geweckt und verlangt (im günstigen Fall) nach Erklärungen und Erläuterungen. Bilden diese Andersgläubigen die soziale Majorität, so sind Auseinandersetzungen mit Vertretern der religiösen (und sozialen) Minorität, die diese ins Auge fallenden Praktiken ausüben, von vornherein nicht auszuschließen. Riten dieser Art fungieren damit – neben ihrem religiösen Eigenwert – als eine Art Indikator für das Verhältnis von Majorität und Minorität.

An Hand eines in der wissenschaftlichen Literatur bisher wenig beachteten jüdischen Ritus, des Eruw, soll den soeben angesprochenen

Fragen und Probleme im folgenden nachgegangen werden. Im Mittelpunkt stehen hierbei exemplarisch die Verhältnisse im Hamburger Raum zwischen dem späten 17. und dem frühen 20. Jahrhundert, wenn auch die Gegebenheiten in anderen Regionen Berücksichtigung finden, sofern sie für die behandelten Fragestellungen von Relevanz sind. Leitender Gesichtspunkt bei der Darstellung ist das Bemühen, die Vorgänge nicht isoliert im innerjüdischen Bereich zu behandeln, sondern gesamtgesellschaftliche Implikationen im Auge zu behalten. Dieser Ansatz bringt es mit sich, daß neben judaistischen und religionswissenschaftlichen Erörterungen auch solche der Stadt- und Regionalgeschichte, sowie der Stadt- und Sozialtopographie anzustellen sind. Vorab ist in diesem Zusammenhang darauf hinzuweisen, daß die Quellenlage für Teilbereiche der gewählten Region unterschiedlich ist: während sie für Hamburg und Ahrensburg relativ schmal bleibt, liegen für Altona und vor allem für Wandsbek (hier vor allem für die 2. Hälfte des 19. Jahrhunderts) reichhaltige und interessante Belege vor, die an dieser Stelle erstmals vorgestellt werden.

I.

Eruw ('eruw) bedeutet «Vermischung» und vermischt oder verbunden werden sollen «erlaubtes» und «unerlaubtes» Gebiet. Die Institution geht auf die Regelungen zur Heiligung des Sabbats zurück, unter denen es in Exodus 16, 29 heißt «... ein jeder bleibe, wo er ist und niemand verlasse seinen Ort am siebenten Tag». Erlaubt ist das Gehen und Tragen von Gegenständen – wie etwa Brille und Taschentuch – nur im «privaten Bereich», etwa im eigenen Haus, nicht jedoch im «öffentlichen Bereich», also außerhalb des Hauses auf der Straße. Durch das Legen oder Anbringen des Eruw (s. u.) wird eine Vermischung oder Verbindung beider Gebiete herbeigeführt. Ein Gehen und Tragen im öffentlichen Bereich ist damit halachisch (religionsgesetzlich) zulässig. Die einzelnen Bestimmungen zu dieser Einrichtung finden sich in den Traktaten «Eruwin» (Vermischungen) von Mischna und Tosefta, bzw. im Jerusalemer und im babylonischen Talmud, desgleichen im mittelalterlichen und späteren religionsgesetzlichen Schrifttum; auch in neueren Darstellungen zum Sabbat und seinen Vorschriten fehlen Äußerungen fast nie.[1] Daß der Eruw, den die jüdische Tradition auf den König Salomon zurückführt,[2] schon in talmudischer Zeit praktiziert wurde, bezeugen etwa Ausgrabungen in Dura-Europos am Euphratufer.[3]

Die Eruw-Materie und die Einzelbestimmungen bilden ein überaus kompliziertes Gebiet der Halacha, des jüdischen Religionsgesetzes, wobei sich nicht wenige von einander abweichende Ansichten der Gelehrten antreffen lassen.[4] Für unseren Zusammenhang sind 2 Arten der Vermischung von Wichtigkeit, die beide nachweislich auch im Hamburger Raum ausgeübt wurden.

1. Eruw der Gebiete: «Privates» und «öffentliches» Gebiet werden dadurch verbunden und vereinigt, daß man es umzäunt oder einfriedet. Stadtmauern, Flußläufe, Gräben, Wälle, Häuserreihen, Eisenbahndämme und Telegraphendrähte werden hierbei als Begrenzungen anerkannt. Sind sie nicht – oder nicht geschlossen – vorhanden, wird die Eingrenzung in symbolhafter Form dadurch ausgeführt, daß man an den offenen Stellen Stäbe oder Stangen aufstellt, über die man einen Querstab aus Draht oder eine Schnur («Sabbatschnur») legt. Derartige Eingrenzungen können das Gebiet einer ganzen Stadt umfassen, bei einer Ausdehnung des Stadtgebiets wachsen sie gleichermaßen mit, indem man sie an neuen Stellen errichtet. Der Volksmund hat diese Begrenzungen in Altona und anderswo «Judentore» genannt.

Ein wichtiger Hinweis auf diese Institution – unter Nennung Altonas! – findet sich schon in den «Jüdischen Merckwürdigkeiten» des Johann Jacob Schudt, wo es heißt: «Daß aber die Juden den Ort / wo sie eine Synagog bauen / lieber verschlossen und verwahret haben / solte es auch nur zum Schein seyn und den Nahmen haben / wie zu Altona, da sie von Balcken und Brettern eine Wand und Thore um den Ort auf ihre Kosten machen lassen / darüber und dadurch man doch gar leicht kommen kunte / solches geschiehet deßwegen / weil an einem Ort der nicht verschlossen / oder des Nachts der freye Zugang gesperret ist / die Juden nach ihren Rabbinischen Satzungen / am Sabbath keine Sachen noch Gefässe noch sonst etwas / als da sind Bücher / Schnupff=Tücher im Sack / ja nicht einmahl Kinder zur Beschneidung aus ihren Häusern / nach der Synagog, und wieder aus der Synagog nach ihren Häusern tragen dörffen / wie es zu Fürth / einem offenen Ort bey Nürnberg ist / wo sehr viel Juden wohnen / deren keiner am Sabbath ein Buch mit zur Synagog oder von dannen wieder nach Hauß mitnehmen darff / nicht einmahl ein Schnupff=Tuch im Sack / es werde dann mit einem Faden an den Rock oder Kleid angenehet / daß es für ein Stück seines Kleides gehalten wird / können auch am Sabbath ihre Knäblein zur Beschneidung anderst nicht als durch einen Christen nach der Synagog und von dannen wieder zurück bringen lassen; Alles aber dieses ist ihnen erlaubt / wann der Ort / darinn die Synagog stehet / verschlossen und verwahret ist; Weil nun jenes den Juden gar beschwerlich fällt / wenden sie lieber viel Geld / wie im Haag und Altona / darauff / daß solche Oerter verwahret seyen / dahero auch die

Juden gern im eigenen mit Thoren verschlossenen Gassen wohnen / wie
zu Franckfurt / Mayntz / Hanau / Friedberg / und anderstwo / weil sie
solche Oerter als ihre eigenthümliche Städte ansehen / ja als wenn es ein
verschlossenes Hauß darinn sie wohnen / ... und wo sie an offenen Orten
sind / setzen sie Pfähle und spannen von einem zu dem andern eine
Schnur / daß es / ihrer Einbildung nach / wie ein Hauß im Begriff einer
Wand ist / solches nennen sie Schittuf Hammefuos, Die Gemeinschafft
der Gassen.»[5]

2. Eruw der Höfe: Anwohner eines Hofes oder einer Gasse können sich
für den Sabbat zu einer Hausgemeinschaft zusammenschließen. Dies geschieht dadurch, daß sie einen Beitrag zu einem gemeinsamen Nahrungs-
vorrat spenden oder daß ein Anwohner einen Brotlaib (oder eine Mazze)
allen anderen übereignet und auf diese Weise eine Art Gemeinschaft oder
Vereinigung herbeigeführt wird. Der Brotlaib wird dann in einem Haus
oder in der Synagoge niedergelegt. Sehr anschaulich wird diese Praxis in
einer älteren nichtjüdischen Quelle[6] wie folgt beschrieben: «Den Abend
vor dem Osterfest[7] nehmen so viel Hausväter, als zur selben Synagog gehören, ein jedweder etwas Mehl, machen daraus einen Mazzen oder ungesäuerten Kuchen, und bringen selbigen in die Synagog. Diesen Kuchen
muß alsdann der Schuloberste nehmen, und denselben einem andern unter
ihnen geben; diese bezeugen darauf öffentlich: Sie wollten daß dieses Mazzen auch diejenigen in ihrer Judenschaft theilhaftig würden, welche nichts
vom Mehl dazu beygetragen, sowohl Gegenwärtige als Abwesende, die
nach dem Osterfest zu ihnen kommen, und bey ihnen sich aufhalten würden. Ist nun dieses geschehen, so nimmt darauf der Schuloberste den Mazzen in die Hand und segnet ihn ... Hierauf wird dieser Mazzen, entweder
in der Schule[8], oder in einem andern öffentlichen Ort, das ganze Jahr hindurch aufbehalten. So lange nun derselbe unversehrt bleibet, so lange hat
auch solcher Eruf oder Vermischung statt, ist er aber verdorben, so muß
man es, wann diese Erlaubniß fortdauern soll, auf obige weise von neuem
machen. Warum man aber eine dergleichen ... (eruf) lieber am Osterfest,
als an einer andern Zeit macht, geschieht deswegen, weil die ungesäuerten
Kuchen, die um solche Zeit gebräuchlich sind, weniger Anstoß leiden, als
gesäuerte. Doch ist es deswegen zu einer andern Zeit nicht verboten, indem sonderlich die Frommen unter den Juden, allemal den Tag vor dem
Sabbat das ganze Jahr hindurch, einen dergleichen Eruf verfertigen, die-
weil sie besorgen, es möchte der in der Synagog aufbehaltene etwan Schaden nehmen.»[9]

Neben diesen beiden Arten gibt es noch zwei weitere: den Eruw der
Grenzen, durch den der Sabbatweg von 2000 Ellen verlängert werden
kann,[10] und den Eruw der Speisezubereitung für den Fall, daß der Freitag,

der Vortag des Sabbats, ein Festtag ist.[11] Beide Arten liegen im Bereich der Einzelperson bzw. Familie, Aussagen zu ihnen lassen sich im historischen Quellenmaterial kaum finden. Aber auch zu den beiden erstgenannten Arten ist die Anzahl der Nachweise in den offiziellen Rechtstexten – Judenordnungen, Privilegien, Gemeindestatuten – vergleichsweise gering. Für den Hamburger Raum lassen sich weder in den königlich-dänischen Schutzbriefen für die Juden in Altona[12] und dem Hamburger Judenreglement von 1710[13], noch in den Gemeindestatuten der Dreigemeinde Altona-Hamburg-Wandsbek[14] Hinweise auf diese Institution antreffen. Anderenorts finden sich in behördlichen Bestimmungen Hinweise zum Eruw, so etwa in dem 1719 verkündeten «Reglement für gemeine Judenschafft in Fürth».[15] Im 35. Abschnitt heißt es dort: «Ist von denen Juden vor diesem (damit sie am Sabbath etwas auf die Gassen tragen mögen) Faden oder Trodt von einer Gassen zu der andern gezogen, endlich abgerissen worden, und jetzund auf ihre Spesen, Schlaug-Baumen machen zu lassen, erlaubt, so viel vonnöthen und füglich seyn kan, nicht weniger wie bis dato geschehen.»[16]

Trotz des Fehlens von Hinweisen zum Eruw im Hamburger Raum in den offiziellen Texten kann die Geschichte des Eruw und dessen religiöser und sozialer Stellenwert durch die unten vorgestellten Belege weitgehend rekonstruiert werden. Zuvor soll jedoch noch auf 2 Quellenarten verwiesen werden, in denen der Eruw öfter erwähnt wird. Es sind dies autobiographische Aufzeichnungen und literarische Werke, in denen der Eruw – oft in idealisierend-verklärender Weise – als Sinnbild vergangener Zeiten und der Umschlossen- und Geborgenheit im Ghetto und im ostjüdischen «Schtetl» begegnet. So berichtet etwa Doris Levy über ihren 1803 in Wasserträdingen (Mittelfranken) geborenen Großvater Hänlein Salomon Kohn: «Von den Großeltern Hänlein Salomon Kohn und seiner Frau Zierle ist viel Gutes zu erzählen. Großvater war sehr klug und gebildet, fromm und wohltätig. Seine christlichen Mitbürger sagten von ihm, er sei ein «christlicher Jud». Er sowie Großmutter erfreuten sich des größten Ansehens und allgemeiner Beliebtheit. Dem Großvater zu Liebe brachten sie, als eines der drei Stadttore abgebrochen wurde, eine Sabbatgrenze als Ersatz an. Das war so: Großvater liebte es sehr, von der Synagoge aus noch einen kleinen Spaziergang zu machen. Der Weg führte an dem ganz nahe gelegenen Mühltor vorbei. Nun darf ein frommer Jude aber am Sabbat nichts in der Tasche oder in den Händen tragen, wenn das Stadtgebiet nicht abgegrenzt ist. Nicht einmal ein Taschentuch darf es sein. So hätte Großvater gerade am Sabbat auf seinen Lieblingsspaziergang verzichten müssen. Und so kam es, daß seine Mitbürger in solch liebenswürdiger Weise ihrer Verehrung für ihn Ausdruck gaben.»[17]

Dieser Bericht über die Errichtung eines Eruw der Gebiete – er gäbe halachisch sicher Anlaß zu Bedenken – ist nicht nur wegen der konkreten Schilderung der kleinstädtischen und dörflichen Situation und der sozialen Beziehungen aufschlußreich. Er erinnert zugleich an die Stadterweiterungen und -entwicklungen im 19. Jahrhundert und an die damit verbundenen tiefgreifenden Veränderungen des traditionellen Stadtbilds durch die Erschließung neuer Flächen für Fabriken, Wohngebiete und Transportwege. Die Entfestigung von Klein-, Mittel- und Großstädten ist für unseren Zusammenhang insofern von besonderer Bedeutung, als viele der historischen Stadtbegrenzungen, die den Eruw der Gebiete gebildet hatten – ohne daß damit ein besonderes Aufsehen in der Öffentlichkeit verbunden war –, abgebrochen wurden und sich das Weichbild der Städte vergrößerte. Dies zeigt sich an Hand der Quellen in den nun häufiger entstehenden Auseinandersetzungen um den Eruw und seine Gebiete, bei denen sich in besonderer Weise (neo)orthodoxe und gesetzestreue Gemeinden zu Wort meldeten und auf die inzwischen gewährte Emanzipation verwiesen.

Ein Beispiel zum Eruw der Höfe findet sich in den Aufzeichnungen des Reformrabbiners Caesar Seligmann, der über die alte Synagoge in Landau/Pfalz berichtet: «Die Synagoge befand sich im ersten Stock. Es war ein kleiner, anheimelnder Saal mit Galerien für die Frauen. Die Fenster hatten kleine Butzenscheiben. In der älteren Zeit gab es keine festen Sitzreihen, sondern kleine Pulte (Ständer genannt) mit Messinghülsen für die Wachslichter. Gleich beim Eingang in die Synagoge hing ein aus hölzernen Leisten geflochtener Holzstern (Mogen David) von der Decke herab, auf dem die Eruw-Chazeros-Mazzo lag. Der Gottesdienst wurde, mit wenigen Kürzungen, ganz in der alt-orthodoxen Weise abgehalten. Alles schrie bei den Responsen der Gemeinde laut durcheinander. Und doch hat dieser Gottesdienst auf mich den stärksten Eindruck gemacht, den ich je von Gottesdiensten empfangen habe.» [18]

Neben diesen Berichten sind es vor allem jüdische Erzählungen und Novellen des 19. und 20. Jahrhunderts zum osteuropäischen Judentum, in denen der Eruw Erwähnung findet. Micha Josef Berdyczewski (bin Gorion) [19] berichtet über ein typisches «Schtetl»: «Friedlich und friedfertig glitt das Leben dahin in meiner Heimatstadt Tulna, gelegen am Flusse Tulisch in der herrlichen Südukraine. In den dreihundertzwanzig Häusern, die auf zwanzig Straßen rund um den Marktplatz verteilt waren, war alles enthalten, was zu einer vollkommenen Judengemeinde gehört: da gab es einen Rabbiner und zwei Schächter, einen Kantor und etliche Bethausdiener, einen Arzt und einen Bartscherer, Armenpfleger für die Lebenden und eine Brüderschaft zur Betreuung der Toten; außerdem aber zwei Bethäuser, ein altes Badehaus, ein Siechenhaus, Lehrstuben für die Kleinen und

Kleinsten. Um auch am Sabbat Gegenstände tragen zu dürfen, was sonst verboten ist, besaß die Stadt einen Eruw, eine Umzäunung, die sie gleichsam umschloß und zu einem großen Familienhaus machte.»[20] In der Novelle «Vögele der Maggid» von Aron David Bernstein[21], in der der Eruw eine wichtige dramaturgische Funktion ausübt, wird er wie folgt erklärt: «Es steht geschrieben, daß wir Juden sollen den Schabbos heiligen, und sollen nicht Lasten tragen aus unsern Behausungen. Nun aber muß man doch einen Betmantel, ein Gebetbuch und auch ein Schnupftuch, eine Tabaksdose und dergleichen, oder gar ein Getränk oder eine Speise am Schabbos von einem Haus zum andern tragen. Da haben nun unsere Weisen, gesegneten Angedenkens, gelehrt, daß wenn mehrere Behausungen sich zu einem Gebiete vereinigen, so soll das ganze Gebiet so gut sein, wie ein einzig Haus. Wenn man nun eine Mauer herumzieht um die ganze Stadt, so werden alle vereinzelten Behausungen zu Einem Gebiet; denn die Mauer ist so gut wie ein Haus. Wenn nun aber keine Mauer ist um die Stadt, so macht man an allen Eingängen einen Torweg; denn ein Torweg ist so gut wie eine Mauer, und eine Mauer ist so gut wie Ein Haus. Und darum macht man einen Eruw, d. h. eine «Vereinigung» aller Behausungen, aus zwei Stangen, die man aufrichtet und die man miteinander durch einen Draht wie ein Torweg verbindet!»[22] Stefan Hock hat darauf hingewiesen[23], daß die Juden bei Bernstein «förmlich außer der christlichen Welt» existieren und wir in den Geschichten «wirklich nur innerhalb des ‹Eruws›, jener Drähte, die am Sabbat das Gebiet der Gemeinde symbolisch umfassen, (leben).»[24]

Der Eruw erscheint hier und auch anderswo als literarisches Motiv, als Element und Zubehör eines idyllischen und idealisierten Ghettos und Sinnbild der religiösen und sozialen Abgrenzung. Diese Abgrenzung wird nicht beklagt oder bekämpft, sie dient vielmehr als Voraussetzung einer eigenen soziokulturellen Entfaltung und der Geborgenheit und Sicherheit der Gruppe. Beachtenswert bleibt die hier deutlich gewordene Zuweisung neuer Funktionen des Eruw, die über die ursprüngliche religiöse Intention der Sabbatheiligung hinausgehen.

II.

Durch eine Kombination von (auch sprachlich) unterschiedlichen Quellenarten – jüdische Traditionsliteratur, herkömmliche Archivalien jüdischer und nichtjüdischer Provenienz, Tagesliteratur, Kartenmaterial und andere gedruckte Publikationen – soll im folgenden der Geschichte der zuvor behandelten Institution des Eruw im Hamburger Raum nachgegangen werden. Sowohl in methodologischer wie auch in inhaltlicher Hinsicht kann eine Bestandsaufnahme der vorliegenden Tatbestände und deren Analyse und Interpretation in einem regional (nicht aber chronologisch) eingegrenzten Bereich neue Sichtweisen eröffnen. Methodologisch soll dies durch die Quellen-Kombination, bzw. -Diversifikation erreicht werden, inhaltlich wird die Erschließung eines neuen Arbeitsfeldes intendiert, bzw. das Hinführen zu bisher in der Forschung vernachlässigten Gegebenheiten. Diese – zugegebenerweise recht hoch gesteckten – Absichten und Ziele sind freilich sogleich wieder in dem Sinne einzuschränken, daß eine vollständige und systematische Durchsicht und Auswertung der (v. a. jüdischen) Bestände, die jetzt noch nicht vorliegt und in absehbarer Zeit auch nicht zur Verfügung stehen wird, im Einzelfall bestimmte Arbeitsergebnisse relativieren, verifizieren oder auch falsifizieren kann. Die Breite und Dichte des zur Verfügung stehenden Materials erlaubt es freilich schon jetzt, Erkenntnisse vorzustellen, die paradigmatisch einen Aspekt der deutsch-jüdischen Geschichte erhellen, der zugleich ein Teil der Hamburger Stadt- und Regionalgeschichte ist.

1. Altona

Neben dem zuvor vorgestellten Zitat von Schudt findet sich einer der frühesten Hinweise auf das Vorhandensein des Eruw im Hamburger Raum in dem Responsenwerk des nachmaligen Rabbiners der Altonaer Gemeinde Zwi Aschkenasi, das nach dessen Beinamen «Chacham Zwi» benannt ist.[25] Zwi Aschkenasi wurde 1660 in Mähren geboren und kam nach der Heirat mit der Tochter des Altonaer Rabbiners Meschullam Salman Mireles um 1690 nach Altona, wo er bis 1710 blieb. Als einer der angesehensten Talmudgelehrten seiner Zeit wurde er in diesem Jahr als Oberrabbiner der aschkenasischen Gemeinde nach Amsterdam berufen, er starb 1718 in Lemberg. Besondere Bedeutung in der Gemeinde Altona und darüber hinaus erlangte um die Mitte des 18. Jahrhunderts sein Sohn Jakob Emden.[26]

Das Hauptwerk Aschkenasis, «Chacham Zwi», das eine Vielzahl von interessanten und wichtigen Beobachtungen zum jüdischen Gemeindeleben des späten 17. und frühen 18. Jahrhunderts enthält, behandelt mehrfach das halachisch korrekte Vorgehen bezüglich des Eruw.[27] In der Antwort Nr. 111 berichtet er, daß er im Jahre 1689 von der Türkei kommend durch Fürth gereist sei und festgestellt habe, daß die Stadt nicht von Mauern umgeben und ein religionsgesetzlich zulässiges Tragen von

Bei dem Judenthore

Ende der Großen Elbstraße in Altona um 1865 (Staatsarchiv Hamburg)

Gegenständen am Sabbat nicht möglich gewesen sei. Die (jüdischen) Bewohner der Stadt hätten darauf hingewiesen, daß dies immer so üblich gewesen sei und daß sie sich hierbei auf den «Eruw in der Synagoge» (Eruw der Höfe) stützten. Ihre Ansicht wird von Zwi Aschkenasi zurückgewiesen, der dies mit der örtlichen Situation der Baulichkeiten begründet.[28]

Die Antwort Nr. 112 behandelt die Situation in Hamburg, wobei aus den Ausführungen deutlich wird, daß die Verhältnisse in der Dreigemeinde angesprochen werden. Die Antwort beginnt mit den Worten: «Als ich vor 22 Jahren in die heilige Gemeinde Hamburg kam, sah ich, daß es viele Synagogen in der Stadt gab und in jeder Synagoge hatte man ein Brot im Namen des Eruw niedergelegt, wie es der Brauch des Eruw-Legens in den Synagogen war. Da sagte ich zu ihnen: Ihr irrt in Bezug auf den Eruw.» Nach Ansicht von Zwi Aschkenasi ist es halachisch nur zulässig, den Eruw in *einer* Synagoge für die ganze Gemeinde zu legen, die zuvor ausgeübte Praxis wird von ihm für ungültig erklärt.[29]

Die Ausführungen von Zwi Aschkenasi, der nach dem Tode von Meschullam Salman Mireles im Jahre 1707 das Altonaer Rabbinat wechselweise mit Mosche Rothenburg bis 1710 ausübte, finden ihre Ergänzung und Bestätigung durch Angaben in den Steuerkontenbüchern der Altonaer Gemeinde in Altona. Bevor hierauf eingegangen wird, ist darauf hinzu-

18

weisen, daß nach Haarbleicher[30] die drei Judengemeinden Altona, Hamburg und Wandsbek im 18. Jahrhundert 6 Synagogen besaßen, hinzu kamen noch etliche private Betstuben. Die früheste Mitteilung über eine Synagoge in Altona datiert aus dem Jahre 1630.[31] Christian V. genehmigte 1680 den Bau einer neuen Synagoge in der Breiten Gasse, bzw. der späteren Kleinen Papagoyenstraße, die 1711 abbrannte und 4 Jahre später wieder aufgebaut wurde.[32] Die privaten Betstuben in Altona waren auf Betreiben der Gemeine 1714 und auf staatliche Anordnung 1722 verboten worden.[33]

Die systematische Auswertung der Steuerkontenbücher der Altonaer Gemeinde in Altona[34] für die Zeit von 1697 bis 1720 hat ergeben, daß bereits zum Ende des 17. Jahrhunderts mit größter Wahrscheinlichkeit der Eruw als rituelle Einrichtung anzutreffen war.[35] Angaben hierzu enthalten als erstes fortlaufende Eintragungen im Konto des Juspa Ben Natan Levi[36], der offensichtlich von der Gemeinde beauftragt worden war, die finanzielle Abwicklung in Sachen des Eruw vorzunehmen. Diese Transaktionen werden im folgenden genauer dargestellt, bevor dann unter Hinzuziehung ergänzender Quellen zusätzliche Informationen vermittelt werden sollen.

Ein erster Eintrag zu unserem Gegenstand erscheint im ältesten Steuerkontenbuch (48. 1, S. 78 = 1697–1704) im Konto des erwähnten Juspa Ben Natan Levi. Es heißt dort:[37] «... Kislew 461 [Am ... des Monats Kislew 1701] zahlt er an Voss[38] wegen des Tragen am Sabbat [ṭilṭul schabbat][39] 36 Mark.» Weiter heißt es an gleicher Stelle: «Am 13. Nisan 463 (unleserlich) wegen des Tragens am Sabbat [ṭilṭul schabbat] vom Jahr 461 [1701] bis zum Jahr 462 [1702] 24 Mark.»

Ganz deutlich wird der Sachverhalt, wenn wir uns dem folgenden Steuerkontenbuch (48. 2, S. 130 = 1704 bis 1710) zuwenden. Die Haben-Seite des Kontos von Juspa Ben Natan Levi beginnt mit folgender Buchung: «Wegen des Tragens am Sabbat kommt Juspa Ben Levi laut dem alten Steuerkontenbuch vom Jahre 463 [1703] auch 464 [1704] – jedes Jahr er gezahlt hat an die Voss'sche[40] 12 Schuk [Mark], tot. 24 Schuk [Mark].» Die erste Bezeichnung des Sachverhalts mit dem Terminus technicus «Eruw» findet sich in der folgenden Eintragung (Zeile 7): «Wegen Eruw kommt Juspa was er gezahlt hat an die Bräuersche[41] 12 Schuk [Mark] bis Tischri 466 [1706].» Die nächsten beiden Gutschriften «wegen Eruw» über die Zahlung von jeweils 12 Mark bis Tischri 467 [1706], bzw. Tischri 468 [1707] nennen als Empfänger eine «Bräuersche»,[42] bzw. «Brauer Voss»[43]. Auch in den beiden folgenden Jahren bis Tischri 469 [1708] und bis Tischri 470 [1709] werden dem Kontoinhaber jeweils 12 Mark gutgeschrieben, ohne daß Empfänger angegeben werden. Zwischen den beiden letzten Eintragungen findet sich der Vermerk: «Noch kommt ihm 15 Schuk [Mark] wegen einem Behälter (sefel) darin Dukaten (?), den er durch Schmu'el Schammasch gezahlt hat wegen Eruw an den Bäcker (ofeh) Hinerk Lau [44] in Ijjar 469 [1709]» (Zeile 18 f.).

Eine letzte Buchung mit dem Stichwort Eruw ist auf dem Konto Juspas im sich anschließenden Steuerkontenbuch nachweisbar (48. 3, S. 150 = 1711–1714). Er heißt dort (Zeile 6): «Noch kommt der Erwähnte, daß er bezahlt hat an Peter Voss [45] wegen Sabbatschnur [ḥevel šel ʿeruv] 12 Schuk [Mark].» Der Eintrag steht zwischen zwei Buchungen mit den Daten Cheschwan 471 [Oktober 1710] und Tammuz 471 [Juli 1711]. Damit enden die Eintragungen, bzw. Gutschriften auf dem Konto des Juspa Ben Natan Levi.

Diese nüchternen Angaben in den Steuerkontenbüchern enthalten eine Vielzahl von wichtigen und wertvollen Informationen. Aus dem 2., 3., und in aller Deutlichkeit aus dem 4. Eintrag ist zu ersehen, daß per annum 12 Mark für das Tragen am Sabbat bzw. den Eruw, an einen Empfänger entrichtet worden sind. Dem 1. Eintrag ist zu entnehmen, daß 36 Mark gezahlt wurden, die offensichtlich für die zurückliegenden 3 Jahre geleistet wurden, da nach dem 2. Eintrag im Anschluß hieran Beträge für die folgenden Jahre 461 [1700/01] und 462 [1701/02] notiert sind.

Dies legt die Annahme sehr nahe, daß die erstgenannten 36 Mark für den Zeitraum 458–461 [Herbst 1697–Herbst 1700] nachzuentrichten waren bzw. entrichtet wurden. Für die Folgezeit wiederholen sich regelmäßig die Zahlungen in Höhe von 12 Mark per annum.

Hieraus folgt, daß mit größter Wahrscheinlichkeit seit 1697 in Altona ein Eruw vorhanden war, der zunächst einmal bis zum Jahre 1711 fortdauerte. [46] In diesem Zeitraum wurden pro Jahr 12 Mark von Juspa Ben Natan Levi an bestimmte Empfänger abgeführt, die die Errichtung von Sabbat-Eingrenzungen auf ihren Grundstücken zuließen. Ob bereits vor 1697 ein Eruw vorhanden war, läßt sich wegen des Fehlens früherer Quellen ebensowenig feststellen, wie auch die Frage nicht zu beantworten ist, ob die Einrichtung des Eruw auf Betreiben von Zwi Aschkenasi zurückgeht, obwohl einiges für diese Annahme spricht.

In der Folgezeit sind Buchungen unter dem Stichwort «Eruw» auf dem Konto des Juspa nicht mehr nachweisbar. Erst neun Jahre später ist im Steuerkontenbuch 48. 5, S. 281 = 1714–1724 auf dem Konto des Schmu'el Bar Meʼir [47] eine Gutschrift von 42 Reichstalern = 126 Mark festzustellen, bei der das Stichwort «Eruw» wiederum auftaucht. Es heißt dort: «Am 5. Elul 480 [1720] [sind] auf Anordnung der Gemeinde ihm auf sein Blatt abzuschreiben [= gutzuschreiben] wegen Miete in Bezug auf Eruw bis zum heutigen Tage 42 Reichstaler.» Dieser ungewöhnlich hohe Betrag

20

wirft Fragen auf. Es ist möglich, daß es sich hierbei um eine nachträgliche Zahlung für die 10 Jahre (1710/11–1720) handelt. Hierfür spricht, daß der Jahresbeitrag annähernd dem Betrag von 12 Mark per annum entspricht, die Juspa Ben Natan Levi regelmäßig gezahlt hat, die chronologische Lücke wäre auf diese Weise geschlossen. Etliches spricht dafür, daß Schmu'el auch als Schammasch (Gemeindediener)[48] fungierte: Nicht nur die erwähnte Nennung im Konto des Juspa in Verbindung mit dem Eruw, die Tatsache, daß ihm auf seinem Konto auf der gleichen Seite (fol. 140) für «Schulklopfen» (Bekanntgabe der Gebets- bzw. Gottesdienstzeiten durch Klopfen an der Haustür) 25 Reichstaler gutgeschrieben und auch die Eintragung auf seinem Grabstein. Demnach hätte Schmu'el im Auftrag und für die Gemeinde die für den Eruw notwendigen Zahlungen getätigt. Die folgenden Steuerkontenbücher enthalten auf dem Konto des Schmu'el keine diesbezüglichen Eintragungen mehr.

Die in den Steuerkonten erwähnten Personennamen vermögen weiteren Aufschluß über den Sachverhalt zu geben, sie sind in der Stadtgeschichte Altonas wohlbekannt. Bei den Namen, bzw. Bezeichnungen wie «Voss, Voss'sche, Bräuersche, Brauer Voss und Peter Voss» handelt es sich um Angehörige der Mennoniten-Familie de Voss, deren Stammvater Pieter (Peter) I. de Voss nach 1627 nach Altona gekommen war.[49] Peter I. de Voss erhielt nach 1641 das zweite Brauerei-Privileg in Altona und kaufte 1642 ein Haus an der Breiten und Langen Straße, wo die Brauerei wohl 1647 errichtet wurde.[50] Beim Brand am 2. November 1711 wurde das Gebäude ein Raub der Flammen.[51] Offensichtlich wurde die Brauerei aber sogleich wieder aufgebaut. In seiner «Beschreibung der Stadt Altona» führt Ludolf Hinrich Schmid hierzu aus: «Denn das Feuer, so in diesem Jahre, den 1. Novembr. auskam, betraf nur die breite und lange Strasse, mit welcher auch die Judenschule nebst 200. Häusern im Rauche aufging. Der Schade ward balde wieder ersetzt, und die mehresten Häuser stunden wieder, als die ergrimmeten Schweden Ao. 1713. solche wieder in die Asche legten. Jedoch stehen noch diese Stunde [1747] einige Häuser, die nach diesem Brande Ao. 1711 wieder erbauet worden, als unter andern die so genannte alte Vossen Brauerey.»[52] Das Gebäude überstand den Schweden-Brand vom 8./9. Januar 1713, Schmid berichtet: «In der breiten Straße in Vossen Brauerey hatten sich viele Brauerknechte versammlet, welche die hinein kommende schwedische Soldaten, so anstecken wollten, todtschlugen, und daher dieses Haus retteten.»[53]

Im Jahre 1711 gehörte das Gebäude und die Brauerei Breite Gasse/Ecke Lange Gasse der Esther Jansen de Voss, die auch noch Grundstücke in der Langen Gasse, Mühlen-Gasse, Kirchengasse und Böhmken-Gasse besaß.[54] Bei dem in den Steuerkontenbüchern erwähnten Peter Voss handelt es sich um Peter IV. de Voss (1681–1717), der in erster Ehe mit Maria, der Tochter des Carel de Vlieger, des bedeutendsten Hamburger Reeders seiner Zeit, in zweiter Ehe mit einer Goverts verheiratet war.[55] Ihm gehörte die andere Brauerei der Familie de Voss, die an der Elbegasse, der späteren Kleinen Elbstraße am Fischmarkt, lag und in der der Brand am 2. November 1711 gegen 22 Uhr ausbrach.[56] Unter den Namen der Abgebrannten des Schwedenbrandes vom 8. und 9. Januar 1713 findet sich auch der im Steuerkontenbuch 48.2 genannte Bäcker Hinrich Lau, dessen Grundstück in der späteren Großen Brauerstraße lag.[57]

Die unterschiedliche Schreibung des Namens Voss in den jüdischen Quellen, die im übrigen eine Entsprechung in deutschsprachigen Texten hat,[58] läßt keinen Zweifel daran aufkommen, daß sowohl an Peter IV. de Voss wie auch an Esther Jansen de Voss jährlich bestimmte Beträge von der jüdischen Gemeinde als Gebühr für errichtete Eruw-Begrenzungen abgeführt worden sind. Lückenlos läßt sich diese Tradition bis in das Jahr 1711 nachweisen. Danach stocken wegen des Brandes, der Zerstörungen und der kriegerischen Handlungen die Zahlungen, sie werden erst später wieder aufgenommen. Eine genaue topographische Fixierung läßt sich wegen der zahlreichen im Besitz der Esther Jansen de Voss befindlichen Grundstücke kaum vornehmen. Die Brauerei des Peter de Voss befand sich im südöstlichsten Gebäude der damaligen Stadt, die Brauerei der Esther Jansen de Voss lag östlich der Synagoge und der sie umgebenden jüdischen Häuser,[59] das Grundstück des Bäckers Hinrich Lau südlich dieses Gebiets. Eine genauere Kennzeichnung dieses Eruw der Gebiete ist leider nicht möglich.

Eine exakte Festlegung der Eruw-Begrenzungen ist erst für das 20. Jahrhundert nachweisbar. Die Einrichtung selbst hat aber ohne Zweifel im 18. und 19. Jahrhundert bestanden, wofür sich etliche überzeugende Belege vorweisen lassen. Analog zu dem oben beschriebenen Verfahren, bei dem Einzelpersonen im Auftrag der Gemeinde Grundstücksbesitzern für anzubringende Drähte oder Schnüre ein Entgelt zahlten, dürfte auch in der Folgezeit vorgegangen worden sein. Diese privaten Absprachen und Abwicklungen lassen sich in den herkömmlichen historischen Quellen kaum nachweisen. Die bisherige Auswertung der Magistratsakten der Stadt Altona und der Oberpräsidialprotokolle haben keinen Versuch der Einflußnahme von seiten der städtischen Behörden erkennen lassen, obwohl dies nicht ganz auszuschließen ist. Daß sich die Bezeichnung «Judentor» für derartige Vorrichtungen allmählich durchsetzte, ist kartographisch für das frühe 19. Jahrhundert nachzuweisen, wo sich in einer Karte Altonas aus dem Jahre 1802 neben dem Schlachterbudentor (Breite Straße) die Bezeichnung «Juden Thor» findet.[60] Die Karte von Dilleben, Altona im Jahre 1737, wird später u. a. wie folgt charakterisiert: «Sehr groß ist die Zahl der Veränderungen, welche der treffliche Plan Dillebens gegen den früheren Plänen aufweist. Beginnen wir beim Elbufer, so sehen wir, daß die große Elbstraße nunmehr im Großen und Ganzen schon die Gestalt erhalten hat, in der sie dann bis auf die neueste Zeit verblieben ist, d. h. sie hat den Charakter einer Straße bis zu dem späteren Judenthore erhalten, dem Punkt, wo jetzt der Elbberg abzweigt.»[61] Zu dieser Zeit waren auf Grund des Collegienbeschlusses vom 13. 3. 1861 im Mai dieses Jahres Pinnastor, Schlachterbudentor, Trommeltor, Nobistor und Hummeltor bereits niedergelegt.[62]

Eine charakteristische Beschreibung der Situation findet sich in der Reiseliteratur des späten 18. Jahrhunderts, nämlich bei Johann Hermann Stoever.[63] Die Schilderung ist nicht nur wegen der konkreten Einzelheiten wichtig, sie ist vor allem wegen einer angeführten Behauptung interessant, die sich vielerorts in späteren Darstellungen wieder antreffen läßt. Stoever schreibt: «Altona ist ein ganz offener Ort, und man findet blos nach der Hamburgischen Grenze zu hölzerne Sperrthore, die im Winter Abends um 8, und Sommers um 10 Uhr geschlossen werden. An den übrigen Auswegen der Stadt findet man der hier wohnenden zahlreichen Juden halber, die in Folge des mosaischen Gesetzes keine Nacht in einem unverschlossenen oder unbefestigten Orte sich aufhalten sollen, die sogenannten Judenthore, die in der unüberwindlichen und unzerstörbaren Maße eines über zwey dünne hölzerne Pfähle in einer Höhe von etwa 12 Fuß gezogenen eisernen Drahtes bestehen. Ist diese stricte Gesetz-Observanz der Hebräer nicht eben so sehr zu bewundern, als die Feinheit, mit der sie die Vorschriften und Befehle ihres Propheten nach ihren Bedürfnissen auszulegen und zu deuten, oder eigentlich zu chikanieren wissen? So bleibt die Religion, wie ihre Tochter, die Gerechtigkeit, immer das Bild mit der wächsernen Nase, die man drehen und formen kann, wie man will, wenn man sie nur nicht ganz abstößt! Die Freiheit sich mit einem eisernen Drahte einzumauern und zu befestigen, und die Unterhaltung dieser Festungswerke soll übrigens den Israeliten jährlich ein artiges kosten.»[64]

Die in dieser Stellungnahme vorgebrachte Behauptung, daß Juden sich auf Grund eines «mosaischen Gesetzes» nur in umschlossenen und befestigten Städten oder Örtlichkeiten aufhalten dürfen, entbehrt jeder sachlichen Grundlage. Offensichtlich wußte Stoever – und nicht nur er – nichts über die Gründe für derartige Vorrichtungen und referierte in der nichtjüdischen Bevölkerung umlaufende Gerüchte. Der Sachverhalt wird von ihm als Kuriosität und nicht ohne interessierte Anteilnahme dargelegt. Daß diese Behauptung auch als antijüdisches Argument instrumentalisiert werden konnte, zeigt ein Beleg aus dem Jahre 1848, der sich in der Zeitung «Die Reform» findet. Dort heißt es: «Die Juden-Thore. Die Stadt Altona hat einige Merkwürdigkeiten und Alterthümer, die man in dem ganzen übrigen Deutschland vergeblich sucht und höchstens nur noch in dem gesegneten Polen, dem Paradiese der Juden und Läuse, der Edelleute und des Branntweins findet. Zu diesen merkwürdigsten Alterthümern gehören die fünf oder sechs Judenthore, die in der Höhe von 16 Fuß über der Straße gespannten Stricke, wo die Reihe der Häuser wie z. B. in der Feldstraße, in der Friedrich- und Holsten-Straße usw. zuletzt nicht mit einem hölzernen oder steinernen Thore abschließen. Irgend einer von ihren halbnärrischen Rabbinern hat den Juden, die ihm glauben wollen, das Gebot aufgeschwatzt, die Kinder Israels dürften nur in Städten wohnen, die Mauern und Thore haben, d. h. zu Deutsch in Nummer Sicher. Allein da es in unsern Tagen so viele Städte giebt, in welchen die Juden gerne wohnen, welche jedoch gar keine Mauern und oft auch gar keine oder wie Altona nur Thore nach einer Seite hin haben, so wissen die Scharfsinnigen, welche doch das Rabbi-Gebot nicht grade übertreten wollen, sich dadurch ihr Gewissen rein zu erhalten, daß sie in der Erinnerung an den gehängten Haman sich mit Hülfe der Polizei jene Galgenthore erbauen.

Diese Thore lassen freilich der Stadt Altona recht hübsch; und es liegt eine besondere Ehre für uns Altonaer darin, täglich mehrere male unter solchen jüdischen Strickgalgen durchzugehen; so wie es ein schönes Licht auf unsre Bildung wirft, auf offener Straße rabbinische Geschmacklosigkeiten uns über den Kopf ziehen zu lassen, und endlich die Weisheit unsrer Polizei beweiset, Alles zum Besten, nämlich zu ihrem Besten, zu verwenden, sogar die jüdischen Strickgalgen.» [65]

Obwohl in der folgenden Ausgabe der «Reform» ein Leser Protest gegen die Tendenz des Artikels erhebt und sich hieran eine Kontroverse anschließt, ist es leider zu einer sachlichen Richtigstellung und Erklärung der Gegebenheiten nicht gekommen. [66] So nimmt es nicht Wunder, daß in einem Artikel im «Hamburger Echo» aus dem Jahre 1919 das gleiche Erklärungsmodell auftaucht. In dieser – den Juden gegenüber sehr positiv eingestellten – Beschreibung wird u. a. ausgeführt: «Nach einer Vorschrift des Talmud durften Juden, falls sie in Städten wohnen wollten, nur in solchen sich niederlassen, die durch Tore gegen äußere Gefahren gesichert sind. Da in früheren Zeiten aber nahezu jede Stadt mit Mauern und Toren versehen war, so stand dem Wohnen in diesen kein religiöses Hindernis im Wege. Eine Sonderstellung nahm in dieser Hinsicht aber Altona ein, da es niemals befestigt und durch Tore und Mauern gesichert war. Aus diesem Grunde wäre den Juden ein dauernder Aufenthalt in Altona nicht gestattet gewesen, der ihnen doch so große Vorteile bot.» Im weiteren Verlauf wird die

Einrichtung der Judentore beschrieben, außerdem führt der Verfasser die Lage der einzelnen Tore an und folgert: «Eine Beseitigung der eigenartigen Anlagen, über deren tatsächliche Zwecklosigkeit heute wohl niemand mehr im unklaren sein dürfte, wäre aber aus historischen Gründen dennoch zu beklagen. Unzweifelhaft sind die Tore ein wertvolles kulturhistorisches Dokument.» [67]

Eine ins Detail gehende Auflistung der Belege zu den Judentoren in der landeskundlichen und topographischen Literatur Altonas kann hier unterbleiben, da sich diese Angaben in dem erwähnten Aufsatz von mir nachlesen lassen. [68] Festzuhalten bleibt, daß sich die rituelle Institution des Eruw in Altona seit dem späten 17. Jahrhundert nachweisen läßt und sich in der im 19. und 20. Jahrhundert als wichtiges Zentrum und Stütze der Orthodoxie geltenden Gemeinde erhalten hat. Zwei Belege, die von der selbständigen und selbstbewußten Haltung des Altonaer Rabbinats Zeugnis ablegen, sollen im folgenden vorgestellt werden.

In den sechziger Jahren des 19. Jahrhunderts wendet sich der Distriktsrabbiner Seligmann Bär Bamberger [69] in Würzburg an den Stadtmagistrat und bittet, durch den Bau neuer Main-Brücken notwendig gewordene Eruw-Eingrenzungen errichten zu dürfen. [70] Ein erstes Gesuch wird positiv beschieden, ein weiteres – wegen einer neuen Straße – abgelehnt. Bamberger wendet sich nun an die Königliche Regierung von Unterfranken und Aschaffenburg (Kammer des Innern) und fügt seinem Schreiben eine Reihe von Gutachten hochanerkannter orthodoxer Rabbiner bei. [71] Als erstes wird das Gutachten des Altonaer Oberrabbiners Jacob Ettlinger [72] vorgelegt. Ettlinger schreibt am 5. März 1866: «In Ihrem sehr geschätzten Schreiben vom 26ten v. M. verlangen Sie von mir ein Gutachten über die Nothwendigkeit von Sabbatdrähten an Orten welche nicht ganz umschlossen sind. Diesem entsprechend erkläre ich, daß uns am Sabbat das Tragen irgend eines Gegenstands vom Hause auf die Straße oder umgekehrt an Orten, welche nicht mit einer Mauer umgeben und ohne fragliche Einrichtung sind, von unserm h. Religionsgesetze verbothen ist; wie solches unzweifelhaft auch Ihnen bekannt seyn wird; daß ferner um das Tragen nach Religionsvorschrift zu ermöglichen, die Anbringung von sogenannten Sabbatdräthen nach ritueller Einrichtung von jeher und ohne Bestand üblich war, so wie auch hier schon seit fast zwey Jahrhunderten solche besteht. Als vor einigen Jahren durch Erweiterung der Stadt die weitere Anbringung von solchen Dräthen nothwendig ward, wurde uns die Erlaubniß dazu von unserer Behörde neuerdings gegeben, für welche humane und tolerante Gestattung wir derselben den größten Dank zollen.» [73]

Als sich die Israelitische Gemeinde Wandsbek mit einer Beschwerde gegen eine Verfügung der Polizei-Behörde «betr. Entfernung eines s. g.

Judenthores» an den Königlichen Regierungspräsidenten in Schleswig wendet, äußert sich der Verweser des Oberrabbinats Altona Elia Munk[74] gutachterlich und führt am 3. 4. 1894 u. a. aus: «Selbstverständlich ist diese Einrichtung unnöthig, wenn der Wohnort durch Festungswerke, sonstige Mauern, Wälle, Gräben, Stadtthore u. dergl. ohnehin in genügender Weise abgegrenzt ist. Es war daher stets das Bestreben der Juden überall da, wo Begrenzungen in letztbezeichneter Weise nicht vorhanden waren, die s. g. Sabbathsthore einzurichten, welche früher in zwei Pfeilern und einem Querbalken bestanden haben. Zu unserer Zeit werden die Pfeiler durch je eine eiserne Stange von mindestens 4 Fuß Länge ersetzt, über welche in einer Höhe von 20 Fuß und darüber in derselben Richtung ein Metalldrath angebracht ist.

Soweit hier bekannt, haben die betreffenden Behörden die Gesuche der jüdischen Gemeinde zur Herrichtung der Sabbathsthore überall bereitwilligst genehmigt. Auch der hiesige Magistrat hat am 10. October 1862 seine Einwilligung zur Errichtung von Sabbathsthoren in den erweiterten Stadtteilen erneuert.

Nur in solchen Städten, wo die Oertlichkeiten – wie in dem benachbarten Hamburg – eine Anbringung derartiger Thore absolut unmöglich machen, sind die Juden gezwungen, sich des Tragens jeglicher Gegenstände an Sabbathen zu enthalten, wodurch die Entweihung derselben fast unausbleiblich wird. Daher ist es Pflicht einer jeder jüdischen Gemeinde für Herstellung und Unterhaltung der Sabbathsthore Sorge zu tragen.»[75]

Die erwähnte Einwilligung des Altonaer Magistrats vom 10. Oktober 1862 ist in einer Abschrift überliefert, deren Korrektheit der Oberrabbiner Dr. Loeb[76] am 4. Mai 1888 bescheinigt hat. Sie hat folgenden Wortlaut: «Auf die von den Herren Aeltesten und Vorstehern der hiesigen Hochdeutschen Israelitengemeinde am 8ten März und 19.ten September d. J. eingereichten Gesuche betreffend Anlegung sogenannter Judenthore wird denselben nach desfalls erstatteten Bericht der städtischen Baucommission hiedurch zum Bescheide ertheilt, daß die Errichtung jener sogenannten Judenthore bis auf Weiteres unter folgenden Bedingungen der Gemeinde werde gestattet werden:

1. Die Judenthore sind herzustellen durch dünne metallene Drähte, welche höchstthunlich und zwar in einer Höhe von mindestens 20 Fuß quer über die Straße gehen und durch schmale eiserne Stangen welche in einer Höhe von 4 Fuß an den zu den Seiten liegenden Gebäuden angebracht werden,

2. nach dieser Vorschrift sind alle bereits vorhandenen und neu anzulegenden Judenthore einzurichten,

3. die israelitische Gemeinde hat einen Aufseher zu bestellen welcher

bei eigener Verantwortlichkeit dafür sorgt, daß etwa an den Dräthen sich anhängende Gegenstände schleunigst von denselben entfernt werden,

4. die israelitische Gemeinde hat die Zustimmung der Eigenthümer derjenigen Gebäude an welchen sie Judenthore anbringen will zu erwirken,

5. bevor ein Judenthor gesetzt wird, ist die spezielle Genehmigung der Baucommission einzuholen.»[77]

Im Gegensatz zu vielen anderen (liberalen) Gemeinden, die der rituellen Institution des Eruw seit dem 19. Jahrhundert keinerlei Bedeutung mehr einräumten, bestand der Altonaer Eruw bis in die dreißiger Jahre dieses Jahrhunderts. Kontroversen mit den kommunalen Behörden der Stadt über den Eruw sind nicht bekannt geworden. Zu Beginn der dreißiger Jahre verlief der Eruw an folgenden Häusern:

Scheelplessenstr. 7
Gr. Rainstr. 162–79
Hahnenkamp 12–13
Bismarckstr. 28
Erzbergerstr. 21
Lobuschstr. 24
Braunschweigerstr. 3
Ottensener Marktplatz 11–8
Kaiserstr. – Elbberg
Gr. Elbstr. 222
Fischmarkt – Hamburger Grenze
Kl. Elbstr. 1
Schlachterbuden 2
Hochstr. 5–10
Lindenstr. 4–5
Nobistor 1
Ferdinandstr. 12
Gr. Roosenstr. 1
Brigittenstr. 6
Paulstr. 7
Gr. Gärtnerstr. 1
Amselstr. 1
Kl. Gärtnerstr. 5
Nachtigallenstr. 1
Juliusstr. 35
Parallelstr. 45.[78]

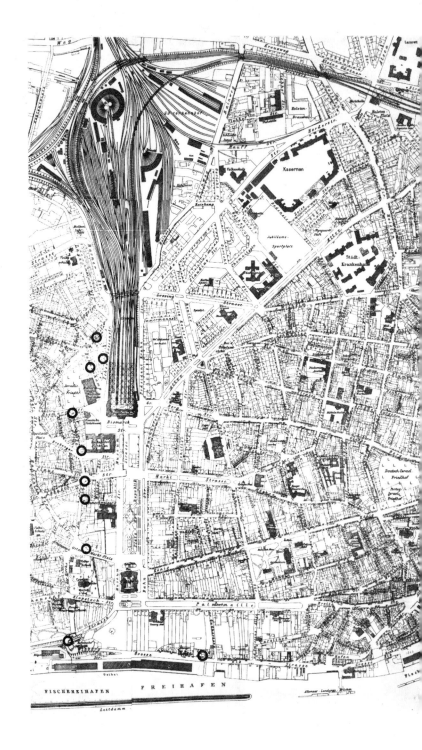

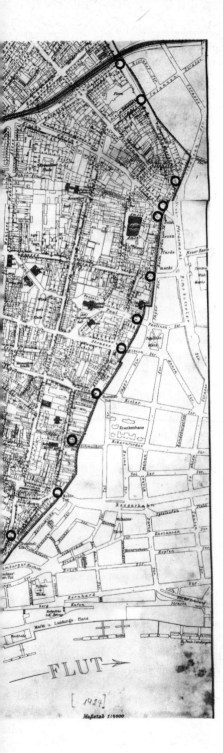

Plan von Altona aus dem Jahre 1924
mit den eingetragenen Judentoren,
vgl. Seite 27 (Staatsarchiv Hamburg).

2. Hamburg

Während die Quellenlage bezüglich der vorgegebenen Thematik für Altona befriedigend bis gut ist, sind die Verhältnisse für Hamburg nicht so günstig. Dies hat nicht zuletzt seinen Grund darin, daß sich auf Grund der topographisch völlig andersartigen Gegebenheiten bestimmte (etwa für Altona relevante) Fragen und Probleme hier nicht stellten und deshalb auch keinen – oder kaum einen – Nachhall in den Quellen finden.

Die durch Johann von Valckenborgh v. a. im zweiten Jahrzehnt des 17. Jahrhunderts errichteten Befestigungs- und Verteidigungsanlagen umschlossen die Stadt und bildeten eine durchgehende Begrenzung, welche den Erfordernissen des Eruw der Gebiete vollkommen entsprach. Die Umwallung war bereits vorhanden, als sich im Verlaufe des 17. Jahrhunderts die aschkenasische (hochdeutsche) Juden-Gemeinde Hamburgs allmählich vom Altonaer Patronat zu lösen und zur organisatorischen Selbständigkeit zu gelangen vermochte. Erst in der 2. Hälfte des 19. Jahrhunderts nach dem Fallen der Torsperre zum Jahreswechsel 1860/61 und dem Ausbau eines Eisenbahn- und Straßennetzes im Zuge der Stadterweiterung und im Prozeß der Verstädterung änderten sich die topographischen Gegebenheiten grundlegend.[79] Die oben zitierte Äußerung von Munk trägt diesen neuen Verhältnissen schon Rechnung.

Ein weiterer Grund für das weitgehende Fehlen von Belegen ist sicher darin zu sehen, daß die – im Vergleich zu Altona – liberalere Ausrichtung der Gemeinde der Eruw-Problematik weniger Bedeutung zusprach. Diese Feststellung gilt in besonderer Weise für die Anhänger des Tempelvereins und der mit ihm verbundenen assimilationswilligen und verbürgerlichten Kreise.

Wie für Altona findet sich der älteste Nachweis für den Eruw in Hamburg in dem erwähnten Responsenwerk «Chacham Zwi», wo in Frage 6 das Problem erörtert wird, ob ein Mieten des Eruw auch nach dem Tode des Bürgermeisters, mit dem der Vertrag geschlossen wurde, gültig bleibt, was letztlich bejaht wird.[80] Einen Hinweis auf den Eruw der Höfe bringt Haarbleicher, der berichtet, daß in der Synagoge der Hamburger Gemeinde auf dem Neuensteinweg hinter den Häusern 72 bis 75 (geschlossen 1859), die 1654 errichtet und 1740 vergrößert worden war, einmal jährlich der Eruw gelegt wurde, wie im übrigen auch in der Synagoge der portugiesischen Juden.[81]

In der späteren jüdischen Presse finden sich 2 Belege, die die Situation im 18. Jahrhundert beschreiben und hervorheben, daß die Stadtmauern als Eruw galten: Edgar Frank berichtet über den Judentumult vom 26. August 1730 und stellt fest: «... die Stadtmauern galten als Eruw»[82]; Martin Cohen führt 1930 aus: «Die früheren Stadttore befanden sich in der Stadtmauer, die für die Juden Hamburgs eine besondere Bedeutung hatte, weil sie den Eruw darstellte, jene symbolische Umzäunung einer jüdischen Stadt, die das Tragen am Sabbath ermöglicht. Die eigentliche jüdische Stadt aber war viel kleiner als der Bezirk, den die Stadtmauer umgrenzte. Ein Ghetto hat es in Hamburg zwar nie gegeben, aber nur ein Stadtteil war den Juden zur Ansiedlung überlassen, die sogenannte Neustadt.»[83]

Die Bedeutung, die die Stadtmauer und nach der Bepflanzung der Wallumgang für die Juden am Sabbat einnahm, veranschaulicht eine Schilderung aus dem frühen 19. Jahrhundert. Der Journalist und Schriftsteller Garlieb Helwig Merkel schreibt: «Bis zur Rührung interessant ist mir der Wall an heitern Sonnabenden. Dann geht die ganze Hamburgische Juden-Colonie, mit ihren besten Kleidern angethan, hier spazieren: Weiber und Mädchen mit dem höhern orientalischen Stempel der Schönheit, großen, glühenden Augen, der antiken, idealischen Form der Nase, ohne tiefe Einbiegung an der Wurzel, dem üppigen Wuchs der schwarzen Locken; – Männer, mit Minen voll Grämlichkeit und heimlichen Grolles; das Gepräge erzwungener Niedrigkeit, in jedem Aufblicken, jeder Bewegung; – Kinder, die schon das Gefühl des ungerechten Druckes zu haben scheinen, den ihre Väter erdulden müssen, und dem sie selbst entgegen wachsen! – In allen Gesichtern liegt freudenlose Förmlichkeit, scheue Fremdheit, so bald ein Christ an ihnen vorübergeht. Voll Verachtung meiden die meisten Christen an den Sonnabenden diese Promenade, und mit furchtsamer Bedenklichkeit sah ich manche Juden jedem von ihnen nachblicken, der ihnen hier noch zufällig begegnete. Sie wissen, daß fast nie ein Paar derselben an ihnen vorübergeht, ohne sich höhnische Bemerkungen, oft nicht einmal leise genug, um überhört zu werden, zuzuflüstern.»

Beachtenswert sind die sich anschließenden folgenden Sätze: «Deutsche! Wenn einst die Zeit die ärmliche Form zerschlägt, die euch itzt noch zu dem Gleichnisse eines Volkes zusammen hält: – welches Loos euch erwarten mag, es kann nie härter seyn, als das, welches ihr an diesen Armen verschuldetet. Nach einer langen Reihe von Jahrhunderten zwingt ihr sie, den Rechten nach, noch Fremdlinge in ihrem Vaterlande zu bleiben; und indeß fast alle andre Nationen entscheidende Schritte thun, um sie endlich einmal ihrem Staats-Körper ganz einzuverleiben, macht ihr es ihnen noch streitig, auf euren Promenaden, oder in euren Wirthshäusern zu erscheinen! – Gestehen Sie, meine Freundin, wenn die Deutschen in nichts Selbständigkeit zeigen, so thun sie es wenigstens in ihrer Beharrlichkeit in Vorurtheilen und Fehlgriffen.»[84]

Bedingt durch die Tatsache, daß die Umwallung der Stadt eine durchgehende Begrenzung bildete, war die Errichtung von besonderen Eruw-Anlagen nicht notwendig. So nimmt es nicht Wunder, daß sich in der älteren und neueren topographischen Literatur keinerlei Hinweise zu Judentoren finden.[85] Erst mit der Niederlegung der Stadtbefestigungen in der 2. Hälfte des 19. Jahrhunderts stellte sich die Thematik, sofern sie als solche überhaupt noch beachtet wurde. Eine bezeichnende Äußerung taucht im Protokoll des Vorsteher-Collegiums der Deutsch-Israelitischen Gemeinde vom 21. 9. 1863 unter Punkt M auf, wo es heißt, daß in der Synagoge Elbstraße am Freitag, dem 18. 9. vormittags eine Bekanntmachung des «Cultus Vorstandes» verlesen wurde, in der es heißt, «daß durch die Wegräumung der Thüren des Berlinerthors und durch eine neue Verbindung über den Stadtgraben die Stadt nach jener Seite hin offen geworden, so daß alles Tragen am Sabbath, namentlich der Schalet-Töpfe [Sabbat-Speise] verboten werden müsse.» Der Präses des Vorsteher-Collegiums bestritt dem Cultus Vorstand das Recht zu einer solchen Publication ohne vorherige Genehmigung des Vorsteher-Collegiums. Im Verlauf der Diskussion dieses Streitpunkts wird geäußert, die Cultus Commission habe «ein Edict erlassen, das dem Geiste des 19. Jahrhunderts widerspreche.»[86]

Dieser Ansicht des Vorsteher-Collegiums stehen gewisse Aktivitäten des damals amtierenden Oberrabbiners der Deutsch-Israelitischen Gemeinde Hamburg Dr. Anschel Stern[87] entgegen, der offensichtlich versuchte, bei gegebenen Möglichkeiten auch in Hamburg Eruw-Vorrichtungen anbringen zu lassen. In einem Brief an Distrikt-Rabbiner Bamberger in Würzburg schreibt Stern am 8. März 1866: «Auch hierorts hatte ich vor etwa dritthalb Jahren bei Gelegenheit der Eröffnung einer neuen Ausgangsstraße an der Spitze zweier darin einander gegenüber belegener Häuser mit Bewilligung der Eigenthümer einen dünnen Drath ziehen und etwas später bei Gelegenheit der durch die Schienenlegung der Hamburg-Lübecker Bahn veranlaßten Beseitigung eines Stadtthores an beiden Seiten der dortigen Brücke durch den betreffenden Bauübernehmer je eine zum Absperren der Fahrstraße *fähige* Thüre natürlich auf eine dem Unbetheiligten kaum auffallende Weise anbringen lassen, ohne daß hierbei eine besondere Anrufung der Behörde auch nur stattfand. In unserer Schwesterstadt Altona besteht die fragliche Einrichtung von Sabbathdräthen schon seit uralter Zeit bis heute noch und zwar hat die dortige Behörde vor nicht langer Zeit wiederum die Anbringung neuer Dräthe sogar in einer sehr frequentierten nach Hamburg führenden Straße gestattet.»[88]

Während in Hamburg – zumindest unter Oberrabbiner Dr. Stern – die Anbringung von Eruw-Vorrichtungen nach Absprache mit dem jeweiligen Eigentümer und ohne Einschaltung der Behörde vor sich ging, geschah dies in Altona – wie bereits dargelegt – erst nach Absprache mit den zuständigen kommunalen Stellen. Am Rande sei vermerkt, daß in dieser

Weise auch in Lübeck vorgegangen wurde. Der Rabbiner Alexander Sussmann Adler[89] hatte in einem Schreiben vom 6. März 1866 an Rabbiner Bamberger in Würzburg geschrieben: «Die hiesige Stadt besitzt noch eine Umfassung, die auch dem Religionsgesetze genügt; in einem zum hiesigen Rabbinate gehörigen Orte, wo auch Israeliten wohnen, finden sich die fehlenden Thore durch Drähte ersetzt, wie solche weder den Passirenden auffallen, noch den Verkehr geniren. Sollte hier jemals eine die Erfüllung des Sabbathgesetzes störende Veränderung an der Umfassung der Stadt vorgenommen werden, so unterliegt es keinem Zweifel, daß Hoher Senat – in der Erfahrung und Überzeugung, daß nur durch Religionstreue wahre Bürger- und Unterthanstreue garantiert sei, – der Vorstellung zur Sicherung des Religionsgesetzes williges Gehör schenken werde.»[90] Dieser Fall sollte bereits ein Jahr später eintreten. Der Nachfolger Adlers, Dr. Salomon Carlebach[91] berichtet über den Vorgang: «Daß Adler bei dem Senate und den verschiedenen Behörden wohlgelitten war, ist schon früher hervorgehoben. Deutlich trat das hervor, als er in einer schön begründeten Eingabe darum nachsuchte, daß es der Gemeinde gestattet werde, für die durch die Wegnahme des Eisenbahnthores entstandene Lücke in der Einfriedigung der Stadt eine andere Einrichtung an der fraglichen Stelle herstellen zu dürfen, wodurch die Stadt wieder als eine von allen Seiten geschlossene gelten und das Tragen in den Straßen am Sabbath auch ferner gestattet bleiben könne. Der Senat beschloß (7. September 1867) das Eisenbahn-Commissariat zu beauftragen, die Eisenbahndirection zur Herstellung eines dem israelitischen Religionsgesetze genügenden Ersatzes, auf Kosten der Gemeinde zu veranlassen.»[92]

Festzuhalten bleibt, daß es in Hamburg seit der Entfestigung der Stadt in der zweiten Hälfte des 19. Jahrhunderts einen Eruw der Gebiete nicht mehr gegeben hat.[93] Das explosionsartige Wachstum der Stadt, das mit der Eingemeindung der Vorstädte St. Georg und St. Pauli begann und das 1894 mit der Verachtfachung des Stadtgebiets durch Eingemeindungen bei mehr als Verdoppelung der Bevölkerung einen Höhepunkt erreichte, machte derartige Vorrichtungen unmöglich.[94] Ob der Eruw der Höfe in den vielen kleinen orthodoxen Synagogen und Betstuben, die in der 2. Hälfte des 19. Jahrhunderts und danach entstanden, gelegt wurde, kann leider nicht mehr festgestellt werden.

3. Ahrensburg

Überaus bruchstückhaft ist die Überlieferung über Judentore in Ahrensburg. Sie soll gleichwohl an dieser Stelle vorgestellt werden, da die beiden Belege davon Kenntnis geben, daß es die Institution des Eruw der

Gebiete zumindest temporär im 19. Jahrhundert auch in Ahrensburg gegeben hat.

Im Jahre 1830 reicht der Altonaer Oberrabbiner Akiba Wertheimer[95] ein Gesuch ein, daß den Juden in Ahrensburg die Anlegung eines sogenannten Judenthores gestattet werden möge. Das Gesuch, das verschollen und dessen Datum unbekannt ist, wurde sehr wahrscheinlich an die Gutsobrigkeit gerichtet. Da diese sich außerstande sah, die Angelegenheit zu entscheiden, richtete der Oberinspektor Menzdorff eine entsprechende Anfrage, der vermutlich das Gesuch beigefügt war, an das Königliche Holsteinisch-Lauenburgische Obergericht zu Glückstadt, das am 22. 4. 1830 antwortete: «Namens Seiner Königlichen Majestät – Mit Beziehung auf die unterm 11n März hieselbst eingegangene Vorfrage des Oberinspektors Menzdorff über die von der dortigen israelitischen Gemeinde gewünschte Anlegung eines Judenthors hat man demselben hiedurch zu erkennen geben wollen, daß dem Gesuche des Rabbiner Wertheimer wegen Gestattung der Anlegung eines sogenannten Judenthors in Ahrensburg nicht stattgegeben werden könne.»[96]

Trotz der Ablehnung des Gesuchs ist gesichert, daß in Ahrensburg im Jahre 1848 Judentore angelegt wurden. Ob sich der Nachfolger Wertheimers, Oberrabbiner Jacob Ettlinger, in dieser Angelegenheit eingesetzt hat, kann nur vermutet werden. In einem «Bericht der Obrigkeit des adligen Guts Ahrensburg an das Königliche Ministerium für die Herzogtümer Holstein und Lauenburg zu Kopenhagen, betreffend die zu Ahrensburg sich aufhaltenden Israeliten» vom 14. 11. 1852 heißt es: «... In der Anlage No. 5[97] wurde es den Israeliten im Jahre 1830 nicht gestattet, hieselbst ein s[o]g[enanntes Judenthor anzulegen; im Jahre 1848 wurde an jedem Ende von Ahrensburg ein solches gemacht, und besteht, aus einem Eisendraht angefertigt, auch noch.»[98]

Man darf annehmen, daß die Anlegung der Judentore im Jahre 1848 mit den stattgefundenen politischen Umwälzungen jenes Jahres zusammenhing, die den Juden in Schleswig-Holstein (vorübergehend) die Gleichberechtigung brachte.[99] Wie lange nach 1852 in Ahrensburg Judentore vorhanden waren, kann zur Zeit nicht gesagt werden.[100]

4. Wandsbek

Der Eruw – in Altona erwachsen aus alter Tradition, gestützt durch konservative (orthodoxe) Überzeugungen und toleriert durch kommunale Behörden bis in die Zeit der Weimarer Republik; in Hamburg von einer liberaleren Gemeinde nicht mehr für notwendig erachtet und im 19. Jahrhundert im Zuge der Stadterweiterung aufgegeben; in Ahrensburg ein (kurzes?) Zwischenspiel – ist in Wandsbek v. a. zum Ende des 19. Jahrhunderts ein Gegenstand heftiger Auseinandersetzungen zwischen der jüdischen Gemeinde und den städtischen Behörden.

Das Dorf Wandsbek hatte am 8. 1. 1833 die Fleckengerechtigkeit erhalten und war in preußischer Zeit am 1. 6. 1870 zur Stadt erklärt worden. Juden, die seit dem frühen 17. Jahrhundert in Wandsbek nachweisbar sind, seit 1637 einen eigenen Friedhof an der Langenreihe (Königsreihe), einen Betsaal und seit 1840 in der gleichen Straße (Nr. 13–14) eine Synagoge besaßen,[101] bildeten eine kleine Minderheit von etwa 1% der Bevölkerung; ihre absolute Zahl schwankte in den letzten Jahrzehnten des 19. und in den ersten Jahren des 20. Jahrhunderts um 200. Ein Blick auf die Bevölkerungsstatistik von 1890 und 1905 macht deutlich, daß ihre Zahl verglichen mit der der Gesamtbevölkerung kontinuierlich zurückging: Waren nach der Volkszählung vom 1. 12. 1890 unter den 20 571 Bewohnern 251 Juden,[102] so zeigen die Angaben nach der Volkszählung vom 1. 12. 1905 unter 31 563 Bewohnern nur noch 208 Juden,[103] zu denen freilich noch Gemeindemitglieder gehörten, die in Hamburg – v. a. in Eilbek und Barmbek – wohnten.[104]

Es überrascht, daß bei diesen Zahlenverhältnissen die Thematik der Judentore gerade in Wandsbek eine so vorrangige Bedeutung einnimmt. Zu erklären ist diese Tatsache wohl nur dadurch, daß zum einen die jüdische Gemeinde nach erreichter Emanzipation selbstbewußt auf ältere verbriefte Rechte pochte und zum anderen durch die Parzellierung und Besiedlung des Gutsbezirks Marienthal eine Situation entstand, die die Errichtung und Beibehaltung des Eruw ermöglichte.

Der Streit um die Judentore verläuft in 2 Etappen: in den Jahren 1882/83 und 1893/94 finden heftige Auseinandersetzungen statt, denen sich 1888 und 1911 ein kurzes Nachspiel anschließt. Die vorgebrachten Argumente vermitteln einen guten Einblick in die damaligen Verhältnisse, sie sollen deshalb etwas ausführlicher vorgestellt werden.

Am 24. 5. 1882 wendet sich der Privatier H. L. Mensinga an den Magistrat der Stadt und schreibt: «Vor meinem Hause an der Fresenstraße, Marienthal, befindet sich ein sogenanntes Judenthor. Dasselbe ist dort aufgerichtet im Jahre 1874/76, als ich mein Haus ein Jahr lang an eine jüdische Familie vermietet hatte. Dasselbe hat manches Unangenehme. Außerdem daß es nicht als eine Zierde gelten kann, daß man immer gefragt wird, was dasselbe zu bedeuten habe, fand es hier niemals Sympathie, indem die liebe Jugend mit Steinen nach dem Draht wirft, an den Pfählen rüttelt, usw. Diesen Sonntag nun stürzte, morsch geworden, die eine Seite des Thores um, glücklicher Weise ohne besonderen Schaden anzurichten. Ich dachte nun, daß die Zeit gekommen sei zur gänzlichen Beseitigung desselben, anstatt dessen kommt am Montag ein Herr, den ich für den Herrn Rabbiner gehalten habe, mit einem Arbeitsmann, um das Thor wieder aufzurichten. Ich gab meinen Wunsch zu erkennen, daß dasselbe unterlassen werden möge, als zwecklos, da kein einziger Jude in unserer Straße wohne, wurde aber damit abgefertigt, daß die Straße nicht mir, sondern der Stadt gehöre, daß es ein uraltes (!?) Thor sei und daß [er] das Recht habe überall in Wandsbek solche Thore aufzurichten, da die Stadt ohne Thore sei. Ich meinerseits, obgleich nicht gegen das Judenthum eingenommen, kann es nur als ein Unrecht ansehen, daß gegen meine Vorstellungen jenes jüdische Abzeichen wieder aufgerichtet ist; was würden die Juden sagen, wenn die Christen ihnen vor ihren Häusern Christusbilder oder dergl. aufpflanzten?» Mensinga bittet um Wegräumung des Tores, bzw. um Errichtung an einer anderen Stelle.[105]

Bereits 2 Tage darauf beschließt der Magistrat, daß «über die Berechtigung der Judengemeinde innerhalb des Weichbildes der Stadt s. g. Judenthore aufzustellen, in Veranlassung der Beschwerde des Herrn L. H. Mensinga nähere Erhebungen vorgenommen werden [sollen]».[106] Auf ein Schreiben des Magistrats vom 16. 6. antwortet der Rabbiner der Gemeinde Dr. Hanover[107] am 21. 6. 1882: «Das sogenannte Judenthor in der Fresenstraße steht, wie ich mich selbst überzeugt, auf *öffentlichem* Grund und Boden und kann deshalb von einem Proteste seitens des betr. Anwohners meines Erachtens nach überall keine Notiz genommen werden. Wenn ich auch gerne zugeben will, daß die betr. Einrichtung nicht auf einen bestimmten Punkt der Straße angewiesen ist, sondern daß dieselbe an jedem beliebigen Punkte derselben angebracht werden kann, um gegenwärtig ihrem Zwecke zu entsprechen, so würde doch dann, wenn man sich entschließen würde, die fragliche Einrichtung – vorausgesetzt, daß sie sich auf *öffentlichem* Grunde befindet – in Folge des Protestes des Anwohners fortzunehmen und zu versetzen, ein gefährliches Präjudiz geschaffen werden. Die sogenannten Judenthore gehören zu den unzweifelhaftesten Privilegien der hiesigen israelitischen Gemeinde. Die Geschichte derselben reicht bis zu der Zeit hinauf, in welcher hier überhaupt eine israel. Gemeinde existierte.» Rabbiner Hanover weist weiter darauf hin, daß die Gemeinde jährlich 14,40 M als «Recognition» an die Königliche Steuerkasse zahlt, «für die Berechtigung, solche Einrichtung zu treffen.»[108]

Auf einer Sitzung am 23. 6. 1882 stellt der Magistrat fest, daß die israelitische Gemeinde zu veranlassen sei, «das Privilegium zur Errichtung von Judenthoren nachzureichen».[109] Die Gemeinde antwortet am 6. 7. 1882 und zitiert abschriftlich ein Privileg von Christian V. vom 25. 8. 1671 in dem es heißt: «Imgleichen möge dieselbe auch ihre Schule, wie bisher an ihrem Sabbath und Feyertagen, wie auch sonst ihr Gebet thun und *andere*

Jüdische Ceremonien verrichten», 7 spätere Zusicherungen dieses Privilegs werden genannt.[110] Nicht unwichtig ist, daß dieser Passus, der sich mit geringen Abweichungen auch anderswo findet,[111] mit den Worten fortfährt: «... dabey sie sich dann hüten und fürsehen sollen, daß dieser Gemeinde dadurch kein Aergerniß gegeben werde.» Dieser Satzteil fehlt in der Abschrift der Gemeinde.

Am 14. Juli 1882 beschließt der Magistrat, dem Vorstand der Gemeinde zu erwidern, daß «Magistrat aus der in Abschrift vorgelegten Urkunde die Berechtigung zur Errichtung von Judenthoren nicht entnehmen könne und die Entfernung dieser Thore, wenn ein specielles Privilegium darüber nicht vorliege, verlangen müsse.»[112] Da ein besonderes Eruw-Privileg der Gemeinde nicht zur Verfügung steht, reagiert sie zunächst einmal nicht und äußert sich erst auf ein neuerliches Schreiben des Magistrats am 9. 10. 1882. Der Vorstand schreibt am 17. 10. 1882: «1. Gehört die Vorschrift, s. g. Judenthore zu errichten, zu den wichtigsten und wesentlichsten Ceremonien einer jüdischen Gemeinde. 2. Ist die hiesige israelitische Gemeinde in der ungestörten Ausübung dieser Ceremonie seit über 200 Jahren und zahlt für diese Berechtigung an die Hohe Königliche Regierung eine jährliche Recognition von M 14.40 Pf. Dieser Umstand allein schon begründet deren Recht. Die Vorlage einer speciellen Privilegierung halten wir demnach für überflüssig.»[113]

Der genannte Betrag spielt in der Folgezeit eine gewisse Rolle, wenn auch Gemeinde und Magistrat unterschiedlicher Auffassung darüber sind, wofür das Geld gezahlt wurde. Immerhin wird er in einem landesgeschichtlichen Bericht über die Wandsbeker Juden aus dem Jahre 1929 noch mit den Judentoren in Zusammenhang gebracht. Es heißt dort: «Als im Jahre 1641 König Christian IV. das Gut Wandsbeck von Breido Rantzau kaufte, erteilte dieser den Israeliten ebenfalls dieselben Rechte, allerdings gegen eine Erhöhung der zu zahlenden Gebühr. Für die Anerkennung ihrer Rechte zahlten sie jetzt 4 Reichstaler in dänischen Kronen gleich 14,40 Mark deutscher Reichsmünzen und erhielten außerdem die Beschränkung auferlegt, hier am Orte nur gewisse Straßenwege zu passieren und deren Grenze durch Anbringung einer quer über die Straße laufenden Drahtschnur ‹Judentore› zu bezeichnen. Es gab damals drei solcher Drahtschnüre: am Wirtshause zum Stern, in der Königstraße am Kringelgang und an der Ecke der neuen Königstraße und Kurzen Reihe.»[114]

Offensichtlich liegt bei dieser Äußerung erneut ein Mißverständnis in der Art vor, wie es die Stellungnahmen zum Eruw in Altona bezeugen. Während dort das «mosaische Gesetz» zitiert wird, sind es hier angebliche Vorschriften des Landesherrn, die den Sachverhalt bedingt und verursacht haben. Über den fraglichen Betrag stellt am 20. 11. 1882 der Stadtsecretär

Peters in einer Aktennotiz fest: «Es hat nicht festgestellt werden können, daß die Recognition von 14 M 40 Pf für die Ausübung der in Frage stehenden Ceremonie gezahlt wird, solches scheint überhaupt auch nicht der Fall zu sein, denn die Confirmation des Privilegiums vom Jahre 1740 ergiebt ausdrücklich, daß der Wandsbek'schen Schutz-Juden Gemeinde die Recognition von 14 M 40 pf – früher 12 Cronen – für die eigenthümliche Ueberlassung der Judenschule nebst den darunter befindlichen beiden Wohnungen auferlegt worden ist.»[115]

Der Magistrat hatte zwar bereits am 23. 10. 1882 beschlossen, wegen der Judentore «bei der Königlichen Regierung in Schleswig vorstellig [zu] werden»[116], er wendet sich jedoch am 22. 11. 1882 zunächst an den Magistrat der Stadt Altona und zieht Erkundigungen über «die angeblich gleichen Zustände in Altona» ein und fragt an, «auf Grund welchen Privilegiums die dortigen Judenthore bestehen und unter welchen Bedingungen sie zuzulassen waren.»[117] Mit Schreiben vom 15. 12. 1882 antwortet der Magistrat der Stadt Altona und führt aus, daß «die hiesige Judengemeinde ein besonderes Privilegium zur Errichtung der s. g. Judenthore nicht besitzt, die Anbringung derselben hier vielmehr nur geduldet wird und zwar unter den abschriftlich beigefügten Bedingungen.[118] Soweit bekannt, wird mit der Anlage der Judenthore (Sabbatdrähte) die symbolische Verbindung von Sondergebieten innerhalb eines gewissen Kreises – z. B. verschiedener Grundstücke in einer Stadt – bezweckt, in dem ohne diese Vorkehr den Juden religionsgesetzlich das Hinüberführen von Gegenständen aus einem Sonderraum in den anderen am Sabbath nicht gestattet ist.»[119]

Diese sachlich völlig korrekte Darstellung scheint den Magistrat beeindruckt zu haben: Stadtbaumeister Nebendahl erhält am 21. 12. 1882 den Auftrag, das Protokoll der Bau-Commission Altona zu prüfen und zu ergänzen, «da auch wir beabsichtigen, der hiesigen israelititschen Gemeinde wegen der Judenthore Vorschriften zu ertheilen.»[120]

Am 14. 3. 1883, fast 10 Monate nach der ersten Eingabe des Privatiers Mensinga wendet sich der Magistrat an den Vorstand der Gemeinde und legt die ausgearbeiteten Vorschriften vor. Er erklärt zu Beginn – im Sinne der zuvor erwähnten Aktennotiz –, daß die 14,40 M für die «eigenthümliche Ueberlassung der Judenschule nebst den darunter befindlichen beiden Wohnungen auferlegt worden» und fährt fort: «Diesem nach wird Wohldemselben hiemittelst eröffnet, daß auf ein Verbleiben der Judenthore in hiesiger Stadt nur dann gerechnet werden darf, wenn die nachstehenden Bedingungen bezüglich derselben angenommen und stricte befolgt werden, welche sowohl auf die bereits vorhandenen, als auch auf etwa neu zu errichtende sich beziehen sollen:

1. Die Judenthore werden von mindestens 6 Meter hohen Stangen,

wovon an jeder Seite der Straße an näher von der Bau-Commission zu bestimmenden Orten eine und zwar in unmittelbarer Nähe der Fluchtlinie einzupflanzen ist, hergestellt, an deren oberen Enden ein straff gezogener metallener Drath gespannt ist. Die Bestimmung über das Material und die äußere Ausstattung der Stange bleibt der Bau-Commission vorbehalten.

2. Es ist Sache der israelitischen Gemeinde von den Grundeigenthümern, vor dessen Besitze sie die Aufstellung eines Thores beabsichtigen und vor dessen Gebäude etc. sie die Befestigung vorzunehmen gedenkt, die Genehmigung zu erwirken und nachzuweisen.

3. Die israelitische Gemeinde hat einen Aufseher zu bestellen, welcher verantwortlich dafür ist, daß die Thore in Ordnung bleiben und die Drähte von Gegenständen, die sich um dieselben schlingen, stets gereinigt werden.

4. Auf Verlangen der Bau-Commission sind die Thore jederzeit und zwar sofort nach Aufforderung auf Kosten der israelitischen Gemeinde zu entfernen, resp. zu versetzen, im Weigerungsfalle geschieht solches ohne Weiteres auf Kosten der israelitischen Gemeinde.» [121]

Obwohl sich der Vorstand der Gemeinde in einem Schreiben vom 27. 3. 1883 mit der (bezüglich der 14,40 M) vorgebrachten Behauptung nicht einverstanden erklärt und sich mit der Bitte um Auskunft am 3. 4. 1884 an die Königliche Regierung in Schleswig wendet, scheint er die Anordnung des Magistrats zu den Judentoren respektiert zu haben, wenn auch eine Einverständniserklärung bei den Akten nicht vorliegt.

Dies wird durch einen Schriftwechsel aus dem Jahre 1888 deutlich, den aufschlußreiche behördeninterne Überlegungen begleiten, die über das weitere Vorgehen der Stadt Aufschluß geben.

Am 27. 4. 1888 wendet sich der Vorsteher der Gemeinde J. Hirsch an die Stadt und «bittet darum, es gestatten zu wollen, daß das sog. Judenthor in der Fresenstraße nach dem von dem Major v. Willamowitz bewohnten Hause verlegt und ein neues Judenthor in der Löwenstraße an dem Baruch'schen Hause errichtet wird.» [122] Die Bitte wird vom Stadtbaumeister Nebendahl mit dem Bemerken an die Polizei-Behörde weitergeleitet, daß nach seinem Wissen «eine Polizei-Verordnung besteht, worin eine Anleitung zu dem Bescheide auf obigen Antrag gegeben sein möchte.» Im Konzept liegt ein durchgestrichenes Antwortschreiben der Polizei-Behörde vom 1. 5. 1888 vor, das offensichtlich nicht abgeschickt worden ist. [123] Sein Inhalt beleuchtet die Sichtweise der Angelegenheit von Seiten der kommunalen Behörden, es heißt: «Auf Ihr Gesuch vom 27. 4. d. m. um Genehmigung der Verlegung des sogenannten Judenthores in der Fresenstraße bedauert die Polizei-Behörde abschlägigen Bescheid erteilen zu müssen, da ausweislich der hier vorhandenen Akten die jüdische Gemeinde es abge-

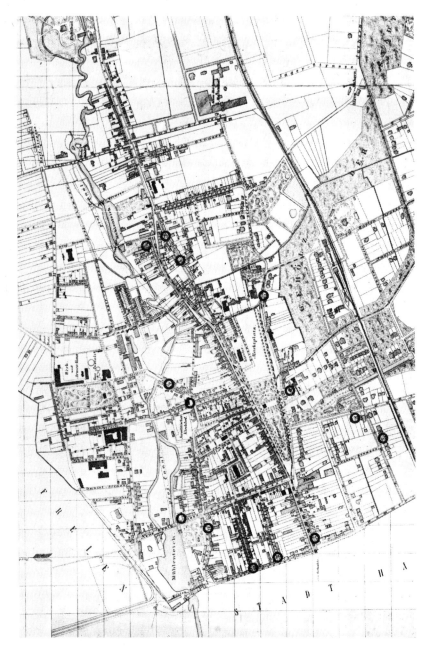

Plan von Wandsbek aus dem Jahre 1878 mit den eingetragenen Judentoren, vgl. Seite 42 f. (Staatsarchiv Hamburg).

lehnt hat, sich in die ihr unter dem 14. März 1883 für die Anlegung des genannten Thores auferlegten Bedingungen zu fügen. Nachdem nunmehr seit den damaligen Verhandlungen Jahre verflossen sind, ohne daß die jüdische Gemeinde weitere Schritte in dieser Angelegenheit gethan hat, wird um eine baldgefällige Erklärung ersucht, ob die Gemeinde etwa jetzt bereit ist, den damals mitgetheilten Bedingungen sich zu unterwerfen.» Diesem vom Stadtrat Stieber paraphierten Konzept folgt eine gleichfalls von Stieber paraphierte Verfügung vom 2. 5. 1888, in der es heißt: «Nach Rücksprache mit Dr. Hanover. Die Genehmigung soll unter Vorbehalt ertheilt werden. Sodann sollen weitere Verhandlungen eingeleitet werden. Bescheid ertheilen.» Tatsächlich erhält der Vorsteher der Israelitischen Gemeinde am 3. 5. 1888 folgendes Schreiben, das wiederum Stieber unterzeichnet: «Auf Ihren hier unter dem 27. v. Mts. gestellten Antrag, wird Ihnen hierdurch unter Vorbehalt etwaiger Rechte Dritter und widerruflich die polizeiliche Genehmigung zur Errichtung eines neuen resp. zur Verlegung eines Judenthores in der Löwenstraße ertheilt.»[124]

Wichtige Einzelheiten enthält ein Schreiben, welches Stadtrat Stieber am 4. 5. 1888 an den Magistrat richtet: «Zur gefälligen Äußerung ergebenst, wie sich die Polizei-Behörde in dieser Sache verhalten soll, da die Pfeiler des Judenthores sich auf städtischem Grund und Boden befinden.

Dabei wird sehr ergebenst bemerkt, daß an den Bedingungen, welche der Stadtbaumeister am 28. Dezember 1882 aufgestellt hat unbedingt diesseits festgehalten wird. Die Polizei-Behörde ist der Meinung, daß den Juden völlig freie Hand bei ihren religiösen Maßnahmen gelassen werden muß, soweit sie nicht damit das öffentliche Interesse belästigen. Als eine solche Belästigung muß aber die Aufstellung dieser symbolischen Thore auf der Straße ganz entschieden gelten: deshalb muß eine bestimmte Grenze gezogen werden.

Es möchte sich empfehlen den Juden außerdem die Zahlung einer Recognition aufzuerlegen. Dann wäre die Aufstellung der Judenthore auf öffentlichen, der Stadtgemeinde gehörigem Grund und Boden thatsächlich nur etwas Geduldetes, und dann läge ein Vertragsverhältnis vor – Leistung und Gegenleistung.

Dr. Hanover, mit dem persönlich Rücksprache genommen wurde scheint übrigens einen übergroßen Werth auf die Judenthore nicht zu legen.»[125]

Die Erhebung einer Recognition wird auch auf der Sitzung des Magistrats vom 7. 5. 1888 behandelt,[126] ob es zu einer Ausführung derartiger Pläne gekommen ist, ist den Akten allerdings nicht zu entnehmen.

Den oben zitierten deutlichen Bekundungen des Unmuts in der Stellungnahme der Polizei-Behörde sollten 5 Jahre später entschlossene

Schritte folgen, die die Abschaffung der Judentore in Wandsbek zum Ziele hatten. Bisher waren die Auseinandersetzungen letztlich immer dadurch beendet worden, daß alles beim alten Zustand blieb. Nunmehr sollte das Problem endgültig gelöst werden.

Ohne daß ein erkennbarer äußerer Anlaß gegeben ist, beschließt der Magistrat in seiner Sitzung am 2. 5. 1888: «Die Beseitigung der in hiesiger Stadt sich noch findenden s. g. Judenthore wird angeregt, da dieselben unschön sind und Gründe für ihr Fortbestehen nicht erkannt werden können.» [127]

Bereits 2 Tage später, am 4. 5. 1888 wird ein Brief an die Gemeinde entworfen, der im Konzept vorliegt, offensichtlich aber nicht abgeschickt wurde. Er lautet: «Die Frage der Beseitigung der in hiesiger Stadt sich noch findenden s. g. «Judenthore» hat schon den Gegenstand wiederholter Verhandlungen zwischen dem Vorstande und dem Magistrat gebildet. Wie der Magistrat aus den früheren Verhandlungen die Ueberzeugung gewonnen hat, daß der hiesigen israelitischen Gemeinde ein Recht auf Belassung der «Judenthore» keinesfalls zusteht, so hält der Magistrat es für ebenso wenig zweifelhaft, daß diese Einrichtung eine lediglich unwesentliche Ceremonie einer jüdischen Gemeinde ist, wie denn auch wohl fast in keiner anderen Stadt Deutschlands gegenwärtig solche «Judenthore» noch bestehen werden.

Andererseits gereichen die «Judenthore» den Straßen, in denen sie stehen, zur Unzierde.

Wir haben daher die Beseitigung der «Judenthore» beschlossen und ersuchen den Vorstand ergebenst, die Entfernung ders. gefälligst veranlassen zu wollen.» [128]

Auf Bitte des Oberbürgermeisters Rauch vom 17. 5. 1888 legt die Polizei-Behörde am 26. 5. eine Zusammenstellung über die Judentore vor. Seinerzeit befanden sich derartige Vorrichtungen in folgenden Straßen:

Hamburgerstr. 19,
Mathildenstr. 32,
Ecke Neuestr. und Holzenstr.,
Kurzereihe Nr. 5,
Neue Königstr. 10,
Wendemuthstr. 50,
Litzowstr. Ecke Bleicherstr.,
Wendemuthstr. bei Schlachter Salomon,
Lübeckerstr. 98,
Kampstr. 53,
Groß. Küsterkamp Eingang in der Kampstr.,
Rennbahnstr. 78,

Götestr. (sic!) bei Kiels Hotel,
Schillerstr. 2 a,
Claudiusstr. 19,
Löwenstr. 19 und
Bärenallee 60.[129]

Am 16. 10. 1893 wendet sich Oberbürgermeister Rauch im Namen des Magistrats an den Vorstand der Gemeinde und schreibt: «Es ist mehrfach bei uns angeregt worden, die im Jahre 1882 zum Zwecke der Beseitigung der sogenannten Judenthore eingeleiteten Verhandlungen, welche aus uns nicht ersichtlichen Gründen demnächst wieder abgebrochen sind, wieder aufzunehmen.

Zunächst liegt es im öffentlichen Interesse, daß die Straßen, welche an sich schon durch dem allgemeinen Verkehr dienende Anlagen, wie Telegraph und Telephon bereits übermäßig belastet, nicht noch durch andere ganz außerhalb ihrer eigentlichen Zweckbestimmung liegende – im vorliegenden Falle lediglich rituellen Zwecken gewidmete – Anlagen in Anspruch genommen werden.

Es kommt aber ferner unseres Erachtens auch in Betracht, daß derartige symbolische Anlagen den jetzigen Zeitverhältnissen überhaupt nicht mehr entsprechen und speciell die Judenthore in hiesiger Stadt nach vielfach geäußerter Ansicht den Straßen nicht zur Zierde gereichen.

Wir sind endlich vielfach der Meinung begegnet, daß die in den Judenthoren gekennzeichneten Besonderheiten einer Confession geeignet seien, der antisemitischen Agitation Angriffspunkte und Nahrung zu gewähren, was bei dem glücklicherweise in unserer Stadt noch herrschenden confessionellen Frieden nicht erwünscht sei.

Aus den früheren Verhandlungen haben wir entnommen, daß Seitens des verehrlichen Vorstandes geltend gemacht worden ist, daß die israelitische Gemeinde auf Grund eines besonderen Privilegs, wofür sie an die Königliche Regierung noch jetzt eine jährliche Recognition von 14,40 M zahle, das Recht erworben habe, Judenthore zu errichten.

Dies hat sich aber als völlig irrig erwiesen, denn aus der Confirmation des Priviligiums vom Jahre 1740 ergiebt sich ausdrücklich, daß der Wandsbek'schen Schutz-Juden-Gemeinde die Recognition von 14,40 M – früher 12 Kronen – für die eigenthümliche Ueberlassung der Judenschule nebst den darunter befindlichen beiden Wohnungen auferlegt ist.

Auch die fernere Behauptung, daß die Vorschrift, Judenthore zu errichten, «zu den wichtigsten und wesentlichsten Ceremonien einer jüdischen Gemeinde gehöre», vermögen wir durchaus nicht anzuerkennen, da Judenthore sich nur noch in sehr wenigen Städten Deutschlands finden.

Die Judenthore müssen also dem jüdischen Ritus völlig entbehrlich sein, wenn sonst jüdische Gemeinden allerorten derselben nicht bedürfen.

Die Erwägungen veranlassen uns den Vorstand hiernach ganz ergebenst zu ersuchen, gefälligst bald die Beseitigung der Judenthore zu veranlassen.» [130]

Das Schreiben fällt nicht nur wegen seines entschiedenen Tons auf, sondern auch dadurch, daß einige neue Argumente vorgebracht werden, die die Auseinandersetzung verschärften. Hierzu zählen der Hinweis auf die mehrfach vorgebrachten Klagen aus der Bevölkerung und die Feststellung über die angebliche Belastung der Straßen durch die Tore. Völlig neu ist ebenfalls der Gedanke, daß die Tore antisemitische Agitationen auslösen könnten. Angesichts der in den frühen neunziger Jahren – v. a. im benachbarten Hamburg – aufschäumenden antisemitischen Welle trägt er den neuen Gegebenheiten Rechnung, wenn er auch in diesem Zusammenhang deplaziert und peinlich wirkt. [131] Der Verweis auf den «noch herrschenden confessionellen Frieden» erfährt schon dadurch eine gewisse Relativierung, als sich die Gemeinde 1889 mit einer Beschwerde wegen Verunreinigung des Friedhofs durch Wandsbeker Bürger an die Stadt gewandt hatte. [132]

Wie wichtig die Gemeinde damals noch die Beaufsichtigung und Wartung der Tore nahm, wird aus dem Protokoll der Sitzung des Collegiums der Vorsteher und Deputierten vom 17. 9. 1893 ersichtlich, in dem es heißt: «Ferner wird mitgetheilt, daß der Beamte Grünberg eingestandenermaßen der ihm laut Vertrag obliegenden Verpflichtung, allwöchentlich die Eruwim zu besichtigen, insofern nicht nachgekommen, als er nur jede zweite Woche die Besichtigung vorgenommen haben will und deßhalb beschlossen, dem p. Grünberg für diese durch nichts zu entschuldigende Unterlassung einen schriftlichen Verweis zu ertheilen und ihn aufs Neue zu verpflichten, ohne Ausnahme allwöchentlich am Freitag die Besichtigung, solche nur dann am Donnerstag vorzunehmen, wenn an sehr kurzen Tagen unaufschiebbare amtliche Thätigkeit die Zeit am Freitag zur Besichtigung nicht erbringen läßt.» [133]

Das gleiche Gremium beschließt in der Sitzung vom 17. 12. 1893, «dem Magistrat auf sein Schreiben vom 16. October betreffend Entfernung der Eruwin eine ablehnende Antwort auf Grund eines vorgelegten berathenen und abgeänderten Entwurfes zu ertheilen.» [134]

Dieses Schreiben, unterzeichnet vom Vorstand Sally Hirsch und abgesandt am 20. 12. 1893 umfaßt 7 Seiten. Es beginnt mit einem Rückblick auf die Vorgeschichte aus dem Jahre 1882 und äußert die Annahme, «daß die derzeit mündlich mit dem damaligen Magistratsdirigenten fortgesetzten Verhandlungen und gegenseitigen Erörterungen den Letzteren bestimmt haben werden, die Angelegenheit auf sich beruhen zu lassen.» Im weiteren Verlauf des Schreibens heißt es: «Wir können auch die Motivirung des Verlangens auf Beseitigung der Judenthore mit dem Umstand, daß die Straßen ohnedies durch elektrische Leitungen stark belastet sind, nicht anerkennen. Wir und die Mitglieder unserer Gemeinde sind ebenfalls Bürger dieser Stadt und haben als solche die Empfindung, daß allerdings die Telephonleitungen in einigen Straßen nicht nur zur Unzierde, sondern auch verkehrsstörend wirken, daß daneben aber die wenige s. g. Judenthore hinsichtlich ihrer Anlage gar nicht in Betracht kommen, und keinesfalls irgendwie störend sind, da Pfähle auf öffentlichem Grunde fast gar nicht mehr vorkommen, und die wenigen Drähte hoch über der Straße Niemanden geniren, die Gemeinde auch darauf Bedacht nimmt, die wenigen auf öffentlichem Grunde noch vorhandenen Pfähle durch andere Einrichtungen allmälig zu beseitigen. Wenn aber hinsichtlich der Judenthore jemals der Gemeinde ein Wunsch geäußert worden ist, so hat dieselbe stets mit Bereitwilligkeit Verlegung oder Verbesserung der Anlage zu schaffen gesucht.»

Klar und bestimmt wird das «religiöse» Argument des Magistrats zurückgewiesen: «Auf die Begründung des verehrlichen Magistrats hinsichtlich des religiösen Standpunktes glauben wir nicht näher eingehen zu sollen, da es doch wohl keinen Zweck haben wird, in dieser Beziehung mit der Feder über religiöse Sachen zu streiten. Wir bedauern nur, daß der verehrliche Magistrat geglaubt hat, sein Verlangen auch nach dieser Richtung hin motiviren zu müssen. Unsererseits sei hierüber nur erwähnt, daß die Verwaltung der hiesigen Gemeinde bei ihren beschränkten Mitteln für eine religiöse Einrichtung keine Kosten bewilligen würde, wenn dieselbe für entbehrlich erachtet werden könnte.

Im Allgemeinen wiederholen wir, daß der hiesigen Israelitischen Gemeinde schon zur Zeit, als die Landesgesetze in dieser Beziehung weniger liberal waren, von den zuständigen Behörden die weitest gehenden Concessionen verliehen worden hinsichtlich der freien und ungehinderten Ausübung *aller religionsgesetzlichen Vorschriften und Gebräuche ...*»

Die Gemeinde erklärt weiter, daß sie eine spezielle Konzession betreffend die Judentore «augenblicklich» nicht vorlegen könne, verweist aber gleichzeitig darauf, daß für «die Straßen desjenigen Theiles des Gutes Wandsbeck, welcher im Privatbesitz blieb und später Marienthal genannt wurde» eine Erlaubnis zur Errichtung von Judentoren vorliege, die der letzte Besitzer des Gutes Marienthal von Carstenn-Lichterfelde ausgestellt habe.

Gegen Ende der Stellungnahme wird angedeutet, daß der Wechsel in den städtischen Führungspositionen den Vorstoß des Magistrats mit verursacht haben könne, wobei darin erinnert werden muß, daß ab 4. 9. 1888 als Oberbürgermeister Eduard Rauch amtierte. Es heißt abschließend: «Ganz abgesehen davon, daß es peinlich berührt, wenn die heutige Verwaltungsbehörde, soweit dieselbe Nachfolgerin der früheren Gutsherrschaften ist, sich in einer für einen Theil der Bürger tief einschneidenden religiösen Frage in so schroffen Widerspruch mit ihren Vorgängern setzt, steht die Gemeinde auf dem Standpunkte, daß Pflichten und Rechte einer Obrigkeit nicht in Folge Wechsel der die Obrigkeit bildenden Personen einer Verschiebung unterliegen, und wird in dem vorliegenden Falle die Gemeinde, da sie hier in Wandsbek die s. g. Judenthore als unentbehrlich erklärt, für die Erhaltung derselben mit allen irgend zu Gebote stehenden Mitteln kämpfen und daher nicht anerkennen, daß der verehrliche Magistrat berechtigt ist, unwiderruflich ertheilte Privilegien zu schmälern oder willkürlich in einem seit mehreren hundert Jahren unangefochten bestehenden Besitzstand einzugreifen.» [135]

Unbeeindruckt von diesen Argumenten verfolgt der Magistrat seine Absichten weiter: Er wendet sich zunächst an das Königliche Amtsgericht und bittet um Einsichtnahme in einen – im Gemeindeschreiben erwähnten – Vertrag zwischen den Wandsbekschen Judenältesten und Johann Hinrich Rohlfs vom Dezember 1760, in dem derartige Anlagen erwähnt sein sollen. Das Amtsgericht schickt am 17. 3. 1894 eine Abschrift des – allerdings undatierten – Vertrags aus dem Hofprotokoll, der neben anderen Begrenzungen einen «Juden Schlagbaum» nennt.

Weiter läßt sich der Magistrat eine Aufstellung der Judentore vom Stadtbauamt vorlegen, die auf öffentlichem Grund stehen. Unter dem 31. 3. 1894 antwortet das Stadtbauamt und führt auf: Bärenallee 1, Löwenstr. 21, Claudiusstr. 21, Schillerstr. 1, Kurzereihe 6 und 75, Neue Königstr. 11 und Kampstr. 30. Ein weiterer Pfahl befinde sich «auf dem städt. Terrainstreifen in der Wendemuthstr. vor dem Wicher'schen Grundstück».

Schließlich wird noch der Vorstand der Gemeinde gebeten, die erwähnte Erlaubnis des vormaligen Besitzers von Carstenn vorzulegen.

Die Nennung dieses Mannes, der ein entscheidendes Kapitel in der Entwicklung Wandsbeks im 19. Jahrhundert geschrieben hatte, rief sicher keine ungeteilte Freude und Sympathien in den Magistratskreisen hervor, das Gegenteil dürfte eher der Fall gewesen sein. Johann Wilhelm Anton Carstenn [136] hatte im Sommer 1856 gemeinsam mit J. D. Koopmann – er trat bald darauf wieder aus dem Vertrag aus – vom letzten Besitzer aus der von Schimmelmannschen Familie, Graf Ernst zu Ahrensburg, den noch in dessen Besitz befindlichen Teil des Gutes Wandsbek gekauft und mit der Parzellierung und Besiedlung der Gutsländereien begonnen, wobei es

1861 auch zum Abbruch des Schlosses kam.[137] Immerhin war es 1860 der Fleckensverwaltung gelungen, das Gelände der Gehölze auf dem Kaufwege von Carstenn zu erwerben und es als Waldgebiet zu erhalten.[138] Am 21. 5. 1861 genehmigte König Friedrich VII. von Dänemark auf Antrag von Carstenn, daß der Name des Gutes Wandsbek privaten Anteils in «Marienthal» verändert wurde.[139] Dieses Gebiet wurde nun systematisch erschlossen und mit Villen bebaut. Durch die Vereinbarungen zwischen der Stadt Wandsbek und dem seit dem 1. 9. 1873 geadelten von Carstenn-Lichterfelde vom 22. / 28. 12. 1877 kam es am 1. 5. 1878 zu einer Eingemeindung des Gutsbezirks Marienthal in die Stadt Wandsbek, deren Stadtgebiet sich dadurch mehr als verdoppelte.[140] Von Carstenn-Lichterfelde lebte seit den sechziger Jahren in Berlin, kaufte Ländereien im Weichbild der Stadt und errichtete Villenkolonien in Friedenau, Wilmersdorf und Lichterfelde, dort auch die Haupt-Kadettenanstalt.

Auf Grund seiner Aktivitäten und Betätigungen ist von Carstenn-Lichterfelde sowohl in Wandsbek wie auch in Berlin angegriffen worden. In Wandsbek finden sich derartige Angriffe in der damaligen stadtgeschichtlichen Literatur, so etwa beim Stadtverordneten, zeitweiligen zweiten Bürgermeister und Buchdruckereibesitzer Puvogel, aber auch noch bei Wilhelm Grabke, der ihn als «rücksichtslosen Spekulanten» tituliert.[141] In Berlin war es in besonderer Weise der Journalist und Antisemit Otto Glagau, der ihn heftig attackierte.[142] Waren es diese Angriffe und Verleumdungen, die von Carstenn-Lichterfelde Jahre später das Anliegen der Juden in Wandsbek unterstützen ließen?

Eine Vermutung in dieser Richtung hat sicher einiges für sich, sofern es nicht tatsächlich mündliche Absprachen gegeben hat, über die aber nichts bekannt ist. Offensichtlich hatte sich die Gemeinde auf das Schreiben des Oberbürgermeisters Rauch vom 16. 10. 1893 direkt an von Carstenn-Lichterfelde gewandt. Dieser schreibt am 4. 12. 1893 (eine Abschrift wird dem Magistrat am 1. 4. 1894 übermittelt): «Auf Wunsch wird der Israelitischen Gemeinde in Wandsbeck hierdurch bestätigt, daß derselben von dem Unterzeichneten, als derzeitigem Besitzer des adligen Guts Marienthal generell und ein für alle Mal die obrigkeitliche Erlaubnis – als dauerndes Recht der Gemeinde – erteilt worden ist, in den Straßen des Guts s. g. Judenthore anzubringen und zu unterhalten.»[143]

Hierauf wendet sich der Magistrat erneut an von Carstenn-Lichterfelde und fragt am 18. 6. 1894 an, ob in dieser Angelegenheit bereits zuvor Erklärungen von Seiten des Vorbesitzers abgegeben worden seien. Die Antwort kommt postwendend am 25. 6. 1894, sie lautet: «Auf das gefl. Schreiben vom 18. dt. erwidere ich ergebenst, daß ich als Eigenthümer des adligen Guts Marienthal Mitte der fünfziger Jahre auf Ersuchen des Vaters des dort lebenden Maklers Hirsch bei Gelegenheit der vorzunehmenden Verwerthung des Areals als Villencolonie allen sich dort ankaufenden Personen jüdischen Glaubens das generelle Versprechen zur Anlage von s. g. Judenthoren gegeben habe. Ob diese Stipulirung seiner Zeit auch schriftlich erfolgt ist, vermag ich nicht zu bekunden, da das Actenmateriel mir nicht zur Hand ist.

Jedenfalls aber *kann* und *will* ich das damals gegebene Versprechen nicht widerrufen, da die betr. Käufer die qu. Parcellen nicht erworben hätten, wenn ich ihnen dies Versprechen nicht gegeben hätte.

Ob dadurch eine Servitut constituirt ist, überlasse ich dortiger Erwägung. Den über die vorbezeichneten thatsächlichen Verhältnisse etwa von mir zu erfordernden Eid bin ich zu leisten bereit.» [144]

Der Magistrat hatte durch diese klare Aussage eine empfindliche Niederlage hinnehmen müssen. Es sollte in jenen Monaten nicht die einzige bleiben. Am 24. 3. 1894 hatte nämlich die Polizei-Behörde in einem von Rauch unterschriebenen Brief den Vorstand aufgefordert, daß in der Goethestraße verlegte Judentor binnen 3 Tagen zu beseitigen. In einem Telegramm an den Regierungspräsidenten in Schleswig vom 25. 3. hatte die Gemeinde um «Sistirung» der Auflage gebeten und in einer umfangreichen Beschwerdeschrift vom 3. 4. die Aufhebung der Verfügung der Polizei-Behörde vom 24. 3. 1894 beantragt. Gutachterlich hatte sich hierzu der Altonaer Oberrabbinats-Verweser E. Munk geäußert, was bereits oben Erwähnung fand.

Die Entscheidung des Regierungspräsidenten liegt weder in den Magistrats- noch in den Gemeindeakten vor. Ihr Ergebnis ist jedoch einem Schreiben der Polizei-Behörde an den Gemeinde-Vorstand vom 15. 9. 1894 zu entnehmen, das folgenden Wortlaut hat: «Dem Vorstand der Israelitischen Gemeinde eröffnen wir hiermit im Auftrage des Herrn Regierungs-Präsidenten, daß derselbe auf die Beschwerde vom 3. April d. Js. unterm 8. September d. Js. Entscheidung dahin getroffen hat, daß ein praktisches Bedürfniß zur Beseitigung des Judenthors an der Göthestraße nicht anzuerkennen sei. Unsere Verfügung vom 24. März d. J. wird deshalb hiermit zurückgezogen.» [145] Die gleiche Feststellung wird auch in der Sitzung des Magistrats vom 20. 11. 1894 getroffen. [146]

Die Gemeinde hatte sich mit ihrem Anliegen also auch beim Regierungspräsidenten durchgesetzt, der alte Zustand konnte weiter bestehen bleiben. In der Folgezeit sind aus dem Jahre 1911 noch 4 Briefe in den Gemeindeakten, in denen routinemäßige Vorgänge – häßlicher Anstrich, Verkehrsbehinderung, Suche nach einem verschwundenen Tor – behandelt werden, in denen aber die rituelle Institution als solche nicht in Frage gestellt wird. [147]

Über das Ende des Eruw in Wandsbek werden wir von dem Nachfolger Dr. Hanovers, Rabbiner S. Bamberger unterrichtet, der nach dem Tode Hanovers 1902 sein Amt angetreten hatte und der letzte Rabbiner der Gemeinde Wandsbek gewesen ist. Bamberger schreibt im Jahre 1938: «Seit der Ansiedlung der Juden in Wandsbek hatten die Juden das Privileg des «Eruv». Trotz der Kosten, die damit verbunden waren und trotz der wiederholten Bemühungen, dieses Vorrecht behördlicherseits aufzuheben, bestand die Einrichtung bis zum Jahre 1916. Von da an war es unmöglich, diese Institution aufrechtzuerhalten.» [148]

Wie ein Nachhall aus lang zurückliegenden Jahren liest sich eine Aktennotiz des späteren Oberbürgermeisters Dr. Ziegler aus dem Jahre 1935: Auf eine Bitte der «Staatsakademie für Rassen- und Gesundheitspflege» in Dresden um Informationen zu einer «Geschichte der Juden in den deutschen Städten», wendet sich Dr. Ziegler nicht nur an Behörden und Instituionen der Stadt, die zumeist mit Fehlanzeige reagieren, sondern auch an den vormaligen Stadtsekretär und späteren Verwaltungsdirektor Witte. Dieser reicht das Schreiben zurück und Dr. Ziegler notiert am 28. 8. 1935. «In Erinnerung seien ihm ferner noch sg. Judentore – Drähte, die quer über die Straßen gespannt seien –, die sich u. a. Hamburgerstr., Claudiusstr., Schillerstr., Wendemuthstr. befunden hätten. Die Juden hätten das von diesen «Toren» umgrenzte Stadtgebiet zu bestimmten Zeiten nicht überschreiten dürfen.» [149]

III.

Die an den Beispielen Altona und Wandsbek zu beobachtende Tendenz der Beibehaltung und Bewahrung überkommener Traditionen – in unserem Fall des Eruw – läßt sich für den betreffenden Zeitraum, die 2. Hälfte des 19. Jahrhunderts, auch anderswo nachweisen. Ihre Ursachen liegen sicher darin, daß die Rolle von Religion und religiösen Institutionen in jener Zeit von größerer Bedeutung gewesen ist, als dies oft angenommen wurde [150] und daß sowohl liberale wie auch orthodoxe Juden aus dem zum Ende der sechziger Jahre abgeschlossenen Emanzipationsprozeß Nutzen zogen, wobei religiöse Anliegen nunmehr verstärkt aus der privaten Sphäre traten und zu öffentlichen Angelegenheiten werden konnten. [151] Völlig zu Recht ist hervorgehoben worden, daß sich in den sechziger und frühen siebziger Jahren des 19. Jahrhunderts Positionen und Leistungen der Juden bedeutsam verstärkten. [152] Dies galt nicht nur für Preußen, sondern auch für Hamburg, wo «die lange Zeit unübersteigbar erscheinenden

Hindernisse, die einer sozialen Integration der Juden im Wege standen, beseitigt [wurden].»[153]

Von besonderer Wichtigkeit war hierbei, daß sich jetzt auch die jüdische Orthodoxie mit der Emanzipation «aussöhnte», wie dies Jacob Toury ausdrückt[154] bzw., daß es nun «wohlvorbereitete institutionalisierte Wege gab, die die Integration der orthodoxen Juden in die deutsche christliche Gesellschaft förderten.»[155]

Wie schwankend der neue Boden war, auf den man nun trat, zeigt allerdings die Auffasung, «daß die Emanzipation ein Entgegenkommen seitens der christlichen Gesellschaft, kein Recht, sondern ein Vorschuß auf künftige Leistungen bzw. eine Belohnung für soziales Wohlverhalten [war]».[156] Beispielhaft hierfür – und damit kehren wir zu unserem eigentlichen Gegenstand zurück – ist eine Altonaer Pressestimme aus den frühen sechziger Jahren, in der es heißt: «Während so die katholische Gemeinde nach ihren schwachen Kräften das Ihrige zur Verschönerung Altona's beiträgt, liegt die Frage nah, was thun die Juden, um sich für das freundliche Entgegenkommen, welches noch jüngt die Stände Holstein's und das Volk ihnen bezüglich der Erweiterung ihrer Rechte erwiesen, erkenntlich zu zeigen? Haben sie ihre mitten in den Straßen stehenden Thore bereits entfernt? Sind sie freiwillig bereit gegen billige Entschädigung ihre der allgemeinen Gesundheit schädlichen Kirchhöfe vor die Stadt zu verlegen? Sie denken nicht daran und warten ruhig ab, bis sie, was sicher kommen wird, der Gewalt von Oben weichen müssen. Die Königstraße bedarf bei den israelitischen Kirchhöfen dringend der Erweiterung, und Menschen-Leben und Gesundheit sind dort bei der starken Wagen-Passage in Gefahr. Die portugiesische Gemeinde ist Willens, die hölzerne Planke durch eine Mauer zu ersetzen, daß sie aber gegen werthseienden Preis einen Streifen Landes von wenigen Fuß Breite abzutreten gesonnen, davon vernimmt man nichts. Unsere städtischen Behörden sind also gezwungen, von der Regierung das Recht der Expropriation zu erwirken. Wir meinen, eine freiwillige Abtretung würde beweisen, daß unsere israelitischen Mitbürger gesonnen sind, künftighin bei gleichen Rechten mit den Christen auch gleiche Pflichten zu tragen. Die «Altonaer Nachrichten» haben die Emancipation der Juden (selbst gegen zelotische Christen) wo sich nur eine Gelegenheit dazu bot, stets warm vertheidigt, daher glauben sie sich auch berechtigt, an die orthodoxen Juden die ernste Mahnung ergehen zu lassen, daß sie selbst den Schein vermeiden, als wollten sie auch fortan noch einen Staat im Staat bilden.»[157]

Neben dem Argument vom sozialen Wohlverhalten und erwarteten Dank für gewährte Emanzipation findet sich in diesem Zusammenhang ein anderer Gedanke, der auch anderswo in den Diskussionen um Emanzipation und Assimilation immer wieder anklingt. Es ist dies die Vorstellung, daß sich im Zuge der Entwicklung bzw. der Modernisierung Juden von bestimmten traditionellen Eigenheiten und Praktiken entfernen würden und sollten. Deutlich wird dies aus einer Äußerung der gleichen Zeitung aus dem Jahr 1862, es heißt: «Sagen Sie mir bei dieser Gelegenheit doch, ich bin mit den Verhältnissen zu wenig bekannt, stehen die gegenüber liegenden Grenz-Häuser Ihrer Stadt wohl in einer telegraphischen Verbindung mit einander, oder soll der zwischen ihnen hinlaufende Kupferdraht ein schreckendes Symbol eines nicht näher zu bezeichnenden Instrumentes, für etwa raublustige Eindringlinge sein? Man hat mir freilich erzählen wollen, dieser Draht bilde ein sogenanntes Judenthor, ich kann mir das nicht denken, denn ich halte die Israeliten Ihrer Stadt für aufgeklärt und Ihre Behörden für zu vernünftig, als daß sie nach aufgehobener Thorsperre und ausgehobenen Thorflügeln solchen Zopf noch dulden würden. Doch Sie müssen ja besser wissen, wie es mit diesem letzteren in Ihrer Stadt bestellt ist, wir haben genug an unserm eignen zu kürzen, der eine so wunderbare Reproductionskraft besitzt, daß er ähnlich wie die beschnittenen jungen Reiser immer aufs Neue wieder ausschlägt und grünt.» [158]

Eng verwandt mit dieser Überlegung ist der in diesem Zusammenhang häufig vorgebrachte Einwand, derartige Vorrichtungen entsprächen nicht den Zeitverhältnissen. Er erscheint in dem oben zitierten Schreiben des Magistrats der Stadt Wandsbek vom 16. 10. 1893, aber auch in einer Stellungnahme des Magistrats der Stadt Würzburg vom 28. 11. 1865, in der einem Ersuchen der Gemeinde nicht stattgegeben wird, «da sich eine öffentliche Vorkehrung der von Ihnen gewünschten Art mit den Anschauungen unserer Zeit nicht in Übereinstimmung befindet.» [159]

Ein weiteres Argument führt ästhetische bzw. verkehrstechnische Gründe an, die gegen ein Verbleiben der Judentore sprechen. Letztere finden sich u. a. im eben genannten Schreiben des Magistrats der Stadt Wandsbek, erstere in einem Schreiben des Magistrats der Stadt Würzburg vom 10. 11. 1865, in der die Anbringung eines «Sabbatdrathes» an der Bahnhofstraße nicht erlaubt wird, «da hierdurch letztere verunziert würde.» [160]

Trotz dieser Äußerungen und Widerstände hat sich der Eruw als rituelle Institution in der 2. Hälfte des 19. Jahrhunderts nicht nur in Altona und Wandsbek behauptet. Aus den gutachterlichen Stellungnahmen anläßlich der Würzburger Streitigkeiten ist zu erfahren, daß es Mitte der sechziger Jahre des 19. Jahrhunderts den Eruw auch in Fürth, Würzburg, Lübeck, Fulda und Halberstadt gegeben hat, was wegen der orthodoxen Ausrichtung der dortigen Gemeinden nicht überrascht. [161] Ezriel Hildesheimer [162], der seinerzeit als Rabbiner in Eisenstadt amtierte, schrieb, «daß von den

Tausenden von Gemeinden, die in den verschiedenen Ländern Europas und außerhalb existierten, immer von Seiten der Israeliten-Gemeinde dieser strengen Vorschrift nachgekommen wurde u. daß die hohe Behörde, in deren Bereitwilligkeit der Stimme der Religion und der Ruhe des Gewissens aller Bekenner der verschiedenen Confessionen gerecht zu werden, stets solches unter ihren Augen und mit ihrer Zustimmung geschehen ließ.»[163]

Hildesheimer war es auch, der 1878 in einem Brief an das Reichskanzleramt gegen die Ansetzung der Stichwahlen zum Reichstag auf einen Sonnabend protestierte und schrieb: «Nach einer rituellen Vorschrift ist es nämlich demselben [dem gesetzestreuen Israeliten], ohne Vornahme einer gewissen Vorkehrung, die aber jetzt fast in keinem Orte mehr möglich, nicht gestattet, am Sonnabend Etwas im Freien zu tragen, also auch nicht den Wahlzettel nach dem Wahllokale zu bringen ... Es ist der orthodoxe Jude also eventuell entweder in seiner religiösen Gewissensfreiheit oder in seinem Wahlrechte beschränkt.»[164] Die Bemerkung, daß die «Vorkehrung» fast in keinem Orte mehr möglich wäre, läßt an die tiefgreifenden baulichen Veränderungen denken, die in den meisten Städten inzwischen eingetreten waren. Immerhin war das Eintreten Hildesheimers für die Beachtung und Einhaltung der Sabbatbestimmungen so bekannt geworden, daß die dem Jüdisch-Theologischen Seminar in Breslau nahestehende «Israelitische Wochenschrift» Hildesheimers Rabbinerseminar recht hämisch als «Taschentuchumwindungsanstalt» bezeichnete.[165]

Neben Ezriel Hildesheimer war es Rabbiner Nehemia Anton Nobel[166], der sich in besonderer Weise für die Wiederherstellung des Eruw einsetzte. Die Art und Weise, in der Nobel hierbei vorging und die Begleitumstände, die diese Unternehmung auslösten, sind zu wichtig, als daß sie hier übergangen werden könnten.

Rabbiner Dr. Nobel amtierte von 1907–1909 in Hamburg und ging dann nach Frankfurt a. M. Überlegungen, den Eruw für die Stadt wieder einzuführen, kamen um die Jahreswende 1913/14 auf, im August 1914 waren die notwendigen Vorkehrungen getroffen und Nobel legte ein halachisches Gutachten vor, in dem er Einzelheiten erläuterte.[167] Er führte halachische Notwendigkeiten an und verwies auf die Tatsache, daß es in Frankfurt a. M. seit 50 Jahren keinen Eruw mehr gegeben und sich Rabbiner Samson Raphael Hirsch um dessen Wiederherstellung bemüht habe.[168]

Gewiß waren «erleichternde» Gesichtspunkte für Nobel maßgebend, der ein «Tragen» am Sabbat für die Gemeindemitglieder hierdurch ermöglichen und persönliche Schwierigkeiten ausschalten wollte. Analog hierzu kann auch seine Entscheidung aus dem Jahre 1919 gesehen werden, den Frauen in der Gemeinde das aktive und passive Wahlrecht einzuräumen, ein für einen orthodoxen Rabbiner ungewöhnlicher Schritt.[169]

Die Einführung des Eruw in Frankfurt a. M. im August 1914 löste einen heftigen Kampf zwischen der von Nobel vertretenen Gemeindeorthodoxie und der durch Rabbiner Dr. Isaak Breuer vertretenen Trennungsorthodoxie, d. h. der Israelitischen Religionsgesellschaft, aus. [170] Die Religionsgesellschaft erklärte den neuen Eruw für nicht «koscher» und verbot das Tragen auf das strengste. Ein Hauptgrund für die Ablehnung lag darin, daß Rabbiner Nobel auch Anbauflächen (Felder) in die Begrenzung einbezogen hatte, wofür sich freilich schon vor ihm Autoritäten ausgesprochen hatten. [171]

An dem Zustand selbst änderte sich in den nächsten Jahren nichts: Die Gemeindeorthodoxen hatten ihren Eruw, den die Trennungsorthodoxen nicht anerkannten. In den frühen dreißiger Jahren flammten die Diskussionen erneut auf, wobei von Seiten des Gemeinderabbiners Dr. Hoffmann darauf hingewiesen wurde, daß auch die jüdischen Gemeinden in den polnischen Städten Warschau, Krakau, Lemberg und Czernowitz den Eruw in der Weise praktizierten, wie man dies auch in Frankfurt a. M. tat. [172]

Für die Gültigkeit des Frankfurter Eruw sprach sich einige Jahre später David Zvi Hoffmann [173], der Nachfolger Ezriel Hildesheimers in der Leitung des Berliner Rabbinerseminars, aus. In einer Antwort zum Eruw in Fulda weist Hoffmann in seinem posthum erschienenen Responsenwerk Melammed le-hoʿil darauf hin, daß auch andere Autoritäten die Ansichten von Nobel vertreten würden. [174] In diesem Werk werden etliche andere Anfragen zum Eruw angeführt, so etwa die zu den Verhältnissen in Königsberg, wo die Stadtmauer die Stadt an drei Seiten umfaßte und der Fluß Pregel im Osten die Begrenzung bildete. Da der Fluß im Winter regelmäßig zufror, tauchte das Problem auf, ob der Eruw dann noch gültig wäre. [175] Auch hierzu liegen verschiedene Antworten vor: ein Teil der Gelehrten bejaht die Gültigkeit des Eruw auch im Winter, andere sprechen sich dagegen aus. Alle diese Anfragen, wie auch die ausführlichen Darlegungen zum Eruw in der Stadt New York (Insel Manhattan) in der Eisenstein'schen Enzyklopädie Ozar Yisrael [176] belegen, daß die Eruw-Thematik in v. a. orthodoxen Kreisen weiter debattiert wurde, wobei sich neue Praktiken zur Aufrechterhaltung dieser rituellen Institution entwickelten, die den städtebaulichen Veränderungen Rechnung trugen. Unterstützt und getragen wurden die Bemühungen zur Aufrechterhaltung des Eruw in den zwanziger Jahren in vielen Fällen von den Schomre Schabbos-Vereinen, die sich generell für den Sabbatschutz einsetzten. [177]

Symptomatisch für die Bemühungen zur Aufrechterhaltung des Eruw bis in die späten dreißiger Jahre waren die Verhältnisse in Eisenstadt/Burgenland, wo noch heute die eisernen Ketten zu sehen sind, mit denen man die Judenstadt am Vorabend des Sabbats abschloß.[178] In dieser Weise wird noch heute in orthodoxen Stadtvierteln in Israel verfahren, während die Umzäunung um die religiösen Gemeinschaftssiedlungen den Eruw der Gebiete sichert und damit den halachischen Erfordernissen entspricht. Praktiziert wird der Eruw auch in orthodoxen Kreisen in den USA, in jüngster Zeit findet er auch in gewissen konservativen Gemeinden Beachtung.[179]

Als rituelle Institution, die über ihren religiösen Eigenwert zu einem Symbol der Abgeschlossenheit und des Ghettos (und damit der jüdischen Gruppenkohäsion) wurde, ist der Eruw eigentlich fast stets Anlaß für Mißverständnisse und Gerüchte in der (christlichen) Majoritätsgesellschaft gewesen. Diese Inhärenz läßt sich an Hand der vorgestellten Beispiele für den Hamburger Raum überzeugend nachweisen. Sie ist freilich nicht typisch für die Hamburger Verhältnisse, sondern auch anderswo anzutreffen. So gehörte zu den häufigsten Denunziationen der polnischen Bevölkerung gegen Juden vor russischen Offizieren im I. Weltkrieg der Vorwurf, «die Juden benützten die Drähte des ‹Eruws› ... als Telegraph oder Telephon, um mit den Deutschen in Verbindung zu treten.»[180]

Die Unkenntnis jüdischer Riten und Sitten, die zu Mißverständnissen und Haß auf Seiten der nichtjüdischen Majorität führte, ist in jenen Jahren in eindrucksvoller Weise von Gustav Landauer analysiert worden. Er schreibt: «Man macht Forschungsreisen ins Innere Asiens, Afrikas, zu den fernsten Inseln im Stillen Ozean und beschreibt gut und getreu die Sitten und Gebräuche sogenannter Wilder und Barbaren. Keine herzlosere Barbarei aber kenne ich als die, die von Gelehrten und Publizisten aller europäischer Völker gegen die mitten unter ihnen wohnenden Juden begangen wird. In Polen und Rußland wohnen sechs bis sieben Millionen Juden beisammen, deren Vorfahren im Mittelalter aus Deutschland eingewandert sind. Unsere Sprachforscher beschreiben jeden alemannischen, bayrischen, niedersächsischen Lokaldialekt, gehen aber achtlos an einer Sprache vorbei, die uns mindestens ebenso wie die Schweizersprache die Herrlichkeiten des mittelhochdeutschen Sprachgutes in Fülle bewahrt hat. Sie tun es, weil das gemeine Vorurteil gegen den Juden in ihren Gelehrtenherzen noch stärker ist als der wissenschaftliche Trieb, weil es für sie nicht Verächtlicheres gibt als den Jargon oder das Mauscheln. Es gibt Wörterbücher und wissenschaftliche Abhandlungen über die Sprache der Zigeuner, der Kunden, der Verbrecher, die alle nicht von Zigeunern und Kunden und Verbrechern und auch nicht von ihren Freunden oder in ihrem Auftrag, sondern von Gelehrten geschrieben sind, wenn aber nicht die Juden selbst angefangen hätten, ihre eigene Sprache zu erforschen und ihre Volkslieder zu sammeln, wäre dieses Gebiet der Wissenschaft noch heute unbekannter als die weiß gelassenen Stellen auf den Landkarten.

Dies ist ein Beispiel für die ganz allgemein geltende Tatsache: daß man vom wirklichen Leben, von den Sitten und Bräuchen der Juden nichts weiß und nichts wissen will.

Ist es denn erhört und gibt es dafür irgend noch ein Beispiel, daß die Juden mitten unter anderen Völkern leben, daß es aber über ihr Leben, das ganz offen zutage liegt und sich gar nicht verbirgt, trotzdem nur Gerüchte gibt.»[181]

Ähnlich argumentierte damals Matthias Mieses: «Die Forschung hat dem Judentum gegenüber eine große Schuld der Menschheit zu sühnen. Die Aufgabe der Forschung ist, nicht nur theoretisch zu klären, sondern auch praktisch im Sinne der Humanität zu wirken … Um kein Volk der Erde hat sich das Geflecht von Irrtümern und Mißverständnissen so fatal gerankt, wie um das jüdische Volk. Nirgends selbständig und unabhängig, wird bei dem wandernden Ahasver jede falsche Theorie zum Verhängnis, jeder Mißgriff zur Tragödie, zum Ahnherrn eines Rattenkönigs von unablässigen Leiden.»[182]

Die Judentore in Altona, Hamburg, Ahrensburg, Wandsbek und anderswo sind inzwischen verschwunden, sie bilden keinen Anlaß mehr für Mißverständnisse und Gerüchte. Der letzte Satz aus einem Bericht der «Altonaer Nachrichten» vom 5.5.1865 hat noch heute seine Gültigkeit: «Die alten Thore – zwei Pfähle und nur ein Strick – dürften bald zur Mythe werden, da man doch nicht gut ein Exemplar davon als Altonensie im vaterstädtischen Museum aufbewahren kann.»

ANMERKUNGEN

1 Schulchan aruch, Orach chajim, 301, 308, 345–416. – Vgl. Ludwig Stern, Die Vorschriften der Thora welche Israel in der Zerstreuung zu beobachten hat, Frankfurt a. M. ⁵1913, S. 108–109; E. Biberfeld, Die Sabbatvorschriften. Volkstümlich dargestellt (Schriften des Verbands der Sabbatfreunde No. 8), Berlin 1910, S. 40–42; Friedrich Thieberger (Hrsg.) Jüdisches Fest, jüdischer Brauch, Berlin 1936, Nachdruck Berlin 1967, S. 77, 84 f.; Michael Friedländer, Die jüdische Religion, Frankfurt a. M. 1936, Nachdruck Basel 1971, S. 276; E. Millgram, Sabbath. The Day of Delight, Philadelphia, Penn. 1965, S. 173 f., 255 f.

2 Vgl. Louis Ginzberg, The Legends of the Jews, Philadelphia, Penn. ⁵1968, Bd. 6, S. 282.

3 Vgl. A. R. Bellinger u. a., The Excavations at Dura-Europos. Conducted by Yale University and the French Academy of Inscriptions and Letters. Final Report VIII, Part I, New York, N. Y. 1979, S. 329 f.

4 Einen guten Überblick bietet Elimelech Lange, Hilchot ʿeruvin (hebr.), Jerusalem 1973. – Die Stadt Jerusalem hat heute einen Eruw, dessen Gültigkeit freilich nicht von allen orthodoxen Gruppierungen anerkannt wird, vgl. Theodore Friedman, The Sabbath in Israel: Law and Life, in: Judaism No. 121 31 (1982), S. 97. In diesem Heft der Zeitschrift findet sich auch ein Beitrag von Phillip Sigal, Toward a Renewal of Sabbath Halakhah (S. 75–86), der sich für eine Reduzierung und Modifizierung halachischer Sabbatbestimmungen ausspricht. Für unsere Thematik stellt er fest: «The important ramification of this is that we must take a renewed look at the whole area of *shebut, tiltul, mukzah* [muqṣeh], *tehum, erubin* (rabbinic requirements to desist from certain activities: carrying, separation from utensils, objects, etc.; Sabbath boundaries and the fusion of areas to circumvent tehum) and declare them inoperative ... Thus, for example, the reference in Jer. 17; 21 f., forbiding *masa* «a burden», or «transporting», has no relationship to what has developed into the massive details composing *tiltul* halakhah as it is conceived by contemporary Jews who style themselves «orthodox». (S. 79). Vgl. hierzu auch Judaism No. 123 31 (1982), S. 381–384, sowie unten Anm. 161.

5 Johann Jacob Schudt, Jüdische Merckwürdigkeiten [...] Frankfurt und Leipzig 1714, Teil I, S. 296. – Vgl. auch hierzu Peter Freimark, Zu den Judentoren in Altona, in: Die Heimat 83 (1976), S. 1–5. – Gemeint sind nicht die Tore, die die Judengasse oder das Judenviertel im Mittelalter und auch später abschlossen. Zu letzteren vgl. Adolf Kober, Grundbuch des Kölner Judenviertels 1135–1425 (Publikationen der Gesellschaft für Rheinische Geschichtskunde Nr. XXXIV), Bonn 1920, S. 36–39; Alexander Pinthus, Studien über die bauliche Entwicklung der Judengassen in den deutschen Städten, in: ZGJD 11 (1930), S. 107, 210 ff.

6 Johann Christoph Georg Bodenschatz, Kirchliche Verfassung der heutigen Juden sonderlich derer in Deutschland, 4 Teile, Erlangen 1748.

7 Gemeint ist das Fest Pessach.

8 «Schule» ist die Synagoge.

9 A. a. O., 2. Teil, S. 136. Auf S. 156 finden sich Abbildungen zum Eruw.

10 Vgl. hierzu Hermann Leberecht Strack / Paul Billerbeck, Kommentar zum Neuen Testament aus Talmud und Midrasch, Bd. 2, München 1924, S. 590–594 im Anschluß an Apostelgeschichte 1, 12.

11 Ausführliche Informationen zum Eruw und seinen Arten vermitteln die einschlä-

gigen Nachschlagewerke: JE, Bd. 5, S. 203 f.; Jüdisches Lexikon, Bd. 2, Berlin 1928, Sp. 486–489; EJB, Bd. 6, Sp. 735–741; EJJ, Bd. 6, S. 849 f.

12 Günter Marwedel, Die Privilegien der Juden in Altona (Hamburger Beiträge zur Geschichte der deutschen Juden, Bd. 5) Hamburg 1976.

13 Das von Ihro Roemischen Kayserl. Majestaet Allergnaedigst=Confirmirte, und von Dero Hohen Commission Publicirte Neue=Reglement Der Judenschafft in Hamburg/So Portugiesisch= als Hochteutscher Nation de Dato 7. Septemb. Anno 1710. Hamburg o. J.

14 Heinz Mosche Graupe, Die Statuten der drei Gemeinden Altona, Hamburg und Wandsbek (Hamburger Beiträge zur Geschichte der deutschen Juden, Bd. 3, 2 Teile), Hamburg 1973.

15 [Würfel], Historische Nachricht von der Judengemeinde in dem Hofmarkt Fürth unterhalb Nürnberg, Fürth und Prag 1754. Vgl. auch Friedrich Neubürger, Verfassungsrecht der gemeinen Judenschaft zu Fürth und in dessen Amt im achtzehnten Jahrhundert, Jur. Diss. Erlangen 1901, Fürth 1902.

16 A. a. O., S. 20.

17 Monika Richarz (Hrsg.), Jüdisches Leben in Deutschland. Selbstzeugnisse zur Sozialgeschichte 1780–1871, Stuttgart 1976, S. 140.

18 Caesar Seligmann (1860–1950), Erinnerungen, Frankfurt a. M. 1975, S. 56.

19 Micha Josef bin Gorion (1865–1921), hebräischer Schriftsteller und Sammler jüdischer Mythen und Märchen.

20 Aus einer Judenstadt (Bücherei des Schocken-Verlags Nr. 67), S. 18. – Zu den rituellen Verhältnissen in Osteuropa vgl. zuletzt Ulrich Gerhardt, Jüdisches Leben im jüdischen Ritual. Studien und Beobachtungen 1902–1944 (Studia Delitzschiana, Neue Folge Bd. 1), Heidelberg 1980; zum Eruw vgl. S. 129 f., 135–137.

21 Aron David Bernstein (1812–1884), Publizist und Schriftsteller. «Vögele der Maggid» erschien erstmals 1858. 1892 wurde die Erzählung – zusammen mit «Mendel Gibbor» – in 8. Auflage in Berlin herausgebracht. Eine Neuausgabe erschien – leicht gekürzt – als Nr. 7 der Bücherei des Schocken-Verlags 1934 in Berlin. – Zu Bernstein vgl. S. Winiger, Große Jüdische National-Biographie, Czernowitz 1925 (Nachdruck Nendeln 1979), Bd. 1, S. 350 f.; Israel Zinberg, A History of Jewish Literature. Bd. X: The Science of Judaism and Galician Haskalah, Cincinnati–New York 1977, S. 209–213.

22 S. 46 der Neuausgabe.

23 Vgl. seine Einleitung zu «Leopold Komperts sämtliche Werke in zehn Bänden», Leipzig 1906, Bd. 1, S. LVI.

24 A. a. O. – Erst spätere deutschsprachige Autoren, und unter ihnen vor allem Leopold Kompert (1822–1886) und Karl Emil Franzos (1848–1904), haben unter Einbeziehung der nichtjüdischen Umwelt die Ghetto-Novelle typologisch entwickelt, was natürlich auch für die großen jiddischen Schriftsteller des 19. und 20. Jahrhunderts gilt. – Vgl. Heinrich Groß, Das Ghetto in der Dichtung, in: AZJ vom 7. und 14. 2. 1908; Lothar Kahn, Tradition and Modernity in the German Ghetto Novel, in: Judaism 28 (1979), No. 109, S. 31–41.

25 Das Werk erschien zunächst in Amsterdam 1712. Benutzt wurde die Ausgabe Fürth 1767.

26 Vgl. Eduard Duckesz, Iwoh lemoschaw (hebr.), Krakau 1903, S. VI–IX, 11–17; Jacob Emden, Megillat sefer (hebr.), Warschau 1897, Nachdruck New York 1955, S. 1–53.

27 Vgl. den Index fol. 61 a.

28 Vgl. hierzu I. Rosenfeld, Fürth und die Halacha, in: Israelitische Kultusgemeinde Fürth (Hrsg.), Nachrichten für den jüdischen Bürger Fürths, September 1968, S. 14.

29 Vgl. Max Grunwald, Hamburgs deutsche Juden bis zur Auflösung der Dreigemeinden 1811, Hamburg 1904, S. 68.

30 Vgl. M. M. Haarbleicher, Aus der Geschichte der Deutsch-israelitischen Gemeinde in Hamburg. Zweite Ausgabe, Hamburg 1886, S. 34f. Vgl. auch Julian Lehmann, Gemeinde-Synagoge Kohlhöfen 1859–1934, Hamburg 1934, S. 11.

31 Vgl. Eduard Duckesz, Zur Geschichte und Genealogie der ersten Familien der
hochdeutschen Israeliten-Gemeinden in Hamburg-Altona, Hamburg 1915, S. 11.

32 Vgl. Günter Marwedel, a. a. O. (Anm. 12), S. 70 mit Literaturangaben; Peter Freimark, Zum Verhältnis von Juden und Christen in Altona im 17./18. Jahrhundert, in:
Theokratia 2 (1970–1972), Leiden 1973, S. 256f., Anm. 2.

33 Günter Marwedel, a. a. O. (Anm. 12), S. 70.

34 StAH JG 48.1–48.5.

35 In den Steuerkontenbüchern der Altonaer Gemeinde in Hamburg (StAH
JG 55.2–55.6), die bereits mit dem Jahr 1675 einsetzen, lassen sich bis zum Jahr 1720
keine Hinweise auf den Eruw finden. Eine systematische Bearbeitung der Steuerkontenbücher der Gemeinde Hamburg (StAH JG 95.1–95.3), die mit 1703 beginnen, steht
noch aus. Die Steuerkontenbücher der Gemeinde Wandsbek (StAH JG 105) beginnen
erst mit 1726.

36 Juspa (Joseph) Ben Natan Levi erscheint als Gemeindemitglied nicht nur in den
Steuerkontenbüchern. Als Joseph Nathan Levy wird er in der Liste der Schutzjuden,
«Beisitzer» (nicht schutzverwandten Juden) und Witwen in Altona vom 30. 10. 1711,
eingereicht und unterschrieben vom Ältesten Levin Bendix, aufgeführt (LASH Abt. 66,
Nr. 4757, fol. 8 r, Nr. 49). Auch die Liste der schutzgeldzahlenden und der unterstüt-
zungsbedürftigen armen hochdeutschen Juden in Altona vom 9. 11. 1723 (Anlage D zum
Bericht des Stadtkämmerers an die königliche Rentekammer) nennt ihn als Joseph
Nathan Levin (LASH, Abt. 66, Nr. 4757, fol. 56 r, Nr. 26). Er starb am 15. Schebat
(5)485 (29. 1. 1725) und wurde am gleichen Tage auf dem Friedhof in Altona, Königstraße beerdigt (Grabnr. 669, StAH JG 82, Grabbuch-Nr. 4208).

37 Die Steuerkontenbücher, wie auch andere jüdische Quellen aus jener Zeit, sind in
einer hebräisch-jiddischen Mischsprache norddeutscher Provenienz abgefaßt, deren exakte wissenschaftliche Erforschung in phonologischer, morphologischer und syntakti-
scher Hinsicht noch aussteht. Die religionsgesetzlichen Termini erscheinen zumeist in
hebräischer Sprache, sie werden in der Übersetzung in eckigen Klammern wiedergegeben. Die Übersetzung lehnt sich sehr eng an die Vorlage an.

38 Die Schreibung des Namens lautet Pe, Alef, Samech; über dem Pe steht ein Maqqef-
ähnlicher Strich, hinter dem Samech folgt ein Abkürzungsstrich. Eine andere mögliche
Namensform (s. Anm. 40) ist deshalb nicht auszuschließen.

39 Ṭilṭul Schabbat in Zusammenhang mit Eruw ist üblich, bei Zwi Aschkenasi er-
scheint die Wurzel ṭlṭl «tragen» überaus häufig (vgl. a. a. O. [oben S. 17 und Anm. 25],
Antwort 111). Vgl. auch Schulchan aruch, Orach chajim, 308 und Elieser Ben Jehuda,
Thesaurus totius Hebraitatis, Bd. 4, S. 1877.

40 Die Schreibung lautet Pe, Alef, Samech, Schin, es folgt der Abkürzungsstrich.

41 Schreibung: Bet, Resch, Waw, Yod, Resch, Schin, He.

42 Die Schreibung weicht etwas von der früheren ab: Bet, Resch, Waw, Yod, Alef,
Resch, Schin, es folgt der Abkürzungsstrich.

43 Schreibung: Bet, Resch, Waw, Yod, Resch, Resch. Pe – mit Maqqef-Strich –, Alef,
Samech.

44 Schreibung: Lamed, Waw, Yod.

45 Schreibung: Pe, Yod, Tet, Resch. Sonst wie in Anm. 43.

46 Meine Ausführungen a. a. O. (Anm. 5), S. 2 sind insofern zu berichtigen.

47 Schmu'el Bar Me'ir, dessen Steuerkonto mit dem Jahr 460 (1700) beginnt, fehlt in der Liste der Schutzjuden von 1711 (vgl. Anm. 36). Es kann sein, daß er dort nicht aufgeführt ist, weil er als Schammasch schutzgeldfrei war (vgl. Günter Marwedel, a. a. O. [Anm. 12] S. 70f.). Vgl. hierzu weiter unten und die Eintragung auf seinem Grabstein, wo er als Schmu'el Schammasch Ben Me'ir genannt wird. Er starb am 20. Av des Jahres (5)503 (10. August 1743) und wurde am folgenden Tage auf dem Friedhof in Altona, Königstraße beerdigt (Grabnr. 642, StAH JG 82, Grabbuch-Nr. 3913).

48 Zu den Funktionen des Gemeindedieners vgl. Heinz Mosche Graupe (Hrsg.), a. a. O. (Anm. 14), Teil 1, S. 70, Anm. 49; S. 81f. Zu den Verhältnissen in Worms vgl. Leon J. Yagod, Worms Jewry in the Seventeenth Century, D. H. L. Yeshiva University, New York 1967, S. 115ff. Vgl. auch Jacob Katz, Tradition and Crisis. Jewish Society at the End of the Middle Ages, New York 1961, S. 178.

49 Vgl. Paul Th. Hoffmann, Neues Altona 1919–1929, Jena 1929, Bd. 2, S. 231.

50 Richard Ehrenberg, Altona unter Schauenburgischer Herrschaft II. / III. (Wirtshäuser, Accise und Bierbrauereien), Altona 1891, S. 48.

51 Vgl. Hans Berlage, Die Abgebrannten von Altona 1711 und 1713, in: ZHG 55 (1969), S. 50. – Vgl. auch die Schilderung von Johann Jacob Schudt, a. a. O. (Anm. 5) V. Buch, S. 370f.

52 Ludolph Hinrich Schmid, Versuch einer historischen Beschreibung der an der Elbe belegenen Stadt Altona. Altona und Flensburg 1747, Nachdruck Hamburg 1975, S. 66.

53 A. a. O., S. 69. – In Paul Th. Hoffmann, a. a. O. (Anm. 49) findet sich eine Abbildung der Brauerei. Das Gebäude wurde um 1893 abgerissen.

54 Hans Berlage, a. a. O. (Anm. 51), S. 49–52.

55 Paul Th. Hoffmann, a. a. O. (Anm. 49), S. 234.

56 Hans Berlage, a. a. O. (Anm. 51), S. 38.

57 A. a. O., S. 53.

58 Vgl. Paul Th. Hoffmann, a. a. O. (Anm. 51), S. 683, Anm. 651: «Die Schreibweise des Namens der Familie de Voss schwankt zwischen de Voss und de Vos; dem niederländischen Ursprung nach ist die letztere Schreibweise die eigentlich richtigere; die gebräuchliche ist de Voss geworden. Verkehrt ist «de Voß» zu schreiben. Vereinzelt findet sich auch der Name einfach «Vos» und «Voss» geschrieben.»

59 Vgl. die Karte bei Hans Berlage auf S. 43. – Die heutige De-Voß-Straße in Altona erinnert an die Familie.

60 Vgl. die Karte «Altona im Jahre 1802» in: Richard Ehrenberg / Berthold Stahl (Hrsg.), Altona's Topographische Entwickelung, Altona 1894, Nachdruck Hamburg [1977]. Die Karte findet sich auch in: P. Piper, Altona und die Fremden insbesondere die Emigranten, vor hundert Jahren. Festschrift zum Stadtjubiläum am 23. August 1914, Altona 1914 (Anhang).

61 Richard Ehrenberg / Berthold Stahl (Hrsg.), a. a. O., S. 15. Vgl. hierzu kartographisch den Plan von Altona 1860 (StAH Pl Altona 90, IV 15), wo sich auch die Bezeichnung «beim Judenthor» findet.

62 StAH Altona 2, IV e 6 (Kollegienprotokolle), Sitzungen vom 20. 2. und 13. 3. 1861. Vgl. auch Bericht über die Gemeinde-Verwaltung der Stadt Altona in den Jahren 1863 bis 1888, Altona 1889, S. 31.

63 Eine Lebensbeschreibung des Journalisten und Schriftstellers Johann Hermann Stoever (1764–1796), der u. a. unter dem Pseudonym Quintus Aemilius Publicola publizierte, hat Richard Graewe im Stader Jahrbuch 1963, S. 129–143 vorgelegt.

64 Niedersachsen (In seinem neuesten politischen, civilen und literarischen Zustande.) Ein in der Lüneburger Heide gefundenes merkwürdiges Reisejournal. Heraus-

gegeben von Quintus Aemilius Publicola, 3 Bde. (fingierter Druckort: Rom) 1789, Nachdruck Hamburg 1975, Bd. I, S. 132–133.

65 Die Reform Nr. 67, 1848, S. 270. – Ähnlich – ironisierend, sarkastisch – berichten die Altonaer Nachrichten am 5. 5. 1865.

66 Vgl. hierzu Peter Freimark, a. a. O. (Anm. 5), S. 4.

67 Zitiert nach Kurt Fr. Chr. Piper, Die ehemaligen Judentore in Altona, in: Die Heimat 82 (1975), S. 235.

68 Berichte zu den Judentoren in Altona enthalten die Altonaer Nachrichten vom 22. 12. 1861, 20. 3. 1862, 12. 4. 1863 und 5. 5. 1865.

69 Seligmann Bär Bamberger (geb. 1807 in Wiesenbronn, gest. 1878 in Würzburg) war von 1840 bis zu seinem Tode Distriktsrabbiner in Würzburg, gründete dort 1864 das Lehrerseminar. Vgl. Herz Bamberger, Geschichte der Rabbiner der Stadt und des Bereichs Würzburg. Aus seinem Nachlaß herausgegeben, ergänzt und vervollständigt von seinem Bruder Rabbiner S. Bamberger, Wandsbek, Wandsbek 1905, S. 67–72; M. Auerbach, Seligmann Bär Bamberger, in: Jeschurun 15 (1928), S. 524–538; Udim. Zeitschrift der Rabbiner-Konferenz in der Bundesrepublik Deutschland. Gewidmet dem Andenken des R. Seligmann Bär Bamberger anläßlich seines 100. Sterbetags 2. Sukkoth 5639 – 13. Okt. 1878, VII–VIII (1977/78).

70 Vgl. hierzu David Schuster, Der Eruw von Würzburg ein Verdienst von Rabbiner Seligmann Bär Bamberger s. A., in: Udim VII–VIII (1977/78), S. 175–182.

71 Gutachten werden vorgelegt von Oberrabbiner J. Ettlinger, Altona; Oberrabbiner A. Stern, Hamburg; Rabbiner Adler, Lübeck; Provinzial-Rabbiner Dr. Enoch, Fulda; Rabbiner Dr. B. H. Auerbach, Halberstadt; Rabbiner Dr. M. Lehmann, Mainz, Oberrabbiner Dr. Auerbach, Bonn und Rabbiner Dr. E. Hildesheimer, Eisenstadt.

72 Jacob Ettlinger (geb. 1798 in Karlsruhe, gest. 1871 in Altona) kam 1836 nach Altona und amtierte hier bis zu seinem Tode als Oberrabbiner und als Vorsitzender des bis 1863 staatlich anerkannten Rabbinatsgerichts. Vgl. die materialreiche Studie von Judith Bleich, Jacob Ettlinger, His Life and Works: The Emergence of Modern Orthodoxy in Germany, New York University, Ph. D. 1974.

73 Staatsarchiv Würzburg Bestand Regierungsabgabe 1943/45, 7107. Den Hinweis auf diese Quelle verdanke ich dem in Anm. 70 genannten Aufsatz von David Schuster. – In rechtlicher Hinsicht galt in jener Zeit noch das «Gesetz betreffend die Verhältnisse der Juden im Herzogtum Holstein vom 14. Juli 1863». Vgl. Günter Marwedel, a. a. O. (Anm. 12), S. 411–419 und aus der älteren Literatur Leopold Auerbach, Das Judenthum und seine Bekenner in Preußen und in den anderen deutschen Bundesstaaten, Berlin 1890, S. 348–350; Max Kollenscher, Rechtsverhältnisse der Juden in Preußen (Gutentag'sche Sammlung Preußischer Gesetze, Nr. 45), Berlin 1910, S. 28; Ismar Freund, Die Rechtsstellung der Synagogengemeinden in Preußen und die Reichsverfassung, Berlin 1926. S. 5, 55–59.

74 Elia Munk (1815–1899) war 1852–1874 Lehrer an der Talmud Tora-Schule in Hamburg, 1873 Klausrabbiner und ab 1877 Dajan in Altona. Nach dem Tode des Oberrabbiners Dr. Loeb 1892 führte er die Rabbinatsgeschäfte bis zum Amtsantritt von Dr. Meir Lerner 1894. Vgl. Eduard Duckesz, Chachme AHW, Hamburg 1908, S. 49f.; 140–142 (hebr.).

75 StAH JG 944.

76 Dr. Elieser Loeb (1837–1892) war seit 1873 Nachfolger Jacob Ettlingers als Oberrabbiner in Altona. Vgl. Duckesz, a. a. O. (Anm. 26), S. 183–186.

77 StAH JG 944. Vgl. auch Extract aus dem Protocolle der Bau-Commission. Sitzung vom 24. September 1862, StAH Wandsbek E I c 10. – Die Kollegienprotokolle enthalten für die sechziger Jahre keine Eintragungen zu den Judentoren (StAH Altona 2,

IV e 6–9 = 1861–1872). – In dem umfangreichen Werk von Henning Oldekop, Topographie des Herzogtums Holstein einschließlich Herzogtum Lauenburg, Fürstentum Lübeck, Enklaven (8) der freien und Hansestadt Lübeck, Enklaven (4) der freien und Hansestadt Hamburg, 2 Bde., Kiel 1908, finden sich keine Eintragungen zu Judentoren in Altona, Ahrensburg und Wandsbek.

78 Israelitischer Kalender für Schleswig-Hostein für das Jahr 5687 n. d. E. d. W. (1926/27), S. XVIII; Jahrbuch für die jüdischen Gemeinden Schleswig-Holsteins und der Hansestädte, Nr. 1 für (das jüdische Jahr) 5690 (1929/30), S. 152–153. – Die Hochdeutsche Israeliten-Gemeinde war Initiatorin und Mitglied des 1919 gegründeten «Bundes gesetzestreuer jüdischer Gemeinden Deutschlands» («Halberstädter Verband»). Vgl. H. B. Auerbach, Die Geschichte des «Bund gesetzestreuer Gemeinden Deutschlands», 1919–1938, Tel Aviv 1972.

79 Vgl. hierzu Klaus Bocklitz, Hamburgische Festungsanlagen, in: Armin Clasen/ Klaus Bocklitz, Studien zur Topographie Hamburgs (Beiträge zur Geschichte Hamburgs herausgegeben vom Verein für Hamburgische Geschichte, Bd. 14), Hamburg 1979, S. 93–152. – Zur Begriffsabgrenzung Städtewachstum, Verstädterung und Urbanisierung vgl. Jürgen Reulecke, Sozio-ökonomische Bedingungen und Folgen der Verstädterung in Deutschland, in: Zeitschrift für Stadtgeschichte, Stadtsoziologie und Denkmalpflege 4 (1977), S. 269ff. Vgl. auch Rolf Heyden, Die Entwicklung des öffentlichen Verkehrs in Hamburg. Von den Anfängen bis 1894 (Mitteilungen aus dem Museum für Hamburgische Geschichte, N. F. Bd. 2), Hamburg 1962.

80 Vgl. Max Grunwald, a. a. O. (Anm. 29), S. 68.

81 M. M. Haarbleicher, a. a. O. (Anm. 30), S. 34.

82 Edgar Frank, 200 Jahre G'seroh Henkelpöttchen: Der Judentumult in der Elbstraße am 26. August 1730/13. Elul 5490, in: Gemeindeblatt der Deutsch-Israelitischen Gemeinde zu Hamburg 9 (1930), 11. 9. 1930, S. 6. Max Grunwald, a. a. O. (Anm. 29), S. 36–38 und in Mittheilungen des Vereins für Hamburgische Geschichte 21 (1901), S. 587–595 äußert sich ausführlich zu diesem Judentumult. Vgl. hierzu Johann Klefeker, Sammlung Hamburgischer Mandate, 2. Teil, Hamburg 1764, S. 1107–1109 und Max Grunwald, Gemeindeproklamationen der Dreigemeinden (Hamburg, Altona u. Wandsbek) von 1724–1734, in: Mitteilungen zur Jüdischen Volkskunde 14 (1911), S. 122.

83 Martin Cohen, Ein Streifzug durch die deutschen Großgemeinden. V. Hamburg, in: IFB, 32. Jg., Nr. 47, 20. 11. 1930. – Über Wohnverhältnisse der Juden in Hamburg und Beschränkungen auf bestimmte Stadtteile zum Ende des 18. Jahrhunderts gibt Auskunft StAH Bestand Reichskammergericht J 44, v. a. Q 9, Q 30 und Q 35. Vgl. auch Johann Klefeker, Sammlung der Hamburgischen Gesetze und Verfassungen, 2. Teil, Hamburg 1766, S. 316–318; J. A. Günther, Ueber das Verhältniß der jüdischen Einwohner in Hamburg. Aus dem Genius der Zeit, April-Stück 1800, Hamburg, 1800, S. 151f. – Zu der Zeitschrift «Der Genius der Zeit» vgl. Rolf Schempershofe, August Hennings und sein Journal «Der Genius der Zeit». Frühliberale Publizistik zur Zeit der Französischen Revolution, in: Jahrbuch des Instituts für Deutsche Geschichte 10 (1981, S. 137–167.

84 G. Merkel, Briefe über einige der merkwürdigsten Städte im nördlichen Deutschland, Bd. 1, Leipzig 1801, S. 36–38.

85 So in Johannes Lundius, Die alten juedischen Heiligthuemer, Gottesdienste und Gewohnheiten für Augen gestellet in einer ausführlichen Beschreibung des gantzen Levitischen Priesterthums, Hamburg 1704; D. F. Gaedechens, Historische Topographie der Freien und Hansestadt Hamburg und ihrer nächsten Umgebung von der Entstehung bis auf die Gegenwart, Hamburg 1880; W. Melhop, Historische Topographie der Freien und Hansestadt Hamburg von 1880 bis 1895, Hamburg 1895; ders., Historische Topo-

graphie der Freien und Hansestadt Hamburg von 1895–1920, I. Bd. Hamburg 1923, II. Bd. Hamburg 1925.

86 StAH JG 273 a, Bd. 12, S. 277–280.

87 Dr. Anschel Stern (1820–1888) war von 1851 bis zu seinem Tode Oberrabbiner in Hamburg. Vgl. Eduard Duckesz, a. a. O. (Anm. 26), S. 125–128.

88 Staatsarchiv Würzburg (wie Anm. 73).

89 Alexander Sussmann Adler (1816–1869) wurde 1852 Rabbiner der Gemeinde in Lübeck. Vgl. die Darstellung seines Nachfolgers Dr. S. Carlebach, Geschichte der Juden in Lübeck und Moisling dargestellt in 9 in dem Jünglings-Verein (Chevras Haschkomoh) zu Lübeck gehaltenen Vorträgen, [Lübeck 1898], S. 146–193.

90 StAH (wie Anm. 86).

91 Dr. Salomon Carlebach (1845–1919), Rabbiner in Lübeck von 1870–1919. Vgl. Naphtali Carlebach, Joseph Carlebach and his Generation, New York 1959, S. 23; 35–37; 86.

92 Vgl. Dr. S. Carlebach, a. a. O. (Anm. 89), S. 192.

93 Schriftliche Auskunft Dr. Baruch Ophir, Jerusalem vom 12. 11. 1980 und Brief Frau Cläre Wohlmann-Meyer, Zürich vom 10. 9. 1982. «In Altona durfte man tragen, in Hamburg nicht» (mündliche Auskunft von Frau Miriam Gillis-Carlebach vom 30. 6. 1982). – Eva Kahn-Minden (Haifa) berichtet über ihren Großvater, den Bankier Martin Moses Heilbut (1863–1939), der als Mitglied des Deutsch-Israelitischen Synagogen-Verbandes Hamburg am Sabbat einen Regenschirm trug: Grandfather was active in the Khilla all the years that I knew him, and long before that. During World War I or just after, the executive of the big synagogue in Hamburg wanted to make him Gabbe (executive member) – but Großvater was in the habit of using an umbrella on Shabbat which is against the rules. As he was at heart a very orthodox man the other members did not want to lose him, so a commission came to his house, asked him whether he would be prepared to accept the honour. Großvater objected and said, were they not aware that he used an umbrella on Shabbat. They were ready for that: «But Mr. Heilbut, there are very good raincoats on the market nowadays!» Thus he became the «Schirmherr des Synagoguenvereins» which means «Protector», and also «Umbrella»man of the synagogue union. (Archiv Institut für die Geschichte der deutschen Juden, Hamburg, Arch 067).

94 Vgl. Hans-Jürgen Nörnberg/Dirk Schubert, Massenwohnungsbau in Hamburg. Materialen zur Entstehung und Veränderung Hamburger Arbeiterwohnungen und -siedlungen 1800–1967 (Analysen zum Planen und Bauen 3), Westberlin 1975, S. 129 f.; Horst Matzerath, Städtewachstum und Eingemeindungen im 19. Jahrhundert, in: Jürgen Reulecke (Hrsg.), Die deutsche Stadt im Industriezeitalter, Wuppertal 1978, S. 79. Zum Zuzug nach Hamburg und Altona vgl. zuletzt Jürgen Brockstedt, Regionale Mobilität in Schleswig-Hostein im 18. und 19. Jahrhundert, in: Jürgen Brockstedt (Hrsg.), Regionale Mobilität in Schleswig-Holstein 1600–1900 (Studien zur Wirtschafts- und Sozialgeschichte Schleswig-Holsteins, Bd. 1), Neumünster 1979, S. 71. Zur innerhamburgischen Wanderung der Juden in die neuen Stadtviertel Rotherbaum und Harvestehude vgl. Helga Krohn, Die Juden in Hamburg. Die politische, soziale und kulturelle Entwicklung einer jüdischen Großstadtgemeinde nach der Emanzipation 1848–1918 (Hamburger Beiträge zur Geschichte der deutschen Juden, Bd. 4), Hamburg 1974, S. 82 f.; Hermann Hipp, Harvestehude Rotherbaum (Arbeitshefte zur Denkmalpflege in Hamburg Nr. 3), Hamburg 1976, S. 82 f.

95 Akiba Wertheimer (1778–1835) war von 1823 bis zu seinem Tode Oberrabbiner in Altona und Schleswig-Holstein, sowie Vorsitzender des Rabbinatsgerichts. Vgl. Eduard Duckesz, a. a. O. (Anm. 26), S. XXIX, 102–107. Als zeitgenössische Würdigung vgl. Wissenschaftliche Zeitschrift für jüdische Theologie 2 (1836), S. 144–146.

96 LASH Abt. 80, Nr. 1144. – Bei ordnungsmäßigem Geschäftsgang und Registratur müßte sich das Konzept (oder eine Abschrift) des Wertheimerschen Gesuchs in den Akten des Altonaer Oberrabbinats befunden haben. Wie eine Durchsicht des Verzeichnisses JG im StAH ergibt, sind die Sammelakten des Oberrabbinats, welche «die Provinzialgemeinden in Schleswig-Holstein betreffen» aber erst ab 1894 erhalten. Das Verzeichnis enthält auch keinen Hinweis auf Kopialbücher o. ä., in denen eine Abschrift des Wertheimerschen Gesuchs sich finden könnte.

97 Gemeint ist das oben angeführte Schreiben des Königlichen Holsteinisch-Lauenburgischen Obergerichts zu Glückstadt an Oberinspektor Menzdorff im Gut Ahrensburg vom 22. 11. 1830.

98 LASH (wie Anm. 96).

99 Vgl. hierzu W. Victor, Die Emanzipation der Juden in Schleswig-Holstein, [Wandsbek 1913], S. 52.

100 In einer Auskunft des Landesarchiv Schleswig-Holstein auf Anfrage zum Wertheimerschen Gesuch von 1830 und zu einem (vermeintlichen) Gesuch von 1848 heißt es: «Leider kann Ihnen das Landesarchiv auf Ihre Anfrage betr. «Judentore» in Ahrensburg keine weiterführende Hinweise geben. Die Registranten des Obergerichts zu Glückstadt wurden ohne Erfolg überprüft. Journale oder Protokolle, die weiterhelfen könnten, liegen für diese Abteilung nicht vor. Aber auch in den genau geführten Diarien, Journalen und Protokollen der Schleswig-Hosteinischen Provinzialregierung konnte über das Gesuch aus dem Jahre 1848 nichts ermittelt werden.» (Tagebuch-Nr. 597/1978, 10. 5. 1978).

101 Zur älteren Literatur vgl. Sammlung Historischer Nachrichten von dem hochadelichen Gute Wandsbeck, o. O., 1766, S. 16; Nachrichten von der Geschichte und Verfassung des adelichen Guts Wandsbeck in Holstein aus Urkunden und anderen zuverläßigen Quellen genommen, Hamburg 1773, S. 19 ff.; Die israelitische Gemeinde, in: Bericht über die Verwaltung und den Stand der Gemeindeangelegenheiten der Stadt Wandsbek für die Jahre 1904–1909, Wandsbek 1910, S. 191–195; Illustrierte Beilage zum IFB Nr. 28, 9. 7. 1927; Wandsbeker Bote vom 9. 3. 1929; S. Bamberger, Geschichte der Juden in Wandsbek, in: IFB vom 13. 1. 1938; Wilhelm Grabke, Wandsbek und Umgebung, Hamburg² 1960, S. 52, 154–156.

102 Bericht über die Verwaltung und den Stand der Gemeinde-Angelegenheiten der Stadt Wandsbek für die Jahre 1889/90–1893/94, Wandsbek 1895, S. 8.

103 Bericht [...] 1904–1909, Wandsbek 1910, S. 7. Die frühere Landgemeinde Hinschenfelde war am 1. 10. 1900 mit 3580 Einwohnern eingemeindet worden. – Vgl. auch Statistisches Landesamt Schleswig-Holstein (Hrsg.), Die Bevölkerung der Gemeinden in Schleswig-Holstein 1867–1970 (Historisches Gemeindeverzeichnis), Kiel 1972, S. 232–233.

104 Die israelitische Gemeinde (Anm. 101), S. 193. Genannt werden «noch fast 50%, die obwohl auf Hamburger Gebiet wohnhaft, Mitglieder der Gemeinde sind» (a. a. O.). Vgl. auch StAH JG 910 (Listen der im Synagogenbezirk Wandsbek außerhalb von Wandsbek wohnenden Juden 1912–1915).

105 StAH Magistrat Wandsbek E I c 10.

106 StAH 422 – 10, II a, 2. Bd. II. (Magistratsprotokoll vom 26. 5. 1882). – Zur rechtlichen Situation vgl. die in Anm. 73 angegebene Literatur.

107 Dr. David Hanover, geb. 1833 in Schmieheim in Baden, war von 1863 bis zu seinem Tode 1901 Rabbiner der Gemeinde Wandsbek. Vgl. Eduard Duckesz, a. a. O. (Anm. 74), S. 52.

108 StAH (wie Anm. 105).

109 StAH (wie Anm. 106).

110 StAH (wie Anm. 105) und auch StAH JG 944 (Sabbattore in Wandsbek). – Magistrats- und Gemeindeakten ergänzen sich weitgehend, die letzteren sind chronologisch nicht geordnet.

111 StAH JG 103 (Acta betr. die Wandsbeker Gemeinde [1671] 1740–1811), Abschrift des «Privilegium für die Wandsbeckische Judenschaft sub dato Rendsburg den 7ten Junie Anno 1740» vom 17.6.1808.

112 StAH (wie Anm. 106).

113 StAH (wie Anm. 105).

114 Wandsbecker Bote vom 9.3.1929. Der Artikel ist unterschrieben mit «Spectator».

115 StAH (wie Anm. 105).

116 StAH (wie Anm. 106).

117 StAH (wie Anm. 105).

118 Die Äußerung der Bau-Commission Altona ist bereits oben zitiert, vgl. Anm. 77.

119 StAH (wie Anm. 105).

120 StAH (wie Anm. 105).

121 Vollständig in StAH JG 944.

122 StAH (wie Anm. 105).

123 In den Gemeindeakten (StAH JG 944) ist ein Schreiben vom 1.5.1888 nicht nachzuweisen.

124 StAH (wie Anm. 121). – Stieber schied am 1.5.1891 aus seinem Amt als Stadtrat aus und trat in den Vorstand der norddeutschen Knappschafts-Pensions-Kasse in Halle/S. ein. Vgl. Bericht [...] (Anm. 102), S. 120.

125 StAH (wie Anm. 105).

126 StAH (wie Anm. 106).

127 StAH (wie Anm. 105 und 106).

128 StAH (wie Anm. 105).

129 StAH (wie Anm. 105).

130 StAH JG 944.

131 Vgl. Helga Krohn, a. a. O. (Anm. 94), S. 182–208. – Ob die lokalen Wandsbeker Verhältnisse von der zu Beginn der neunziger Jahre mächtig aufkommenden (zweiten) Antisemitismuswelle – in der Reichstagswahl vom 15.6.1893 vermehrte sich die Anzahl antisemitischer Abgeordneter von 4 auf 16 – beeinflußt wurden, kann nicht mit Bestimmtheit gesagt werden. Vgl. Sanford Ragins, Jewish Responses to Antisemitism in Germany, 1870–1914, Ph. D. Brandeis 1972, S. 72–90; Ismar Schorsch, Jewish Reaction to German Anti-Semitism, 1870–1914, New York – London – Philadelphia 1972, S. 103 f.; Werner Jochmann, Struktur und Funktion des deutschen Antisemitismus, in: Werner E. Mosse/Arnold Paucker (Hrsg.), Juden im Wilhelminischen Deutschland 1890–1914 (Schriftenreihe wissenschaftlicher Abhandlungen des Leo Baeck Institut, Nr. 35), Tübingen 1976, v. a. S. 436–460 und zuletzt Hans-Günter Zmarzlik, Antisemitismus im Deutschen Kaiserreich 1871–1918, in: Bernd Martin/Ernst Schulin (Hrsg.), Die Juden als Minderheit in der Geschichte, München 1981, S. 249–270.

132 StAH Magistrat Wandsbek E I c 11.

133 StAH JG 892 b.

134 StAH (wie Anm. 106).

135 StAH (wie Anm. 105 und 121).

136 Zu Carstenn-Lichterfelde und seiner Bedeutung als Wirtschaftsführer und Siedlungsplaner vgl. Hans Pappenheim, in: Schleswig-Holsteinisches Biographisches Lexikon, Bd. 1, Neumünster 1970, S. 98–101 (mit ausführlichen Literaturangaben); Erich Achterberg, Berliner Hochfinanz. Kaiser, Fürsten, Millionäre um 1900, Frankfurt a. M.,

1965, S. 31 f.; Annemarie Lange, Berlin zur Zeit Bebels und Bismarcks. Zwischen Reichsgründung und Jahrhundertwende, Berlin (Ost) 1972, S. 225–227. Vgl. auch Hans-Konrad Stein, Der preußische Geldadel des 19. Jahrhunderts. Untersuchungen zur Nobilitierungspolitik der preußischen Regierung und zur Anpassung der oberen Schichten des Bürgertums an den Adel, 2 Teile, Phil. Diss. Hamburg 1982, S. 58, 493.

137 Vgl. Friedrich Puvogel, Der Wandsbecker Stadtbezirk Marienthal. Geschichtliche Aufzeichnungen über die Entstehung und Entwicklung desselben und die damit im Zusammenhange stehenden Vorgänge im öffentlichen Leben Wandsbecks, Wandsbeck 1894; ders., Wandsbeck in der zweiten Hälfte des neunzehnten Jahrhunderts. Ortsgeschichtliche Aufzeichnungen, Wandsbeck 1901; Hamburg und seine Bauten unter Berücksichtigung der Nachbarstädte Altona und Wandsbek, Bd. 2, Hamburg 1914, S. 702.

138 Vgl. Bernd Dieter, Die Wohn- und Siedelwirtschaft in der Stadt Wandsbek unter besonderer Berücksichtigung der Kommunalpolitik, Jur. Diss. Hamburg 1934, S. 35, Wilhelm Grabke, a. a. O. (Anm. 101), S. 137.

139 Friedrich Puvogel, Der Wandsbecker Stadtbezirk Marienthal, S. 42.

140 Vgl. Bernd Dieter, a. a. O. (Anm. 138), S. 6.

141 A. a. O. (Anm. 138), S. 137. – Zur damaligen Stadtgeschichtsschreibung vgl. Gert Zang, Entwicklungsphasen der Stadt und Stadtgeschichtsschreibung im 19. und 20. Jahrhundert, in: Sozialwissenschaftliche Informationen für Unterricht und Studium 9 (1980), S. 11–18.

142 Otto Glagau, Der Börsen- und Gründungs-Schwindel in Berlin. Gesammelte und stark vermehrte Artikel der «Gartenlaube», Leipzig 1876, S. 121–125. – In einem zitierten Brief schreibt Glagau: «Ich kann aber nicht dafür, daß – wie ich dies allerdings mit Zahlen nachweisen werde – von den Gründern und Börsianern gut 90 % Juden und höchstens 10 % Christen sind.» (Israelitische Wochenschrift vom 26. 8. 1875). – Zu Otto Glagau (1838–1892) vgl. Shulamit Volkov, Antisemitism as a Cultural Code. Reflections on the History and Historiography of Antisemitism in Imperial Germany, in: LBYB XXIII (1978), S. 39–41; Henry Wassermann, Jews and Judaism in the Gartenlaube, in: LBYB XXIII (1978), S. 58–60.

143 StAH (wie Anm. 105 und 121). – Bei einer Gesamtbevölkerung von 758 – unter ihnen waren 703 evangelisch, 23 katholisch, 10 sonstige Christen – lebten 1871 22 Juden im Gutsbezirk Marienthal. Vgl. Die Gemeinden und Gutsbezirke des Preussischen Staates und ihre Bevölkerung, Teil VII Die Provinz Schleswig-Holstein. Nach den Urmaterialien der allgemeinen Volkszählung vom 1. December 1871, bearbeitet und zusammengestellt vom Königlichen Statistischen Bureau, Berlin 1874, S. 102–103.

144 StAH (wie Anm. 105).

145 Der Schriftwechsel findet sich nur in den Gemeindeakten, StAH (wie Anm. 121). – Nachforschungen im Landesarchiv Schleswig-Holstein waren leider ohne Erfolg. Die Akten des Bestandes Oberpräsident der Provinz Schleswig-Holstein sind dort nicht vollständig überliefert, auch sind von der Regierung Schleswig keine Geschäftsjournale an das Landesarchiv gelangt (Schreiben vom 23. 11. 1981, Tagebuch-Nr. 2378/81).

146 StAH (wie Anm. 106).

147 Schreiben des Stadtbauamts vom 25. 3. und der Polizei-Behörde vom 26. 6., 24. 7. und 21. 8. 1911, StAH (wie Anm. 121). – Der Abschnitt «Die israelitische Gemeinde» in Bericht […] 1904–1909, a. a. O. (wie Anm. 101) ist eine redigierte und stark gekürzte Stellungnahme von Rabbiner Bamberger vom 25. 6. 1910, die in StAH Magistrat Wandsbek B I d 9 vorliegt. Der Bericht für den Zeitraum 1909–1914 liegt in gedruckter Form nicht vor, handschriftliche Materialien, darunter ein Beitrag der Gemeinde von 3 Seiten mit Anlagen, finden sich in StAH Magistrat Wandsbek B I d 10. Auf die Thematik der Judentore wird in beiden Berichten nicht eingegangen.

148 a. a. O. (wie Anm. 101), S. 16 c. – Vgl. auch den Bericht «Schlußgottesdienst in der Synagoge Wandsbek», in: IFB vom 13. 10. 1938, S. 16 a. Rabbiner Simon Bamberger war ein Enkel von Rabbiner Seligmann Bär Bamberger (vgl. Anm. 69). Er wurde 1871 in Würzburg geboren, amtierte von 1902–1938 als Rabbiner in Wandsbek, wanderte im Januar 1939 nach Palästina aus und starb 1961 in Kirjat Motzkin / Israel. (StAH JG 992 b); vgl. auch Gemeindeblatt der Deutsch-Israelitischen Gemeinde zu Hamburg 5 (1927), 10. 5. 1927, S. 1 f.; Shaul Esh (Hrsg.), The Bamberger Family. The Descendants of Rabbi Seligmann Bär Bamberger the «Würzburger Rav» (1807–1878), Jerusalem 1964, S. 58.

149 StAH Magistrat Wandsbek E I c 12.

150 Vgl. hierzu Hermann Greive, On Jewish Self-Identification. Religion and Political Orientations, in LBYB XX (1975), S. 46.

151 Hermann Greive, Zionism and Jewish Orthodoxy, in: LBYB XXV (1980), S. 178.

152 Jacob Katz, From Prejudice to Destruction. Antisemitism, 1700–1933, Cambridge, Mass. 1980, S. 208.

153 Mosche Zimmermann, Hamburgischer Patriotismus und deutscher Nationalismus. Die Emanzipation der Juden in Hamburg 1830–1865 (Hamburger Beiträge zur Geschichte der deutschen Juden, Bd. 6), Hamburg 1979, S. 229.

154 Jacob Toury, Die politischen Orientierungen der Juden in Deutschland. Von Jena bis Weimar (Schriftenreihe wissenschaftlicher Abhandlungen des Leo Baeck Instituts, Nr. 15), Tübingen 1966, S. 143: «Die Orthodoxie hatte sich, indem sie so entschieden den Anschluß an die Kulturnation verlangte, mit der Emanzipation ausgesöhnt. Nun vollzog sie unter Berufung auf ihre Rechte und Pflichten als Bürger des großen deutschen Reiches auch den Anschluß an die deutsche *Staatsnation*. Nachdem durch die nationale Einigung Deutschlands die Auffassung von dem christlichen Ständestaat auch in der deutsch-konservativen Ideologie in ihrer zentralen Stellung zeitweilig erschüttert war, konnten sich jetzt orthodoxe wie nichtorthodoxe Juden dem neuen Staatsverband zugehörig fühlen und ohne Zögern ihren Teil ‹zur Vergrößerung des preußischen Staates› beitragen.» Vgl. auch ders., Soziale und politische Geschichte der Juden in Deutschland 1847–1871. Zwischen Revolution, Reaktion und Emanzipation (Schriftenreihe des Instituts für Deutsche Geschichte, Universität Tel Aviv, Nr. 2), Düsseldorf 1977, S. 323. – Zur Akademisierung des orthodoxen Rabbinats in den vierziger Jahren vgl. Ismar Schorsch, Emancipation and the Crisis of Religious Authority. The Emergence of the Modern Rabbinate, in: Werner E. Mosse / Arnold Paucker / Reinhard Rürup (Hrsg.), Revolution and Evolution. 1848 in German-Jewish History (Schriftenreihe wissenschaftlicher Abhandlungen des Leo Baeck Instituts, Nr. 39) Tübingen 1981, S. 221–223.

155 Uriel Tal, Christians and Jews in Germany. Religion, Politics, and Ideology in the Second Reich, 1870–1914, Ithaca, N. Y. and London 1975, S. 222, Anm. 87.

156 Vgl. Reinhard Rürup, Die ‹Judenfrage› der bürgerlichen Gesellschaft und die Entstehung des modernen Antisemitismus, in: Emanzipation und Antisemitismus (Kritische Studien zur Geschichtswissenschaft 15), Göttingen 1975, S. 82.

157 Altonaer Nachrichten vom 12. 4. 1863.

158 Altonaer Nachrichten vom 20. 3. 1862.

159 Staatsarchiv Würzburg (wie Anm. 73), Anlage I.

160 Staatsarchiv Würzburg (wie Anm. 73), Anlage G.

161 Staatsarchiv Würzburg (wie Anm. 73). – Von Seiten der Reformbewegung wurde dem Eruw keinerlei Bedeutung mehr beigemessen. Im «Commissionsbericht über die Sabbatfrage», vorgetragen von Abraham Geiger im Verlaufe der zweiten Rabbiner-Versammlung in Frankfurt a. M. 1845 heißt es hierzu: «Bei der Zerstreutheit der jüd. Gemeinden, bei der geringen Glieder-Anzahl der Landgemeinden ist es in hohem Grade wün-

schenswerth, daß die Mitglieder der kleinen Gemeinden zuweilen an dem Gottesdienste größerer Theil zu nehmen im Stande sind; daran hindert aber das Verbot der techumin (des Ueberschreitens der sogen. Sabbatgränze). Indem wir dessen Bedeutung, insofern Geschäftsreisen dadurch untersagt werden, sehr wohl anerkennen, müssen wir aber, sobald blos ein Theil des Tages zur Reise zu verwenden ist und die Reise einen höheren Zweck, besonders den gottesdienstlichen, hat, das Verbot als unbegründet aufheben, sei nun das Reisen zu Fuß oder zu Wagen, zu Schiffe oder auf Eisenbahnen. Es ist denn natürlich, daß auch die Fictionen des eruw (der symbolischen Ortsverbindung) hiermit wegfallen, und auch das Verbot des sog. Tragens, insofern die zu solchen Reisen nothwendigen Gegenstände davon getroffen werden können, keine Anwendung mehr fände . . . Die Commission schlägt daher vor: . . . Die Versammlung wolle im Einzelnen erklären, daß Alles, was besonders zu einer würdigen Ausstattung des Gottesdienstes gehört, oder was dem Einzelnen erst die Theilnahme an einem erbaulichen Gottesdienste möglich macht, auch durch einen Juden geschehen dürfe. Sie rechnet besonders dahin das Musiciren am Sabbate, das in Haus wie Synagoge erlaubt werde, das Gehen außerhalb der sogen. Sabbatgränze, das Fahren und Reiten, insofern es nicht den Zweck einer Geschäftsreise, vielmehr gottesdienstliche oder andere höhere Zwecke hat. Sie erklärt demnach auch die eruwe techumin, die fingirten Raumverbindungen, entweder für unstatthaft, nämlich zu gewerblichen Zwecken, oder für unnöthig, nämlich zu höhern, namentlich zu religiösen Zwecken; sie erklärt das Verbot des Tragens für erloschen, insofern dieses nicht ein eigentliches Lasttragen für den Geschäftsverkehr ist, und hiermit auch eruwe chazerot, die fingirten Verbindungen verschiedener Gebiete, für aufgehoben.» (Protokolle und Aktenstücke der zweiten Rabbiner-Versammlung, abgehalten zu Frankfurt am Main, vom 15ten bis zum 28ten Juli 1845, Frankfurt a. M. 1845, S. 355 f.).

162 Ezriel Hildesheimer (geb. 1820 in Halberstadt, gest. 1899 in Berlin), gründete 1873 das orthodoxe Rabbinerseminar in Berlin und war einer der führenden Vertreter der Orthodoxie. Vgl. die Beiträge in Jeschurun 7 (1920), Heft 5/6, S. 199–328; Isi Jacob Eisner, Reminiscences of the Berlin Rabbinical Seminary, in: LBYB XII (1967), S. 32–52; Pinchas E. Rosenblüth, Die geistigen und religiösen Strömungen in der deutschen Judenheit, in: Werner Mosse/Arnold Paucker (Hrsg.), a. a. O. (Anm. 131), S. 590–592; Monika Richarz (Hrsg.), Jüdisches Leben in Deutschland im Kaiserreich, Stuttgart 1979, S. 77–86. – Zu dem engen Verhältnis zu seinem Lehrer Oberrabbiner Jacob Ettlinger vgl. David Ellenson, Rabbi Esriel Hildesheimer and the Quest for Religious Authority: The Earliest Years, in: Modern Judaism 1 (1981), S. 283–284.

163 Staatsarchiv Würzburg (wie Anm. 73), Anlage H. – Auch Samson Raphael Hirsch nimmt wiederholt zum Eruw gutachterlich Stellung, vgl. David Farkas (Hrsg.), Guide for Manuscripts and Printed Matter. From the Legacy of Rabbi Samson Raphael Hirsch. The Sänger Collection. Vol. I: Letters and Hebrew Mss. (hebr.), Ramat-Gan, 1982, S. 2.

164 Mordechai Eliav, Rabbiner Esriel Hildesheimer; Briefe, Jerusalem 1965, Brief vom 2. 8. 1878, S. 127.

165 A. a. O., S. 134.

166 Vgl. Oskar Wolfsberg, Nehemias Anton Nobel. Versuch einer Würdigung, Frankfurt a. M. 1929, bes. S. 33.

167 Porat Yosef. Quntres odot tiqqun ʿeruvin be-vranqfurt aʾʾn moin, Frankfurt a. M. 1914.

168 A. a. O., S. 7.

169 Vgl. Marion A. Kaplan, Die jüdische Frauenbewegung in Deutschland. Organisation und Ziele des Jüdischen Frauenbundes 1904–1938 (Hamburger Beiträge zur Geschichte der deutschen Juden, Bd. 7), Hamburg 1981, S. 260f.

170 Vgl. Paul Arnsberg, Bilder aus dem jüdischen Leben im alten Frankfurt, Frankfurt a. M. 1970, S. 21; ders., Neunhundert Jahre ‹Muttergemeinde in Israel› Frankfurt a. M., Frankfurt a. M. 1974, S. 152. – Zum historischen Hintergrund vgl. Saemy Japhet, The Secession from the Frankfurt Jewish Community under Samson Raphael Hirsch, in: Historia Judaica X (1948), S. 99–122; Isaac Heinemann, Supplementary Remarks on the Secession [...], in: a. a. O., S. 123–134; Jacob Rosenheim, The Historical Significance of the Struggle for Secession [...], in: a. a. O., S. 135–146; Mordecai Breuer, Changes in the Attitude of Orthodox Jewry in Germany Towards the National Movement During the First world War (hebr.), in: Proceedings of the Seventh World Congress of Jewish Studies History of the Jews in Europe. Held at The Hebrew University of Jerusalem 7–14. August 1977 [...], Jerusalem 1981, S. 167–177. Vgl. hierzu und zum organisationsgeschichtlichen Hintergrund generell zuletzt Max P. Birnbaum, Staat und Synagoge 1918–1938. Eine Geschichte des Preußischen Landesverbandes jüdischer Gemeinden (1918–1938) (Schriftenreihe wissenschaftlicher Abhandlungen des Leo Baeck Instituts, Nr. 38), Tübingen 1981, S. 3–12.

171 Vgl. die Auseinandersetzungen in: Der Israelit (Frankfurter Israelit), Nr. 34 und Nr. 38, 55 (1914); Frankfurter Israelitisches Familienblatt Nr. 34, 12 (1914).

172 Gemeindeblatt Frankfurt a. M. 10: 1931/32, Nr. 2, S. 41.

173 David Zvi Hoffmann (1843–1921), ab 1873 Dozent am Hildesheimer'schen Rabbinerseminar, nach dem Tode Hildesheimers (1899) Rektor der Anstalt.

174 Berlin 1926, (hebr.), Frage 65, S. 89 f. – Zum Werk vgl. die ausführliche Rezension von Joseph Wohlgemuth, in: Jeschurun 13 (1926), S. 195–203. Vgl. auch Jüdisches Wochenblatt 3 (1926), Nr. 9; S. 76.

175 A. a. O., Frage 68, S. 91 f.

176 J. F. Eisenstein (Hrsg.) Ozar Yisrael. An Encyclopaedia of all Matters concerning Jews and Judaism (hebr.), 10 Bde. New York 1907–1913, Nachdruck London 1935, Bd. 8, S. 138–140.

177 Vgl. Jüdisches Lexikon, Bd. 5, Sp. 247; IFB, 32. Jg., Nr. 35, 28. 8. 1930 mit Berichten über den 1. «Sabbath-Weltkongreß», der vom 26.–28. 8. 1930 in Berlin stattfand; Samuel Grünberg, Rückwirkungen der wirtschaftlichen Entwicklung auf die Sabbathheiligung, in: Jeschurun 16 (1929), S. 283–297; Jacob Rosenheim, Ausgewählte Aufsätze und Ansprachen, Bd. II, Frankfurt a. M. 1930, S. 1–5; ders., Erinnerungen. 1870–1920, Frankfurt a. M. 1970, S. 96 ff.

178 Vgl. Wolfgang Häusler / Erich Lessing / Max Berger, Judaica. Die Sammlung Berger. Kult und Kultur des europäischen Judentums, Wien / München 1979, S. 11; vgl. auch IFB, 32. Jg., Nr. 35, 28. 8. 1930; Moritz Steinhardt, Aus dem Ghetto. Erzählungen aus dem vorigen Jahrhundert, Leipzig ²1913, S. 6; Joseph Klampfer, Das Eisenstädter Ghetto (Burgenländische Forschungen, Heft 51), Eisenstadt 1965, S. 15–24; Hugo Gold, Gedenkbuch der untergegangenen Judengemeinden des Burgenlandes, Tel Aviv 1970, S. 29.

179 Über die Herrichtung des Eruw auf Camping-Plätzen in den USA vgl. Sharon Strassfeld / Michael Strassfeld (Hrsg.), The third Jewish Catalog. Creating Community, Philadelphia, Penn. 1980, S. 248–249. The first Jewish Catalog (1973) und The second Jewish Catalog (1976) enthalten keine Angaben zum Eruw. Für das amerikanische Reformjudentum vgl. die in Anm. 4 zitierten Äußerungen von Phillip Sigal.

180 Süddeutsche Monatshefte, Februar 1916, «Ostjuden», S. 835. – Schon Schudt berichtet a. a. O. (Anm. 5), V. Buch, S. 375 f. in offensichtlicher Unkenntnis des Verbots des Tragens am Sabbat, «daß die Portugiesen und andere Juden zu Hamburg sich nicht gescheuet / ihre Betbücher durch Christen-Leuth ... in ihre Schule ihnen öffentlich

nachtragen zu lassen / wie er denn einsmahl solches öffentlich / fast mit Erstaunen / im passiren des Dreckwalls selbst / leyder Gottes / sehen müssen.»

181 Zum Beilisprozeß. Aus dem «Kiew» überschriebenen Sonderheft des «Sozialist» vom 5. November 1913. Abgedruckt in: Gustav Landauer, Der werdende Mensch, Potsdam 1921, Nachdruck Telgte-Westbevern 1977, S. 129 f. – Die Stelle wird auch zitiert bei Achim von Borries (Hrsg.), Selbstzeugnisse des deutschen Judentums 1870–1945, Frankfurt a. M. 1962, S. 30. – Vgl. Norbert Altenhofer, Tradition als Revolution: Gustav Landauers «geworden-werdendes» Judentum, in: David Bronsen (Hrsg.), Jews and Germans from 1860 to 1933. The Problematic Symbiosis (Reihe Siegen. Beiträge zur Literatur- und Sprachwissenschaft, Bd. 9), Heidelberg 1979, S. 173–208.

182 Matthias Mieses, Die Entstehungsursache der jüdischen Dialekte, Wien 1915, Nachdruck mit einer Einleitung von Peter Freimark, Hamburg 1979, S. 111. – Vgl. zu dieser Thematik zuletzt Lucy S. Dawidowicz, The Holocaust and the Historians, Cambridge, Mass. – London 1981, S. 47 (mit Literaturangaben).

GLÜCKEL VON HAMELN UND IHRE FAMILIE IN DEN STEUERKONTENBÜCHERN DER ASCHKENASISCHEN GEMEINDE ALTONA

Günter Marwedel

Zur Teilautonomie, welche der aschkenasischen Gemeinde in Altona vom jeweiligen Landesherrn zugestanden worden war, gehörte auch die autonome Finanzverwaltung[1]. Ihr oblag es, die vom Staat geforderten Judensteuern einzutreiben *und* die zur Finanzierung der Gemeindeinstitutionen dienenden gemeindeeigenen Steuern und andere, von der Gemeinde beschlossene Abgaben oder ihr – zum Beispiel aus Vermietung und Verpachtung – zustehende Einnahmen zu erheben und zu verwalten. Die Verantwortung dafür und die Hauptlast der damit verbundenen Arbeit lag bei den govim (‹Einnehmern›), den Kassenverwaltern, deren Rang und Bedeutung daraus erhellt, daß sie dem (erweiterten) Gemeindevorstand angehörten[2]. Sie hatten, unter anderem, auch die Bücher zu führen. Eines der wichtigsten davon war der pinqas ba‘ale batim (‹Haushaltsvorstands-Buch›), der wahrscheinlich mit dem in den Quellen genannten pinqas hagovim (‹Einnehmer-Buch›) identisch ist und heute die archivarische Bezeichnung «Steuerkontenbuch» trägt[3]. Die beiden Reihen der Steuerkontenbücher für die in Altona und für die in Hamburg wohnenden steuerpflichtigen Mitglieder der aschkenasischen Gemeinde Altona sind weitgehend erhalten, erstere ab 1697, letztere ab 1675; sie werden im Bestand «Jüdische Gemeinden» (JG) des Staatsarchivs Hamburg (StAH) aufbewahrt.

Im Steuerkontenbuch wurden für jedes steuerpflichtige Gemeindemitglied auf einer Sollseite die Zahlungsverpflichtungen (Steuer- und Abgabenschuld) und auf der gegenüberliegenden Habenseite die geleisteten Zahlungen und andere Gutschriften gebucht. Beide Seiten zusammen bilden das Steuerkonto, das in den Steuerkontenbüchern selbst mit dem hebräischen Wort daf (‹Folium›) bezeichnet wird und mit der (meist hebräischen) Blattzahl als laufender Nummer versehen ist. (Neben dieser alten Foliierung findet sich eine moderne, mit Bleistift geschriebene Paginierung oder Foliierung, die ich aus praktischen Gründen bei Stellenangaben benutze.) Die Sollseite ist mit dem Namen des Steuerpflichtigen und in der Regel außerdem mit dem hebräischen Wort ḥiyyuvah (‹Belastung›), die Habenseite ist im allgemeinen mit dem hebräisch-aramäischen Wort tašlumin (‹Zahlungen›) überschrieben. Die Buchung erfolgte in Mark und

Schilling beziehungsweise in Mark, Schillingen und Pfennigen, wobei 1 M = 16 Sch = 192 Pf, 1 Sch = 12 Pf war. Die Mehrzahl der Lastschriften betrifft die in Intervallen fälligen wichtigsten Steuerarten, Haushaltssteuer und Vermögenssteuer, die bei Fälligkeit, zu *einem* Betrag zusammengezogen, ins Soll gebucht wurden[4]. Der zugehörige Buchungstext besteht in der Regel aus dem hebräischen Wort gviyyah (‹Hebung›) und dem jüdischen Datum (nur Monat und Jahr), meist wurde auch die Steuersumme noch einmal in hebräischen Zahlzeichen hinzugesetzt. Am Schluß des Buchungszeitraums wurden die Salden der Soll- und der Habenseite gegeneinander aufgerechnet und so der rešt (‹Rest› = Restschuld oder Restguthaben) festgestellt, der als Übertrag im folgenden Steuerkontenbuch erscheint.

Die Steuerkontenbücher enthalten eine Fülle von Informationen, die für die Personen-, Familien-, Wirtschafts-, Kultur- und Gemeindegeschichte der Altonaer Juden von Belang sind. Der systematischen Erfassung und Auswertung dieser Informationen steht allerdings eine Reihe von Schwierigkeiten entgegen, die bisher nur erst teilweise bewältigt sind. Sie sind, allgemein gesprochen, durch die besondere Art und Weise bedingt, in der die uns interessierenden Informationen in den Steuerkontenbüchern gespeichert sind: Sie sind nämlich – außer in der Zahlenspalte – in einer oft schwer, manchmal auch gar nicht zu entziffernden hebräischen Kursivschrift niedergeschrieben; und die Sprache der Buchungstexte ist eine Variante der zeitgenössischen jüdischen Geschäftsschreibsprache, einer noch kaum erforschten jiddisch-hebräischen Mischsprache. Was gerade diese Variante schwer verständlich (und teilweise unverständlich) macht, ist, daß die für den internen Gebrauch der zeitgenössischen jüdischen Gemeinde- und Finanzverwaltung bestimmten Buchungstexte durch eine mehr oder weniger weitgehende, oft aber extreme Knappheit des sprachlichen Ausdrucks und häufig durch eine die bekannten Regeln außer acht lassende Syntax gekennzeichnet sind. Wenn wir auf Grund anderer Quellen über das Steuersystem und die Finanzverwaltung der aschkenasischen Gemeinde Altona bis ins einzelne Bescheid wüßten, könnten wir, gerüstet mit diesem Wissen, sicher den größten Teil auch der uns jetzt rätselhaften Buchungen interpretieren und auswerten. Aber gerade diese Möglichkeit haben wir nicht. Es gibt keine zusammenhängende Darstellung dieses Zweigs der örtlichen Gemeindeorganisation[5]; die vorliegenden Arbeiten mit einschlägiger Thematik sind, wo sie einzelne Gemeinden betreffen, nicht ohne weiteres auf Altona übertragbar[6]; und wo sie größere geographische und Zeiträume umspannen, geben sie nur einen groben Orientierungsrahmen für die Interpretation und Auswertung der Steuerkontenbücher der Altonaer Gemeinde ab[7]. Wir sind also darauf angewiesen, das den

Buchungen zugrunde liegende Steuersystem ebenso wie die Art der Buchführung und Prinzipien und Praxis der Altonaer jüdischen Finanzverwaltung weitgehend aus den Steuerkontenbüchern selbst zu rekonstruieren[8]. Daß sich damit die Schwierigkeiten potenzieren, liegt nach dem oben über die Eigenart der Buchungen Gesagten auf der Hand. Eine Folge davon ist, daß die bisher erzielten Ergebnisse unserer Arbeit an den Steuerkontenbüchern noch durchaus vorläufigen und zum Teil hypothetischen Charakter haben. Das schließt die Möglichkeit nicht aus, einzelne überraschende Funde, auf die wir bei dieser Arbeit gestoßen sind, vorweg ans Licht zu ziehen und daran den Quellenwert der Steuerkontenbücher exemplarisch zu demonstrieren. Für einen ersten Versuch in dieser Richtung habe ich die Steuerkonten des Chajim Hamel und seiner Witwe Glikl (Glückel von Hameln) ausgewählt; die Konten weiterer Familienangehöriger werden bei gegebenem Anlaß ergänzend herangezogen. Drei Gründe sprachen für diese Wahl. Einmal sind Person und Geschick der Genannten uns aus Glückels Memoiren und teilweise aus weiteren Quellen bekannt[9]; zum andern enthalten die Steuerkonten einige bisher nicht bekannte Daten und Informationen, welche das aus Glückels Memoiren und anderen Quellen Ersichtliche ergänzen; und schließlich können umgekehrt einzelne Eintragungen in den Steuerkontenbüchern mit Hilfe des aus diesen Quellen geschöpften Wissens interpretiert und so überhaupt erst dem Verständnis erschlossen werden. An eine auch nur einigermaßen vollständige Auswertung der genannten Konten ist dabei allerdings nicht gedacht. Das würde den Rahmen eines Aufsatzes sprengen und ist überdies bei dem oben skizzierten Stand der Arbeit derzeit ohnehin noch nicht möglich. Ich werde mich daher darauf beschränken, auf einige grundlegende Befunde aufmerksam zu machen und einige interessante Buchungen zu erwähnen beziehungsweise in deutscher Übersetzung anzuführen und gegebenenfalls zu erörtern. Außerdem werden anhangweise die Steuerkonten von Chajim und Glikl Hamel in verkleinerter Reproduktion vollständig wiedergegeben[10].

Der Ehemann der Glückel von Hameln hieß bekanntlich Chajim und war das neunte, jüngste Kind des Josef ben Baruch Daniel Samuel ha-Levi, der lange Jahre in Hameln wohnte und deshalb Josef Hamel(n) genannt wurde[11]. Dementsprechend lautet der Name Chajims in der Grabinschrift «Chajim ben Josef Hamel Segal» («Chajim, Sohn des Josef Hameln, vom Stamme Levi»)[12]; in den Steuerkontenbüchern dagegen heißt er einfach Chajim Hamel[13]. Bei den nichtjüdischen Behörden und Einwohnern schließlich scheint er unter dem Namen Hein Goldschmid bekannt gewesen zu sein; jedenfalls ist er in Schutzjudenlisten von 1664 und 1675 und in den Listen der jüdischen Meßgäste in Leipzig von 1668–1688 unter diesem Namen aufgeführt[14].

Das älteste erhaltene Steuerkontenbuch für die in Hamburg wohnenden Mitglieder der aschkenasischen Gemeinde Altona umfaßt die Zeit von Mitte 1675–1683/84[15]. Das Konto des Chajim Hamel, das sich dort auf Bl. 21 (nach der ursprünglichen, hebräischen Blattzählung) beziehungsweise auf Bl. 34 (nach der modernen Bleistiftfoliierung) findet, stellt also eine Fortsetzung dar; denn 1675 war Chajim Hamel bereits 13–14 Jahre in Hamburg ansässig[16]; und es ist anzunehmen, daß er auch in dem einen Jahr, das er zwischen seiner Heirat und der Niederlassung in Hamburg in Hameln verbrachte[17], Abgaben an die Altonaer Gemeinde entrichtete, um den durch die Heirat mit der Tochter eines Gemeindemitgliedes erworbenen Anspruch auf Gemeindemitgliedschaft (und Wohnrecht) in Hamburg/Altona nicht zu verlieren[18].

Das unten anhangweise wiedergegebene Konto beginnt ohne Übertrag, Chajim Hamel hatte also am Ende des vorhergehenden Buchungszeitraums keine Steuerschulden. Die Lastschriften wie die Gutschriften beginnen mit dem Fälligkeits- beziehungsweise Zahlungstermin Tammuz 435 (Juni/Juli 1675) und enden mit dem Fälligkeits- beziehungsweise Zahlungstermin Tammuz 443 (Juni/Juli 1683)[19]. Dieser Buchungszeitraum ist in zwei Abschnitte mit je eigener Abrechnung unterteilt. Die Buchungen des ersten Abschnitts reichen von Tammuz 435 (Juni/Juli 1675) bis Anfang 441 (September 1680), der zweite von Cheschwan 441 (Oktober/November 1680) bis Tammuz 443 (Juni/Juli 1683); der erste umfaßt also gut fünf, der zweite 2⅔ Jahre. Im ersten Abrechnungszeitraum betrug die Summe der Lastschriften 1347 Mark 14½ Schilling, die Summe der Gutschriften 1341 M 14½ Sch. Die Restschuld von 6 M ist unter dem Strich, der die Grenze zwischen den beiden Abschnitten (Abrechnungszeiträumen) markiert, mit dem (hier in deutscher Übersetzung wiedergegebenen) Buchungstext «Bleibt schuldig bis Cheschwan 441 [Oktober/November 1680] 6 Mark» erneut ins Soll gestellt. Der Buchungstext der entsprechenden Gutschrift lautet (in deutscher Übersetzung): «Gezahlt 9. Tevet [30. Dezember] durch Meir Šammaš 6 Mark 441 [1680]». Der zweite Buchungsabschnitt (Abrechnungszeitraum) schließt mit einer Lastschriftsumme von 815 M 13½ Sch und einer Gutschriftsumme von 800 M ¼ Sch und der (hier in Übersetzung wiedergegebenen) Abschlußbuchung «Restiert [= bleibt schuldig] 15 M 13 Sch 3 Pf.» Dementsprechend beginnen die Lastschriften auf Chajim Hamels Konto im folgenden Steuerkontenbuch (JG 55.3, 41) mit der (hier ins Deutsche übersetzten) Buchung: «Wie im alten Buch zu sehen ist, restiert er 15 M 13 Sch 3 Pf.» Nach diesem Übertrag beginnen die Lastschriften (und Gutschriften) mit Tevet 444

(November/Dezember 1683); und Lastschriften und Gutschriften enden mit Kislew 453 (November/Dezember 1692). Doch ist dieser Buchungszeitraum nicht in gleicher Weise wie im vorhergehenden Steuerkontenbuch in zwei selbständige Abrechnungszeiträume unterteilt. Statt dessen ist lediglich öfters – auf der Sollseite sieben-, auf der Habenseite sechsmal – die Zwischensumme gezogen. Im Elul 448 (August/September 1688) ist das Konto ausgeglichen: Lastschriftsumme und Gutschriftsumme belaufen sich beide auf 1781 M 11 Sch. Die nächste Lastschrift erfolgte bereits zu Lasten der almanah Gliqle («Witwe Glückel»). Chajim Hamel hinterließ also keine Steuerschulden, als er am 24. Tevet 449 (16. Januar 1689) starb.

Auf dem Konto des Chajim Hamel finden sich noch einige Buchungen von personen- beziehungsweise familiengeschichtlichem und zwei von allgemein judengeschichtlichem Interesse. Ich füge sie, zusammen mit den nötigen Erläuterungen, in deutscher Übersetzung hier an.

Auf die Spur einer Hilfsaktion für in Not geratene Juden in Ungarn führen zwei Lastschriften auf dem Konto des Chajim Hamel im zweiten der erhaltenen Steuerkontenbücher (JG 55.3, 41):

«Wegen Hebung Elul 446 [August/September 1686] und wegen Wohlfahrtsabgabe auch wegen Ofen 149 Mark 3 Schilling und einhalb.»

Die zweite dieser Lastschriften ist undatiert; sie findet sich zwischen zwei Buchungen von Cheschwan 448 (Oktober/November 1687):

«Wegen Ofen 111 Mark 10 Schilling und ein Viertel.»

Der Name «Ofen» und das Datum der Buchungen legt die Annahme nahe, daß diesen Buchungen eine Hilfsmaßnahme zugunsten der Juden zugrunde liegt, die bei oder nach der Eroberung der Stadt Ofen (Buda) durch die Österreicher im Jahre 1686 zu Schaden gekommen waren[20]. Diese Annahme wird durch Parallelstellen bestätigt, die im Subject Index zu den Steuerkontenbüchern im Institut für die Geschichte der deutschen Juden unter dem Stichwort ov(e)n («Ofen») registriert sind. Diese Stellen erlauben es auch, den zugrunde liegenden Sachverhalt ziemlich weitgehend zu rekonstruieren[21]: Die Gemeinde bewilligte einen Betrag von über 500 Mark, der von einzelnen Gemeindemitgliedern vorgeschossen und an die Ofener Abgesandten (mešullaḥim) ausgezahlt wurde[22]. Die verauslagten Gelder wurden denen, die sie vorgeschossen hatten, im Wege der Gutschrift auf ihrem Steuerkonto erstattet und durch eine Umlage oder im Wege freiwilliger Selbstbesteuerung wieder hereingeholt[23].

Zwischen Lastschriften von Tammuz 437 (Juli 1677) und Schevat 438 (Januar/Februar 1678) findet sich folgende undatierte Buchung (JG 55.2, 34, Sollseite, Zeile 10):

«Ferner für ihn ausgegeben als sein Zuschuß [zu einem] Sefer Torah [Torarolle] für die Synagoge 2 Mark 4 Schilling.»

Auf der gleichen Seite, Zeile 15 ist von einer Erbschaftssteuer die Rede:

«Wegen des Legats seines Vaters s. A. an [Steuer-]Hebung und Wohlfahrtsabgaben 24 Mark.»

Diese nicht datierte Buchung findet sich zwischen Buchungen vom Av 438
(Juli/August 1678) und Schevat 439 (Januar/Februar 1679); Josef Hamel
starb am 27. Schevat 437 (30. Januar 1677)[24]. Die Höhe des Erbteils läßt
sich aus der Lastschriftsumme nicht errechnen, da weder ihre Aufteilung
in Steuer und Wohlfahrtsabgabe noch die Hebesätze für beide bekannt
sind[25].

Eine familiengeschichtlich interessante Buchung findet sich in JG 55.2,
34, Habenseite, Zeile 5:

«Gekürzt wegen Mitgift seiner Tochter 7 Mark 14½ Schilling.»

Diese undatierte Eintragung steht zwischen Gutschriften vom 8. Elul 436
(17. August 1676) und 12. Adar 437 (14. Februar 1677). Die Hochzeit von
Chajim und Glückel Hamels ältestem Kind, Zippora, mit Kossmann
Gomperz, dem Sohn des Elia Cleve, die Glückel in ihren Memoiren ausführlich beschreibt[26], fand im Elul 435 (August/September 1675) in Cleve
statt[27]. Die Mitgift von Brautvaterseite betrug 2200 Reichstaler in hollän-
dischem Geld[28], die Steuergutschrift ungefähr ein Promille (oder etwas
mehr) davon[29].

Auf Kossmann Gomperz beziehen sich auch die beiden nachstehenden Buchungen, die zu einem weiteren, überraschenden Fund Anlaß
gaben:

JG 55.2, 34, Sollseite, Zeile 38:

«Dienstag, 11. Elul [442 (14. September 1682)] durch Synagogendiener
geheißen auf sein Konto schreiben für seinen Schwiegersohn Kossmann
120 [in der Zahlenspalte: 124] Mark 8 Schilling.»

JG 55.2, 34, Habenseite, Zeile 32:

«Cheschwan 443 [November 1682] habe ich empfangen durch Josef
[den Synagogendiener] für seinen [das heißt des Chajim Hamel]
Schwiegersohn Kossmann, er möge leben, 124 Mark 4 [!] Schilling.»

Zur Interpretation dieser Buchungen ist das Steuerkonto des Kossmann
Gomperz heranzuziehen. Ganz wider Erwarten gibt es nämlich ein solches, obwohl die Hochzeit in Cleve stattfand und das dort zusammenge-
gebene Paar, soweit wir wissen, nie in Hamburg gewohnt hat. Das Konto
beginnt in JG 55.2, 12f. und trägt die (hier ins Deutsche übersetzte)
Bezeichnung:

«Kossmann, Schwiegersohn des Chajim Segal.»

Die erste Lastschriftbuchung lautet in deutscher Übersetzung:

«Wegen Haqdamah (‹Anzahlung›) insgesamt 52 Mark 8 Schilling [;]
seine Hochzeit [fand statt im] Elul 435 [August/September 1675].»

Diese Schuld wurde laut Gutschrift auf der Habenseite am 8. Elul 436 (17. August 1676)
«durch seinen Schwiegervater Reb Chajim Segal gezahlt».
Damit war Kossmann Gomperz auswärtiges Mitglied der (Hamburg-) Altonaer Gemeinde geworden. Als solches hatte er nach den (1685 kodifizierten) Gemeindestatuten jährlich 3 Reichstaler zuzüglich 4 Schilling je 100 Reichstaler Vermögen zu zahlen [30]. Da die jährlichen Lastschriften auf seinem Steuerkonto in JG 55.2 auf 17 M 12 Sch lauten, betrug sein Vermögen demnach 10 500 Mark. Von der Haqdamah aus kommt man unter Berücksichtigung des Hebesatzes von einem halben Prozent auf die gleiche Summe. Von Elul 435 (August/September 1675) bis Elul 442 (September/Oktober 1682) ließ Kossmann seine Jahressteuer unbezahlt. Dann wurde – wahrscheinlich auf Geheiß des Gemeindevorstandes – das Steuerkonto seines Schwiegervaters damit belastet, wobei Chajim Hamel irrtümlich 124 M 8 Sch statt 124 M 4 Sch ins Soll gebucht wurden (siehe die oben wiedergegebene Lastschrift); und schließlich wurde die aufgelaufene Steuerschuld im Cheschwan 443 (November 1682) durch Chajim Hamel abgetragen, siehe die oben wiedergegebene Gutschrift und vgl. die entsprechende Gutschrift auf Kossmanns Steuerkonto, die in deutscher Übersetzung lautet:
«Cheschwan 443 [hat] er gezahlt durch seinen Schwiegervater R[eb] Ch[ajim] Hamel 124 Mark 4 Schilling.»
Der hier kurz dargestellte Vorgang bestätigt die Annahme, zu der die bisherige Arbeit an den Steuerkontenbüchern geführt hatte: Daß Steuerpflichtige, die erst durch Einheirat in eine Hamburg-Altonaer Familie die Mitgliedschaft in der aschkenasischen Gemeinde Altona erwarben, in den Steuerkontenbüchern in vom Üblichen abweichender Weise nicht mit Eigenname + Vatersname oder mit Eigenname + Familienname, sondern in der Regel mit Eigenname + Schwiegervatersname bezeichnet werden, hat seinen Grund offenbar darin, daß der Schwiegervater für die Steuerschulden des Schwiegersohnes haftete.
Diese Formulierung ist allerdings noch zu eng. Es kommt nämlich auch vor, daß der innerhalb der Gemeinde heiratende Sohn eines Gemeindemitgliedes in den Steuerkontenbüchern mit Eigenname + Schwiegervatersname bezeichnet ist. Darauf führt die Beschäftigung mit dem Konto von Mordechai, dem zweiten Sohn von Chajim und Glückel Hamel. Merkwürdigerweise findet sich ein Konto mit der Bezeichnung «Mordechai Hamel» erst in dem 1708 begonnenen Steuerkontenbuch JG 55.5; eine Haqdamah-Buchung und eine Notiz über die Hochzeit – die noch zu Lebzeiten Chajim Hamels stattfand [31] – fehlt hier natürlich, die erste Lastschrift ist vom Tammuz 468 (Juni/Juli 1708), ihr folgen noch drei datierte

Lastschriften, deren letzte vom Tammuz 469 (Juni/Juli 1709) herrührt, und eine undatierte Lastschrift, deren Buchungstext, ins Deutsche übersetzt, lautet:

«Wegen seines Begräbnisses.»[32]

Es handelt sich also ganz offensichtlich nur um einen Torso, dessen andere Teile zunächst unauffindbar blieben. Erst der Gedanke, daß anstelle des Familiennamens der – in Glückels Memoiren erwähnte – Name des Schwiegervaters benutzt worden sein könnte, führte auf die richtige Spur und zur Identifizierung von Mordekai ḥatan Moše R″N (‹Mordechai, Schwiegersohn des Moše [ben] Rav Natan [= Moses, Sohn des Nathan]›)[33] in JG 55.3 und JG 55.4 mit Mordechai Hamel: Das Steuerkonto des ersteren beginnt mit einer Haqdamah-Buchung und der Notiz, daß die Hochzeit im Tammuz 448 (Juni/Juli 1688) stattfand. Dieses Datum und das aus der Haqdamah von 76 M 8 Sch zu errechnende Vermögen stimmen, wie auch der Name des Schwiegervaters, mit Glückels Angaben überein und sichern die Identität des auf so verschiedene Weise Bezeichneten[33]. Auch daß und warum Mordechai Hamel im Steuerkontenbuch JG 55.5 schließlich doch mit seinem Familiennamen erscheint, läßt sich erklären und bestätigt zugleich nochmals die – jetzt allgemeiner als oben zu formulierende – Feststellung, daß die Ersetzung des Vater- oder Familiennamens durch den Schwiegervatersnamen in den Steuerkontenbüchern die Haftung des Schwiegervaters für die Steuerschulden des Schwiegersohnes signalisiert[34]: Mit dem Tode von Mordechais Schwiegervater, der Ende 1707 oder Anfang 1708 starb[35], erlosch dessen Haftpflicht. Dem entspricht, daß im nächsten, im Jahre 1708 begonnenen Steuerkontenbuch (JG 55.5) auf Mordechais Konto der Name des Schwiegervaters fehlt und statt dessen in der Kontenbezeichnung, wie oben bereits erwähnt, neben dem Eigennamen «Mordechai» erstmals der Familienname «Hamel» erscheint.

Ich habe oben anmerkungsweise bereits darauf aufmerksam gemacht, daß sich das Vermögen eines steuerpflichtigen Mitgliedes der aschkenasischen Gemeinde Altona anhand der Lastschriften auf seinem Steuerkonto nicht errechnen läßt[36]. Man bekommt aber einen ungefähren Eindruck von Chajim Hamels Vermögensverhältnissen, wenn man die Lastschriftsumme auf seinem Konto am Ende des ersten Abrechnungszeitraums mit den entsprechenden Lastschriftsummen der anderen Steuerkonten in JG 55.2 vergleicht. Dann stellt sich nämlich heraus, daß Chajim Hamel damals (1675–1680) zu den vier Hamburger Mitgliedern der aschkenasischen Gemeinde Altona mit der höchsten Steuerlast gehörte: Nur die Konten dieser vier weisen am Ende des ersten Abrechnungszeitraums eine vierstellige Lastschriftsumme auf. Die Kontenbezeichnungen (Namen der Konteninhaber) und Lastschriftsummen lauten:

Moše R″N (= Moses, Sohn des Nathan[37])	1984 M	2¼ Sch[38].
Yiśroel Furšt (= Israel Fürst)	1596 M	12¼ Sch[39].
Eli[yahu] Balin (= Elia Ballin[40])	1582 M	5½ Sch[41].
Ḥayyim Haml (= Chajim Hamel)	1347 M	14½ Sch[42].

Chajim Hamel war also damals einer der reichsten Juden in Hamburg. Es kann daher kaum überraschen, daß er später seine wirtschaftliche und soziale Spitzenstellung durch Verschwägerung mit zwei der oben Aufgeführten noch weiter befestigen konnte: Sein ältester Sohn, Nathan, heiratete im Elul 442 (September / Oktober 1682) Mirjam, die Tochter des Elia Ballin[43]; und sein zweiter Sohn, Mordechai, nahm, wie bereits erwähnt, im Tammuz 448 (Juni / Juli 1688) eine Tochter des Moses, Sohn des Nathan, zur Frau[44].

Glückel von Hameln, die Witwe des Chajim Hamel, die in den Listen der Leipziger jüdischen Meßgäste 1690, 1692, 1698 und 1699 als Witwe des Hain (Heine) Goldschmidt aufgeführt ist[45], heißt in den Steuerkontenbüchern nur almanah Gliqle, das heißt «Witwe Glückel». Daß es sich bei der so Bezeichneten tatsächlich um die Witwe des Chajim Hamel, also um Glückel von Hameln, handelte, geht daraus hervor, daß ihr Konto als Fortsetzung des Kontos des Chajim Hamel beginnt[46]. Daß sie alle Verbindlichkeiten und Außenstände ihres verstorbenen Mannes zu übernehmen hatte, zeigt sich im Steuerkontenbuch eben darin, daß sie als Konteninhaberin an die Stelle ihres Mannes trat, ohne daß ein neues Konto eröffnet wurde: Obwohl das Konto, wie oben bereits erwähnt, beim Tode ihres Mannes ausgeglichen war, gingen die Salden der Zwischenabrechnung in jede weitere Zwischensumme und damit auch in die Endabrechnung am Schluß des Buchungszeitraums ein.

Es fällt auf, daß die Höhe der Lastschriften auf Glückels Konto seit Tevet 451 (Dezember 1690 / Januar 1691) merklich geringer ist als vorher. Da im gleichen Monat die Lastschriften auf dem Waisenkonto beginnen[47], ist anzunehmen, daß Glückel von nun an, nach vollzogener Erbteilung, nur noch ihr Frauengut zu versteuern hatte, und zwar mit der vermögensunabhängigen Haushaltssteuer und der für sie als Witwe auf die Hälfte ermäßigten Vermögenssteuer[48].

Der größte Einzelposten unter den Lastschriften ist der bereits unter Glückels Namen für Tevet 449 (Dezember 1688 / Januar 1689) ins Soll gebuchte Betrag von 125 M 4 Sch. Der entsprechende Buchungstext lautet in deutscher Übersetzung:

«Hebung der Belgrad-Steuer Tevet 449 125 Mark 4 Schilling.»

Es handelt sich hier aller Wahrscheinlichkeit nach um eine Sondersteuer

zugunsten Belgrader Juden, die vor Einnahme der Stadt durch die Österreicher zu Schaden gekommen oder nach der Besetzung deportiert worden
waren[49], also um Nothilfe- oder Lösegelder[50].

Die Salden am Ende des Buchungszeitraums betragen auf der Sollseite
2214 M 3¾ Sch, auf der Habenseite 2239 M ¼ Sch. Dementsprechend lautet die auf der Habenseite notierte Abschlußbuchung (Buchungstext in
deutscher Übersetzung):[51]

	2239	¼
«von der gegenüberliegenden Seite geht ab [. . .]»	2214	3¾
«restiert ihr [. . .]»	24	12½

Das Konto schließt also mit einem Restguthaben, was in den Steuerkontenbüchern relativ selten vorkommt. Dieses Guthaben erscheint als Übertrag in der ersten Zeile der Habenseite auf Glückels Konto im folgenden
Steuerkontenbuch[52]. Der dort notierte hebräisch-jiddische Buchungstext
lautet in deutscher Übersetzung:

«Wie im alten Buch zu sehen ist, restiert ihr 24 Mark 12 Schilling und
einhalb»[53].

Im Tammuz 456 (Juni / Juli 1696) wurde Glückels Konto auf Befehl der
Gemeindevorsteher mit einer Geldbuße von 12 Mark belastet[54]. Der
Grund ist nicht angegeben, bezahlt hat Glückel sie offenbar nicht (vgl. die
ins Soll und die ins Haben gebuchten Beträge). Ihre Steuern dagegen hat
Glückel bis Kislew 458 (November / Dezember 1697) prompt bezahlt,
nämlich stets im gleichen Monat, der bei der Lastschrift angegeben ist.
Dann allerdings geriet sie in Verzug: Die mit Lastschrift von Menachem
(= Av) 458 (Juli / August 1697) gebuchte Steuerschuld beglich sie erst zu-
sammen mit der Steuerschuld von Weadar 459 (März 1699) in eben diesem
Monat. Die nächste Schuld bezahlte sie wieder im Monat der Lastschrift,
das heißt im Tammuz 459 (Juni / Juli 1699). Damit enden die Gutschriften.
Die letzte datierte Steuerschuld – vom Tevet 460 (Dezember 1699 / Januar
1700) – blieb unbezahlt, und unbezahlt blieben auch die weiteren, ohne
Datum ins Soll gebuchten Beträge, so daß das Konto mit einem Schuld-
saldo von 568 M 2½ Sch schließt.

Besondere Aufmerksamkeit verdienen die beiden letzten Lastschriften,
in deren hebräisch-jiddischem Buchungstext das Wort apzuk (‹Abzugsgeld›) erscheint. Die Buchungstexte lauten in deutscher Übersetzung:

«Abzugsgeld für sie sechzig Mark.»

«Abzugsgeld wegen 4 Kinder, jedes hundert Mark.»

Das bei Fortzug von Hamburg beziehungsweise Altona an die Gemeinde
zu zahlende Abzugsgeld betrug laut Gemeindestatuten fünf Prozent vom

Vermögen; doch hatten Witwen nur die Hälfte des vollen Satzes zu entrichten, und bei Waisen, die nach auswärts heirateten, wurde Abzugsgeld vom Vermögen nur erhoben, soweit dieses über einen Freibetrag von 1000 Reichstalern hinausging[55]. Als Glückel im Jahre 1700 von Hamburg fortging, um in Metz den Bankier Cerf Levy zu heiraten[56], wurde ihr Vermögen also auf 2400 Mark geschätzt, während das Erbe der vier in der Buchung erwähnten Kinder insgesamt mindestens 8000, höchstens um 20 000 Mark betrug[57].

Warum Glückel, die sonst so zuverlässige Steuerzahlerin, das Abzugsgeld an die Gemeinde nicht bezahlte, wissen wir nicht. Wir erfahren aber von ihr selbst, daß sie, um kein Abzugsgeld an den Hamburger Rat zahlen zu müssen, die bevorstehende Übersiedlung nach und Hochzeit in Metz geheimhielt[58]. Hat auch der Gemeindevorstand nicht davon gewußt, und ist die oben angeführte Belastung ihres Kontos mit Abzugsgeld erst nach ihrem heimlichen Fortgang erfolgt[59]? Und warum ist ihr Konto und nicht das Waisenkonto mit dem Abzugsgeld für die vier Kinder belastet worden? Diese Fragen müssen vorläufig offen bleiben, und es ist zweifelhaft, ob sie überhaupt noch beantwortet werden können. Das ist schade. Denn die erste dieser Fragen impliziert ja die Frage nach Glückels Steuermoral; und damit verknüpft ist die weitere Frage nach möglichen Diskrepanzen zwischen Glückels Selbstdarstellung in den Memoiren und der Wirklichkeit ihrer Person und ihres Handelns: Hat Glückel Steuern hinterzogen? Und wenn das tatsächlich der Fall war: Was bedeutet das für unser aus den Memoiren gewonnenes Glückel-Bild, zu dem als hervorstechender Zug eine hohe Geschäftsmoral gehört? Diese Fragen sind, wie gesagt, hier nicht zu beantworten. Daß sie sich aber überhaupt stellen, zeigt, zu welch überraschenden Ergebnissen die Auswertung der Steuerkontenbücher im Einzelfall führen kann.

Die Absicht dieses Aufsatzes war, anhand einer selektiven Analyse der Steuerkonten der Glückel von Hameln und eines Teils ihrer Familie einen Eindruck vom Quellenwert der Steuerkontenbücher und von den Möglichkeiten und Schwierigkeiten ihrer Auswertung zu vermitteln. Ich hoffe, daß das gelungen ist, und möchte abschließend den Ertrag dieses Versuchs in inhaltlicher und methodologischer Hinsicht kurz – und gegebenenfalls vorsichtig generalisierend – noch einmal zusammenfassen:

1. Daß die aschkenasischen Juden in Hamburg in Not geratenen Glaubensgenossen in anderen, zum Teil weit entfernten Gemeinden finanzielle Hilfe zukommen ließen, ist bekannt und im übrigen nichts Außergewöhnliches[60]. Die Steuerkontenbücher bezeugen solche Hilfsaktionen der aschkenasischen Gemeinde Altona jedoch bereits für das 17. Jahrhundert und in Fällen, die, wenn ich recht sehe, aus anderen Quellen bisher nicht belegt

sind, und erlauben unter Umständen sogar die (Teil-)Rekonstruktion der technischen Abwicklung einer solchen Hilfsaktion.

Es kann damit gerechnet werden, daß die Steuerkontenbücher Aufschlüsse über weitere derartige Hilfsaktionen enthalten und eine einigermaßen vollständige chronologische Liste davon aufzustellen erlauben.

2. Am Anfang eines Steuerkontos ist die Haqdamah und häufig (nicht immer) der Hochzeitsmonat des betreffenden Steuerpflichtigen angegeben. Erstere gibt Aufschluß über sein Vermögen zur Zeit der Heirat, letztere ergänzt in willkommener Weise die in anderen Quellen belegten biographischen Daten (und macht es im Fall der Söhne und Töchter/Schwiegersöhne von Chajim und Glückel Hamel möglich, die oft recht vage Chronologie der Memoiren Glückels wenigstens in diesem Punkt zu präzisieren).

3. Soweit beim Tod eines Konteninhabers die Beerdigungsgebühren auf seinem Konto erscheinen, läßt sich mit Hilfe der Statutenbestimmung über Beerdigungsgebühren das steuerpflichtige Vermögen zur Zeit des Todes errechnen, wenn wir vorläufig auch noch nicht wissen, ob es sich bei den so ermittelten Summen um Mark- oder Reichstalerbeträge handelt.

4. Von auswärts nach Hamburg oder Altona einheiratende aschkenasische Juden wurden in den Steuerkontenbüchern der aschkenasischen Gemeinde Altona in der Regel, Einheimische gelegentlich mit Eigenname + Schwiegervatersname (statt, wie sonst üblich, mit Eigenname + Vatersname oder Eigenname + Familienname) bezeichnet. Diese Eigentümlichkeit, die sich auf die Haftpflicht des Schwiegervaters für die Steuerschulden des Schwiegersohnes zurückführen läßt, stellt die Forschung vor das Problem der Identifizierung der so Bezeichneten, ein Problem, das, wo Parallelquellen nicht zur Verfügung stehen oder versagen, kaum lösbar ist[61].

5. Die Steuerkontenbücher enthalten, wie an Glückel Hamel und an ihrem Schwiegersohn Kossmann Gomperz exemplarisch deutlich wurde, unter Umständen (Hinweise auf) Biographica, die über das aus anderen Quellen Bekannte hinausgehen.

6. Eine wesentliche Hilfe bei der Interpretation einzelner schwieriger Stellen in den Steuerkontenbüchern leistet, wie das Beispiel der die Hilfsaktion für die Ofener Juden betreffenden Buchungen gezeigt hat, die vergleichende Analyse von Parallelstellen anhand des Subject Index (Stichwortkartei) zu den Steuerkontenbüchern im Institut für die Geschichte der deutschen Juden.

Die Erschließung und Auswertung der Steuerkontenbücher der aschkenasischen Gemeinde Altona darf nach alledem als eine schwierige, nicht immer in dem wünschenswerten Umfang lösbare, aber gleichwohl lohnende Aufgabe bezeichnet werden.

ANHANG

Verkleinerte Reproduktion der Steuerkonten von
Chajim und Glückel Hamel(n)

Die betreffenden Blätter der Steuerkontenbücher sind auf den folgenden Seiten verkleinert abgebildet. In einem Fall mußte die obere und die untere Hälfte des Blattes je für sich reproduziert werden. Jede Abbildung umfaßt zwei Seiten und gibt links (Abbildung 1 a, 2 a usw.) die Habenseite, rechts (Abbildung 1 b, 2 b usw.) die Sollseite des Steuerkontos wieder.

1. Steuerkonto des Chajim Hamel für 1675–1683
   Abbildung 1: StAH JG 55.2, Bl. 34 (obere Hälfte)
   Abbildung 2: StAH JG 55.2, Bl. 34 (untere Hälfte)

2. Steuerkonto des Chajim Hamel für 1684–1688,
   fortgesetzt als Konto der Witwe Glückel Hamel für 1689–1692
   Abbildung 3: StAH JG 55.3, S. 41 f.

3. Steuerkonto der Witwe Glückel Hamel für 1693–1700
   Abbildung 4: StAH JG 55.4, S. 63 f.

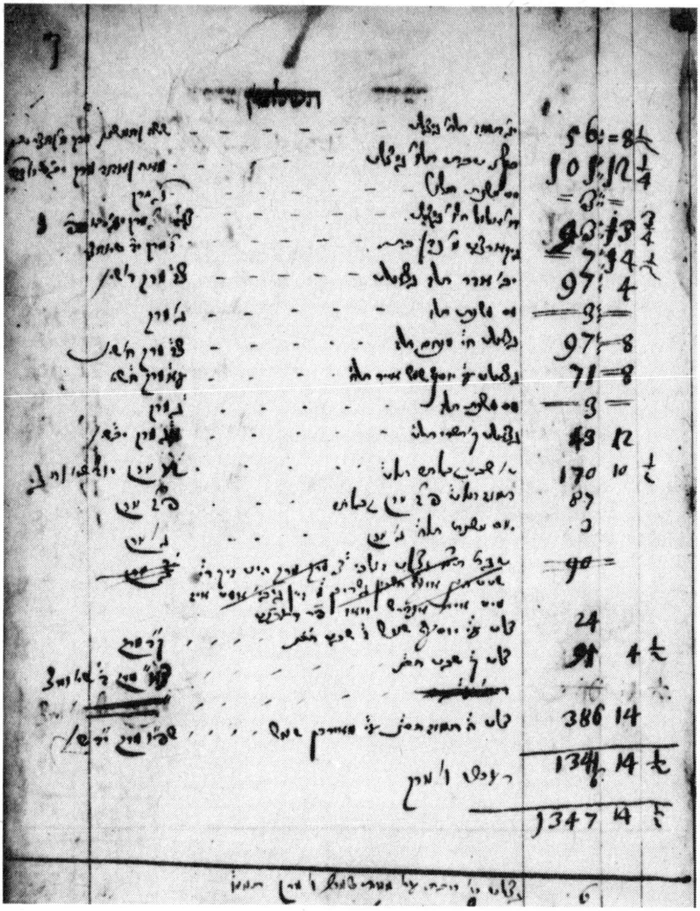

Abbildung 1a

Abbildung 1b

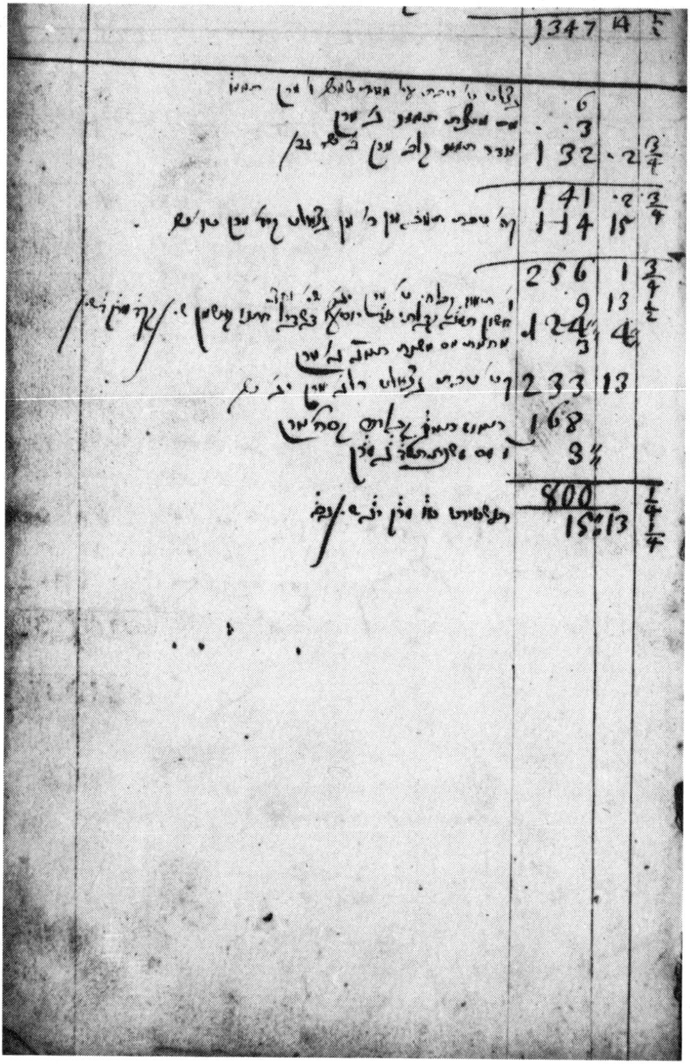

Abbildung 2a

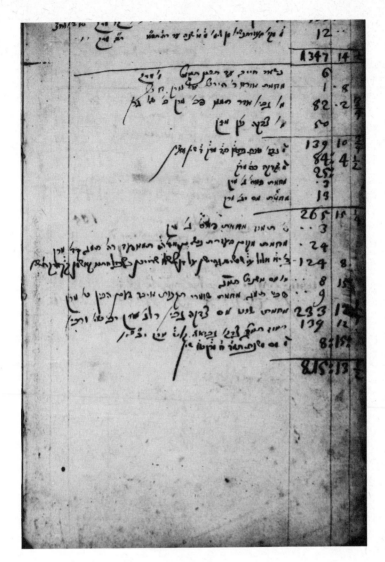

Abbildung 2b

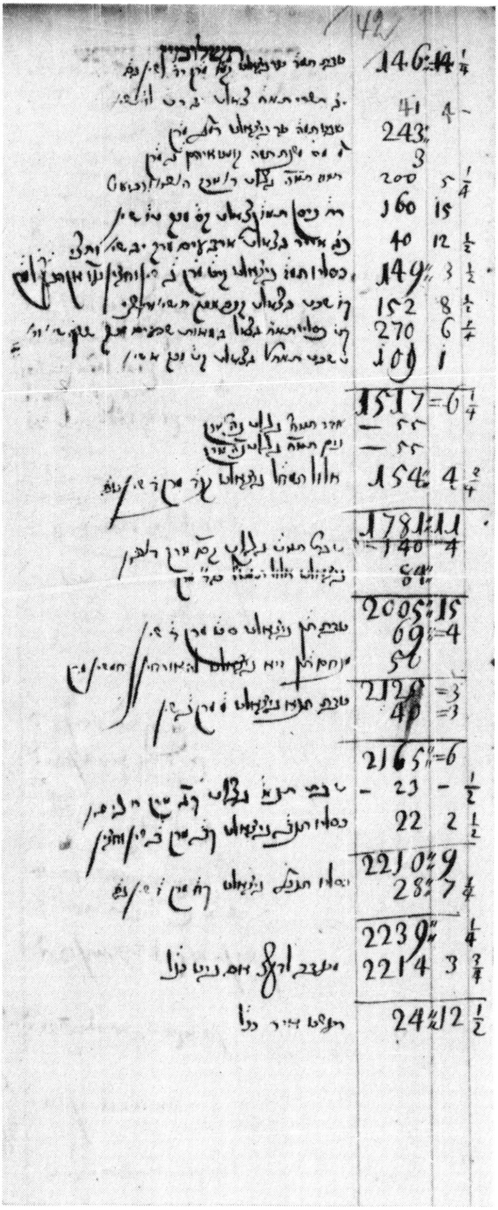

Abbildung 3a

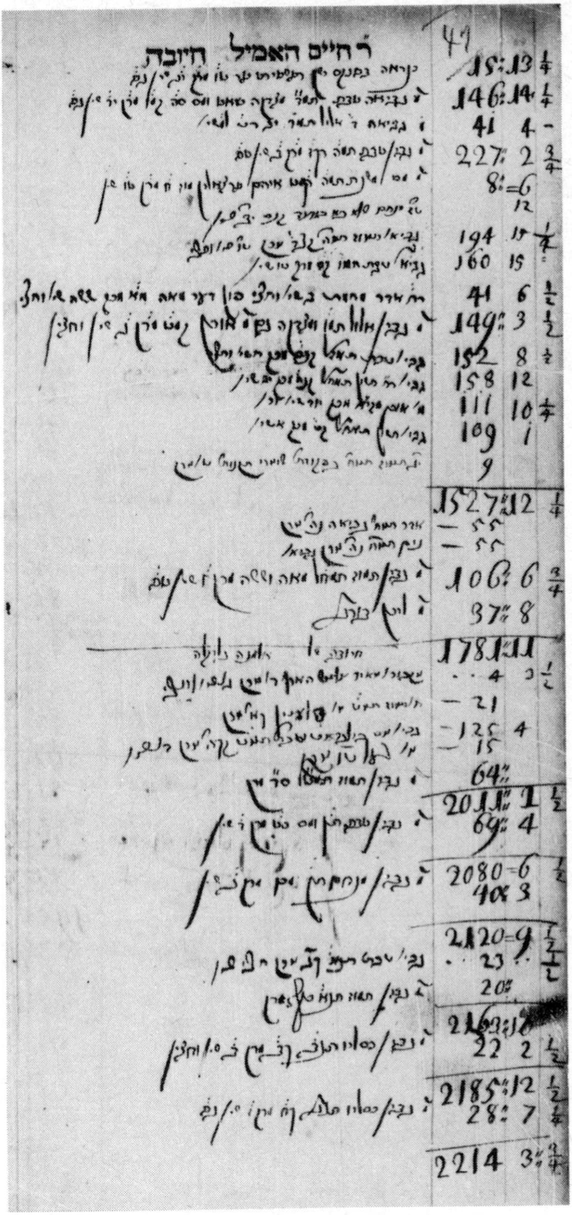

ר' חיים האמיל חייבת

18:13		1/4
146:14		1/4
41	4	-
227	2	3/4
8:=6		12
194	15	1/4
160	15	
41	6	1/2
149	3	1/2
152	8	1/2
158	12	
111	10	1/4
109	1	
9		
1527:12		1/4
55		
55		
106:6		3/4
37	8	
1781:11		
4		3 1/2
21		
125	4	15
64		
201	1	1/2
69	4	
2080	6	1/2
40	3	
2120	9	1/2
23		
20		
2162		
22	2	1/2
2185:12		1/2
28	7	1/4
2214	3	3/4

Abbildung 3b

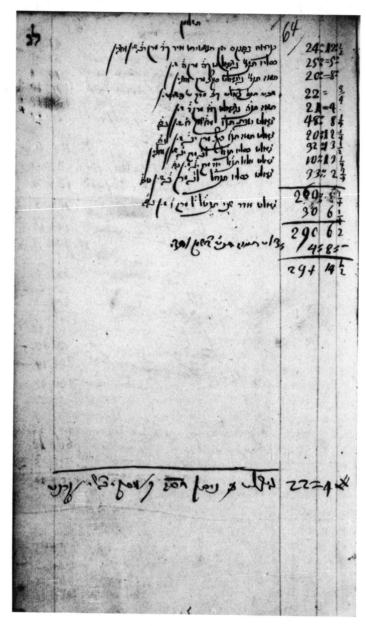

Abbildung 4a

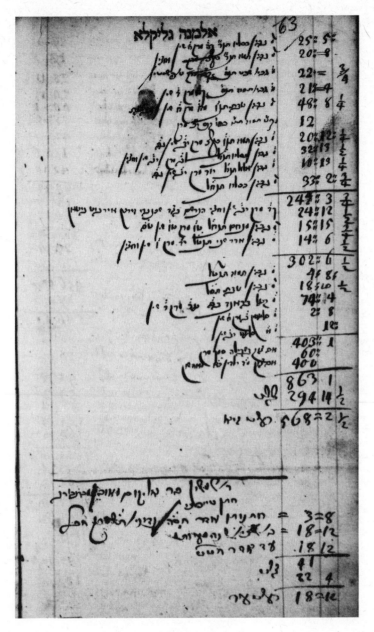

Abbildung 4b

ANMERKUNGEN

1 Zur Teilautonomie der aschkenasischen Gemeinde Altona vgl. Günter Marwedel (Hrsg.): Die Privilegien der Juden in Altona. Hamburg 1976 [künftig zitiert: PJA]. (Hamburger Beiträge zur Geschichte der deutschen Juden, Band 5), besonders den «Gemeindeautonomie» überschriebenen Abschnitt a. a. O., S. 74–88. Zur Organisation der Gemeinde vgl. Heinz Mosche Graupe (Hrsg.): Die Statuten der drei Gemeinden Altona, Hamburg und Wandsbek. Quellen zur jüdischen Gemeindeorganisation im 17. und 18. Jahrhundert. Teil I: Einleitung und Übersetzungen. Hamburg 1973. (Hamburger Beiträge zur Geschichte der deutschen Juden, Band 3,1), und darin besonders S. 33–45. Über den historischen Hintergrund der autonomen jüdischen Finanzverwaltung vgl. die in Anm. 5 f. genannte Literatur.

2 Vgl. zur Funktion des goveh Encyclopaedia Judaica. Das Judentum in Geschichte und Gegenwart. Berlin. [Künftig zitiert: EJB]. Band 1 (1928), Sp. 263 und die im Register bei Graupe (wie Anm. 1) unter «Kassenverwalter» genannten Stellen; zur Übersetzung des hebräischen Terminus und zu Größe und Zusammensetzung des Gemeindevorstandes PJA (wie Anm. 1), S. 76 f. Anm. 192.

3 Die Bezeichnung pinqas baⁱale batim erscheint als Rückentitel zum Beispiel auf den Steuerkontenbüchern StAH JG 55.4–55.6. Es ist wahrscheinlich, aber noch nicht zweifelsfrei nachgewiesen, daß der in den Buchungstexten begegnende Terminus pinqas ha-govim (‹Einnehmer-Buch›) ebenfalls die Steuerkontenbücher bezeichnet.

4 Deshalb und weil es für diese Steuerarten keine festen Hebesätze gab, sondern die Steuerquoten je nach dem Finanzbedarf der Gemeinde höher oder niedriger festgesetzt wurden, ist es nicht möglich, aus den Lastschriften die Höhe des versteuerten Vermögens zu errechnen; eine Ausnahme bilden lediglich die Hebungszeiträume aus den Jahren 1712–1719, für welche die Steuerquoten aus den in JG 55.6 überlieferten Haushalts- und Steuerplänen ersichtlich sind. – Die hier genannten Steuern sind nur zwei von rund zwanzig Arten von Steuern/Abgaben/Gebühren, auf die wir bei unserer Arbeit an den Steuerkontenbüchern bisher gestoßen sind. Der derzeitige Stand unseres Wissens über sie im einzelnen unterschiedlich, im ganzen aber noch unzureichend. (Das hier Gesagte gilt zunächst für die Steuerkontenbücher der aschkenasischen Gemeinde Altona in Altona und Hamburg bis 1720. Von diesen unterscheiden sich, wie Stichproben ergaben, die für die Zeit von 1703–1812 – mit einer Lücke von 1727–30 – erhaltenen, bisher nicht in die Bearbeitung einbezogenen Steuerkontenbücher der aschkenasischen Gemeinde Hamburg durch eine andere Art der Buchführung und dadurch, daß am Kopf der Konten – freilich nicht ganz durchgehend – die Aufteilung der regulären Hebungsbeträge in Haushaltssteueranteil und Vermögenssteueranteil notiert ist.)

5 Einzelnes findet sich in den von Heinz Mosche Graupe herausgegebenen Statuten (taqqanot), vgl. die Stellen, die im Register der in Anm. 1 genannten Ausgabe unter «Abzugsgeld», «Gemeindeabgaben», «Gemeindehaushalt», «Kassenverwalter» und anderen einschlägigen Stichworten verzeichnet sind; weitere Einzelinformationen sind vermutlich in den – nur fragmentarisch erhaltenen – Protokollbüchern des Gemeindevorstandes und anderen noch nicht erschlossenen Quellen enthalten, die im Bestand «Jüdische Gemeinden» (JG) des Staatsarchivs Hamburg aufbewahrt sind. Doch handelt es sich nirgends um eine vollständige, systematische Zusammenfassung der Grundlagen, der Organisation und der Funktionsweise des Steuer- und Abgabenwesens und der Finanzverwaltung der aschkenasischen Gemeinde Altona.

6 Siehe die Spezialliteratur, die in den in Anm. 7 genannten Arbeiten angeführt ist, und vgl. auch das Einleitungskapitel «Finanzen – Steuern und Abgaben» in Josef Meisl (Hrsg.): Protokollbuch der jüdischen Gemeinde Berlin (1723–1854). Jerusalem (1962), S. LIX–LXX.

7 Vgl. den von verschiedenen Autoren stammenden umfassenden Artikel «Abgaben und Steuern» in: EJB (wie Anm. 2), Bd. 1, Sp. 247–300; hier besonders Sp. 262–270, ferner den von Josef Meisl geschriebenen Artikel «Gemeindesteuern» in: Jüdisches Lexikon. Bd. 2. Berlin (1928), Sp. 1003–1007, sowie Salo Wittmayer Baron: The Jewish Community. Its History and Structure to the American Revolution. Vol. 2. Philadelphia 1942, S. 246–289 und den Artikel «Taxation» in: Encyclopaedia Judaica. Jerusalem [künftig zitiert: EJJ], Vol. 15 (1971), Sp. 837–873.

8 Auf andere bei solchem Rekonstruktionsversuch zu berücksichtigende Quellen ist bereits oben in Anm. 5 hingewiesen.

9 Glückels Erinnerungen sind nicht ganz vollständig erhalten und nur in Abschriften überliefert. Im ganzen erhaltenen Umfang und in der überlieferten nordwestjiddischen Sprachgestalt bekannt wurden sie erst kurz vor dem Ende des vorigen Jahrhunderts durch David Kaufmanns Ausgabe (Die Memoiren der Glückel von Hameln 1645–1719. Frankfurt am Main 1896). Einer breiten Öffentlichkeit zugänglich wurden sie durch eine deutsche und zwei englische Übersetzungen:
– Denkwürdigkeiten der Glückel von Hameln. Aus dem Jüdisch-Deutschen [in Auswahl] übersetzt, mit Erläuterungen versehen und herausgegeben von Alfred Feilchenfeld. Berlin 1913 [u. ö.] (4. Auflage Berlin 1923. Nachdrucke dieser Auflage erschienen 1979 im Verlag Darmstädter Blätter, Darmstadt, und 1980 im Jüdischen Verlag, Königstein/Ts., vgl. dazu ZHG 66, S. 214f.)
– The Memoirs of Glückel of Hameln. Translated with Notes by Marvin Lowenthal. New York 1932. (Ein Nachdruck dieser Übersetzung, mit einer neuen Einleitung von Robert S. Rosen, erschien 1977 in New York als Schocken Book 572.)
– The Life of Glückel of Hameln 1646–1724. Written by Herself. Translated from the Original Yiddish and edited by Beth-Zion Abrahams. London (1962).

10 Siehe S. 83–91.

11 Über Josef Hamel(n) vgl. Kaufmann (wie Anm. 9), S. XXXVIIf.

12 Über Chajim Hamel(n) vgl. Kaufmann (wie Anm. 9), S. XVII und die im Register ebd., S. LXII unter «Chajim Hameln» angegebenen Stellen, deren deutsche Übersetzung bei Feilchenfeld (wie Anm. 9) an den dort im Register unter «Chajim Hameln» verzeichneten Stellen zu finden ist.

13 Nicht auf dem eigenen Konto, aber anderwärts wird Chajim Hamel(n) in den Steuerkontenbüchern gelegentlich auch «Chajim Segal» genannt, siehe JG 55.2, S. 12f.; ebd., S. 13 erscheint auch die abgekürzte Form RḤ Haml (‹Reb Chajim Hamel›).

14 Die – inzwischen verlorengegangene – Schutzjudenliste von 1664 ist abgedruckt bei E[duard] Duckesz: Aus dem Archiv der Stadt Altona. In: Jahrbuch für die jüdischen Gemeinden Schleswig-Holsteins und der Hansestädte 1 (1929/1930), S. 131–134; hier S. 131f. Die Schutzjudenliste von 1675 findet sich bei den Rentekammerakten in LASH Abt. 66, Nr. 4757, fol. 15. Wegen der Nennung des Hain (Heine) Goldschmidt alias Chajim Hamel in den Listen der jüdischen Meßgäste siehe Max Freudenthal: Leipziger Messgäste. Die jüdischen Besucher der Leipziger Messen in den Jahren 1675 bis 1764. Frankfurt am Main 1928. (Schriften der Gesellschaft zur Förderung der Wissenschaft des Judentums. Nr. 29), S. 125 und vgl. auch ebd., S. 8 Anm.

15 Laut archivarischem Vermerk auf dem Vorsatzblatt von JG 55.2. (Diese archivarischen Vermerke geben unter anderem den Buchungszeitraum des betreffenden Bandes der Steuerkontenbücher an; doch liegt das Datum einzelner Buchungen unter Umstän-

den jenseits des auf dem Vorsatzblatt angegebenen Buchungszeitraums, vgl. zum Beispiel unten Anm. 19.)

16 Glückel wurde, wie sie selbst schreibt, im Jahre 5407 jüdischer Zeitrechnung, das heißt 1646/47, geboren, siehe Feilchenfeld (wie Anm. 9), S. 13; mit kaum zwölf Jahren wurde sie verlobt, und etwa zwei Jahre später fand die Hochzeit statt, siehe a. a. O., S. 35. Nach der Hochzeit lebte das junge Paar zunächst ein Jahr in Hameln, ehe es sich in Hamburg niederließ, siehe a. a. O., S. 47. Diese chronologischen Angaben führen auf die Zeit um 1661/62 als Zeit der Übersiedlung nach Hamburg.

17 Siehe Feilchenfeld (wie Anm. 9), S. 47.

18 Vgl. Graupe (wie Anm. 1), S. 138f. (AA 115) und das weiter unten über Kossmann Gomperz und sein Steuerkonto Gesagte.

19 Außerdem ist noch das Schutzgeld (hebr. mas) für 444 (1683/84) ins Soll gebucht, das demnach offenbar im Voraus beziehungsweise am Jahresanfang zu entrichten war; denn die regulären Lastschriften für 444, die im Tevet dieses Jahres beginnen, sind erst im nächsten Steuerkontenbuch gebucht, siehe JG 55.3, 41. – Die jüdischen Daten im folgenden in Klammern hinzugefügten Daten sind die des Gregorianischen Kalenders, obwohl in Norddeutschland noch bis Anfang 1700 der Julianische Kalender beibehalten wurde, vgl. H(ermann) Grotefend: Taschenbuch der Zeitrechnung des deutschen Mittelalters und der Neuzeit. Zehnte erweiterte Auflage. Herausgegeben von Th. Ulrich. Hannover 1960, S. 24–27.

20 Vgl. den Abschnitt über Buda im Artikel «Budapest» in EJJ (wie Anm. 7), Bd. 4, Sp. 1448–1450; hier Sp. 1448.

21 Diese Rekonstruktion muß allerdings als vorläufig gelten. Denn sie beruht fast ausschließlich auf den Stellen, die der Subject Index verzeichnet, und dieser bucht in der Regel nicht mehr als 3–5 Belegstellen. Darum läßt sich zum Beispiel ohne weitere zeitraubende Untersuchungen die genaue Höhe der Hilfsgeld-Summe nicht feststellen; und ebensowenig ist die Frage mit Sicherheit zu beantworten, wieviele und welche Gemeindemitglieder an der Vorfinanzierung des Betrages beteiligt waren. Dieser Unsicherheit entsprechen die etwas vagen Formulierungen des Befundes oben im Text.

22 Siehe JG 55.3, 62; 90.

23 Siehe JG 55.3, 62; 90 und JG 55.3, 63; 67; 69; 71; 73 u. ö.

24 Siehe Kaufmann (wie Anm. 9), S. XXXVIII und ebd., Anm. 2 und vgl. auch Feilchenfeld (wie Anm. 9), S. 153–156; 161.

25 Graupe (wie Anm. 1), S. 143 (AA 122) ist auf den vorliegenden Fall nicht anwendbar. Auch ist das Verhältnis von Steuern zu Wohlfahrtsabgaben anhand der Lastschriften nicht bestimmbar, da es, wie ein Blick auf die Steuerkonten zeigt, nicht gleichbleibend, sondern Schwankungen unterworfen war.

26 Feilchenfeld (wie Anm. 9), S. 116–122.

27 Feilchenfeld (wie Anm. 9), S. 118. Das dort nicht genannte Datum geht aus einer entsprechenden Notiz am Anfang des Steuerkontos von Kossmann Gomperz in JG 55.2, 12 hervor.

28 Feilchenfeld (wie Anm. 9), S. 117.

29 Genauere Angaben sind ohne Kenntnis der seinerzeitigen Wechselkurse nicht möglich.

30 Graupe (wie Anm. 1), S. 138f. (AA 115).

31 Nach Glückels Angaben fand sie ein knappes halbes Jahr vor dem Tod ihres Mannes statt, siehe Feilchenfeld (wie Anm. 9), S. 169; das stimmt zu dem aus den Steuerkontenbüchern ersichtlichen Datum, siehe weiter unten im Text und Anm. 33.

32 JG 55.5, 281. Anhand des – nur in der Zahlenspalte gebuchten – Lastschriftbetrages von 4 Mark 8 Schilling und der Statutenbestimmung bei Graupe (wie Anm. 1), S. 165

(AB 195) läßt sich das Vermögen zur Zeit des Todes ermitteln: Der Hebesatz für Beerdigungsgebühren betrug bei einem steuerpflichtigen Gemeindemitglied 2 Mark, zuzüglich 8 Schilling je 100 [Mark? Reichstaler?] Vermögen. Daraus folgt, daß Mordechai Hamels steuerpflichtiges Vermögen zur Zeit seines Todes auf 800 Mark beziehungsweise auf 800 Reichstaler (ungefähr 2400 Mark) geschätzt wurde. Er starb am 12. Kislew 470 (15. November 1709), siehe StAH JG 82, Nr. 1804 (Friedhof Altona, Königstraße, Grab S 1349) und vgl. auch M[ax] Grunwald: Hamburgs deutsche Juden bis zur Auflösung der Dreigemeinden. Hamburg 1904, S. 256, Nr. 1548.

33 Die Identität des Mŏse R"N mit Mŏse ben Natan (Moses, Sohn des Nathan) ist dadurch gesichert, daß in JG 55.4 beide Namensformen auf einem und demselben Konto als Bezeichnung des Konteninhabers erscheinen, siehe JG 55.4, 377 und 538.

34 Vgl. Feilchenfeld (wie Anm. 9), S. 169. Das aus der Haqdamah anhand des Hebesatzes von einem halben Prozent errechnete Vermögen betrug 15 300 Mark, die Mitgift des Bräutigamvaters 2000 Reichstaler, die Mitgift von Brautvaterseite 3000 Reichstaler in dänischen Kronen (siehe Feilchenfeld a. a. O.), was etwa der angebenen Summe entspricht, wenn man bedenkt, daß die Relation Reichstaler: Mark gewissen Schwankungen unterworfen und nur annähernd 1 : 3 war; nach 1622 lag der Wert des Reichstalers in der Regel höher, so daß bei der Umrechnung/Auszahlung in Mark lübischer Währung, die auch in Hamburg galt, ein Aufgeld (Agio) berechnet wurde. Vgl. über die komplizierten währungsgeschichtlichen Verhältnisse in dem hier in Frage kommenden Zeitraum Emil Waschinski: Währung, Preisentwicklung und Kaufkraft des Geldes in Schleswig-Holstein von 1226–1864. Band 1. Neumünster 1952, S. 34–49 und zur Relation Reichstaler: Mark ebenda, S. 37 und S. 48 f.

35 Im vorliegenden Fall kann man noch einen Schritt weitergehen und die Frage, warum nicht Mordechais Vater, sondern sein Schwiegervater haftbar war, wenigstens vermutungsweise beantworten: Die Übernahme dieser Haftpflicht war vielleicht eine Art Äquivalent dafür, daß Mordechais Eltern dem jungen Paar «zwei Jahre lang Kost gegeben» haben, wie es in Glückels Memoiren heißt, siehe Feilchenfeld (wie Anm. 9), S. 169.

36 Die letzte datierte Lastschrift auf seinem Steuerkonto ist vom Tevet 468 (November/Dezember 1707), es folgt neben einigen anderen undatierten Lastschriften auch eine «wegen seines Begräbnisses», siehe JG 55.4, 377.

37 Siehe oben Anm. 4.

38 Siehe JG 55.2, 26 und vgl. auch Feilchenfeld (wie Anm. 9), S. 269.

39 Siehe JG 55.2, 27.

40 Vgl. Grunwald (wie Anm. 32), S. 117 Anm.; D[avid] Simonsen: Eine Confrontation zwischen Glückel Hameln's Memoiren und den alten Hamburger Grabbüchern: In: MGWJ 49 (1905), S. 96–106; hier: S. 104; Feilchenfeld (wie Anm. 9), S. 25; 134–136; 160.

41 Siehe JG 55.2, 16.

42 Siehe JG 55.2, 34.

43 Vgl. Feilchenfeld (wie Anm. 9), S. 134 f.; 160. Der Hochzeitsmonat geht aus einer entsprechenden Notiz auf Nathan Hamels Steuerkonto in JG 55.2, 127 hervor.

44 Vgl. Feilchenfeld (wie Anm. 9), S. 169 und die den Hochzeitstermin betreffende Notiz auf Mordechai Hamels Steuerkonto in JG 55.3, 367.

45 Siehe Freudenthal (wie Anm. 14), S. 125.

46 Siehe JG 55.3, 41 f. und vgl. oben S. 74 und S. 89 (Mitte).

47 Siehe JG 55.3, 13 f.

48 Vgl. Graupe (wie Anm. 1), S. 142 f. (AA 121).

49 Vgl. über diese Ereignisse im Artikel «Belgrade» in EJJ (wie Anm. 7), Bd. 4, Sp. 426–428; hier: Sp. 427.

50 Die Hoffnung, mit Hilfe dieses Steuerbetrages auf einem Umweg die Höhe des besteuerten Vermögens errechnen zu können, hat sich leider als trügerisch erwiesen: Da Mordechai Hamel nur etwa ein halbes Jahr vor der Erhebung der Belgrad-Steuer heiratete und steuerpflichtig wurde und sein Vermögen anhand der bei dieser Gelegenheit fälligen Haqdamah von einem halben Prozent des Vermögens errechnet werden kann und überdies auch aus Glückels Memoiren bekannt ist (siehe oben Anm. 33), müßte aus der Höhe der ihm in Rechnung gestellten Belgrad-Steuer der Hebesatz zu errechnen sein –, vorausgesetzt, es handelte sich um eine reine Vermögenssteuer. Das war aber, wie Berechnungen anhand dieses und anderer, vergleichbarer Konten ergaben, leider nicht der Fall. Vielmehr scheint der jeweils ins Soll gebuchte Betrag entweder auf freiwilliger Selbstbesteuerung zu beruhen oder aus einem vermögensunabhängigen Teil (Fixum) und einer Vermögenssteuer zusammengesetzt gewesen zu sein, deren Hebesatz daher so ohne weiteres nicht zu ermitteln ist.

51 JG 55.3, 42.

52 JG 55.4, 64.

53 Aus unerfindlichen Gründen ist diese Buchung später auf der Sollseite storniert worden, siehe JG 55.4, 63, Zeile 12.

54 JG 55.4, 63, Zeile 6.

55 Siehe Graupe (wie Anm. 1), S. 137 (AA 112) und S. 143 f. (AA 123 und AA 126).

56 Vgl. Feilchenfeld (wie Anm. 9), S. 254–269.

57 Der Hebesatz für das Abzugsgeld betrug bei Witwen zweieinhalb Prozent, vgl. Graupe (wie Anm. 1), S. 137 (AA 112) und S. 144 (AA 126); als Abzugsgeld wurde Glückel 60 Mark in Rechnung gestellt. Daraus ergibt sich, daß ihr Vermögen auf 2400 Mark geschätzt wurde, während sie nach ihren eigenen Angaben einen wesentlich höheren Betrag, nämlich 1500 Reichstaler, in die Ehe mit Cerf Levy einbrachte, siehe Feilchenfeld (wie Anm. 9), S. 256. – Die Unsicherheit hinsichtlich des mit Abzugsgeld belegten Vermögens der vier Kinder rührt daher, daß nicht klar ist, um welche Kinder es sich im einzelnen handelt und auf wieviele davon die – bei Graupe (wie Anm. 1), S. 143 (AA 123) in deutscher Übersetzung wiedergegebene – Bestimmung über das Abzugsgeld nach auswärts heiratender Waisen zutrifft: Glückels Tochter Mirjam war damals noch unverheiratet, Freudchen hatte ein Mitglied der aschkenasischen Gemeinde Altona geehelicht und gehörte demnach nicht zu den mit Abzugsgeld belegten Waisen. Die Söhne Samuel und Moses heirateten in der hier in Frage kommenden Zeit nach auswärts; Glückel gibt das in die Ehe gebrachte Vermögen jedoch nur bei Samuel – mit 4000 Talern – an, vgl. Feilchenfeld (wie Anm. 9), S. 228 f.; 231–236; 249 f.; 253; 260–262.

58 Siehe Feilchenfeld (wie Anm. 9), S. 257.

59 In Altona waren zwei Mitglieder des Vorstandes der aschkenasischen Gemeinde eidlich zur Wahrnehmung des – überwiegend fiskalisch definierten – «königlichen Interesses» verpflichtet, siehe PJA (wie Anm. 1), S. 145 und vgl. ebenda, S. 75. Falls für die in Hamburg wohnenden Vorstandsmitglieder eine entsprechende Verpflichtung bestand, die (fiskalischen) Interessen der Stadtregierung in acht zu nehmen, war der bevorstehende Fortzug vor dem Rat nur geheimzuhalten, wenn er gleichzeitig auch vor dem Gemeindevorstand geheimgehalten wurde.

60 Vgl. Grunwald (wie Anm. 32), S. 127 und ebenda, Anm. 2. Die Abgesandten in Not geratener Gemeinden pflegten von Gemeinde zu Gemeinde zu reisen, um Hilfsgelder einzuwerben. Vgl. die Darstellung einer solchen Aktion bei Bernhard Brilling: Das Erdbeben von Safed (1759). Neue Dokumente über die Spendenaktion zu Gunsten der Erdbebengeschädigten von Safed in Deutschland. In: ZGDJ 8 (1971), S. 35–50.

61 Als Parallelquelle kommen neben Glückels Memoiren vor allem die Grabinschriften in Frage, da auf dem Grabstein der Frau in der Regel der Name des Mannes *und* des

Vaters angegeben ist. Die Ermittlung der Grabinschrift hängt freilich davon ab, daß der Eigenname der Frau oder ihr Sterbedatum bekannt ist oder ihr Grabstein durch ein – noch fehlendes – Vatersnamen-Register ausfindig gemacht werden kann.

DAS ALTONAER OBERRABBINAT UND DIE
JUDEN IN FREDERICIA

Günter Marwedel

In der einschlägigen stadtgeschichtlichen und judengeschichtlichen Literatur wird wiederholt erwähnt, daß die Jurisdiktion des Altonaer Oberrabbiners sich zeitweilig auch auf die Juden in Fredericia erstreckte; und sie
war, diesen Nachrichten zufolge, nicht auf «Zeremonialsachen» beschränkt, sondern wurde – zumindest tentativ – auch auf Zivilsachen ausgedehnt[1]. Letzteres Faktum ist am ausführlichsten von Hugo Matthiessen
behandelt worden[2]; auf die Zuständigkeit des Altonaer Oberrabbiners für
«Zeremonialsachen» der Juden in Fredericia hat nach gelegentlichen Hinweisen in der älteren Literatur zuletzt Bernhard Brilling wieder aufmerksam gemacht[3]. Beide Autoren knüpfen an aktenkundig gewordene Streitfälle an, ohne freilich das noch vorhandene Material auszuschöpfen; und
beide haben übersehen, daß die von ihnen dargestellten Fakten in auffälli-
gem Kontrast stehen zum Wortlaut des Jurisdiktionsprivilegs der Altonaer
Juden. Das rechtfertigt die erneute, eingehendere Beschäftigung mit dem
Gegenstand. Material dafür findet sich im Rigsarkivet (Kopenhagen), im
Landesarchiv Schleswig-Holstein (Schleswig) und im Landsarkivet for
Nørrejylland (Viborg) und liegt mir in Form von Xeroxkopien vor[4]. Die-
ses Material und die bereitwillig erteilten, zum Teil recht umfangreichen
Auskünfte der Archivverwaltungen erlauben es, die erwähnten Streitfälle
ziemlich weitgehend zu rekonstruieren. Anhand weiterer, mir ebenfalls in
Xeroxkopie vorliegender Archivalien läßt sich die Stellung der Juden in
Fredericia zum Altonaer Oberrabbinat in der zweiten Hälfte des 18. Jahrhunderts noch genauer bestimmen. Was auf diese Weise deutlicher als bisher – wenn auch nach wie vor nur in Umrissen – sichtbar wird, ist ein
wichtiger und interessanter, noch nicht zureichend erforschter Ausschnitt
aus der Geschichte der Juden in Dänemark und Schleswig-Holstein und
zugleich ein Stück administrativer Praxis der verschiedenen beteiligten Instanzen bei der Behandlung und Entscheidung von «Judensachen»[5].

I.

Wegen einer Erhöhung der Schächtgebühr kam es im Jahre 1762 zum Streit zwischen den jüdischen Schlachtern und den Vorstehern der jüdischen Gemeinde in Fredericia. Dieser Streit beschäftigte in der Folge einerseits den Oberrabbiner in Altona, andererseits die Dänische und die Deutsche Kanzlei in Kopenhagen und deren nachgeordnete Instanzen und zog sich über ein Jahr lang hin, bis ihm durch eine am 3. November 1763 vom königlichen Conseil gebilligte Resolution der Dänischen Kanzlei ein Ende gesetzt wurde.

Die Dokumentation dieser Auseinandersetzung in den überlieferten Akten ist nicht vollständig. Einige in dem erhaltenen Schriftgut bezeugte Schreiben sind verschollen. In Fredericia selbst mag manches auch nur mündlich verhandelt worden und nicht unmittelbar in die Akten eingegangen sein. Jedenfalls lassen die Quellen manche Frage offen. Dementsprechend gehe ich im folgenden schrittweise vor. Zunächst referiere ich, was die Quellen an mehr oder weniger Gesichertem bieten. Daran anknüpfend werde ich anschließend die offenen Fragen formulieren und erörtern und mich auf diese Weise so weit als möglich an eine tentative Rekonstruktion des vollständigen Hergangs und seiner Hintergründe herantasten.

Die jüdischen Schlachter mußten das Vieh, das sie verarbeiten und dessen Fleisch sie verkaufen wollten, vom Schächter der Gemeinde schächten lassen und dafür eine nach Art und Größe des Viehs gestaffelte Gebühr erlegen[6]. Ende September 1762 verfügten die Vorsteher der Gemeinde in Fredericia eine drastische Erhöhung des Schächtgeldes[7]. Über diese Gebührenerhöhung beschwerten die jüdischen Schlachter (oder einige von ihnen) sich beim Magistrat[8]. Vom Magistrat zur Rede gestellt, erklärten die Vorsteher, die Erhöhung sei nötig, um für den aus Altersgründen nicht mehr tauglichen einen anderen Schächter anstellen zu können. Der Magistrat versuchte, zwischen den Beschwerdeführern und dem Gemeindevorstand zu vermitteln, aber ohne Erfolg[9]. Beide Parteien suchten anderweit Hilfe, die beschwerdeführenden jüdischen Schlachter durch Einreichung einer Supplik bei der Dänischen Kanzlei[10], die Vorsteher, indem sie sich an den Oberrabbiner in Altona wandten[11].

In der Supplik heißt es, die Vorsteher hätten eigenmächtig gehandelt, indem sie die Schächtgebühr für ein Stück Rindvieh von 8 Schilling auf 2 Mark und für Kälber und Lämmer entsprechend erhöht hätten[12]; die Anstellung eines neuen Schächters sei nur ein Vorwand, tatsächlich sei sie gar nicht erfolgt, und sie, die jüdischen Schlachter, müßten trotzdem die erhöhte Schächtgebühr bezahlen. Wenn es dabei bliebe, wären sie gegenüber den christlichen Schlachtern nicht mehr konkurrenzfähig. Deshalb bitten die Supplikanten um eine Anweisung an die Vorsteher, den Schlachtern den ihnen abgeforderten, über das alte Schächtgeld hinausgehenden Betrag zurückzuerstatten und künftig nicht mehr als die frühere Gebühr zu erheben. Außerdem bitten sie, ihre Supplik an den Magistrat zur Stellungnahme zu senden, da der König aus dieser «die Eigenwilligkeit dieser Vorsteher» werde ersehen können.

Ehe die Supplik jedoch auf dem Dienstwege, das heißt über den Stiftamtmann in Ribe, an den Magistrat gelangte mit der Aufforderung, über die Angelegenheit zu berichten, hatte der Oberrabbiner in Altona, Jonathan Eybeschütz, die Schlachter wegen ihrer Widersetzlichkeit getadelt und sie unter Berufung auf sein Jurisdiktionsprivileg und unter Banndrohung aufgefordert, den Vermittlungsvorschlag der vom Magistrat in Fredericia eingesetzten Schlichtungskommission anzunehmen und binnen acht Tagen eine entsprechende Erklärung abzugeben [13]. Das Schreiben des Oberrabbiners ist in einer ziemlich unbeholfenen dänischen Fassung überliefert, die mit an Sicherheit grenzender Wahrscheinlichkeit nicht das Original darstellt [14]. Vermutlich ist sie von den jüdischen Schlachtern oder den Gemeindevorstehern dem Magistrat übergeben worden [15], nachdem dieser schon vorher vom Eintreffen des hebräischen Originals unterrichtet worden war und sich am 10. März mit einem Schreiben an den Oberrabbiner gewandt hatte, in dem es hieß [16]: Er habe erfahren, daß der Oberrabbiner ihm bei dem Bemühen «assistieren» wolle, Friede und Einigkeit der jüdischen Gemeinde in Fredericia wiederherzustellen. Dafür sei er ihm sehr verbunden. Er müsse jedoch darauf hinweisen, daß «die Vorsteher der Nation» die Sache nicht so dargestellt hätten, wie sie sich wirklich verhalte:

1. Die Gebührenerhöhung sei unter dem Vorwand, einen neuen Schächter anstellen zu wollen, eingeführt worden. Nach wie vor sei aber der alte im Amt; und dieser habe nie mehr bekommen als 4 Lübecker Schilling pro Stück Vieh, während die Schlachter jetzt 1 Lübecker Mark bezahlen müßten [17].

2. Die vier jüdischen Schlachter, von denen zwei arm seien, verkauften nachweislich weniger als ein Sechzehntel des von ihnen Geschlachteten an Juden [18]. Die hohe Schächtgebühr mache es ihnen unmöglich, mit den christlichen Schlachtern zu konkurrieren («Preis zu halten»), und werde die vier Schlachterfamilien auf die Dauer ruinieren.

3. Die «Jüdische Nation» in Fredericia bestehe nur aus 30 Familien, die bis auf höchstens 8 Familien arm seien und, im Lande herumreisend, kümmerlich ihr Brot verdienten. Was die jüdischen Schlachter an Juden verkaufen könnten, sei infolgedessen weniger, als man sich vorstellen könne.

4. Der *Compromiß* der Juden in Fredericia laute, daß keine Abgabenerhöhung ohne Einwilligung der ganzen Gemeinde eingeführt werden dürfe[19]. Die – miteinander verschwägerten – Vorsteher hätten jedoch eigenmächtig gehandelt. Er, der Magistrat, habe vermitteln wollen, aber die Vorsteher beharrten auf ihrem Standpunkt, so daß der Magistrat Ursache habe, mit ihrem Verhalten unzufrieden zu sein[20].

Schließlich sprach der Magistrat sich für eine Kompromißlösung aus und bat den Oberrabbiner, bei den streitenden Parteien durchzusetzen, daß die Schlachter die doppelte Schächtgebühr erlegten und der Gemeindevorstand ihnen erstatte, was er darüber hinaus an Schächtgeldern eingenommen habe.

In seinem Antwortschreiben dankte der Oberrabbiner für die Bemühungen des Magistrats und teilte mit, er habe nach genauer Untersuchung der Sache zwei Tage vor Erhalt des Magistratsschreibens einen *Spruch* in der strittigen Angelegenheit abgefaßt: Die jüdischen Schlachter hätten für alles nichtkoschere Vieh, dessen Fleisch sie nur an Christen verkaufen könnten, lediglich 4 Lübecker Schilling [wie bisher], von koscherem Vieh jedoch 1 Lübecker Mark Schächtgeld zu bezahlen, dürften diese Gebührenerhöhung aber auf den Preis des an Juden verkauften Fleisches aufschlagen[21]. Er spricht die Hoffnung aus, diese Entscheidung werde vom Magistrat nicht *disapprobiret werden*, und bittet, in künftigen Konfliktfällen bei den Juden in Fredericia die streitenden Parteien an ihn zu verweisen, *da denn im kurtzen abgeholffen* und der Magistrat *unbelestiget bleiben* solle.

Eine Antwort des Magistrats auf das Schreiben des Oberrabbiners ist nicht erhalten und vermutlich auch gar nicht erfolgt; und wenn es sie gegeben haben sollte, kann sie kaum in etwas anderem bestanden haben als in der Mitteilung, daß die Streitfrage inzwischen höheren Orts zur Entscheidung anstehe und der Magistrat daher nicht in der Lage sei, auf die Bitte des Oberrabbiners einzugehen oder sich zu dessen «Spruch» zu äußern. Denn soviel steht jedenfalls fest, daß der Magistrat sich jetzt an den Instanzenweg hielt, was darauf schließen läßt, daß er in der Zeit zwischen der Absendung des Magistratsschreibens an den Oberrabbiner und dem Eintreffen von dessen Antwort die Supplik der Schlachter mit der Berichtserforderung des Stiftamtmanns erhalten hatte[22].

In seinem Schreiben an den Stiftamtmann vom 24. März 1763 berichtete der Magistrat auch über das Eingreifen des Oberrabbiners in den Streit[23]. Das war nach Lage der Dinge wohl nicht anders zu erwarten. Was diesen Bericht jedoch merkwürdig macht, ist die auffallende Tatsache, daß er die Entscheidungen des Oberrabbiners unvollständig und damit falsch wiedergibt. Es heißt nämlich in dem Magistratsschreiben an den Stiftamtmann, die Vorsteher hätten, als sie merkten, daß die Schlachter sich beim König beschweren wollten, den Oberrabbiner dazu gebracht, den jüdischen Schlachtern zu befehlen, sie sollten die erhöhte Gebühr bezahlen; und im Anschluß an die ausführliche und weitgehend wörtliche Wiedergabe der wesentlichen Teile des Magistratsschreibens an den Oberrabbiner heißt es [24]: «Darauf antwortet der Rabbiner den 18. huius, es solle dabei bleiben, daß die jüdischen Schlachter viermal so viel wie vorher für die Schächtung ihres Viehs bezahlen sollten, wie das angelegte Originalschreiben vermeldet» [25]. Daß der Oberrabbiner seine Autorität zunächst für die Durchsetzung des Kompromißvorschlags der Schlichtungskommission einsetzte; daß er später selbst die von den Vorstehern verfügte Gebührenerhöhung erheblich reduzierte, indem er sie auf das Schlachtvieh einschränkte, dessen Fleisch an Juden verkauft werden konnte [26]; und daß er schließlich den Schlachtern ausdrücklich zugestand, die Gebührenerhöhung auf den Preis dieses Fleisches aufzuschlagen – all dies blieb in dem Magistratsschreiben unerwähnt. Seine eigene Stellungnahme leitete der Magistrat mit der Feststellung ein, er wisse wohl, «daß der Rabbiner in Altona allein über die jüdischen Zeremonien zu befehlen» habe, finde aber nirgends, daß der König ihm gestattet habe, «eine so große Auflage zu machen, wodurch vier Familien ihre Schlachtung einstellen» müßten [27].

Der Magistrat sprach sich dafür aus – was im wesentlichen dem oben referierten Kompromißvorschlag im Magistratsschreiben an den Oberrabbiner entsprach –, daß die jüdischen Schlachter nicht mehr als das Doppelte der bisherigen Schächtgebühr bezahlen sollten, und das auch nur für den Fall, daß tatsächlich ein neuer Schächter angestellt werde. Im übrigen sollte ein erhöhter Finanzbedarf der Gemeinde gegebenenfalls durch eine allgemeine Umlage gedeckt und die Vorsteher sollten für ihren Eigensinn getadelt werden. «Denn geschieht dies nicht, werden diese unruhigen Köpfe täglich etwas Neues erfinden, und dem, was ihnen befohlen wird, nicht nachkommen.» [28]

Der Stiftamtmann, Hans Graf Schack, machte sich in seiner Erklärung vom 12. April 1763 den Standpunkt des Magistrats zu eigen und schlug dem König vor, im Sinne des Magistratsvorschlags zu entscheiden [29].

Die Dänische Kanzlei beschloß jedoch, die Akten zunächst der Deutschen Kanzlei zuzustellen und um deren Stellungnahme zu bitten [30]. Das geschah, nachdem das königliche Conseil diesen Beschluß am 28. April gebilligt hatte [30], mit Kanzleischreiben vom 4. Mai [31]. Die Deutsche Kanzlei sandte die Akten am 21. Mai weiter an Oberpräsident v. Qualen in Altona und ersuchte ihn um ein Gutachten darüber, *ob das von dem Oberrabbiner Eibeschütz, zwischen den [...] Judenschlachtern zu Fridericia*

[...] *und dem dasigen Vorsteher abgegebene Erkäntnis, als sententia judicis competentis anzusehen* sei [32].

In Altona geriet die Angelegenheit ins Stocken: Es dauerte weit über zwei Monate, bis der Oberrabbiner seine Erklärung abgab; und dann vergingen noch einmal mehr als sechs Wochen, ehe der Oberpräsident diese Erklärung, zusammen mit seiner eigenen Stellungnahme und den Vorakten, an die Deutsche Kanzlei sandte.

In der Zwischenzeit wandten die beschwerdeführenden jüdischen Schlachter sich zweimal, am 14. Juni und am 6. September 1763, an die Dänische Kanzlei, erinnerten an ihre Supplik – die sie, wie es in ihrem zweiten Brief heißt, «vor nahezu einem Jahr» eingereicht hätten [33] – und baten um baldige Entscheidung im Sinne ihres damaligen Antrags, da sie sonst ruiniert würden und ihr Geschäft aufgeben müßten. Denn ihnen würde nach wie vor die erhöhte Schächtgebühr abverlangt, und zwar für das Schlachtvieh, dessen Fleisch Christen kauften, ebenso wie für das, was für Juden bestimmt sei, während doch in Kopenhagen und anderen großen Städten die Juden, welche Fleisch zum eigenen Verbrauch kauften, selbst das Schächten bezahlten [34].

Am 4. August endlich nahm Oberrabbiner Jonathan Eybeschütz in einem an den König gerichteten Schreiben – *Ex officio*, wie ausdrücklich im Briefkopf vermerkt ist – zu dem Gesuch der jüdischen Schlachter in Fredericia Stellung [35]. Auf den bisherigen Gang der Auseinandersetzung ging er dabei nicht ein. Seine in einem ziemlich unbeholfenen, wenig präzisen Stil vorgebrachte Rechtfertigung läßt sich in folgende Hauptpunkte zusammenfassen:

(1) Die Erhöhung der Schächtgebühr sei rechtens. Denn in allen Judengemeinden in ganz Europa sei es üblich, die *Abgifften der Gemeinde* auf den Fleischpreis beziehungsweise auf die Schächtgebühr umzulegen, so zum Beispiel in den größten Gemeinden Europas, Prag und Amsterdam, denen dieser Brauch von den Obrigkeiten unbeeinträchtigt gelassen werde [36]. Da nun in allen Judengemeinden den Schlachtern von den Vorstehern vorgeschrieben werde, wie viel sie *von dem Vieh abzuführen* hätten und wie teuer sie das Fleisch an die Juden verkaufen sollten, werde ausgerechnet die kleine Gemeinde in Fredericia sich da nicht *separiren und andere Verfaßungen suchen*, zumal es *eine generale Bahn* sei, daß keine Gemeinde sich von dem Brauch der Mehrzahl der Gemeinden absondere und einen abweichenden Brauch einführe.

(2) Die Erhöhung der Schächtgebühr sei notwendig. Denn ihm, dem Oberrabbiner, obliege es, im Interesse der Einhaltung des Religionsgesetzes für die Anstellung eines neuen, jungen Schächters in Fredericia zu sorgen. Ein solcher könne aber, solange die strittige Frage nicht geregelt sei,

nicht von der Gemeinde existieren, was die Einhaltung des Religionsgesetzes gefährde.

(3) Die Erhöhung der Schächtgebühr falle nicht den Schlachtern zur Last, da sie die Schächtgebühr über den Fleischpreis wieder hereinholen könnten und die Gebühr für Fleisch, das von Christen gekauft werde, nicht erhöht worden sei.

Eybeschütz schloß sein Schreiben mit der Bitte, der König möge *allergnädigst geruhen, es bey dieser Aufflage zu laßen, damit die jüdische Gemeinde wieder in Ruhe gesetzet und bei ihren alten Gewohnheiten und ceremoniel Verfaßungen conserviret werden möge*; und er berief sich dabei auf des Königs Zusicherung, *uns, die Juden, jederzeit bey denen uns von Dero Vorfahren Majestaeten allerhuldreichst geschenkten Privilegien und Gerechtsamen allermächtigst zu manuteniren und zu handhaben,*

Das Schreiben, mit dem Oberpräsident v. Qualen die Erklärung des Oberrabbiners und die Vorakten an die Deutsche Kanzlei in Kopenhagen sandte, ist verschollen. Laut Supplikenprotokoll der Kanzlei ging es am 23. September 1763 dort ein[37]. Da die Angelegenheit dem Königlichen Conseil vorgelegt wurde, läßt sich aus dem Referat im Conseilprotokoll entnehmen, daß der Oberpräsident sich dafür aussprach, es *bey der Verfügung des Ober-Rabbiners (seine Competentz in dieser Sache vorausgesetzt)* zu lassen[38].

Die Deutsche Kanzlei schloß sich diesem Votum an. Ihr Referent, der die Vorakten wirklich gelesen hatte und sich nicht nur auf den Bericht des Magistrats in Fredericia oder einer anderen Vorinstanz stützte[39], war der Meinung, Oberrabbiner Eybeschütz habe seine Verfügung wegen der Schächtgelderhöhung gerechtfertigt, da diese zur Beschaffung eines neuen Schächters nötig sei, die jüdischen Schlachter nicht mehr als andere Gemeindemitglieder belaste und ihre Konkurrenzfähigkeit mit den christlichen Schlachtern nicht beeinträchtige; und die abschließende, vom Königlichen Conseil gebilligte Empfehlung lautete: *Bey dieser Bewandniß, und da der Ober-Rabbiner bezeuget, daß es in allen jüdischen Gemeinden in Europa üblich sey, dergleichen Abgiften auf das Fleisch zu legen; überhaupt auch diese Sache lediglich die innere Verfaßung der Judengemeine zu Fridericia angehet, wäre der Königlichen Dänischen Cantzeley [...] anheimzugeben, ob nicht die supplicirende Judenschlächter zur Ruhe zu verweisen sein möchten.*[40]

Durch ein Kanzleischreiben vom 22. Oktober 1763, das weithin die Formulierungen des Conseilprotokolls übernahm, wurde diese Empfehlung samt ihrer Begründung der Dänischen Kanzlei übermittelt[41].

Daraufhin beschloß die Dänische Kanzlei am 31. Oktober, es solle bei der vom Oberrabbiner getroffenen Regelung bleiben und der Stiftamtmann davon unterrichtet werden[42]. Letzteres geschah durch ein Schreiben von Obersekretär Otto Thott am 19. November, nachdem das königliche Conseil bereits am 3. November die Entscheidung der Kanzlei gebilligt hatte[43]; und am 25. November schließlich wurde im Namen des Stiftamtmanns ein Schreiben an den Magistrat in Fredericia abgelassen, in dem dieser von der Resolution der Dänischen Kanzlei verständigt und aufgefordert wurde, diese den Supplikanten bekanntzumachen[44].

Bernhard Brilling, dem von dem ganzen soeben referierten Vorgang nur die Stellungnahme der Deutschen Kanzlei vom 22. Oktober 1763 vorlag[45], wertet diese als Beleg dafür, daß die dänischen Zentralbehörden den Streit um die Erhöhung des Schächtgeldes für eine «innere Angelegenheit der jüdischen Gemeinde» ansahen, in die sie sich «gemäß den Privilegien nicht einmischen wollten bzw. nicht einzumischen pflegten.»[46] Das ist – mit gewissen Einschränkungen – sicher richtig[47]. Aber angesichts des gesamten oben ausgebreiteten Materials wird man sich kaum damit begnügen dürfen, sondern wenigstens versuchen müssen, die Fragen, die es aufwirft, zu beantworten und das Verhalten aller an dem Vorgang beteiligten Personen und Instanzen einer kritischen Würdigung zu unterziehen. Das soll jetzt geschehen.

Die weitaus meisten Fragen, die dabei zu stellen, zu erörtern und, wo möglich, zu beantworten sind, lassen sich in die eine Frage zusammenfassen: Warum handelten die beteiligten Personen, Gruppen und Instanzen so, wie sie es taten?

Soweit es die Zentralinstanzen, also die Dänische und die Deutsche Kanzlei in Kopenhagen betrifft, ist diese Frage, wie es auf den ersten Blick scheint, problemlos und einfach zu beantworten: Die vom Oberrabbiner in Altona getroffene Regelung wurde von ihnen akzeptiert, weil sie als sachgerecht und weil der Oberrabbiner als zuständige Instanz angesehen wurde. Das ist gewiß richtig. Trotzdem sind damit keineswegs alle Fragen erledigt. Bei näherem Zusehen muß es nämlich auffallen, daß der Referent der Deutschen Kanzlei, welcher der Dänischen Kanzlei die Entscheidungsgründe geliefert hat, sich explizit und ausführlich nur mit der Sachfrage befaßte, während er die Zuständigkeit des Oberrabbiners nicht erörterte, sondern sie lediglich – und zwar implizit – voraussetzte[48]. Dabei war die Kompetenz des Oberrabbiners in der strittigen Sache keineswegs selbstverständlich, im Gegenteil. Zwar hatte Eybeschütz sich dem König gegenüber in allgemeinen Wendungen auf die Privilegien der Juden berufen[49]. Aber Fredericia liegt in Jütland, das heißt im eigentlichen Dänemark, und im Generalprivileg Christians VI. für die Altonaer Schutzjuden vom 31. März 1731 waren dem Altonaer Oberrabbiner keine Befugnisse über Altona, Hamburg und Schleswig-Holstein hinaus zugestanden worden[50]. Das Vorgehen des Oberrabbiners war also durch die Privilegien nicht gedeckt. Trotzdem wurde seine Kompetenz durch die Kanzleien implizit und durch den Magistrat in Fredericia – dem eine Abschrift des Jurisdiktionsprivilegs der Altonaer Juden zur Hand war[51] – sogar explizit anerkannt[52]. Wie ist es zu erklären, daß die dänischen Behörden dem Altonaer Oberrabbiner und nicht dem (Ober-)Rabbiner der Hauptstadt Kopenhagen die Kompetenz in Zeremonialsachen der Juden in Fredericia zuerkannten? Und wie ist es zu erklären, daß sie die Diskrepanz zwischen dieser Anerkenntnis und dem Wortlaut des Generalprivilegs von 1731 nicht bemerkten oder ignorierten? Diese Fragen lassen sich nicht mit letzter Sicherheit beantworten. Die staatlich verordnete beziehungsweise genehmigte Amtsgewalt des Kopenhagener Rabbiners war allerdings bis 1814 offenbar auf die jüdische Gemeinde der Hauptstadt beschränkt[53]; und was das Verhalten der Behörden betrifft, können vielleicht die folgenden Überlegungen zu seiner Erklärung beitragen:

(1) Die uneindeutige Formulierung, mit der das Generalprivileg von 1731 den Jurisdiktionsbezirk des Altonaer Oberrabbiners umschreibt, wurde möglicherweise vom Magistrat in Fredericia mißverstanden, so daß er die Diskrepanz zwischen dem Anspruch des Oberrabbiners und dem Privileg nicht bemerkte[54].

(2) Wenn der Magistrat in Fredericia die Formulierung des Privilegs mißverstand und infolgedessen die Kompetenz des Altonaer Oberrabbiners für Zeremonialsachen der Juden in Fredericia anerkannte, konnte der Oberrabbiner diese Kompetenz ungehindert und von den Zentralbehörden unbemerkt wahrnehmen, solange keine Streitpartei an den König appellierte. Durch die Beschwerde der Schlachter darauf aufmerksam geworden, billigte die Regierung möglicherweise diese Abweichung vom Generalprivileg, weil sie durch die längere Zeit hindurch ungehindert geübte Praxis sanktioniert war und/oder weil sie der Intention des Jurisdiktionsprivilegs entsprach, das ausdrücklich *zu desto beßerer Beybehaltung der jüdischen Kirchen-Disciplin* dienen sollte[55].

(3) Auf den aktenmäßigen Befund kann sich diese Erklärung freilich nicht stützen. Vielmehr ist dieser ja, wie bereits oben bemerkt, dadurch charakterisiert, daß die Frage der Kompetenz des Oberrabbiners in den zur Sache gehörenden Akten der Dänischen und der Deutschen Kanzlei nur am Rande auftaucht und nirgends explizit erörtert wird. Am wahrscheinlichsten dürfte es daher sein, daß der zuständige Referent der Deutschen Kanzlei die Diskrepanz zwischen dem Verhalten des Oberrabbiners und dem Jurisdiktionsprivileg gar nicht bemerkt hat, weil er bei der Bearbeitung der Angelegenheit das Generalprivileg nicht zu Rate zog: Eine

Interessenkollision zwischen jüdischer und staatlicher Autorität war in diesem Fall nicht zu befürchten, da es sich um eine sogenannte Zeremonialsache, also um eine innerjüdische Angelegenheit handelte, für die das Oberrabbinat sich sozusagen von selbst als sachkundige Beschwerde- und Appellationsinstanz nahelegte [56]; die beschwerdeführenden Schlachter hatten die Kompetenz des Oberrabbiners nicht explizit angefochten, der Magistrat in Fredericia hatte sie im Prinzip ausdrücklich anerkannt. So fehlte dem Referenten der Anlaß, sich mit der Kompetenzfrage zu befassen und das Generalprivileg – das er sicher nicht im Kopf hatte [57] – heranzuziehen.

Mit der grundsätzlichen Einstellung der Kanzleien, sich in innere Angelegenheiten der jüdischen Gemeinden so wenig wie möglich einzumischen, dürfte es auch zusammenhängen, daß sie sich mit dem schwerwiegenden Vorwurf, die Vorsteher in Fredericia hätten der Gemeindeverfassung zuwidergehandelt, gar nicht erst befaßten.

Weit weniger leuchtet es ein, daß die Kanzleien auf die Rückzahlungsforderung der Schlachter mit keinem Wort eingingen. Angesichts der doppelten Tatsache, daß der Oberrabbiner die durch die Vorsteher verfügte Erhöhung der Schächtgebühr um mehr als die Hälfte herabgesetzt – und damit implizit als überhöht verurteilt – hatte [58], daß die Schlachter aber trotzdem, solange die Sache nicht endgültig entschieden war, die überhöhte Gebühr hatten bezahlen müssen [59], verdiente ihr Rückzahlungsanspruch doch gewiß ebenso Beachtung und Erörterung wie die Frage der Gebührenerhöhung selbst. Warum blieb ihm beides versagt? Hierfür gibt es, wenn ich recht sehe, mehrere Erklärungsmöglichkeiten, von denen keine eindeutig mehr für sich hat als die andere [60]: 1. Die Rückzahlungsforderung der Schlachter wurde im Kontext ihres Antrags auf Herstellung des Status quo vorgebracht und vielleicht deshalb ohne weiteres als Bestandteil dieses Antrags behandelt, daß heißt zugleich mit diesem verworfen. 2. Dem Referenten entging der – aus der Erklärung des Oberrabbiners vom 4. August 1763 nicht ersichtliche – Unterschied zwischen der ursprünglich verfügten und der durch den «Spruch» des Oberrabbiners modifizierten Gebührenerhöhung und er hatte deshalb keinen Anlaß, die Billigkeit eines Rückzahlungsanspruchs in Betracht zu ziehen. 3. Der Referent beschränkte sich darauf, sich mit den vom Oberrabbiner zur Rechtfertigung der Gebührenerhöhung beziehungsweise seines «Spruchs» vorgebrachten Argumenten auseinanderzusetzen; die Rückzahlungsforderung beziehungsweise ein eventueller Rückzahlungsanspruch der Schlachter blieb demnach von ihm deshalb unberücksichtigt, weil der Oberrabbiner in seiner Erklärung darauf nicht eingegangen war.

Mit den mittleren Instanzen, dem Stiftamtmann in Ribe und dem Oberpräsidenten in Altona, brauche ich mich nicht ausführlicher zu beschäftigen. Ihre Rolle beschränkte sich im wesentlichen darauf, Station auf dem Dienstwege zu sein. Das gilt insbesondere vom Stiftamtmann, der sich lediglich die Stellungnahme des Magistrats in Fredericia zu eigen machte, den Gang der Angelegenheit damit aber nicht beeinflußte. Beim Oberpräsidenten, der in seinem Gutachten weitgehend der Argumentation des Oberrabbiners folgte, könnte man immerhin fragen, ob er dadurch nicht die Stellungnahme der Deutschen Kanzlei – und damit die endgültige Entscheidung – in gewisser Weise präformiert habe. Da sein Gutachten jedoch nicht überliefert ist und wir nur indirekt, durch das Conseilprotokoll, von seinem Inhalt wissen[61], lasse ich diese Frage auf sich beruhen.

Mehr und kompliziertere Fragen als das Verhalten der oberen und mittleren wirft das Vorgehen der unteren Instanzen auf, also des Altonaer Oberrabbiners und des Magistrats in Fredericia; und die Aufklärung der Zusammenhänge wird hier noch zusätzlich dadurch erschwert, daß nicht alle Kontakte zwischen den Beteiligten in schriftlicher Form erfolgten oder explizit und ausführlich in den erhaltenen Akten behandelt sind. Wenn zum Beispiel der Magistrat in seinem Schreiben vom 10. März 1763 an den Oberrabbiner um Amtshilfe bei der Durchsetzung des von ihm favorisierten Kompromisses ersuchte und im Eingang dieses Schreibens erwähnte, er habe erfahren, daß der Oberrabbiner ihm bei der Herstellung von Frieden und Einigkeit in der jüdischen Gemeinde in Fredericia «assistieren» wolle, so deutet schon die Formulierung darauf hin, daß ihm diese Information auf einem Umweg zugekommen war. Die dänische Übersetzung des Eybeschütz-Briefes an die jüdischen Schlachter, die sich im Ratsarchiv befindet, kann hier aber nicht gemeint sein. Denn der Eybeschütz-Brief datiert zwar vom 22. Februar, lag also bei Abfassung des Magistratsschreibens an den Oberrabbiner, das heißt am 10. März, aller Wahrscheinlichkeit nach in Fredericia schon vor. Aber der Magistrat kann, wie bereits oben bemerkt, unmöglich schon damals im Besitz der dänischen Übersetzung gewesen sein, weil er sonst nicht in seinem Brief Eybeschütz um etwas gebeten hätte, was dieser mit seinem Brief an die Schlachter bereits getan hatte, ohne vom Magistrat dazu veranlaßt worden zu sein. Andererseits stellte der Magistrat in seiner Erklärung vom 24. März 1763 sein Schreiben an den Oberrabbiner als Reaktion darauf dar, daß die Vorsteher der jüdischen Gemeinde den Oberrabbiner bewogen hätten, den jüdischen Schlachtern bei Strafe des Bannes zu befehlen, sie sollten die erhöhte Gebühr bezahlen. Er muß also von der Banndrohung des Oberrabbiners gewußt haben, doch war ihm, wie gesagt, als er an den Oberrabbiner schrieb, offenbar nicht bekannt, daß diese Banndrohung nicht die ursprünglich von den Vorstehern verfügte Gebührenerhöhung, sondern den Kompromißvorschlag der Schlichtungskommission durchsetzen sollte[62]. Berücksichtigt man außerdem, daß der Magistrat an den Oberrabbiner schrieb, die Vorsteher der jüdischen Gemeinde hätten «die Sache nicht dargestellt, wie sie wirklich sei», so dürfte es am wahrscheinlichsten sein, daß die Schlachter nach Erhalt des Eybeschütz-Briefes den Magistrat mündlich davon unterrichteten, der Oberrabbiner habe sich die von den Vorstehern geltend gemachte Begründung der Gebührenerhöhung – Notwendigkeit der Anstellung eines neuen Schächters – zu eigen gemacht und sie mit dem Bann bedroht, wobei sie den eigentlichen Inhalt der mit der Banndrohung bekräftigten Forderung des Oberrabbiners verschwiegen.

Der Oberrabbiner seinerseits muß über die Vorgänge in Fredericia besser unterrichtet gewesen sein, als der Magistrat annahm. Er wußte schon vor und unabhängig von dem Brief des Magistrats an ihn nicht nur von dem Streit zwischen Vorstehern und Schlachtern, sondern auch von der Beschwerde der letzteren beim Magistrat, von der Einsetzung der Schlichtungskommission und dem von ihr vorgeschlagenen Kompromiß. Es ist mit an Sicherheit grenzender Wahrscheinlichkeit anzunehmen, daß er über all dies von den Vorstehern unterrichtet wurde. Daß er den Schlachtern unter Banndrohung befahl, den Kompromiß zu akzeptieren, setzt außerdem voraus, daß er wußte (oder annahm), die Schlachter seien mit dem Kompromiß nicht einverstanden. Man kann noch einen Schritt weitergehen und Gründe dafür angeben, daß der Oberrabbiner sich zunächst den Kompromißvorschlag der Schlichtungskommission zu eigen machte: Die Gebührenforderung der Vorsteher hielt er – wie sein später ergangener «Spruch» bestätigt – für überhöht. Aber er wollte keinen Konflikt mit dem Magistrat riskieren. Wußte er, daß seine Autorität über die Juden in Fredericia, rein rechtlich gesehen, auf ziemlich unsicherer Grundlage ruhte[63]? Oder wußte er gar um die – später deutlich zutage tretende – Empfindlichkeit des Magistrats in allem, was dessen Autorität betraf? Jedenfalls erscheint sein Brief an die Schlachter als Versuch, sich mit dem Magistrat zu arrangieren und im Wege der «Amtshilfe» seine eigene Autorität in einer für den Magistrat annehmbaren Weise geltend zu machen. Soweit ist der Hergang plausibel. Schwieriger ist es, das weitere Verhalten des Oberrabbiners zu erklären. Wie aus der oben gegebenen Darstellung des chronologischen Ablaufs hervorgeht, kam er mit seinem Versuch, den Magistrat zu unterstützen, zu spät, weil die jüdischen Schlachter bereits vier Tage, bevor er das Schreiben mit der Banndrohung an sie abließ, ihre Eingabe an den König abgesandt hatten[64]. Aber der Anlaß und die Motive dafür, daß er seine ursprüngliche Forderung durch den «Spruch» ersetzte, von dem er in seinem Schreiben an den Magistrat vom 18. März spricht[65], liegen im Dunkeln. Nur soviel ist klar, daß er diesen «Spruch» zu einem Zeitpunkt fällte, als er von dem Scheitern seines ersten Versuchs Kenntnis haben konnte; und es ist anzunehmen, daß eben diese Nachricht es war, die ihn zu dem «Spruch» veranlaßte. Aber von wem kam und was enthielt diese Nachricht? Hatten die Vorsteher ihn lediglich davon unterrichtet, daß die Schlachter den König anrufen wollten? Oder hatten die Schlachter selbst ihm das mitgeteilt? Oder wußte er, daß die Schlachter sich bereits an den König gewandt hatten? In jedem Fall bleibt es merkwürdig, daß er noch beziehungsweise erst bei diesem Stand der Angelegenheit seine ursprüngliche Stellungnahme in der oben referierten Weise durch ein förmliches Urteil (den «Spruch») revidierte. Dafür gibt es meines Erachtens nur eine mögliche Erklärung: Der Oberrabbiner fällte den «Spruch» nicht trotz, sondern im Gegenteil gerade wegen der Nachricht von der bevorstehenden oder bereits erfolgten Appellation der Schlachter an den König, und er tat das in der Erwartung und im Hinblick darauf, daß man im Zusammenhang mit dieser Appellation Rechenschaft und/oder Stellungnahme von ihm fordern werde. Mit anderen Worten: Der «Spruch» zielte allenfalls vorgeblich unmittelbar auf die Beilegung des Streits, in Wirklichkeit wurde er abgefaßt, damit der Oberrabbiner sich später darauf berufen und versuchen konnte, ihn im Zuge des Appellationsverfahrens durchzusetzen und so seine Amtsautorität über die Juden in Fredericia zu festigen. Daß er mit dem «Spruch» seine frühere Aufforderung an die Schlachter samt der Banndrohung kurzerhand annullierte, liegt ganz auf dieser Linie: Seinem Autoritätsanspruch entsprechend mußte der Oberrabbiner als eigenständige, nicht lediglich als subsidiäre Instanz auftreten – und auf den Magistrat brauchte er ja nun keine Rücksicht mehr zu nehmen. Daß er in seinem Schreiben an den Magistrat vom 18. März die Hoffnung ausspricht, dieser werde den «Spruch» nicht «disapprobieren», steht nicht im Widerspruch zu dieser Erklärung, sofern man darin einen weiteren wohlüberlegten Schritt in dem klug kalkulierten Vorgehen des Oberrabbiners sieht und wenn man bedenkt, daß der «Spruch» abgefaßt wurde, bevor das Magistratsschreiben vom 10. März bei Eybeschütz eintraf. Dessen Antwort vom 18. März läßt sich dann als Versuch verstehen, den durch das Magistratsschreiben gegebenen Anlaß in die mit dem «Spruch» verfolgte Strategie einzubeziehen und durch diplomatisches Verhalten zu erreichen, daß der Magistrat die Kompetenz des Oberrabbiners – als für ihn, den Magistrat, entlastend und hilfreich – anerkannte. Auf diese Weise sorgte er, wie es scheint, auch für den Fall vor, daß die Supplik der Schlachter gar nicht ihm, sondern nur dem Magistrat zur Stellungnahme vorgelegt wurde.

So scheint sich am Ende doch alles zu einem geschlossenen Bild zu fügen[66]. Auf den ersten Blick mag es freilich scheinen, dieses Bild sei einseitig, weil es Jonathan Eybeschütz nur um seine Autorität bemüht zeige und die Möglichkeit ausspare, daß es ihm – zumindest auch – um eine optimale, das heißt gerechte und sachlich vernünftige Konfliktlösung gegangen sei. Bei näherem Zusehen wird jedoch deutlich, daß das Bild auch diese Möglichkeit einschließt: Wenn der Oberrabbiner zunächst keine Kontroverse mit dem Magistrat riskieren wollte, und zwar, wie anzunehmen ist, in durchaus realistischer Einschätzung der Lage, dann bedeutete das auch, daß er eine vom Kompromißvorschlag der Schlichtungskommission abweichende Lösung, auch wenn er sie für gerechter hielt, für unrealisierbar ansehen und deshalb auf sie verzichten mußte; und der «Spruch» kann auch als Versuch verstanden werden, die bessere Lösung schließlich doch noch durchzusetzen. Das Interesse an der Wahrung und Festigung der rabbinischen Autorität und das Bemühen um eine optimale Konfliktlösung schließen einander also nicht aus. Die hier vorgetragene Interpretation läuft vielmehr darauf hinaus, daß Jonathan Eybeschütz mit realistischem Blick für das Mögliche und mit diplomatischem Geschick – und, wie das Ergebnis zeigt, mit Erfolg – bestrebt war, beides miteinander zu verbinden.

Bei alledem darf freilich nicht außer acht gelassen werden, daß diese Interpretation weithin auf Annahmen beruht, die nicht nachprüfbar sind; und es darf auch nicht verschwiegen werden, daß in dem hier von Eybeschütz gezeichneten Bild auch die Schatten nicht fehlen[67].

In ungleich ungünstigerem Licht als Eybeschütz erscheint der Magistrat dem Blick des kritischen Betrachters. Das gilt unbeschadet der Tatsache, daß manche Fragen nur hypothetisch oder gar nicht mehr zu beantworten sind. Nach dem oben referierten Quellenbefund zeigte sich der Magistrat zunächst redlich bemüht, die widerstreitenden Interessen zu einem gerechten Ausgleich zu bringen. Davon zeugen die Einsetzung der Schlichtungskommission und deren Kompromißvorschlag. Auch sein nächster Schritt, die Bitte um «Amtshilfe» an den Oberrabbiner, ist noch ohne weiteres verständlich: Das Magistratsschreiben vom 10. März 1763 war die Reaktion des Magistrats auf die Nachricht von dem durch die Vorsteher veranlaßten Eingreifen des Oberrabbiners in die Angelegenheit und diente dem unmittelbaren Zweck, dem Oberrabbiner gegenüber die Argumente der Schlachter zur Geltung zu bringen, dadurch den Schiedsspruch der Schlichtungskommission als sachgerecht zu rechtfertigen und ihn mit Hilfe des Oberrabbiners doch noch durchzusetzen[68]. Daß der Magistrat allerdings durch mehr und anderes dazu motiviert wurde als durch seine Überzeugung, was in dieser Angelegenheit recht und billig sei, läßt sich aus der Stelle seines Briefes schließen, in dem – besonders deutlich im Konzept – sein Unmut darüber zum Ausdruck kommt, daß die Vorsteher der jüdischen Gemeinde sich ihm gegenüber so halsstarrig gezeigt hatten[69]. Es ging ihm also offenbar auch um Satisfaktion wegen dieser Kränkung seiner

Autorität[70]. Möglicherweise verfolgte er mit seinem Brief aber noch eine andere Absicht. Wenn man nämlich – was plausibel erscheint – davon ausgeht, daß die Vorsteher sich ihm gegenüber darauf berufen hatten, es handle sich hier um eine Religionsangelegenheit, für die der Oberrabbiner zuständig sei[71]; und wenn man ferner davon ausgeht, daß der Magistrat bei Abfassung des Briefes an den Oberrabbiner wußte, daß die Schlachter an den König appellieren wollten oder bereits appelliert hatten[72], dann liegt es nahe, in seinem Brief an den Oberrabbiner eine genaue Parallele zu dessen «Spruch» und dessen Brief an den Magistrat zu sehen: in dem Bewußtsein, ohne ausreichende Rechtsgrundlage gehandelt zu haben, war er bemüht, sich ein Alibi zu verschaffen, ohne seiner Autorität etwas zu vergeben, und das konnte er am besten dadurch erreichen, daß er den Oberrabbiner zur Kooperation bewog. Denn wenn der Oberrabbiner der Bitte des Magistrats stattgab, war dieser sowohl den Vorstehern als auch den Kopenhagener Zentralbehörden gegenüber gerechtfertigt.

Was im einzelnen auch die Pläne und Absichten des Magistrats gewesen sein mochten, sie scheiterten alle, weil der Oberrabbiner nicht darauf einging, sondern ihnen, wie ich oben zu zeigen versuchte, seine eigene Strategie entgegensetzte. Der Magistrat fühlte sich dadurch, wie es scheint, tief gekränkt[73]; mehr noch: er wurde dadurch offenbar so aus der Fassung gebracht, daß er nicht imstande war, aus dem Brief des Oberrabbiners mehr herauszulesen als das Nein zu seinem eigenen Vorschlag. Anders läßt es sich meines Erachtens nicht erklären, daß er in seinem Schreiben an den Stiftamtmann, wie oben bereits dargestellt, den wesentlichen Inhalt des Oberrabbiner-Briefes unvollständig und damit grob verfälschend wiedergab[74]: Vor lauter Betroffenheit oder Aufgebrachtheit über seine Niederlage war der Magistrat offenbar nicht mehr fähig, sich mit der Sachfrage auseinanderzusetzen, das heißt, zur Kenntnis zu nehmen und zu beurteilen, was der «Spruch» des Oberrabbiners besagte. Das stellt seiner Kompetenz ein schlechtes Zeugnis aus und steht in auffallendem Kontrast zu dem günstigen Bilde, das die biographischen Lexika von Stadtpräsident Hans Dreyer de Hofmann und seiner Amtsführung zeichnen[75].

Ein weniger kompliziertes Bild als bei Oberrabbiner und Magistrat ergibt sich bei der Analyse des Verhaltens der eigentlichen, ursprünglichen Kontrahenten, das heißt der Vorsteher der jüdischen Gemeinde und der jüdischen Schlachter in Fredericia, wenngleich auch hier manches nur vermutungsweise erklärt werden kann oder überhaupt offenbleiben muß.

Was die Vorsteher betrifft, sei zunächst daran erinnert, daß keines der überlieferten Aktenstücke unmittelbar auf sie zurückgeht. Wir wissen von ihrem Verhalten nur aus den Darstellungen der Schlachter, des Magistrats und des Oberrabbiners, die von deren Interessen beeinflußt sind. Das macht es schwierig, ein Bild vom Verhalten der Vorsteher zu gewinnen, das über das rein Faktische hinausgehend auch die tatsächlichen oder mutmaßlichen Gründe ihres Handelns aufzeigt. Fest steht aber jedenfalls, daß die von den Vorstehern aus gegebenem Anlaß verfügte Erhöhung der Schächtgebühr höher war, als dieser Anlaß es erforderte, und daß sie keine Rücksicht auf die wirtschaftliche Lage der Schlachter nahm[76]. Auch daß die Vorsteher den Kompromißvorschlag des Magistrats ablehnten und sich an den Oberrabbiner wandten, steht fest[77]. Nach der Darstellung des Magistrats in seinem Schreiben an den Stiftamtmann vom 24. März 1763 sieht es so aus, als seien die Ablehnung des Vermittlungsvorschlags und die Appellation an den Oberrabbiner zwei selbständige und zeitlich nicht unmittelbar zusammenhängende Akte gewesen[78]. Wenn es sich wirklich so verhielt, gewinnt die Vermutung an Wahrscheinlichkeit, daß die Vorsteher den Kompromißvorschlag mit der Begründung ablehnten, der Magistrat und dessen Schlichtungskommission seien unzuständig, die zuständige Beschwerdeinstanz sei der Oberrabbiner in Altona, und zwar kraft der den Altonaer Schutzjuden vom König verliehenen Privilegien[79]. Als die Vorsteher dann erfuhren, daß die Schlachter sich nicht an den Oberrabbiner, sondern an den König wenden wollten, unterrichteten sie ihrerseits den Oberrabbiner vom Stand der Angelegenheit und suchten bei ihm Rechtfertigung und Unterstützung.

Wenn diese Annahmen richtig sind, verhielten die Vorsteher sich geradlinig und konsequent, und ihr Verhalten bedarf keiner weiteren Erklärung. Allenfalls könnte man auf den unmittelbaren, praktischen Nutzen hinweisen, den der von ihnen verfochtene Instanzenzug für sie hatte: Der Magistrat war nah, der Oberrabbiner war weit. Wenn sie den Magistrat als Beschwerdeinstanz anerkannten, mußten sie damit rechnen, daß unzufriedene Gemeindemitglieder sich öfter, als den Vorstehern recht sein konnte, beim Magistrat beschweren würden, um sich gegen ihnen unliebsame Entscheidungen des Gemeindevorstands zur Wehr zu setzen. Eine Beschwerde beim Oberrabbiner hingegen setzte eine Reise nach Altona oder den beschwerlichen Schriftweg voraus und war daher von vornherein weit weniger wahrscheinlich.

Daß die Vorsteher bei der von ihnen verfügten drastischen Erhöhung der Schächtgebühr über den später vom Oberrabbiner anerkannten Bedarf hinausgingen und die wirtschaftliche Lage der Schlachter nicht berücksichtigten, zeugt freilich von mangelnder Übersicht und Umsicht und legt die Vermutung nahe, daß die Klagen der Schlachter über die Willkürherrschaft der Vorsteher nicht ganz der Grundlage entbehrten[80]. Bestimmteres läßt sich jedoch darüber nicht mehr feststellen. Das gleiche gilt für den doppelten Vorwurf, die Vorsteher hätten die Gemeindeverfassung verletzt und sie seien miteinander verschwägert[81].

Auch hinsichtlich des Verhaltens der Schlachter und ihrer Beweggründe müssen manche Fragen offenbleiben. Fest steht lediglich, daß sie sich über die Gebührenerhöhung beim Magistrat beschwerten[82], daß sie den Kompromißvorschlag der Schlichtungskommission ablehnten[83] und daß sie sich mit drei Eingaben an den König beziehungsweise an die Dänische Kanzlei wandten[84]. Wahrscheinlich ist, daß die Schlachter sich deshalb an den Magistrat wandten, weil eine Beschwerde beim Oberrabbiner ihnen zu beschwerlich und zeitraubend war. Einigermaßen wahrscheinlich ist ferner, daß die Schlachter den Oberrabbiner auf die eine oder andere Weise wissen ließen, sie würden seiner Aufforderung nicht nachkommen, sondern an den König appellieren[85]. Schließlich spricht manches dafür, daß die vom Magistrat gegen die Maßnahmen der Vorsteher geltend gemachten Argumente von den jüdischen Schlachtern stammten und daß diese den Magistrat von der Banndrohung, aber nicht von der damit verknüpften Forderung des Oberrabbiners unterrichteten[86]. Wann die dänische Übersetzung des Eybeschütz-Briefes in die Hände des Magistrats gelangte und ob er sie – auf seine Aufforderung hin? – von den Schlachtern oder den Vorstehern erhielt, bleibt dagegen ungewiß. Vor allem aber haben wir keine Möglichkeit, das Argument der Schlachter, die von den Vorstehern verfügte Gebührenerhöhung gefährde ihre Existenz, auf seinen Wahrheitsgehalt zu prüfen. Standen die jüdischen Schlachter wirklich infolge der Gebührenerhöhung am Rande des Bankrotts? Oder ist diese Behauptung in ihren Eingaben lediglich Ausdruck ihrer subjektiven Überzeugung? Oder geht sie gar aufs Konto rhetorischer Übertreibung[87]? Diese Fragen wären nur zu beantworten, wenn sich etwas über Umsatz und Einkommen der jüdischen Schlachter in Erfahrung bringen ließe. Das ist aber leider nicht der Fall[88]. Damit bleibt auch die Frage unbeantwortbar, wie groß und wie schwerwiegend der finanzielle Verlust war, der den Schlachtern dadurch entstand, daß weder der Oberrabbiner noch die Dänische Kanzlei auf ihre Rückzahlungsforderung einging[89].

Der bei der Analyse der Quellen entstandene allgemeine Eindruck, die Obrigkeiten, denen der einfache jüdische Bürger in Fredericia unterworfen war, hätten dessen Angelegenheiten nicht immer mit der für sein Wohlergehen erforderlichen Umsicht und Sorgfalt behandelt, läßt sich daher ebenfalls weder verifizieren noch falsifizieren.

So bleibt als allgemeines Fazit der Untersuchung des Schächtgeldstreits nur die – allerdings wichtige – Feststellung, was er für die Frage der Zuständigkeit des Altonaer Oberrabbiners für die Juden in Fredericia bedeutet: Verlauf und Ausgang dieses Streits sind nicht, wie Brilling es tut, als

Bestätigung, Beleg und Illustration der privilegienkonformen Praxis der Kopenhagener Zentralbehörden aufzufassen. Sie zeigen vielmehr, daß die Zentralbehörden, indem sie das nicht im strengen Sinne privilegienkonforme Verhalten des Oberrabbiners billigten, seine Zuständigkeit für die inneren Angelegenheiten der jüdischen Gemeinde in Fredericia anerkannten und damit ein vom Jurisdiktionsprivileg abweichendes Präzedens schufen.

II.

Zwei Juden und Bürger in Fredericia, Levi Marcus und Seligmann Levin [90], beschwerten sich mit Schreiben vom 24. April 1766 beim Magistrat darüber, daß der Altonaer Oberrabbiner sie unter Banndrohung aufgefordert hatte, binnen vierzehn Tagen vor dem jüdischen Gericht in Altona zu erscheinen [91]. Es ging um Schuldforderungen, die ein Jude aus Altona gegen Levi Marcus und ein Jude aus Hamburg gegen Seligmann Levin dort eingeklagt hatten [92]. Die Beschwerdeführer wiesen zunächst darauf hin, daß die lange Reise nach Altona, wo sie weiter nichts zu tun hätten oder zu verdienen erwarten könnten, außerordentlich kostspielig sein würde; auch ständen verschiedene Märkte – unter anderen das Snapsting in Viborg, der Pfingstmarkt in Aalborg und der Olufsmarkt in Aarhus [93] – bevor, die sie besuchen müßten, um sich und ihre Familien zu ernähren. Die Hauptsache anlangend beriefen sie sich darauf, daß es sich nicht um eine Religions- oder Zeremonialsache handle und sie deshalb nicht verpflichtet wären, sich dem Urteil des Oberrabbiners zu unterwerfen. Als Bürger in Fredericia, denen in den Stadtprivilegien Schutz und Schirm garantiert sei, stellten sie sich unter das Landesrecht; ihre Prozeßgegner müßten sie in Fredericia vor dem Stadtgericht belangen. Demgemäß beantragten sie, der Magistrat möge den Eingriff in die Jurisdiktion der Stadt abwehren und ihr Recht als Bürger und königliche Untertanen schützen. Außerdem baten sie den Magistrat, er möge dem Rabbiner und den Vorstehern der jüdischen Gemeinde in Fredericia untersagen, in Schuld- und anderen zwischen Juden streitigen weltlichen Sachen Urteile zu fällen und Strafen zu verhängen oder gar zu vollstrecken.

Der Magistrat leitete die Beschwerde noch am gleichen Tage an den Obersekretär der Dänischen Kanzlei in Kopenhagen, Otto Thott, weiter. Im Begleitschreiben faßte er seine Stellungnahme dahin zusammen, daß die beschwerdeführenden Juden als Bürger in Fredericia in Schuldsachen dort belangt werden müßten, zumal in den königlichen Verfügungen nicht das Mindeste darüber zu finden sei, daß der Oberrabbiner den Juden in Fredericia außer in Religions- und Zeremonialangelegenheiten etwas zu sagen habe. Dementsprechend trug der Magistrat darauf an, den Oberrabbiner anzuweisen, daß er sich mit Schuld- und anderen weltlichen Sachen der Juden in Fredericia nicht zu befassen und der dortigen jüdischen Gemeinde außer in Religions- und Zeremonialangelegenheiten nichts zu befehlen habe[94].

In der Dänischen Kanzlei wurde die Sache in der Sitzung des Kanzleikollegiums am 12. Mai 1766 behandelt und beschlossen, dem Stiftamtmann im Stift Ribe, Hans Graf Schack, das Magistratsschreiben zuzustellen und ihn zur Stellungnahme aufzufordern[95].

Der Stiftamtmann ließ daraufhin mit Schreiben vom 30. Mai 1766 dem Magistrat in Fredericia auftragen, zwei Erklärungen einzuholen und einzusenden[96]: Der Rabbiner, von dem zu erwarten sei, daß er darüber Bescheid wisse, solle Auskunft geben, aufgrund welcher Verordnung oder welchen Privilegs der Oberrabbiner in Altona sich die angefochtene Befugnis zuschreibe; und die Beschwerdeführer sollten erklären, ob sie nicht in den Schuldverschreibungen sich verpflichtet hätten, im Streitfall vor dem Oberrabbiner zu erscheinen.

Für den Magistrat antwortete Stadtpräsident Hans Dreyer de Hofmann am 5. Juni 1766. In seinem Schreiben an den Stiftamtmann stellte er fest, daß der Magistrat die Erklärung des Rabbiners eingeholt habe und daß die beschwerdeführenden Juden versichert hätten, keinen Schuldschein ausgegeben zu haben, indem sie «auf ihr Forum verzichten».[97] Außerdem wies er darauf hin, daß Seligmann Levin sich bereits im Bann befinde und die Bannsetzung des Levi Marcus unmittelbar bevorstehe, und bat abschließend, der Stiftamtmann möge sich dafür einsetzen, daß dem Oberrabbiner in Altona die in Anspruch genommene richterliche Autorität abgesprochen werde und die beklagten Juden vor dem für sie zuständigen Gericht in Fredericia belangt werden müßten[98].

Der Stiftamtmann sandte mit Schreiben vom 30. Juni 1766[99], dem das an ihn remittierte Magistratsschreiben vom 24. April wieder beigefügt war[100], seine eigene «Alleruntertänigste Erklärung» an die Dänische Kanzlei ein[101]. Darin machte er sich den Antrag des Magistrats (in dessen Bericht vom 5. Juni) zu eigen. Zur Begründung führte er an:

(1) Trotz eingehender Untersuchung und eingeholter Auskünfte sei nicht in Erfahrung zu bringen gewesen, daß der Oberrabbiner im Besitz eines Privilegs sei, welches ihn berechtige, jüdische Einwohner und Bürger in Fredericia in Schuldsachen unter Banndrohung vorzuladen und auf diese Weise dem für sie zuständigen Stadtgericht zu entziehen.

(2) Die beschwerdeführenden Juden hätten erklärt, sie hätten den in

ihrer Beschwerde erwähnten beiden Juden keinen Schuldschein gegeben, in dem sie auf den Gerichtsstand in Fredericia verzichtet hätten.

(3) Es sei anzunehmen, daß der Oberrabbiner in Altona der jüdischen Gemeinde in Fredericia nur in Religions- und Zeremonialangelegenheiten etwas zu befehlen habe und daß die Juden in Fredericia im übrigen wie andere Bürger der weltlichen Jurisdiktion unterständen.

Das Kanzleikollegium beschloß in der Sitzung vom 16. Juli 1766, die Erklärung des Stiftamtmanns an die Deutsche Kanzlei weiterzuleiten und um deren Gutachten zu bitten[102]; und nachdem dieser Beschluß am 17. Juli vom königlichen Conseil gebilligt worden war[103], wurde er am 26. Juli mit einem Schreiben von Obersekretär Otto Thott an die Deutsche Kanzlei ins Werk gesetzt[104].

In der Deutschen Kanzlei wurde das Schreiben unter dem 31. Juli im Supplikenprotokoll registriert und zum Vortrag in Kanzleikollegium und Conseil bestimmt[105]. Der auf Grund der Erörterung im Kanzleikollegium gefaßte Beschluß, den Oberrabbiner zur Sache zu vernehmen, wurde am 21. August vom königlichen Conseil approbiert; und am 20. September schrieb Obersekretär Johann Hartwig Ernst von Bernstorff an den 1. Bürgermeister und Verweser des Oberpräsidiums in Altona, Johann Daniel Baur, und forderte ihn auf, die Erklärung des Oberrabbiners einzuziehen und sich selbst gutachtlich zu äußern zu zwei Fragen, nämlich

1. Woher der Ober-Rabbiner zu dem, was geschehen ist, sich befugt erachte, da die für die Altonaer Juden in der Teutschen Canzeley ausgefertigte Privilegia wohl eigentlich nicht weiter, als auf die Herzogthümer extendiret werden können? und

2. ob hiebevor verschiedene ähnliche und allenfalls nahmhaft zu machende Fälle vorgekommen, und der Magistrat zu Fridericia das Verfahren des p[ro] t[empore] Ober-Rabbiners ausdrücklich oder stillschweigend genehmiget habe?[106]

Vier Monate mußte die Deutsche Kanzlei auf die Antwort warten. Vorerst – und auch das geschah erst im Dezember 1766 – informierte Baur sie lediglich über die *Ursachen, warum über die Beschwerden der Juden zu Fridericia über den Ober-Rabbiner noch kein Bericht erfolgen kan.*[107] Der Bericht selbst, dem die Erklärung des Oberrabbiners Isaac Jacob Levi Horwitz vom 2. Januar und ein Nachtrag dazu vom 12. Januar 1767 beigefügt waren[108], ging erst in der zweiten Januarhälfte bei der Deutschen Kanzlei in Kopenhagen ein[109]. Über seinen Inhalt ist nichts bekannt[110]. Nachdem er im Kanzleikollegium erörtert worden war, befaßte sich – im Februar – auch das königliche Conseil erneut mit der Sache[111], ehe Obersekretär von Bernstorff am 14. März 1767 die Erklärungen des Oberrabbiners mit einem kurzen Begleitschreiben an die Dänische Kanzlei weiterleitete und gleichzeitig die mit der Anfrage vom 26. Juli 1766 an ihn remittierten Schriftstücke zurücksandte[112].

Die Antwort von Oberrabbiner Horwitz auf die beiden oben zitierten Fragen der Deutschen Kanzlei läßt sich wie folgt zusammenfassen:

Zu 1.

Zur Rechtfertigung seines Verhaltens führte der Oberrabbiner an, daß *das Fundament der den Altonaischen OberRabbinern zustehenden Cognition über die Juden zu Fridericia, in denen der Judenschafft von Königen zu Königen verliehenen Privilegien beruhe*[113]; und zur Begründung dieser Behauptung zitierte er den Artikel 6 des Generalprivilegs der Altonaer Schutzjuden vom 12. März 1731[114], worin der geographische, und das königliche Reskript an das Oberappellationsgericht in Glückstadt vom 24. Juli 1739[115], worin der sachliche Geltungsbereich der Jurisdiktion des Altonaer Oberrabbiners definiert ist. Danach sollten – mit Ausnahme der Glückstädter Juden – alle in des Königs *Fürstenthümern und Landen, biß an den Kleinen Belt, nebst denen zu Hamburg sich aufhaltenden hochteutschen Juden* der Jurisdiktion des Oberrabbiners in Altona unterworfen sein[116]; und dies gelte, dem erwähnten Reskript zufolge, auch für Zivilsachen, da das Privileg keinen Unterschied mache zwischen *denen Casibus so die Jüdischen Gesetze und Ceremonien specialiter concreniren, und andern bloß bürgerlichen Sachen*, was der seitherigen *Praxis und Observance* entspreche, *nach welcher in denen unter Juden vorfallenden Schuldforderungs- und anderen Civilstreitigkeiten, die Rabbiner und Ältesten fundatam iurisdictionem haben, und ihre Erkentniße sogleich remota adpellatione durch dem [!] Bann vollstrecken.*[117] Da Fridericia notorischer maßen *dißeits des kleinen Belts* liege, so lautete die Schlußfolgerung von Oberrabbiner Horwitz, sei es *keinem Zweiffel unterworfen, daß die daselbst wohnende Judenschafft der Cognition des hiesigen OberRabbiners unterworfen seyn müße, weil in Ansehung der dasigen Juden, sich keine Ausnahme in den allerhöchsten privilegiis findet, wie doch in Ansehung der Glückstädtischen Juden geschehen ist.*[118] Die von der Deutschen Kanzlei geltend gemachte Tatsache, daß das fragliche Privileg *in der deutschen Kanzeley ausgefertiget worden*, hielt er demgegenüber für nicht beweiskräftig, *weil es den allerhuldreichsten Monarchen einmahl gefallen die sämtlichen Juden biß an den Belt expressis verbis der Cognition des hiesigen Ober-Rabbiners zu unterwerfen, ohne darauf zu sehen, ob ein oder ander Ort, wo die Juden sich aufhalten, zu den deutschen Provinzen zu rechnen sey oder nicht*[119].

Zu 2.

Zur Frage nach den Präzedenzfällen bemerkte Oberrabbiner Horwitz, er sei erst kurze Zeit im Amt und habe *außer dem itzigen Fall noch sonst keinen gehabt, um die dem Ober-Rabiner allerhuldreichst verliehene Co-gnition in Ansehung einer bürgerlichen Streitigkeit ausüben zu können.*[120] Aber selbst wenn der vorliegende Fall der allererste dieser Art wäre, wäre sein Vorgehen hinreichend begründet. Denn dafür, daß die jüdische Gemeinde in Fredericia in ceremonialibus dem Altonaer Oberrabbiner untergeben sei, gebe es Beweise: Sie trage jährlich vier Reichstaler zum Gehalt des Oberrabbiners bei[121]; der dortige Unterrabbiner werde vom Altonaer Oberrabbiner eingesetzt[122]; für jede jüdische Trauung in Fredericia müsse die Genehmigung des Oberrabbiners eingeholt und eine Gebühr an ihn bezahlt werden[123]; die Gemeinde und ihre Ältesten hätten die *Cognition* des Oberrabbiners und der Ältesten in Altona seit jeher anerkannt[124]; und *als vor etwa 4 Jahren wegen des Schächtens des Schlachtviehes zu Fridericia einige Irrungen entstanden* seien, hätten *die beiden dortigen Schächter Levi Meyer Levi und Bendix Levi annoch expresse schrifftlich reversiret, den Befehlen des hiesigen Ober-Rabbiners in allen* [!] *nachzukommen.*[125] Daraus und aus dem Reskript vom 24. Juli 1739 folge, daß die Juden in Fredericia dem Richterspruch des Altonaer Oberrabbiners auch in civilibus unterworfen seien; denn das Jurisdiktionsprivileg mache, wie das Reskript ausdrücklich bestätige, keinen Unterschied zwischen Zivil- und Zeremonialsachen. Da die Juden in Fredericia, wie aus dem Angeführten ersichtlich sei, die Autorität des Oberrabbiners in Zeremonialsachen seit jeher anerkannt hätten, müßten sie seine Kompetenz also auch in Zivilsachen anerkennen[126].

Die Argumentation des Oberrabbiners scheint die Kopenhagener Zentralbehörden nicht überzeugt zu haben. Zwar wies der Obersekretär der Deutschen Kanzlei, J. H. E. von Bernstorff, in seinem bereits erwähnten Schreiben an die Dänische Kanzlei vom 14. März 1767 darauf hin, *wie von dem Ober-Rabbiner verschiedene Fälle angeführet worden, woraus deutlich zu ersehen, daß die Gemeine zu Fridericia sich den Erkenntnissen des Altonaischen Ober-Rabbiners und der Ältesten vorhin unterworfen und deren Cognition anerkannt habe*[127]; aber weder erwähnte er die Grenzbezeichnung des Jurisdiktionsprivilegs – «bis an den Kleinen Belt» –, welcher der Oberrabbiner so entscheidende Bedeutung beilegte, noch gab er – wie etwa anläßlich des Streits um die Erhöhung der Schächtgebühr – ein regelrechtes Votum ab. Auch die Dänische Kanzlei mochte die Sache nicht auf Grund der Stellungnahme des Oberrabbiners entscheiden, sondern beschloß in der Sitzung des Kanzleikollegiums am 23. März 1767, zunächst noch das Gutachten des Generalprokureurs Henrik Stampe einzuholen[128]. Demgemäß wurde noch am gleichen Tage der Bericht des Magistrats in Fredericia vom 24. April 1766 mit einer entsprechenden, im Namen des Königs ausgestellten und vom Obersekretär Otto Thott unterschriebenen Remissorialnotiz versehen und mit weiteren Vorakten an den Generalprokureur weitergeleitet [129].

Dieser eröffnete seine an den König gerichtete «Alleruntertänigste Erklärung» mit der Bemerkung, daß er vom Jurisdiktionsprivileg der «in den Fürstentümern lebenden hochdeutschen Juden» erst durch die Erklärung des Altonaer Oberrabbiners erfahren habe [130]. Dieses Privileg aber gelte, wie seine Ausfertigung in der Deutschen Kanzlei beweise, nur für die deutschen Juden in den Herzogtümern und ginge die Juden in Fredericia nichts an, da diese «nicht in den Fürstentümern Schleswig oder Holstein, sondern im Reich Dänemark» wohnten [131]. Die Grenzangabe des Privilegs und die vom Oberrabbiner geltend gemachten Präzedenzfälle ließ Stampe nicht als Gegenargument gelten. Vielmehr setzte er sich kritisch mit der Grenzangabe auseinander [132]. In diesem Zusammenhang wies er darauf hin, daß es sich um eine in der Deutschen Kanzlei sonst nicht gebräuchliche Ausdrucksweise handele. Er war überzeugt, daß sie aus dem der Privilegienerteilung vorangegangenen Gesuch stammte und von dort in den Privilegientext übernommen worden war (und traf damit ziemlich genau das Richtige [133]); sie sei, meinte er, vom Verfasser des Gesuchs «mit Fleiß» so uneindeutig formuliert worden, um zu verbergen, daß sie von vornherein auf Fredericia zielte. Tatsächlich hätte der Oberrabbiner in Altona ja auch mit Hilfe dieser Formulierung «den Juden in Fredericia eingebildet, daß sie ebensowohl wie die Juden in Altona und Hamburg seiner Jurisdiktion unterständen und ihn als Richter anerkennen müßten» [134]. Die daraus folgende Praxis war nach Stampes Auffassung nicht zu beanstanden und die Behörden hatten, solange die streitenden Parteien die Kompetenz des Oberrabbiners anerkannten, keine Möglichkeit einzugreifen, «da sie ja den Juden nicht verbieten konnten, ihre Zwistigkeit durch den Oberrabbiner als Schiedsmann zu schlichten» [135]. Jetzt aber, nachdem Beschwerde über diese Praxis geführt worden sei, könne sie nicht länger geduldet werden, zumal die Juden, die sich in Fredericia niedergelassen und dort das Bürgerrecht gewonnen hätten, mit gleichem Recht wie die Juden in Kopenhagen oder Nakskov verlangen könnten, daß ihre Prozesse nach dänischem Recht entschieden und abgeurteilt würden, und es für Juden in Fredericia auch nicht gleichgültig sei, ob sie auf die Klage irgendeines Juden hin ungefähr dreißig Meilen weit und noch dazu außer Landes reisen müßten, um sich in erster Instanz zu verantworten [136].

Abschließend bemerkte Stampe, es sei ihm lieb, daß die fraglichen Privilegien nur für die Herzogtümer und nicht für Fredericia oder einen anderen Ort in Dänemark Geltung hätten. Denn er habe zwar nichts dagegen einzuwenden, daß der Oberrabbiner Streitigkeiten entscheide, welche die Parteien freiwillig seinem Urteil zu unterwerfen bereit seien; aber daß ein

Rabbiner eine so uneingeschränkte Jurisdiktion über sämtliche Juden haben sollte, daß er alle ihre Prozesse und Streitigkeiten ohne Rücksicht auf ihre Zustimmung abzuurteilen und noch dazu berechtigt wäre, sine appelatione Recht zu sprechen und seine Urteile sogleich zu vollstrecken, das finde er «allzu stark»[137]. Er schlug daher vor, der König möge an den Stiftamtmann in Ribe reskribieren, «daß die Juden, die in Fridericia sich niedergelassen und das Bürgerrecht erworben haben, gleich wie andere Bürger und Einwohner der Stadt, in Schuld- und anderen Sachen, die etwa gegen sie anhängig gemacht würden, es sei von Christen oder von Juden, vor dem Stadtgericht in Fredericia verklagt werden und Urteil leiden sollten und gegen ihren Willen nicht von diesem für sie zuständigen Gericht ab- und vor ein anderes oder andere Richter gezogen werden dürften»[138]. Und da dies auch der Deutschen Kanzlei mitgeteilt werden müsse, möge zugleich an diese geschrieben werden, «Daß, da die Privilegien, auf die sich der Oberrabbiner berufen hat und die in der Deutschen Kanzlei ausgefertigt worden sind, allein die Fürstentümer angehen, wie sie denn auch bisher nicht allein in Fredericia, sondern auch überall in Dänemark und in der Dänischen Kanzlei gänzlich unbekannt gewesen sind, darum gebeten werde, diese Resolution dem Oberrabbiner in Altona bekanntzumachen und ihn daneben zu vermahnen, sich auf alle Weise nach selbiger zu richten und rückgängig zu machen, was dawider etwa sollte vorgenommen worden sein.»[139]

Stampes Gutachten trägt das Datum «9ter Julii Anno 1767»[140], ist aber laut Eingangsvermerk merkwürdigerweise erst am 9. September in der Dänischen Kanzlei eingegangen[141]. In der Sitzung des Kanzleikollegiums am 16. September, auf der das Gutachten verlesen wurde, wurde beschlossen, nach den Vorschlägen des Generalprokureurs zu verfahren[142]; am Tage darauf billigte das königliche Conseil diese Entscheidung[143]; und durch königliches Reskript vom 25. September 1767 wurde sie dem Stiftamtmann in Ribe, Hans Graf Schack, als königlicher Befehl mitgeteilt mit der Aufforderung, diesen Befehl weiterzuleiten, sowie mit der weiteren Nachricht, der Oberrabbiner werde durch die Deutsche Kanzlei von der königlichen Resolution in Kenntnis gesetzt und aufgefordert werden, sich danach zu richten[144]. Letzteres geschah nicht direkt, sondern auf dem gewöhnlichen Dienstweg: Mit Schreiben vom 26. September 1767 unterrichtete die Dänische die Deutsche Kanzlei vom Ausgang der Sache und ersuchte sie, dem Oberrabbiner davon Kenntnis zu geben und ihn zu ermahnen, sich danach zu richten und, was er im Widerspruch dazu bereits verfügt habe, wieder rückgängig zu machen[145]. Die Deutsche Kanzlei schrieb daraufhin am 21. November 1767 an Oberpräsident Sigismund Wilhelm von Gähler in Altona und teilte ihm die königliche Resolution (in deutscher Übersetzung) mit, damit er *dem dortigen Ober-Rabbiner davon zu seinem Verhalten Nachricht geben* könne [146]. Ein wichtiger Bestandteil der für den Oberrabbiner bestimmten Mitteilung, nämlich die Aufforderung, Maßnahmen rückgängig zu machen, die der königlichen Resolution nicht entsprachen, war also bereits an dieser Stelle des Dienstweges verlorengegangen; und als die Mitteilung in der so verkürzten Fassung in Altona eintraf, konnte sie den Oberrabbiner, der Levi Marcus und Seligmann Levin vor sein Gericht geladen und, als sie der Ladung nicht Folge leisteten, den Bann über sie verhängt hatte, nicht mehr erreichen. Denn Oberrabbiner Isaac Jacob Levi Horwitz war bereits am 5. Mai 1767 gestorben [147].

Abschließend ist festzustellen, daß auch in diesem Fall, wie schon beim Schächtgeldstreit, manche Fragen offenbleiben müssen. So läßt sich nicht mehr ermitteln, ob die Gläubiger nach dem für sie ungünstigen Ausgang des Beschwerdeverfahrens beim Stadtgericht in Fredericia klagten und ob sie dort ihre Forderungen durchsetzen konnten [148]. Darum wissen wir auch nichts über die Höhe der Forderungen; und damit entzieht sich die Frage der Beantwortung, inwieweit die Dauer des Verfahrens, das sich über mehr als anderthalb Jahre hinzog, eine finanzielle Belastung für die Gläubiger mit sich brachte, das heißt, ob die dadurch bedingte Verzögerung der Rückzahlung für sie zu einer nennenswerten Geschäftsschädigung führte.

Daß ihre Forderungen berechtigt waren, darf dagegen wohl vorausgesetzt werden. Denn das wird von Levi Marcus und Seligmann Levin in ihrer Beschwerde nicht bestritten, und es ist wenig wahrscheinlich, daß sie diesen Punkt mit Stillschweigen übergangen hätten, wenn sie sich auch in dieser Hinsicht ihren Widersachern gegenüber im Recht gefühlt hätten. Das könnte bedeuten, daß sie sich nicht allein, um dem zusätzlichen Aufwand einer Reise nach Altona zu entgehen, auf ihr Bürgerrecht beriefen, sondern auch, um den Vorteil eines zusätzlichen Zahlungsaufschubs zu erlangen, der ihnen ja für die Dauer des Beschwerdeverfahrens faktisch zufiel. Unabhängig davon, ob diese Annahme zutrifft oder nicht, ist jedenfalls deutlich, daß sie die Möglichkeiten, die ihnen das Bürgerrecht in Fredericia bot, geschickt zu nutzen wußten.

Die Frage, weshalb das Beschwerdeverfahren sich derart in die Länge zog, läßt sich nur in Form allgemeiner Hinweise beantworten, wobei offenbleibt, ob damit tatsächlich die Ursachen der mehrfach zu konstatierenden langen Pausen im Geschäftsgang erfaßt sind. Diese Pausen sind, wie oben dargestellt, hauptsächlich bei der Bearbeitung der Angelegenheit in der Deutschen Kanzlei und in Altona entstanden. Was die Deutsche Kanzlei angeht, so liegt es nahe, in diesem Zusammenhang an folgendes zu erinnern: Erstens hatte die im Zeichen der Zentralisation stehende Reorganisation des gesamten Regierungs- und Verwaltungsapparates nach Einführung des absoluten Erbkönigtums zu einer solchen Überhäufung der Dänischen und der Deutschen Kanzlei mit zur Entscheidung anstehenden Sachen unterschiedlichster Art geführt, daß der öfters beklagte schleppende Geschäftsgang schon allein von daher mindestens teilweise erklärlich ist [149]. Zweitens waren die Entscheidungen der Deutschen Kanzlei trotz ihrer Kollegialverfassung in der hier zur Rede stehenden Zeit fast ausnahmslos die Entscheidungen eines einzelnen Mannes, nämlich des Obersekretärs J. H. E. von Bernstorff, und dieser war durch seine Funktion als Leiter der Außenpolitik und infolge der ihm eigentümlichen Arbeitsweise außerordentlich stark in Anspruch genommen [150]; und drittens suchte, nachdem Frederik V. im Januar 1766 gestorben war, eine mehr oder weniger einflußreiche Oppositionsgruppe Bernstorffs Stellung zu unterminieren, so daß er sich im Jahre 1766 vorübergehend in einer unsicheren und schwierigen Lage befand, während gleichzeitig die Verhandlungen mit Rußland seine ganze Aufmerksamkeit forderten [151]. Trotzdem ist zweifelhaft, ob hierin die Ursachen für die Verzögerung zu suchen sind oder ob diese nicht vielmehr auf Adolf Gotthard Carstens zurückgeht, der als Sekretär der Deutschen Kanzlei die Grundlagen für die Entscheidung der «theoretisch-juristischen Fragen» erarbeitete und dessen «Bedenklichkeit und [...] langes Überlegen» bereits von Zeitgenossen für den «schleppenden Geschäftsgang der Kanzlei» verantwortlich gemacht wurden [152]. Die Klärung dieser Frage wäre, wenn überhaupt, nur durch zeitraubende Untersuchungen möglich, die den Rahmen der vorliegenden Arbeit sprengen würden. Auch hinsichtlich der Gründe für die Verschleppung der Angelegenheit in Altona sind wir auf Vermutungen angewiesen. Oberrabbiner Horwitz war noch nicht lange im Amt, als ihm die Erklärung abgefordert wurde, auf welche die Deutsche Kanzlei dann rund vier Monate warten mußte. Es ist denkbar, daß es ihm schwerfiel, für die von ihm traditionsgemäß – und in Übereinstimmung mit seinem Rabbinatsbrief – ausgeübte richterliche Funktion eine durchreflektierte, im geltenden Judenrecht begründete Rechtfertigung zu liefern [153]. Verifizieren läßt sich eine solche Annahme aber nicht mehr; denn das Schreiben, das über die Ursache der Verzögerung des angeforderten Berichts Aufschluß gab, ist, wie bereits erwähnt, verschollen [154]. Die Regierung nahm, wie sich gezeigt hat, den konkreten Einzelfall zum Anlaß für eine generelle Regelung. Daran ist nichts Ungewöhnliches [155]. Es ist aber zu fragen, warum sie im Fall des Gerichtsstandsstreits dem, was man schlagwortartig als «expansionistische Jurisdiktionspolitik» der aschkenasischen Juden in Altona bezeichnen könnte, einen Riegel vorschob, während sie diese Politik im Fall des Schächtgeldstreits nachträglich legalisierte. Diese Frage führt wie die weitere Frage nach den Motiven der jüdischen Jurisdik-

tionspolitik vom Einzelfall weg in umfassendere historische Zusammenhänge und soll daher im folgenden Schlußkapitel behandelt werden, das
die hier untersuchten Einzelfälle und die dadurch veranlaßten generellen
judenrechtlichen Entscheidungen in den größeren Rahmen der Landes-
und Zeitgeschichte einzuordnen versucht.

III.

In den sechziger Jahren des 18. Jahrhunderts, also rund hundert Jahre nach
Einführung des Absolutismus in Dänemark, hatte dieser einen großen Teil
der Aufgaben längst gelöst, vor die er sich zu Beginn seiner Herrschaft, in
der bedrohlichen Krise nach den Friedensschlüssen von Roskilde (1658)
und Kopenhagen (1660), gestellt sah [156]. Es war dem Erbkönigtum gelungen, die ihm übertragene und im Königsgesetz (Kongelov) von 1665 ver-
fassungsmäßig begründete absolute Herrschaft fest im Bewußtsein der
Untertanen zu verankern [157]. Ein leistungsfähiger, stark zentralistisch aus-
gerichteter Regierungs- und Verwaltungsapparat war aufgebaut worden,
dessen Arbeitsweise sich durch geregelten Geschäftsgang, geordneten Instanzenzug und Gründlichkeit auszeichnete [158]; und die Männer, die an
seiner Spitze standen, erwiesen sich angesichts der Unzulänglichkeit der
Könige, die ihrem Amt und seiner Machtfülle schlecht gewachsen waren,
immer wieder als ein stabilisierender Faktor ersten Ranges [159]. Auch die
Rechtspflege war reorganisiert und die älteren, nur regional gültigen Lan-
desrechte im Königreich durch ein einheitliches neues Gesetzbuch –
Danske Lov (1683) – ersetzt worden [160].
 Durch diese und andere Maßnahmen hatte es der Absolutismus in Dänemark mit beachtlichem Erfolg verstanden, Gesetzgebung, Verwaltung
und Rechtsprechung weitgehend einheitlich und nach klaren, bestimmten
Regeln zu ordnen und auf sich als Zentralgewalt zu orientieren [161]; und in
diesem Sinne suchte er sie auch zu handhaben. Dabei war sein Handeln,
wie Edvard Holm gezeigt hat, von zwei nicht immer miteinander vereinbaren Tendenzen bestimmt [162]: Neben dem ins Auge fallenden Bestreben,
Herrschaft auszuüben und ihre Wirksamkeit zu sichern und zu steigern,
ist auch Fürsorge für die Untertanen als Motiv staatlichen Handelns beziehungsweise königlicher Entscheidungen erkennbar [163], und Schutz und
Hilfe der Armen und Schwachen zu sein, gehörte ausdrücklich zu den
Berufspflichten der Beamten [164]. (Diese Fürsorgepflicht erstreckte sich
grundsätzlich auch auf Minderheiten, soweit diese toleriert wurden, siehe
weiter unten.)

Die Untertanen, deren bürgerliche und geistliche Repräsentanten an der Entmachtung des Adels und der Einführung der absolutistischen Monarchie maßgeblichen Anteil gehabt hatten[165], waren dieser gegenüber positiv und loyal eingestellt, was freilich Kritik an einzelnen Maßnahmen und Entscheidungen und vor allem Ungehorsam gegen Gesetze und obrigkeitliche Verordnungen keineswegs ausschloß[166]. Hier stieß der Herrschaftswille des Staates an eine Grenze, hinter die der einzelne sich vor dem alle Lebensbereiche erfassenden dirigistischen Zugriff der Obrigkeit zurückzog, wenn sein Eigeninteresse ihm das nahelegte[167]. Aber es gab für den Untertanen natürlich auch andere, legale Möglichkeiten, sein Eigeninteresse zu wahren, nämlich die Gerichte in Anspruch zu nehmen oder sich mit Bitten und Beschwerden an die Behörden, an die Regierung oder an den König zu wenden; und es zeugt vom Vertrauen der Untertanen in Rechtspflege und Verwaltung, daß sie von dieser Möglichkeit regen Gebrauch machten[168]. Allerdings treten gerade hier auch einige der Schattenseiten des Systems zutage: Einerseits atmeten die Bittschriften nur zu oft Untertanengeist im negativen Sinn des Wortes, indem sie der übertriebenen Unterwürfigkeit des höfischen Stils die Übertreibung der eigenen Notlage hinzufügten[169]. Andererseits führte die zentralistische Struktur des Verwaltungsapparats zu einer Überlastung der Zentralbehörden, und diese dürfte im Verein mit der an sich positiv zu wertenden Gründlichkeit der Regierungskollegien eine Hauptursache für den wiederholt beklagten schleppenden Geschäftsgang gewesen sein[170]. Weitere Ursachen hierfür waren die mangelnde Entschlußkraft leitender Beamter sowie teils durch den Schematismus des Geschäftsganges, teils durch die Fiktion der Alleinherrschaft des Königs bedingte Ansätze zu bürokratischem Leerlauf[171].

Die oben erwähnte doppelte Tendenz staatlichen Handelns ist auch in der Judenpolitik des dänischen Absolutismus nachweisbar. Doch kam hier wie bei anderen religiösen Minderheiten als weiterer Faktor die Rücksicht auf und die Sorge für die Staatsreligion hinzu, wie sie im ersten Artikel des Königsgesetzes von 1665 den Königen zur vornehmsten Pflicht gemacht worden war[172]. Allerdings war es der Geistlichkeit nicht gelungen, die Aufnahme der Fremdenartikel von 1569 ins Königsgesetz zu erreichen, welche die Aufnahme von Nichtlutheranern in Dänemark ausschlossen[173]. So blieb es letztlich eine Ermessensfrage, ob die Könige ihrer Pflicht, den lutherischen Glauben in ihren «Ländern und Reichen gegen alle Ketzer, Schwärmer und Gotteslästerer zu beschirmen», nur durch ein generelles Einwanderungsverbot für Andersgläubige oder auch auf andere Weise genügen konnten[174]. Nach einigem Zögern entschied die Regierung sich für letzteres, wobei die verheerenden Folgen von Krieg und Pest für die Wirtschaft und Bevölkerungszahl des Landes und merkantilistische

Überlegungen, wie ihnen abzuhelfen sei, schließlich den Ausschlag gaben[175]. Das merkantilistisch verstandene Staatsinteresse blieb auch weiterhin maßgebend für die Einwanderungspolitik des dänischen Absolutismus: Nur solche Zuwanderer waren willkommen, von denen sich die Behörden einen merklichen Gewinn für die Staatskasse und für die Wirtschaft des Landes versprachen[176]. Unabhängig davon waren jedoch Juden, welche die Niederlassungsgenehmigung erlangt hatten, trotz mancher Beeinträchtigungen, denen sie als Juden ausgesetzt waren, wie andere Untertanen auch Gegenstand staatlicher Fürsorge. Ihre Privilegien und Rechte wurden geschützt, und es konnte durchaus geschehen, daß die Zentralbehörden im Konfliktfall zwischen gesetzlichen Bestimmungen und den Bedürfnissen und Interessen des einzelnen und seiner Familie zugunsten der letzteren entschieden[177].

In das hier mit wenigen groben Strichen skizzierte und in Einzelheiten später noch zu ergänzende Gesamtbild lassen sich die Ergebnisse der vorangegangenen Untersuchung einigermaßen zwanglos einfügen. Das wird jetzt im einzelnen zu zeigen sein. Dabei lasse ich mich von der Frage leiten, welche Interessen das Verhalten der beteiligten Personen, Gruppen und Instanzen bestimmten[178].

Was zunächst die Behandlung der in den beiden ersten Kapiteln dargestellten und erörterten Fälle durch die Behörden betrifft, so sind die oben genannten Charakteristika der Verwaltung des absolutistischen Königreichs – geordneter Instanzenzug, geregelter Geschäftsgang, Gründlichkeit – unschwer darin wiederzufinden; und auch die ebenfalls bereits erwähnten negativen Merkmale – schleppender Geschäftsgang, Ansätze zu bürokratischem Leerlauf – fehlen nicht[179]. Schwieriger ist die oben bereits gestellte Frage zu beantworten, welche Motive und Interessen dafür ausschlaggebend waren, daß die Entscheidung in dem einen Fall zugunsten, im andern Fall gegen die Zuständigkeit des Altonaer Oberrabbiners für die Juden in Fredericia ausfiel. Es mag naheliegen, bei dem Versuch, sie plausibel zu beantworten, von dem für die Regierung offenbar grundlegenden Unterschied zwischen den beiden Fällen auszugehen: Der Schächtgeldstreit wurde von ihr als Zeremonialsache angesehen, der Gerichtsstandsstreit nicht; und in Sachen, die mittelbar oder unmittelbar mit der jüdischen Religion zusammenhingen, pflegte sie sich nur ausnahmsweise einzumischen, nämlich wenn sie sich durch einen zwingenden Grund dazu veranlaßt sah[180]. Bei diesem Ansatz, der auf der Linie der Brillingschen Argumentation liegt[181], ist freilich übersehen, daß – wie in Kapitel 1 dargelegt – die Frage der Zuständigkeit des Oberrabbiners im Schächtgeldstreit eine merkwürdig untergeordnete Rolle spielte. Es war ja keineswegs so, daß die Beschwerde der jüdischen Schlachter in Fredericia von der Regierung mit dem Hinweis auf die Zuständigkeit des Oberrabbiners a limine abgewiesen oder dessen Entscheidung als sententia fori non competentis verworfen wurde. Ausschlaggebend und eigentlicher Gegenstand der behördlichen Untersuchung war vielmehr die Frage, ob die Beschwerde der Schlachter oder die Entscheidung des Oberrabbiners sachlich gerechtfertigt war, wobei die Zuständigkeit des letzteren implizit vorausgesetzt wurde[182]. Mit anderen Worten: Die Dänische Kanzlei fungierte in diesem Fall faktisch als Appellationsinstanz. Sie befaßte sich also sehr wohl mit der Angelegenheit, und ihr Vorgehen kann keinesfalls als Beleg dafür gelten, daß sich «die dänischen Behörden» in innere Angelegenheiten der jüdischen Gemeinden «nicht einmischen wollten bzw. nicht einzumischen pflegten»[183]. Der Schächtgeldstreit bildet auch keineswegs einen Ausnahmefall, die Regierung (oder eine nachgeordnete Behörde) fungierte auch sonst als Appellations- und Schiedsinstanz bei Streitigkeiten in Religions- und Zeremonialangelegenheiten der Juden und griff, durch entsprechende Bitten von jüdischer Seite veranlaßt, gelegentlich auch durch einen legislativen Akt in Bereiche ein, die an sich kraft königlichen Privilegs explizit oder implizit der jüdischen Selbstverwaltung überlassen waren[184]. Diese Praxis entsprach dem Selbstverständnis des absolutistischen Staates, das echte Autonomie nichtsstaatlicher Institutionen ausschloß: Wo er seine eigene Macht begrenzte und ein Stück Autonomie zugestand, war diese Autonomie relativ und nur auf Zeit verliehen und konnte jederzeit eingeschränkt oder wieder aufgehoben werden. Auf diese Weise sicherte der Staat beziehungsweise das absolutistische Königtum seinen doppelten Anspruch, alleiniger Träger von Herrschaft und zugleich die höchste und letzte Instanz zu sein, wenn es um das Wohl der Untertanen ging. Die in diesem Anspruch sich manifestierende autoritäre Grundstruktur prägte alle Ebenen und Bereiche obrigkeitlichen Handelns und stand letztlich wohl auch hinter der wie ein spezifischer horror vacui anmutenden Abneigung, irgend etwas dem freien Spiel der Kräfte oder der Selbstregulierung der gesellschaftlichen Gruppen zu überlassen: Alles sollte von oben geordnet und verordnet oder doch zumindest genehmigt und kontrolliert werden[185]. Der Gedanke – in dem autoritäres und rechtsstaatliches Denken zusammenflossen –, daß es für jede auf unterer Ebene getroffene Entscheidung eine Appellations- und Kontrollinstanz geben müsse, war den Regierungsbeamten also vermutlich einigermaßen selbstverständlich; und es fragt sich, ob der die Akten des Schächtgeldstreits bearbeitende Referent der Deutschen Kanzlei nicht auch oder gerade deshalb ohne weiteres davon ausging, der Oberrabbiner sei befugt gewesen, als übergeordnete Instanz in den

Streit zwischen Schlachtern und Vorstehern der jüdischen Gemeinde in Fredericia einzugreifen[186].

Im übrigen ist es keineswegs sicher, daß die Entscheidung der Regierung grundlegend anders ausgefallen wäre, wenn die Frage der Zuständigkeit des Altonaer Oberrabbiners für die Juden in Fredericia vorrangig vor oder gleichrangig mit der Frage untersucht worden wäre, ob sein «Spruch» sachgerecht war. In diesem Fall wäre es darauf angekommen, worauf die mit der Untersuchung betrauten Beamten das entscheidende Gewicht gelegt hätten: Auf allgemeine rechtspolitische und judenrechtspolitische Überlegungen oder auf die Tatsache, daß das Vorgehen des Oberrabbiners im Jurisdiktionsprivileg der Altonaer Schutzjuden keine oder allenfalls eine sehr zweifelhafte Rechtsgrundlage hatte. Es spricht, wie mir scheint, einiges dafür, daß erstere den Ausschlag gegeben hätten: Einerseits lag es in der Konsequenz der den Juden zugestandenen Religionsfreiheit, ihnen auch die selbständige Regelung aller mit ihrer Religion zusammenhängenden (Streit-)Fragen zu überlassen; und da die jüdische Gemeinde in Fredericia sich dem Altonaer Oberrabbiner in ceremonialibus untergeordnet hatte[187], hätte die Regierung es um so eher dabei lassen können, als damit andererseits die allgemeine rechtspolitische Forderung erfüllt war, daß es für Entscheidungen auf unterer Ebene eine übergeordnete Appellations- und Kontrollinstanz geben müsse[188]. Daß der Oberrabbiner hierfür eher in Frage kam als irgendeine andere – gerichtliche oder staatliche – Instanz, weil er über die erforderliche Sachkunde verfügte, liegt auf der Hand[189]. Entsprechend dem weiter oben bereits Gesagten wird man in diesem – hypothetischen – Fall, wie bei der Verleihung des Jurisdiktionsprivilegs überhaupt, nicht von einem grundsätzlichen Verzicht auf Hoheitsrechte des Königs als absoluten Herrschers und obersten Richters, sondern eher von ihrer nach Gesichtspunkten der Zweckmäßigkeit erfolgten Delegation an den Oberrabbiner sprechen müssen. Hierzu stimmt, daß der Oberrabbiner – wie Pastoren, Richter und königliche Beamte – dem König durch Eid verpflichtet und daß, wie bereits erwähnt, der König – oder an seiner Statt die Regierung – mindestens gelegentlich Appellationsinstanz für Entscheidungen oder Urteile des Oberrabbiners war[190].

Anders als im Schächtgeldstreit ging es im Gerichtsstandsstreit zentral um die – von den beschwerdeführenden Juden bestrittene – jurisdiktionelle Zuständigkeit des Altonaer Oberrabbiners für die Juden in Fredericia. Diese bildete denn auch den Hauptgegenstand der Untersuchung durch den Generalprokureur; und gleichzeitig treten in dessen Gutachten die für sein Votum maßgebenden Motive mit aller wünschenswerten Deutlichkeit hervor, so daß ich mich hier relativ kurz fassen kann. Ebenfalls abweichend vom Schächtgeldstreit spielte die Rücksicht auf das Wohl der –

beschwerdeführenden – Untertanen unter den Entscheidungsgründen der Regierung beziehungsweise Stampes eine gewisse, wenn auch ziemlich untergeordnete Rolle[191]. Breitesten Raum nimmt in Stampes Erklärung hingegen die Prüfung der verfassungsrechtlichen Frage ein, ob das Jurisdiktionsprivileg der Altonaer Schutzjuden eine Gerichtsbarkeit des Altonaer Oberrabbiners in Zivilsachen der Juden in Fredericia begründe. Diese Frage wurde, wie oben dargelegt, von Stampe verneint[192]. Dabei kommt sein rechtspolitisches Interesse an diesem Befund so deutlich zum Ausdruck, daß man dadurch veranlaßt werden könnte, hierin, das heißt in dem Interesse an der Sicherung der Rechtseinheit und eines ordentlichen Rechtsganges mit Appellationsinstanz, das eigentliche, zentrale Motiv zu sehen[193]. Selbstverständlich ist das nicht mehr als eine – freilich einigermaßen plausible – Annahme. Doch scheint mir zumindest der innere Zusammenhang der drei genannten Entscheidungsgründe hinreichend deutlich, um eine entsprechende Interpretation zu rechtfertigen: Weil der Wortlaut des Jurisdiktionsprivilegs dem nicht entgegenstand, konnten das rechtspolitische Interesse an der Herstellung beziehungsweise Wahrung der Einheitlichkeit und Eigenart des im Königreich geltenden Rechts und die Rücksicht auf das Wohl der Untertanen zum Zuge kommen, zumal auch Gründe der Zweckmäßigkeit nicht – wie beim Schächtgeldstreit und generell bei sogenannten Zeremonialsachen – dagegen, sondern ebenfalls dafür sprachen[194].

Die expansionistische Jurisdiktionspolitik des Altonaer Oberrabbinats beziehungsweise der aschkenasischen Gemeinde in Altona war also anläßlich des Gerichtsstandsstreits mit der Rechtspolitik und Rechtsauffassung des absolutistischen Staates in Konflikt geraten und unterlegen. Dabei war sie bis dahin durchaus erfolgreich gewesen, hatte sie doch erreicht, daß der von ihr vertretene Anspruch, Rabbiner und Älteste der aschkenasischen Gemeinde in Altona seien die einzige rechtmäßige richterliche Instanz in Zeremonial- und Zivilsachen für alle aschkenasischen Juden in Altona, Hamburg und Schleswig-Holstein (und darüber hinaus bis an den Kleinen Belt), Bestandteil des staatlichen Judenrechts wurde. Das war keineswegs von Anfang an der Fall. Die den aschkenasischen Juden in Altona in ihren Privilegien zugestandene eigene Gerichtsbarkeit erstreckte sich nämlich ursprünglich nur auf die Altonaer Juden selbst und wurde erst nach und nach immer mehr ausgedehnt[195]: 1680 wurden alle aschkenasischen Juden in des Königs *fürstentumben und landen* (mit Ausnahme Glückstadts) der Altonaer jüdischen Zeremonialgerichtsbarkeit unterstellt[196]; 1722 wurden *alle in Ihro Königlichen Majestät Fürstentümer und Lande biß an die Belten nebst denen in Hamburg sich aufhaltenden hochteutschen Juden, so ihren Kirchhoff auf königlichem Grund und Boden liegen haben (die Glückstaedtischen Juden allein ausbenommen)* dem Gerichtszwang des Rabbiners in Altona unterworfen[197]; und in der Folgezeit wurde ausdrücklich bestätigt, daß dieses Jurisdiktionsprivileg auch Zivilsachen einschließe[198]. Diese Extensionen des Jurisdiktionsprivilegs wurden jeweils auf Grund eines entsprechenden Gesuchs der aschkenasischen Gemeinde in Altona bewilligt, dessen Formulierungen sich zum Teil im Privilegientext wiederfinden[199]. Auf diese Weise gelangte nicht nur, wie Generalprokureur Henrik Stampe richtig vermutete, die Grenzangabe «bis an den kleinen Belt» in den Jurisdiktionsartikel des Generalprivilegs der Altonaer aschkenasischen Juden[200], sondern auch die diesen Artikel einleitende Zwecksetzung, welche die Begründung des Gesuchs aufnimmt: *Zu desto beßerer Beybehaltung der jüdischen Kirchen-Disciplin und Verhütung derer darinn etwa einreissenden Zerrüttung und Desordres* [...][201].

Die «Kirchendisziplin» hatte einen hohen Stellenwert im absolutistischen Staat. Wie Kirche und Staatsreligion ihm willkommene Instrumente zur Disziplinierung und Kontrolle der lutherischen Untertanen waren[202], so suchte er sich auch der jüdischen Gemeindeinstitutionen zur Disziplinierung und Kontrolle seiner jüdischen Untertanen zu bedienen[203]. Aber auch die jüdische Gemeinde selbst war an der Aufrechterhaltung der «jüdischen Kirchendisziplin» interessiert, um die traditionelle jüdische Lebensweise nach Möglichkeit gegen das als bedrohlich empfundene Eindringen von Neuerungen abzuschirmen und gegen Verhaltensweisen vorgehen zu können, die entweder die Gemeindefinanzen beeinträchtigten oder in der nichtjüdischen Umwelt Anstoß erregten und den Ruf und damit unter Umständen auch die Wohlfahrt und schlimmstenfalls die Sicherheit der jüdischen Solidargemeinschaft gefährden konnten[204].

Das *ordnungspolitische Motiv*, wie ich es abkürzungshalber nennen möchte, war also für den Staat und für die jüdische Gemeinde von zentraler Bedeutung und lieferte, gerade weil die beiderseitigen Interessen hier weitgehend parallel liefen, ein wirksames Argument zur Begründung der Bitte um Restitution beziehungsweise Extension der jüdischen Gerichtsbarkeit. Aber damit ist selbstverständlich nicht gesagt, daß dies das einzige in diese Richtung zielende Argument war, zumal das Interesse der Altonaer aschkenasischen Gemeinde an der Restitution beziehungsweise Extension der jüdischen *Zivil*gerichtsbarkeit den Behörden gegenüber damit kaum überzeugend zu begründen war. Tatsächlich haben die Altonaer Schutzjuden, wie aus den Akten ersichtlich ist, noch weitere Argumente für ihre eigene Gerichtsbarkeit vorgebracht. So bedienten sie sich zur Begründung der Bitte um Restitution / Extension der jüdischen Zivilgerichtsbarkeit, wie es scheint, speziell des an die merkantilistischen Interessen des

Staates appellierenden *wirtschaftspolitischen Arguments*, die Gewährung ihrer Bitte werde vermögende Altonaer Schutzjuden von der Abwanderung abhalten und für begüterte auswärtige Juden ein Anreiz sein, sich in Altona niederzulassen[205]. Wenn dies ein realitätsbezogenes und kein Scheinargument war, hinter dessen Benutzung nichts anderes stand als die Erwartung seiner Wirksamkeit, dann muß es für vermögende Altonaer Schutzjuden vorteilhafter gewesen sein, sich der jüdischen als der nichtjüdischen Gerichtsbarkeit zu bedienen. Worin lag dieser Vorteil? Daß die Altonaer Schutzjuden die jüdische Zivilgerichtsbarkeit vorzogen, weil deren Prozedur und Rechtsgrundsätze ihnen vertraut waren und das jüdische Gericht, das nur mündliche Verhandlungen kennt, «im Vergleich zu den weltlichen Gerichten [...] schnell und billig» arbeitete[206], ist möglich, müßte aber noch durch einen eingehenden, die besonderen Altonaer Gegebenheiten zugrunde legenden Vergleich verifiziert werden[207]. Etwas anderes dagegen ist ohne weiteres evident: Das Jurisdiktionsprivileg verschaffte den in Altona ansässigen Juden bei Zivilklagen gegen Juden in Schleswig-Holstein (und, nach Auffassung der Altonaer Schutzjuden, auch gegen Juden in Fredericia) den Vorteil des heimischen Gerichtsstandes. Im übrigen entsprach dem merkantilistischen (und fiskalischen) Interesse des Staates am Zuzug vermögender Juden nach Altona das Interesse der jüdischen Gemeinde an einer möglichst großen Zahl bemittelter Mitglieder (von der die Steuerkraft der Gemeinde abhing), was vielleicht als weiteres Indiz dafür gewertet werden darf, daß es sich bei dem *wirtschaftspolitischen Argument* nicht um ein Scheinargument handelte. Außer den bisher genannten findet sich in nichtjüdischen Quellen gelegentlich auch ein *pragmatisches Argument* für die jüdische Zivilgerichtsbarkeit[208]; und schließlich ist in dem Hinweis der Altonaer Schutzjuden, die Extension der (Zeremonial-)Gerichtsbarkeit des Altonaer Rabbiners auf die Juden in Schleswig-Holstein gereiche *zu Ew: Königl: Majestät jntereße*[209], wahrscheinlich die Andeutung eines *finanzpolitischen Arguments* zu sehen: Die Hälfte der vom Oberrabbiner (und den Ältesten) verhängten Geldbußen floß der königlichen Kasse[210], die andere Hälfte dem jüdischen Armenwesen in Altona zu, so daß auch in dieser Hinsicht die Interessen des Staates und der jüdischen Gemeinde konvergierten[211].

Es ist damit zu rechnen, daß in den Bemühungen der aschkenasischen Gemeinde in Altona um Extension ihres Jurisdiktionsprivilegs noch andere Motive wirksam waren, die jedoch für eine die staatlichen Instanzen überzeugende Begründung der angestrebten Extension nicht taugten und deshalb in den Akten nicht greifbar sind. So könnte es zum Beispiel eine Rolle gespielt haben, daß das Einkommen des Oberrabbiners sich aus Fixum und «Akzidentien» zusammensetzte und der Gesamtbetrag der letzteren – zumindest: auch – vom Umfang des Jurisdiktionsbezirks ab-hing[212]; und selbstverständlich darf auch die Möglichkeit nicht ausge-schlossen werden, daß der Jurisdiktionspolitik der Altonaer Schutzjuden neben (oder vor) allen anderen ein religiöses Motiv zugrunde lag, nämlich das Interesse an der Bewahrung der traditionellen jüdischen Lebensweise durch die Juden in Schleswig-Holstein (und Fredericia).

Konfrontiert man die im vorstehenden ganz knapp skizzierte und auf ihre nachweislichen und mußmaßlichen Motive zurückgeführte expansionisti-sche Jurisdiktionspolitik der Altonaer Schutzjuden und den darin sich ma-nifestierenden Anspruch mit der geschichtlichen Wirklichkeit, so zeigt sich, daß diese Politik ihre Ziele nur teilweise erreichen konnte. Zwar sind die auf uns gekommenen einschlägigen Quellen noch nicht gründlich un-tersucht und systematisch ausgewertet worden[213]. Aber soviel läßt sich doch schon mit Bestimmtheit sagen, daß Schächtgeldstreit und Gerichts-standsstreit keine Ausnahmen waren, sondern als symptomatisch angese-hen werden können. (Siehe weiter unten.) Juden in Fredericia wandten sich, wie diese Fälle zeigen, mindestens gelegentlich an den Magistrat (und nicht an den Altonaer Oberrabbiner) als Beschwerdeinstanz; sie kannten und nutzten, um ihre Interessen wahrzunehmen, auch die Möglichkeit der supplicatio ad thronum; und sie weigerten sich, den Oberrabbiner in Altona als für sie zuständigen Richter in Zivilsachen anzuerkennen und beriefen sich dabei auf ihr Bürgerrecht.

Im Schächtgeldstreit und im Gerichtsstandsstreit hatte eine der streiten-den Parteien sich an den Oberrabbiner gewandt. Es kam aber offenbar auch vor, daß Streitigkeiten zwischen Juden von vornherein und aus-schließlich mit Hilfe nichtjüdischer Gerichte ausgetragen wurden. So er-wirkte Marcus Levin in Plön im Jahre 1763 einen Arrest auf eine Geld-summe, die der dortige Magistrat durch Vermittlung des Stadtpräsidenten in Fredericia auf Grund einer Wechselforderung des dortigen Bürgers und Juden Seligmann Levin für diesen kassiert hatte, und machte eine Schuld-forderungsklage gegen seinen Bruder vor dem Plöner Magistratsgericht anhängig –, worauf dieser genau wie im Gerichtsstandsstreit sich auf sein Bürgerrecht und seinen gesetzlich garantierten Gerichtsstand in Fredericia berief[214]; der Friedrichstädter Jude Moses Abraham Koehn ließ 1761 oder 1762 Nathan Joseph in Fredericia in einem sogenannten Provokationspro-zeß vor das Stadtgericht in Friedrichstadt laden, welches ihn, der sich ebenfalls auf seinen gesetzlichen Gerichtsstand in Fredericia berief, in ab-sentia verurteilte[215]; und als Oberrabbiner und Älteste der aschkenasi-schen Gemeinde in Altona sich im Jahre 1777 aus gegebenem Anlaß *über den Magistrat zu Friedrichstadt wegen der von diesem ausgeübten Ge-*

richtsbarkeit in Civil-Sachen zwischen Juden beschwerten, entschied die Deutsche Kanzlei im Namen des Königs, *daß beregter Magistrat in allen Civil-Sachen zwischen den sich in Friedrichstadt aufhaltenden Juden ohne Unterschied bey dem so viele Jahre ungestöhrt fortgedauerten Besitz der Gerichtsbarkeit zu schützen sei* [216]. Auch an anderen Orten Schleswig-Holsteins suchten Juden sich mit Hilfe der nichtjüdischen Behörden der Jurisdiktion des Altonaer Oberrabbiners zu entziehen, so zum Beispiel in Elmshorn und Burg auf Fehmarn [217]; und sogar in Altona selbst bedienten sie sich, wie ein Blick ins Oberpräsidialprotokoll zeigt, keineswegs ausschließlich des jüdischen Gerichts, um ihre geschäftlichen Streitigkeiten auszutragen [218].

Daß Juden ihre Streitigkeiten vor nichtjüdischen Gerichten austrugen, rechnet Heinz Mosche Graupe zu den bereits im 17. Jahrhundert einsetzenden «Auflockerungserscheinungen der traditionellen Lebensweise», die «von außen», nämlich «durch die engere Berührung mit der Umwelt und der Umweltkultur» verursacht wurden [219]. Auf Grund der hier vorgelegten und erörterten Untersuchungsergebnisse scheint es möglich und geboten, diese sehr allgemeine Feststellung im Hinblick auf den nordelbischen Raum zu präzisieren und zu ergänzen, wobei es vor allem darauf ankommen wird, diejenigen sozio-ökonomischen Faktoren ins Licht zu rücken, die in Graupes Darstellung nicht berücksichtigt sind.

Daß Juden in Altona, Schleswig-Holstein und Fredericia mit den Verfahren der Klage und Beschwerde bei den nichtjüdischen örtlichen (und überörtlichen) Behörden und Gerichten vertraut waren, wie es aus den Quellen ersichtlich ist, setzt zweifellos eine gewisse «Akkulturation» voraus [220]. Diese war eine selbstverständliche Folge jüdisch-nichtjüdischer Geschäftsbeziehungen, die es mit sich brachten, daß Juden als Kläger oder Beklagte vor nichtjüdischen Gerichten oder außergerichtlichen Instanzen auftreten mußten [221]. Was zu erklären bleibt, ist die Tatsache, daß Juden auch Streitigkeiten untereinander vor nichtjüdische Instanzen brachten oder als Beklagte die Zuständigkeit des jüdischen Gerichts in Altona nicht anerkennen wollten. Im Falle der Juden in Schleswig-Holstein und Fredericia, die sich so verhielten, gibt es hierfür einen plausiblen Grund, der, wie oben bereits erwähnt, in den Quellen selbst zur Sprache kommt: Die Reise nach Altona zum jüdischen Gericht war zeit- und kostenaufwendig. Es leuchtet ein, daß etwaige Vorteile des jüdischen Gerichtsverfahrens dadurch aufgehoben wurden, so daß Juden außerhalb Altonas es vorzogen, die örtlichen Instanzen zu bemühen [222]. Diese Erklärung ist auf die Verhältnisse in Altona nicht übertragbar. Einschlägige Äußerungen von Beteiligten liegen nicht vor beziehungsweise konnten bisher nicht ermittelt werden. Es bedarf also in diesem Punkte weiterer Untersuchungen, die den Rahmen der vorliegenden Arbeit sprengen würden. Ich lasse diese spezielle Frage deshalb hier auf sich beruhen, zumal sie ohnehin nicht in den Kreis der durch mein Thema gegebenen Fragestellungen gehört [223].

Was die vorliegende Arbeit teils an gesicherten Ergebnissen allgemeiner Art, teils an Arbeitshypothesen für künftige Untersuchungen erbracht hat, läßt sich demnach abschließend wie folgt zusammenfassen: Die expansionistische Jurisdiktionspolitik der aschkenasischen Gemeinde in Altona scheiterte, trotz ihrer augenscheinlichen Erfolge auf dem Gebiet des positiven staatlichen Judenrechts, an dessen faktisch – und teilweise im Gegensatz zum Jurisdiktionsprivileg – fortbestehenden äußeren und inneren Einschränkungen. Nach außen konnte sie ihren Autonomieanspruch und die angestrebte räumliche Expansion nicht durchsetzen, weil und wenn beides mit dem Herrschaftsanspruch des absolutistischen Staates kollidierte [224]; und zugleich wurde ihr Ausschließlichkeitsanspruch von innen unterlaufen durch das Verhalten der Juden, die ihre Streitigkeiten gegebenenfalls ohne Rücksicht auf das Jurisdiktionsprivileg vor nichtjüdischen Instanzen austrugen [225]. Das bestätigt und ergänzt die auf anderem Quellenmaterial beruhenden Feststellungen anderer Forscher und gehört damit in den Zusammenhang nicht nur der Landesgeschichte, sondern auch der Geschichte der Juden in Mittel- und Westeuropa: Zunehmende Eingriffe des absolutistischen Staates in die Jurisdiktion und Selbstverwaltung der jüdischen Gemeinden sind auch außerhalb des nordelbischen Raumes bezeugt [226]; und daß Juden ihre Streitigkeiten vor nichtjüdischen Instanzen austrugen (und sich damit in Widerspruch setzten zu ihrer eigenen religiös-ethischen Tradition [227]), ist, wie bereits oben angedeutet, ein weit verbreiteter Zug im Ensemble jener seit etwa 1700 zunehmend belegten Verhaltensweisen, welche die von der traditionellen jüdischen Lebensweise gezogenen Grenzen hinter sich ließen [228].

Diese Verhaltensweisen sind in der Forschung unterschiedlich beurteilt worden. Einerseits wurden darin bloße Abweichungen gesehen, die als solche auf das traditionelle System bezogen blieben [229]; andererseits wurden sie als faktische Infragestellung und Indiz einer beginnenden Wandlung dieses Systems aufgefaßt [230]; eine dritte, vermittelnde Position beruht dagegen auf der Annahme, daß beide Aspekte zutreffend, aber schichtspezifisch und daher von eingeschränkter Gültigkeit seien: Der durch die erwähnten Verhaltensweisen signalisierte Wandel sei nur für die Ober- und Unterschicht der jüdischen Bevölkerung charakteristisch gewesen, während die große Masse der Juden davon unberührt und der traditionellen Lebensweise treu blieb [231].

Hierzu läßt sich auf Grund der Ergebnisse der vorliegenden Arbeit in aller Vorläufigkeit folgendes bemerken:

1. Die aus den Quellen ersichtliche Vertrautheit von Juden mit dem nichtjüdischen Rechtsgang ist zweifellos als ein Stück Akkulturation anzusehen, tangierte als solches jedoch das traditionelle System jüdischer Normen und Verhaltensweisen nicht. Die Anrufung nichtjüdischer Instanzen in Streitigkeiten zwischen Juden verstieß dagegen eindeutig gegen die überlieferten Normen[227], und nach dem oben dargelegten Quellenbefund ist es fraglich, ob man darin noch Ausnahmefälle sehen darf oder ob die so handelnden Juden nicht in diesem Punkt faktisch begonnen hatten, sich von der Tradition zu emanzipieren (und damit implizit die Geschlossenheit des traditionellen Systems und so im gewissen Sinne auch dessen fortdauernde ungeschmälerte Gültigkeit in Frage zu stellen). Ganz eindeutig scheint mir das der Fall zu sein bei denen, die sich unter Berufung auf ihr Bürgerrecht in Fredericia weigerten, die Zuständigkeit des jüdischen Gerichts in Altona anzuerkennen. Das Datum dieses Vorgangs rückt ihn zeitlich in die Nähe jenes Prozesses, den Jacob Katz als «escape from the ghetto» und Jacob Toury als «Eintritt der Juden ins Bürgertum» bezeichnet hat[232]. Doch dürfte deutlich sein, daß er eng mit der oben erwähnten Akkulturation zusammenhängt und insofern kaum als plötzlich auftretende Neuerung, sondern eher als vorläufiger Höhepunkt einer seit längerer Zeit in Gang befindlichen Entwicklung anzusehen ist[233].

2. Primäres Agens dieser Entwicklung scheinen im nordelbischen Raum ökonomische Interessen und Beweggründe der Zweckmäßigkeit gewesen zu sein, während ideologische Motive keine Rolle spielten. Im Widerstreit zwischen zentripetalen und zentrifugalen, zwischen beharrenden und neuernden Tendenzen entschieden in diesem Fall also bestimmte «äußere» Gegebenheiten zugunsten der letzteren[234].

3. Der an dieser Entwicklung beteiligte Personenkreis beschränkte sich offenbar nicht auf Angehörige der (Unter- und) Oberschicht: Mindestens die jüdischen Schlachter in Fredericia, die sich über die Vorsteher der jüdischen Gemeinde beim Magistrat beschwerten und damit einen innerjüdischen Streit vor eine nichtjüdische Instanz brachten, werden der «unteren Mittelschicht» zuzurechnen sein, also gerade jener Schicht, von der Jacob Toury vermutet, sie habe lediglich «*wirtschaftlich* mit der Umwelt in Beziehung» gestanden und sei im übrigen den traditionellen jüdischen Normen «näher und treuer geblieben» als die anderen Schichten[235]. Auch dort, wo die Anrufung nichtjüdischer Gerichte eindeutig gegen das Jurisdiktionsprivileg der Altonaer Schutzjuden verstieß – wie zum Beispiel in Friedrichstadt –, werden es nicht nur die Angehörigen der Oberschicht gewesen sein, die den Gang zum Magistratsgericht vorzogen. Die ökono-

mischen Interessen, die das nahelegten, waren ja eine schichtunabhängige Gegebenheit; und überdies kann wohl davon ausgegangen werden, daß das Verfahren vor dem Magistratsgericht den Juden in Friedrichstadt – auch jenen der «unteren Mittelschicht» – geläufiger war als das Verfahren vor dem jüdischen Gericht.

4. Wenn die hier erörterte Entwicklung und die von Azriel Shohet dargestellten vergleichbaren Erscheinungen, wie ich annehme, faktisch das System jüdischer Normen, Werte und Verhaltensweisen in seiner traditionellen Geschlossenheit in Frage stellten, so bedeutet das keineswegs, daß sie zwangsläufig oder geradlinig zur Emanzipation und/oder Assimilation der Juden und zur Reorganisation der jüdischen Gemeinschaft und ihres tragenden Wertsystems führten: Sie machten eine solche Reorganisation zwar auf die Dauer unvermeidlich; aber diese hätte auch ganz anders aussehen können, als es unter dem ausschlaggebenden Einfluß weiterer Faktoren dann tatsächlich der Fall war.

5. Die oben angeführten, von der Forschung bisher unternommenen Versuche, die seit der zweiten Hälfte des 17. Jahrhunderts und zunehmend seit etwa 1700 belegten «Auflockerungserscheinungen der traditionellen jüdischen Lebensweise» sachgerecht zu interpretieren und in den Zusammenhang der jüdischen und der deutschen oder europäischen Geschichte im Zeitalter der Aufklärung einzuordnen, reichen also nicht aus, um diese Erscheinungen in allen ihren Ausprägungen befriedigend zu erklären. Es wird weiterer Untersuchungen und der Erschließung zusätzlicher Quellen bedürfen, um diese Doppelaufgabe überzeugend zu lösen.

ANMERKUNGEN

1 Vgl. Günter Marwedel (Hrsg.): Die Privilegien der Juden in Altona. Hamburg 1976. (Hamburger Beiträge zur Geschichte der deutschen Juden, Band 5). [Künftig zitiert: PJA], S. 86 Anm. 237 und die unten in Anm. 2 und 3 genannte Literatur.

2 Siehe Hugo Matthiessen: Fæstning og Fristed. Fredericia. Interiører med Figurer 1760–1820. København 1950, S. 111 und vgl. auch die knappe, nicht ganz zutreffende Notiz bei Michael Hartvig: Jøderne i Danmark i tiden 1600–1800. København 1951, S. 190f.; in der älteren Literatur ist der fragliche Streitfall nur bei A[sser] D[aniel] Cohen: De mosaiske Troesbekjenderes Stilling i Danmark forhen og nu [...]. Odense 1837, S. 80f. durch Abdruck des ihn abschließenden Reskripts dokumentiert, während Arthur Henriques: Samling af Forordninger, Reskripter, Love, ministerielle Skrivelser, Domme m. m. vedrørende Det Mosaiske Trossamfund i Danmark. København 1909, S. 159 lediglich Datum und Betreff dieses Reskripts anführt und David Jacob Simonsen – mit unzutreffender Zeitangabe – von der früheren Zivilgerichtsbarkeit des Altonaer Oberrabbiners über die Juden in Fredericia spricht, siehe den von ihm verfaßten Artikel «Denmark» in: The Jewish Encyclopedia [künftig: JE]. Vol. 4. London, New York 1903, S. 522–524; hier S. 522. Die übrigen einschlägigen Arbeiten erwähnen allenfalls die geistliche Oberaufsicht des Oberrabbiners über die jüdische Gemeinde in Fredericia und ihre Beamten (siehe Anm. 3) oder weisen in allgemein gehaltenen Ausdrücken auf seine «Oberhoheit» über einige jütische Gemeinden hin, siehe Benjamin Balslev: De danske Jøders Historie. København 1932, S. 6 und vgl. auch Alfred Heymann: Fredericia og dens jødiske Menighed. In: Vejle Amts Aarbøger 1905, S. 125–143; hier S. 131. (Vgl. auch noch das Zitat unten S. 155f.)

3 Siehe Bernhard Brilling: Aus der rabbinischen Tätigkeit von Jonathan Eibenschütz. (Urkunden aus den Jahren 1752–1763.) In: UDIM. Zeitschrift der Rabbinerkonferenz in der Bundesrepublik Deutschland. Heft 1. Frankfurt a. M. 1970, S. 27–32; hier S. 29f.; 31f. und J[acob] N[icolai] Wilse: Fuldstændig Beskrivelse af Stapel-Staden Fridericia. Kiøbenhavn 1767, S. 52 (danach Cohen [wie Anm. 2], S. 208 und Heymann [wie Anm. 2], S. 131 und vgl. auch H[ermann] L[evin] Hirsch: Det jødiske Trossamfund i Fredericia fra denne Menigheds første Begyndelse til henimod vor Tid. Fredericia 1896, S. 26, Simonsen (wie Anm. 2), S. 522f. und Matthiessen (wie Anm. 2), S. 111.

4 Die Arbeit mit diesen Kopien wurde ergänzt durch Besuche im Landesarchiv Schleswig-Holstein (Schleswig) und im Rigsarkivet (Kopenhagen), die zur Auffindung zusätzlichen Materials führten und eine bessere Einsicht in den Geschäftsgang vermittelten, als es allein auf Grund der Literatur, der Auskünfte der Archive und der Aktenkopien möglich gewesen wäre.

5 Literaturzitate werden im folgenden in der üblichen Weise durch Anführungszeichen kenntlich gemacht. Quellenzitate in Anführungszeichen sind orthographisch normalisiert oder aus dem Dänischen übersetzt. Kursiv gesetzte Quellenzitate dagegen geben mit einigen Einschränkungen buchstäblich die Vorlage wieder: Offensichtliche Schreibfehler sind in der Regel stillschweigend berichtigt, die Groß- und Kleinschreibung, die Worttrennung und, soweit erforderlich, die Interpunktion sind im Interesse der Lesbarkeit den heute gültigen Normen angepaßt oder angenähert und zweifelsfrei auflösbare Abkürzungen sind in der Regel aufgelöst worden. (In dänischen Quellenzitaten ist die in den Quellen häufige Großschreibung der Substantive einheitlich durchgeführt worden.)

6 Vgl. die in Anm. 10 angeführte Supplik, ferner die in Anm. 21 und Anm. 35 genann-

ten Schreiben des Altonaer Oberrabbiners sowie die einschlägigen Bestimmungen des bei Hirsch (wie Anm. 3), S. 48–56 abgedruckten Gemeindereglements von 1809, a. a. O., S. 49 und S. 52. – Vgl. ferner zum Schächtgeld allgemein Salo Wittmayer Baron: The Jewish Community. Its History and Structure to the American Revolution. Vol. 2. Philadelphia 1942, S. 107f.; 256; über die jüdischen Berufe des Schlachters (hebr. kaṣṣav) und des Schächters (hebr. šoḥeṭ) I(saac) L(evitats): Sheḥitah. In: Encyclopaedia Judaica. Jerusalem [künftig zitiert: EJJ]. Vol. 14 (1971), Sp. 1337–1344; hier: Sp. 1338 und Sp. 1342.

7 In den Quellen heißt es fast durchgehend «die Vorsteher» (dän. *forstanderne*); lediglich im Schreiben der Deutschen Kanzlei an Oberpräsident v. Qualen (Anm. 32) und in der entsprechenden Eintragung im *Reskripten Ekstrakten* (R. E.) genannten Briefprotokoll sowie im Supplikenprotokoll des Schreibens der Dänischen an die Deutsche Kanzlei und vielleicht schon in diesem Schreiben selbst (unten Anm. 31) – im Konzept ist das Wort doppeldeutig geschrieben – findet sich statt dessen der Singular, der vermutlich auf einen Lese- oder Schreibfehler – dän. *fortstanderen* statt *forstanderne* – zurückgeht. (Laut den bei Hirsch) [wie Anm. 3], S. 45–48 abgedruckten Beschlüssen der Gemeindeversammlung aus dem Jahre 1743 setzte sich der Vorstand der jüdischen Gemeinde in Fredericia aus zwei Synagogenvorstehern (im dänischen Text bei Hirsch: *Kirkeforstandere*) und drei «Hauptvorstehern» (dän. *Hovedforstandere*) zusammen.) – Als Datum der Gebührenerhöhung ist in der Eingabe vom 14. Juni 1763 (Anm. 34) *Michels Dag* angegeben.

8 Diese Beschwerde ist in den Quellen wiederholt erwähnt, aber selbst nicht erhalten; vielleicht wurde sie überhaupt nur mündlich vorgebracht. – Zur Zahl der Beschwerdeführer vgl. Anm. 10.

9 Das Schreiben Eybeschütz' an die Schlachter (Anm. 14f.) erwähnt die Einsetzung einer Schlichtungskommission durch den Magistrat; und in Eybeschütz' Brief an den Magistrat (Anm. 21) ist vom *Commissions-Schluß* die Rede, der, wie aus dem Kontext hervorgeht, mit der vom Magistrat befürworteten Kompromißlösung identisch war. In keiner anderen Quelle werden diese Angaben wiederholt. – Darüber, ob dieser Kompromiß am Widerstand der Schlachter oder der Vorsteher scheiterte, liegen unterschiedliche Aussagen vor: In dem oben an erster Stelle erwähnten Schreiben wirft Eybeschütz den Schlachtern vor, sie kümmerten sich nicht um die (Beschlüsse der) Kommission; der Magistrat dagegen behauptete in seinem Brief an den Oberrabbiner (Anm. 16), daß die Vorsteher seinen Vermittlungsversuchen zum Trotz an der von ihnen verfügten Gebührenerhöhung festhielten. Dieser Widerspruch löst sich auf, wenn man – wie oben im Text – von der Annahme ausgeht, daß *beide* Parteien den Kompromiß ablehnten.

10 Supplik des Philipp Wolff u. a. vom 18. Februar 1763, RAK DK D 101, Koncepter og Indlæg til Kancelliets Breve 1763, Nr. 363. – Die Supplik spricht von «uns armen Juden-Schlachtern hier in der Stadt» – im dänischen Original: *os fattige Jöde-Slagtere her i Staden* – und ist unterzeichnet *Pihlip* [!] *Wolff, Leiser Abraham Kohn, Lewie Meyer Lewie*. Die späteren Eingaben tragen dagegen vier beziehungsweise fünf Unterschriften, deren Schriftzüge aber weder untereinander noch mit denen der ersten Supplik übereinstimmen, siehe Anm. 34.

11 Diese Hinwendung ist implizit bezeugt im Schreiben des Magistrats an Eybeschütz (Anm. 16) und explizit im Schreiben des Magistrats an den Stiftamtmann (Anm. 23).

12 Vgl. unten Anm. 17 und Anm. 19. – Zum Vergleich: Das Reglement der jüdischen Gemeinde in Fredericia vom 12. Dezember 1809 setzte die Schächtgebühr für 1 Stück Rindvieh auf 16 Schilling fest; laut Beschluß vom 30. Dezember 1811 wurde dieser Betrag ab 1. Januar 1812 auf 3 Mark erhöht, siehe Hirsch (wie Anm. 3), S. 47 und S. 62.

13 Die Supplik vom 18. Februar (Anm. 10) befand sich noch am 28. Februar in der Dänischen Kanzlei; denn an diesem Tage wurde sie in der Kanzleisitzung behandelt und einem entsprechenden Beschluß gemäß von Obersekretär Otto Thott mit einer Remissorialnotiz an Stiftamtmann Hans Graf Schack in Ribe versehen, siehe das Kanzleiprotokoll vom gleichen Tage (RAK DK D 106, Kancelliprotokol 5 Ø, Nr. 419) und die Remissorialnotiz auf der Supplik selbst. Das Schreiben des Oberrabbiners (Anm. 14 f.) datiert dagegen vom 22. Februar. – Zur Schlichtungskommission und dem von ihr vorgeschlagenen Kompromiß vgl. oben Anm. 9, zur Namensform des Oberrabbiners vgl. unten Anm. 14, zum Jurisdiktionsprivileg vgl. PJA (wie Anm. 1), S. 80–88.

14 Das Schreiben ist unterzeichnet *Johan Naten som er Ober Rabiner i Altona og Hambor* [!] *og Wansibeck* [!]. Die beiden weiter unten referierten deutschen Schreiben des Oberrabbiners (vgl. unten Anm. 21 und Anm. 35) weisen dagegen in der Unterschrift den Herkunftsnamen «Eybeschütz» auf. Das ist ausnahmslos auch der Fall bei den 25 Unterschriften unter deutschen Briefen und anderen Schriftstücken aus den Jahren 1751–1757, die ich zum Vergleich heranziehen konnte. (Es handelt sich um 23 Eybeschütz-Schreiben aus den Jahren 1751–1757 in LASH Abt. 65.2, Nr. 3807 I, Nr. 3807 II und Nr. 3808 I, ferner um den ins Altonaer Oberpräsidialprotokoll – StAH Altona 100 Ia 5 – eingetragenen Vergleich vom 4. September 1753 und ein im Oberpräsidialprotokoll liegendes Attest vom 21. Juni 1754. – Die bei M[ax] Grunwald: Hamburgs deutsche Juden bis zur Auflösung der Dreigemeinden. Hamburg 1904, S. 71 Anm. 1 erwähnte «Urkunde» vom 4. September 1764 kommt hier nicht in Betracht, da an der angegebenen Stelle – StAH Senat Cl VII Hf No 5 Vol. 2d – nur eine Abschrift des Eybeschütz-Schreibens vom 4. September 1764 an die Hamburger Gemeindevorsteher liegt und das Original sich nicht (mehr) bei der Akte befindet.) Die Namensform in diesen Belegen ist, soweit die Unterschriften mit Sicherheit authentisch sind, *Jonaß* (einmal: *Jonnaß*) *Nattan* (selten: *Nathan*) *Eybschitz* (oder: *Eybischitz, Eybischutz, Eybeschitz, Eybschutz, Eybschtz*). Hebräische Briefe und Schriftstücke dagegen scheint Jonathan Eybeschütz abweichend von den deutschen in der Regel mit yehonatan (Jonathan) oder mit yehonatan + Vatersname und nur ausnahmsweise mit yehonatan + Herkunftsname – also aybšiṣ (Eybschitz) oder aybešiṣ (Eybeschitz) – unterzeichnet zu haben, siehe die bei David Leib Zinz: Sefer gedulat Jehonatan [...] Nachdruck [der Erstausgabe Piotrków 1930–1934] o. O. 728 [= 1968], S. 129 ff. abgedruckten Briefe und Sendschreiben (worunter sich ein jiddischer Brief befindet), ferner den von Samuel Leib Goldenberg (Hrsg.): Kerem Chemed 3 (Prag 1838), S. 224 f. abgedruckten Brief an Moses Mendelssohn und den Brief an Jonas Hendricks, abgedruckt im Anhang zu Bernhard Brilling: Zwei Briefe von Rabbi Jonathan Eibenschütz an die jüdische Gemeinde in Rotterdam. In: Studia Rosenthaliana 6 (1972), S. 204–214 (hier: S. 211) und vgl. auch E[duard] Duckesz und N[athan] M[ax] Nathan: Hebräische Autogramme aus Hamburg-Altona. III. (In: Gemeindeblatt der Deutsch-Israelitischen Gemeinde zu Hamburg, Jahrg. 5, Nr. 10, 2. Oktober 1929, S. 6) mit dem dort reproduzierten und transkribierten Wahlprotokoll sowie das Faksimile des Namenszuges in EJJ (wie Anm. 6), Vol. 3, Sp. 915: Von diesen insgesamt 15 Belegen weisen nur zwei die Form mit dem Herkunftsnamen «Eybeschütz» auf (Zinz a. a. O., S. 135; Kerem Chemed 3, S. 225. – Zusammen mit der deutschen Unterschrift begegnet diese Form der hebräischen Unterschrift auch unter den oben erwähnten deutschen Texten im Oberpräsidialprotokoll, ist aber dort der deutschen Unterschrift als deren hebräische Entsprechung nachgeordnet und mithin ohne selbständigen Zeugniswert. Mit Rücksicht auf diesen Befund und darauf, daß das oben zitierte *Wansibeck* in der Unterschrift des Schreibens an die jüdischen Schlachter in Fredericia auf die bei den Juden übliche hebräische Schreibform des Ortsnamens Wandsbek zurückweist, ist anzunehmen, daß dem dänischen Text dieses Eybeschütz-Schreibens

vom 22. Februar 1763 ein hebräisches Original zugrunde liegt und *Johan Naten* aus yehonatan fehlübersetzt worden ist. (Eine Amtsbezeichnung – als hebräische Entsprechung von «Oberrabbiner in Altona, Hamburg und Wandsbek» wäre ab"d dg"q ah"u als akronymische Abkürzung für av bet-din de-gimel qehillot alṭona hamburg wansibeq zu erwarten – fehlt in der Unterschrift aller oben erwähnten hebräischen Briefe, offenbar weil eine solche dem rabbinischen Briefstil nicht entsprach und / oder weil diese Schriftstücke – mit Ausnahme allenfalls des Wahlprotokolls – nicht im gleichen Sinne ex officio abgefaßt sind wie Eybeschütz' Brief an die jüdischen Schlachter in Fredericia und seine weiter unten zu besprechenden Schreiben an den Magistrat vom 18. März und an den König vom 4. August 1763.)

15 Dafür spricht, daß sie im Ratsarchiv überliefert ist. (Jetzt: LAN D 6 nr. 103: Fredericia Rådstuearkiv.)

16 Siehe das Konzept dieses in dänischer Sprache gehaltenen Schreibens im LAN (wie Anm. 15). – Daß der Magistrat sich einerseits im Anfang seines Schreibens auf eine Intervention des Oberrabbiners bezieht, während er andererseits den Oberrabbiner um eine Maßregel bittet, die dieser in seinem Brief an die jüdischen Schlachter praktisch bereits getroffen hatte, erklärt sich am besten durch die (oben im Text zugrunde gelegte) Annahme, der Magistrat habe bei Abfassung seines Schreibens an den Oberrabbiner von der Tatsache des Oberrabbiner-Briefes an die Schlachter gewußt, den genauen Inhalt dieses Briefes aber erst nachträglich erfahren.

17 Die Gebühren sind hier in Lübecker Währung – Mark Lübisch, Schilling Lübisch –, in der Supplik der Schlachter (Anm. 10) dagegen in dänischer Währung – dänischer Kurantmark und, bei Bruchteilen davon, dänischen Schillingen – angegeben. Daher die unterschiedlichen Zahlen, die in den Akten miteinander wechseln, aber gleichbleibende Beträge bezeichnen. Zum Verhältnis Lübecker Mark: dänische Mark Kurant vgl. Emil Waschinski: Währung, Preisentwicklung und Kaufkraft des Geldes in Schleswig-Holstein von 1216–1864. Band 1. Neumünster 1952, S. 234. – Im Gegensatz zur Angabe des Magistrats in seinem oben referierten Schreiben an den Oberrabbiner vom 10. März 1763, die erhöhte Schächtgebühr sei nur um 1 Mark niedriger als die Viehakzise, behaupteten die jüdischen Schlachter in ihrem Schreiben an den Obersekretär der Dänischen Kanzlei vom 6. September 1763 (unten Anm. 34), die erhöhte Schächtgebühr sei ebenso hoch wie die Akzise. Dieser Widerspruch ließ sich nicht aufklären, da nicht mehr festzustellen ist, wie hoch die Viehakzise in Fredericia im März und im September 1763 tatsächlich war und ob sie in der dazwischen liegenden Zeit erhöht wurde (vgl. Anm. 88). (In Kopenhagen, wo die Viehakzise höher war als in den Provinzstädten, betrug sie von 1741–1766 gleichbleibend 192 Schilling – das heißt 12 Mark oder 3 Kronen dänischen Kurantgeldes – für einen Ochsen, siehe Astrid Friis and Kristof Glamann: A History of Prices and Wages in Denmark. Vol. 1. London, New York, Toronto 1958, S. 4, S. 147 Anm. 4 und S. 181 f. und vgl. auch Waschinski a. a. O., S. 49.)

18 Die Bruchteilangabe «Sechzehntel» (im dänischen Original: *sextende Deel*), die im Referat dieses Briefes im Magistratsschreiben an den Stiftamtmann (Anm. 23) wiederkehrt, ersetzt das ursprünglich niedergeschriebene, aber wieder gestrichene «Achtel» (im dänischen Original: *ottende Part*). Das Referat des Vorgangs im Conseilprotokoll der Deutschen Kanzlei (Anm. 40) spricht statt dessen vom «vierten Theil», siehe Anm. 39.

19 Vgl. § 5 des Reglements vom 12. Dezember 1809 bei Hirsch (wie Anm. 3), S. 52, der es den Vorstehern untersagt, ohne Zustimmung der Mehrheit der stimmberechtigten Gemeindeglieder neue Abgaben einzuführen, neuartige Ausgaben aus der Gemeindekasse zu bestreiten oder auf Rechnung der Gemeinde einen Prozeß zu führen, ihnen allerdings die Befugnis einräumt, Steuern, Schächtgeld und andere öffentliche Gemein-

deabgaben nach den aktuellen Erfordernissen zu erhöhen oder herabzusetzen. Vgl. ferner die Protokollnotiz vom 30. Dezember 1811 über die bereits oben in Anm. 12 erwähnte Erhöhung des Schächtgeldes ab 1. Januar 1812 bei Hirsch a. a. O., S. 62.

20 Die merklich schärfere Erstfassung dieses Satzes ist im Konzept erst durch Streichungen zu der oben referierten Formulierung abgemildert worden; ursprünglich war nicht vom Verhalten der Vorsteher allgemein, sondern von ihrem Verhalten «uns» (das heißt dem Magistrat) «gegenüber» die Rede, und ihre Unnachgiebigkeit wurde als *urimelig* (‹unbillig, unvernünftig, unmäßig›) bezeichnet.

21 Das in deutscher Sprache gehaltene Schreiben trägt das Datum *18. Mart. 1763* und ist in RAK DK D 101 (wie Anm. 10) überliefert. Die Unterschrift lautet *Jonas Nathan Eybeschitz Ober Rabnir* [!] und stammt von einer Hand, deren Identität mit der Hand der in Anm. 14 erwähnten, durch die Namensform *Jonaß* charakterisierten Unterschriften nicht ohne weiteres evident ist. – Die von Eybeschütz in diesem Schreiben angeführten Entscheidungsgründe sind die gleichen, die er langatmig und mit Wiederholungen auch in seiner Erklärung vom 4. August 1763 (Anm. 35) vorbringt; sie werden weiter unten nach dieser Erklärung referiert.

22 Das Remissorialschreiben des Stiftamtmanns ist nicht mehr auffindbar.

23 Das Schreiben des Magistrats ist doppelt überliefert, das Konzept in LAN (wie Anm. 15), die an den Stiftamtmann geschickte Reinschrift (Ausfertigung) in RAK DK D 101 (wie Anm. 10). Der Text der Reinschrift weicht gelegentlich von der Endfassung des Konzepts ab, die ihrerseits manche zunächst niedergeschriebene Formulierung streicht oder ändert, vgl. unten Anm. 25 und Anm. 28.

24 Über das Schreiben des Magistrats an den Oberrabbiner und seinen Inhalt vgl. weiter oben.

25 Im Konzept lautete der Satz ursprünglich: «Aber anstatt diesem unserem Vorschlag zuzustimmen, antwortet der Rabbiner an 18. hujus sehr stolz, so, wie sein angelegtes Originalschreiben ausweist, nämlich: daß die jüdischen Schlachter viermal mehr als vorher für die Schächtung ihres Viehs geben sollten.» (Die Worte «sehr stolz» – dänisch *meget stolt* – sind nachträglich gestrichen.)

26 Das Aufkommen aus der Gebührenerhöhung wurde durch den «Spruch» des Oberrabbiners sogar weiter reduziert als durch den Kompromißvorschlag des Magistrats: Wenn man von den in Anm. 18 angeführten unterschiedlichen Angaben über den an Juden verkauften Teil des von den jüdischen Schlachtern verarbeiteten Fleisches den höchsten genannten Wert – ein Viertel – zugrunde legt, die alte Schächtgebühr G und die Zahl der Schächtungen n nennt, so ergibt der Magistratsvorschlag ein Gebührenaufkommen von n · 2 G, während die Entscheidung des Oberrabbiners lediglich zu einem Gebührenaufkommen von n · 1,75 G führte.

27 In Wirklichkeit war die vom Oberrabbiner getroffene Regelung – auch abgesehen von der zugestandenen Überwälzung der Gebührenerhöhung auf den Fleischpreis – moderater als die vom Magistrat vorgeschlagene Lösung, siehe die vorige Anm. – Die Kenntnis der Privilegien der Altonaer Juden kann bei den dänischen Lokal- und Regionalbehörden nicht ohne weiteres vorausgesetzt werden; es scheint vielmehr, als seien sie in der Regel erst durch entsprechende Konfliktfälle auf einzelne Privilegien aufmerksam geworden, vgl. PJA (wie Anm. 1), S. 94. Darauf, daß das auch auf die Kenntnis des Magistrats in Fredericia vom Jurisdiktionsprivileg der Altonaer Juden (beziehungsweise ihres Oberrabbiners) zutraf, deutet die Tatsache, daß sich im Ratsarchiv (jetzt: LAN D 6 nr. 103) ein am 13. November 1758 in Altona angefertigter und von Notar Hieronymus Ludolph Gatzahl beglaubigter *Extract* aus dem Generalprivileg Christians VI. für die Altonaer Schutzjuden vom 12. März 1731 findet, der den die jüdische Gerichtsbarkeit in Altona betreffenden Artikel 6 (PJA, S. 232f.) umfaßt. (Bei welchem Anlaß dieser Ex-

trakt an den Magistrat gelangte, läßt sich nicht mehr feststellen, da nach Auskunft des Landsarkivet for Nørrejylland (LAN) in Viborg Ratsstubenprotokoll und Kopialbuch des Magistrats in Fredericia aus der fraglichen Zeit nicht erhalten sind.)

28 Im Konzept heißt es: «[...] dem, was ihnen von uns befohlen wird [...]». (Die Worte «von uns» – dänisch *af os* – sind über der Zeile nachgetragen und vielleicht vom Mundanten bei der Abschrift übersehen worden.)

29 Das Schreiben des Stiftamtmanns ist überliefert in RAK DK D 101 (wie Anm. 10). Daß, wie oben dargestellt, das Referat der Erklärung des Oberrabbiners durch den Magistrat stark vom Original der Erklärung abweicht, ist im Schreiben des Stiftamtmanns nicht erwähnt. Das läßt den Schluß zu, daß er von der gesamten Akte nur das letzte Stück, das heißt den Magistratsbericht, gelesen hat.

30 Siehe die entsprechende Notiz im Kanzleiprotokoll am Anm. 13 a. O.

31 Das Konzept dieses Schreibens findet sich in RAK DK D 101, Koncepter og Indlæg til Cancelliets Breve 1763, Nr. 124, der Registereintrag in RAK DK D 99, Oversekretærens Brevbog 1763, Nr. 124.

32 Diese bündige Formel findet sich im Extrakt des Kanzleischreibens vom 21. Mai 1763 an Oberpräsident von Qualen in LASH Abt. 65.2, Nr. 7143, Reskripten Extrakten 1763, S. 108, Mai Nr. 71. In dem Schreiben selbst, dessen Registereintrag in RAK TKIA B 12, Inl. Reg. 1763, Maj Nr. 71 überliefert ist, lautet der entsprechende Passus: *Wann es nun hiebey auf die Frage ankömt, ob der Ober-Rabiner, nach den ihm oberlich zugestandenen Vorrechten, die Befugniß habe, dergleichen Sachen zu entscheiden, und ob also das von ihm abgegebene Decret zu bestätigen sey, so wil ich [...] ganz dienstlich ersucht haben, mir darüber, nach vorläufig eingezogener Erklärung des Eybeschütz, Dero Gutachten fordersamst mitzuteilen.* Übrigens steht neben der das Schreiben der Dänischen Kanzlei vom 4. Mai 1763 betreffenden Eintragung im Supplikprotokoll der Deutschen Kanzlei vom 11. Mai 1763 (LASH Abt. 65.2, Nr. 7552, Supplikprotokoll 1763, Nr. 1610) anstelle des aufs Conseilprotokoll verweisenden Vermerks «ad Prot:» (vgl. unten Anm. 111) die Notiz «pr. lit» (= per litteras). Das weist darauf hin, daß die Angelegenheit in diesem Stadium noch nicht dem königlichen Conseil vorgelegt, sondern (anders als im Gerichtsstandsstreit, vgl. S. 117 und Anm. 106) von der Kanzlei – durch Ablassung des oben zitierten Schreibens – zunächst selbständig weiterverfolgt wurde. Ob das nach vorgängiger Behandlung der Sache im Kanzleikollegium oder ohne eine solche geschah, läßt sich nicht mit Sicherheit sagen, da allenfalls durch aufwendige Untersuchungen geklärt werden könnte, ob das auf das Kanzleischreiben vom 21. Mai 1763 zu beziehende «pr. lit.» als Anweisung aufzufassen ist oder das Ergebnis der Beratung im Kanzleikollegium festhält oder lediglich einen nachträglichen Erledigungsvermerk darstellt. (Auskunft von Prof. Dr. W. Prange, LASH, vom 9. September 1982.)

33 In Wirklichkeit lag das Datum der Supplik (Anm. 10) – 18. Februar – wenig mehr als ein halbes Jahr zurück.

34 Die Eingaben, die in RAK DK D 101 (wie Anm. 10) überliefert sind, tragen – im Gegensatz zur Supplik vom 18. Februar, die nur drei Unterschriften aufweist, siehe oben Anm. 10 – vier beziehungsweise fünf Unterschriften, die aber untereinander nicht übereinstimmen. Die Eingabe vom 14. Juni 1763 ist unterzeichnet *LAbraham FWulf Bendix Hendrich GReimer* [? oder: *GPrimer?*], während die Eingabe vom 6. September 1763 zwei Unterschriftzeilen mit insgesamt fünf Namen hat, in der ersten Zeile (in hebräischer Kursivschrift) *leyser ben mhwrr* [Ehrentitel-Abkürzung aus morenu ha-rav werabbeynu rabbi] *avraham kaṣ,* in der zweiten *Philip Wulf Bendix Hendrich Leitzer* [!] *Chorn* [!] *Levi Meyer Levi.* Vergleicht man die hier und die in der Unterschriftszeile der Supplik vom 18. Februar (Anm. 10) auftauchenden Namensformen und berücksichtigt man die Besonderheiten der jüdischen Namensgebung im 18. Jahrhundert, so ergibt

sich: Mit Sicherheit identisch sind (1) *Pihlip Wolff* / *FWulf* / *Philip Wulf* einerseits und (2) *Lewie Meyer Lewie* / *Levi Meyer Levi* andererseits, wahrscheinlich identisch sind (3) *Leiser Abraham Kohn* / *LAbraham* / *leyser ben* [...] *avraham kaş* / *Leitzer Chorn.* Von diesen finden sich (1) und (3) in allen drei Eingaben, während (2) ebenso wie (4) *Bendix Hendrich* nur in zwei Eingaben erscheinen. *GReimer* [?] beziehungsweise *GPrimer* [?] schließlich ist nur in der zweiten Eingabe belegt; und da in den Quellen nur von vier jüdischen Schlachtern die Rede ist – siehe die Schreiben des Magistrats an Oberrabbiner Eybeschütz (Anm. 16) und an den Stiftamtmann (Anm. 23) –, handelt es sich hier vermutlich nicht um einen jüdischen Schlachter, sondern um den (nichtjüdischen) Konzipienten der Eingabe.

Einige weitere Nachrichten über die vier jüdischen Schlachter finden sich
(I) in den durch Namenregister erschlossenen Ratsstubenprotokollen und anderem unmittelbar zugänglichen Material im Landsarkivet for Nørrejylland in Viborg (in dieser Anm. weiterhin zitiert mit der Archivsignatur. Daß drei der vier Schlachter in der auf den Ratsstubenprotokollen beruhenden Namenskartei derjenigen, die das Bürgerrecht in Fredericia erwarben, nicht auftauchen, beweist nicht, daß sie dort nicht Bürger waren; denn die Ratsstubenprotokolle sind nicht vollständig erhalten);
(II) in der in RAK Rtk Revid. Rgsk., Fredericia Kóbstads Regnskaber 1762–1772 liegenden, im Oktober 1762 angefertigten *Designation paa Fridericiae Indvaanere* [...] (weiterhin zitiert: Designation + laufende Nummer in dieser Liste), welche in topographischer Ordnung die Haushaltsvorstände (Hausbesitzer, Wohnungsinhaber) aufführt und außerdem jeweils die Zahl der über 12 Jahre alten Haushaltsangehörigen (Familienmitglieder, Dienstboten, Untermieter) registriert. (Daß nicht alle vier Schlachter in dieser Liste nachweisbar sind, besagt also nicht ohne weiteres, daß die, deren Name dort fehlt, zu dieser Zeit nicht in Fredericia wohnten);
(III) Jul[ius] Margolinsky: Jødiske Dødsfald i Danmark 1693–1976. København 1978. (Daß auch hier nicht alle vier Schlachter verzeichnet sind, ist ebenfalls mehrdeutig: Es ist auf Quellenverlust oder darauf zurückzuführen, daß die, die hier fehlen, vor ihrem Tode auswanderten, also nicht in Dänemark – oder darauf, daß sie auf nichtjüdischen Friedhöfen begraben wurden.)

Die an den genannten Stellen sich findenden Informationen sind, kurz zusammengefaßt, folgende:
(1) *Phillup* [!] *Wulf* wohnte im Oktober 1762 an der Nordseite der *Dannemarcksgade*, war verheiratet, hatte zwei Kinder über 12 Jahre und ein Hausmädchen (Designation, Nr. 254); mindestens eines der Kinder war ein Mädchen, das 1763 heiratete, denn in der Fortschreibung der Designation (in RAK a. a. O.) ist für September 1763 unter der Nr. 254 der Zuzug eines Schwiegersohns registriert.
(2) *Levi Meyer Levi*, geboren in Fredericia, erwarb am 11. März 1762 das dortige Bürgerrecht (LAN D 6 nr. 63, unter dem angegebenen Datum); schon vorher hatte er, durch Resolution des Stiftamtmannes – dänisch *Stiftsbefalingsmand* – im Stift Ribe vom 28. Dezember 1761, die Zulassung erhalten, «in der Stadt Fredericia gleichberechtigt mit den anderen jüdischen Schlachtern dort in der Stadt zu schlachten, bis Valentin Levi selbst schlachten wird oder ein anderer von den jüdischen Schlachtern abgeht (in welchem Fall Levi Meyer Levi an dessen Stelle treten kann)» (LAN B 9 nr. 49, 1760–65, S. 353f., Nr 362); zitiert in LAN D 6 nr. 63 a. a. O.). Siehe über diesen Schlachter auch S. 119 und Anm. 125.
(3) *Leitzer Kohn jode* wohnte im Oktober 1762 an der zur deutschen Gemeinde – dänisch *Tysk Sogn* – in Fredericia gehörenden Südseite der *Danmarcks Gade*, war verheiratet, hatte 6 Kinder über 12 Jahre und ein Hausmädchen (Designation, Nr. 291). Laut Margolinsky a. a. O., S. 578 starb *Lazarus Abraham Cohen* – der als *købmand*

bezeichnet wird, vgl. dazu unten in Anm. 125 – am 23. September 1771 und liegt auf dem jüdischen Friedhof in Fredericia begraben. (Bei dem in einer Akte aus den Jahren 1782 – 83 in RAK DK F 42, Koncepter og Indlæg til Kancelliets Breve, 1783 Nr. 1460 als Partei in einem zwischen Juden vor dem Stadtgericht in Fredericia geführten Prozeß erwähnten *Abraham Leitzer Cohn / Abraham Leyser Cohen* handelt es sich wahrscheinlich um einen Sohn des *Leiser Abraham Kohn).*

(4) *Bendix Hendrich* und der S. 119 und Anm. 125 erwähnte *Bendix Levi* könnten identisch sein mit dem bei Margolinsky a. a. O., S. 586 aufgeführten *Baruch Joseph Henrik Levi,* der am 27. Juli 1778 starb und auf dem jüdischen Friedhof in Fredericia begraben wurde. Diese Vermutung beruht auf folgenden Annahmen: Der ursprüngliche Eigenname war Joseph; dieser wurde im Wege des Schinnuj ha-schem (Jüdisches Lexikon. Band IV/2. Berlin 1930, Sp. 210–212) durch Baruch/Bendix ersetzt und taucht darum nur noch in der Grabschrift auf, während im bürgerlichen Leben Bendix, das nichthebräische Äquivalent des neuen hebräischen Namens Baruch, bald mit dem Vatersnamen (Hendrich = Henrik), bald mit dem Stammnamen (Levi) kombiniert wurde, der in diesem Fall schon als Familienname diente. (In den erhaltenen Ratsstubenprotokollen und der darauf beruhenden Namenskartei ist ebensowenig wie in der Einwohnerliste (Designation) vom Oktober 1762 einer der drei Namen (Namensvarianten) nachweisbar. Die Designation führt allerdings unter Nr. 366 b *Bendix Jöede* auf, der mit seiner Frau – ohne weitere über 12 Jahre alte Haushaltsangehörige – an der Ostseite der *Wenders Gade* wohnte; aber es ist gänzlich ungewiß, ob es sich hier um den Schlachter handelt.)

35 Das Schreiben, das in RAK DK D 101 (wie Anm. 10) überliefert ist, trägt die Unterschrift *Jonaß Nathan Eybschitz Ober Rabiner.* (Dabei dürfte es sich um die Altersschrift derselben Hand handeln, von der die durch die Namensform *Jonaß* charakterisierte Mehrzahl der in Anm. 14 angeführten Unterschriften stammt.) Die Außenadresse lautet: *An Ihro Königl. Majestæt von Dänemarck Norwegen etc. allerunterthänigster Bericht mein Jonas Nathan Eybeschütz Oberrabbiners, in Altona Hamburg und Wandsbeck. cum restitutione communicatorum wegen derer von denen Judenschlachtern in Friedericia geführten Beschwerden.* – Der Stil des Briefes legt übrigens die Vermutung nahe, daß er von Jonathan Eybeschütz *diktiert* wurde, vgl. dazu auch Bernhard Brilling: Ein Brief des Oberrabbiners Jonathan Eibenschütz an den dänischen König (1753). In: ZGDJ 1966, S. 183–195; hier S. 195 Anm. 45.

36 Die Behauptung, in allen Gemeinden Europas würden die Gemeindeabgaben über den Fleischpreis erhoben, ist in dieser Allgemeinheit sicher nicht zutreffend. In der Regel gab es mehrere Arten der Besteuerung nebeneinander, vgl. die von verschiedenen Autoren stammenden Abschnitte 5–7 des umfassenden Artikels «Abgaben und Steuern» in: Encyclopaedia Judaica. Berlin. [Künftig zitiert: EJB] Band 1, Sp. 266–297 (besonders Sp. 269); Baron, Community (wie Anm. 6), Vol. 2, S. 246–289 (besonders S. 256–259; 261; 281 ff.). In den StAH JG 55.6 überlieferten Haushaltsplänen der Altonaer Gemeinde aus den Jahren 1712–1719 werden Schächtgeld und indirekte Steuern überhaupt nicht erwähnt. (Allerdings sind in diesen Haushaltsplänen offenbar nicht alle Einnahmen und Ausgaben erfaßt, sie enthalten nur den über direkte Steuern – vor allem Haushaltssteuer und Vermögenssteuer – finanzierten Teil des Gesamthaushalts, zeigen aber, wie bedeutend dieser Teil war.)

37 Siehe Supplikenprotokoll 1763, Nr. 3113 in LASH Abt. 65.2, Nr. 7552 und vgl. zum Supplikenprotokoll und zum Geschäftsgang der Deutschen Kanzlei überhaupt Johanne Skovgaard: Tyske Kancelli I [...]. København 1946, S. XXII–XXVI; PJA (wie Anm. 1), S. 45 f.

38 LASH am Anm. 40 a. O.

39 Allerdings weicht das Referat darin von den Vorakten ab, daß es in ihm heißt, die

jüdischen Schlachter in Fredericia setzten *nicht über den vierten* [!] *Theil von dem Fleische, das sie schlachten*, an Juden ab. (Vgl. dagegen die oben in Anm. 18 angeführten Angaben in den Vorakten.)

40 LASH Abt. 65.2, Nr. 7764, Conseilprotokoll A, 1763, Nr. 463.

41 Die von Obersekretär Johann Hartvig Ernst von Bernstorff unterschriebene Ausfertigung dieses Schreibens ist überliefert in RAK DK D 101 (wie Anm. 10), das von Brilling (wie Anm. 3), S. 31 f. veröffentlichte und ebenda, S. 29 besprochene Konzept findet sich in RAK TKIA D 28 (Kirkesager O: Fremmede Trossamfund), der Registereintrag in RAK TKIA B 5, Pat. 1763, Oktober Nr. 89.

42 Siehe die entsprechende Notiz im Kanzleiprotokoll am Anm. 13 a. O. Das dort nicht angegebene Datum ist ersichtlich aus: Luxdorphs Dagbøger. Indeholdende Bidrag til det 18. Aarhundredes Stats- Kultur- og Personalhistorie. I Uddrag udgivne ved Eiler Nystrøm af Selskabet for Udgivelse af Kilder til Dansk Historie. Bd. 1–2. København 1915–1930; hier Bd. 1, S. 200.

43 Daß und wann die Entscheidung der Kanzlei im Conseil behandelt und gebilligt wurde, geht aus der entsprechenden Notiz im Kanzleiprotokoll am Anm. 13 a. O. hervor. Die Ausfertigung des Kanzleischreibens an den Stiftamtmann ist überliefert in LAN B 9 nr. 189: Ribe stiftamts reskripter og kancellibreve, das Konzept in RAK DK D 101 (wie Anm. 10), der Registereintrag in RAK DK D 99 (wie Anm. 31).

44 Der Registereintrag dieses Schreibens findet sich in LAN B 9 nr. 49: Ribe stiftamts kopibog 1760–1765, S. 792 f.; die Ausfertigung ist nicht erhalten.

45 Siehe Brilling (wie Anm. 3), S. 31 f. und vgl. oben Anm. 41 und den dazugehörigen Haupttext auf S. 104.

46 Siehe Brilling (wie Anm. 3), S. 29 f.

47 Die Einschränkungen bestehen in folgendem:

1. Es handelt sich bei dem oben angeführten Schreiben nicht um einen «Bescheid» (Brilling [wie Anm. 3], S. 30), das heißt um die Mitteilung einer Entscheidung, sondern lediglich um eine gutachtliche Stellungnahme (im Registereintrag als «Promemoria» bezeichnet); entscheidende Instanz war, da Fredericia – entgegen der Annahme Brillings (a. a. O., S. 29) – im eigentlichen Dänemark liegt, nicht die Deutsche, sondern die Dänische Kanzlei (die freilich, wie oben bereits dargelegt, der Empfehlung der Deutschen Kanzlei folgte).

2. Daß «diese Sache lediglich die innere Verfassung der Judengemeine zu Fredericia angehe», führt die Deutsche Kanzlei nur als einen von drei Gründen für ihre Stellungnahme an, vgl. den Text ihres Schreibens bei Brilling a. a. O., S. 31 f.

3. Da Fredericia nicht in Schleswig-Holstein liegt, war der Oberrabbiner nicht so ohne weiteres, wie Brilling (a. a. O., S. 29 f.) annimmt, kraft des Jurisdiktionsprivilegs der Altonaer Schutzjuden die «zuständige Stelle» für Streitigkeiten unter den Juden in Fredericia. (Darauf wird oben im Text noch ausführlicher zurückzukommen sein.)

48 Die Deutsche und die Dänische Kanzlei sind ihm hierin gefolgt. Die implizite Anerkennung der Zuständigkeit des Oberrabbiners lag darin, daß der Referent und die Kanzleien sich überhaupt auf eine Erörterung der Sachfrage anhand der Stellungnahme des Oberrabbiners einließen und ihre Stellungnahme beziehungsweise ihre Entscheidung unter anderem damit begründeten, die Streitfrage gehe «lediglich die innere Verfassung der Judengemeine in Fridericia an» (am Anm. 40 a. O.).

49 Vgl. oben S. 104.

50 Vgl. den die Jurisdiktion betreffenden Artikel 6 des Generalprivilegs in PJA (wie Anm. 1), S. 232 f. – Der Wortlaut dieses Artikels ist allerdings nicht eindeutig, worauf später noch ausführlich eingegangen wird, siehe S. 118 ff.

51 Siehe oben Anm. 27.

52 Vgl. zur Anerkennung der Kompetenz des Oberrabbiners durch die Kanzleien oben Anm. 48, durch den Magistrat oben S. 102.

53 So – vermutungsweise – Oberrabbiner Dr. Bent Melchior (Kopenhagen) brieflich (20. Juni 1979); und soweit ich sehe, enthält die einschlägige Literatur nichts, was dagegen spricht.

54 Zur Möglichkeit/Wahrscheinlichkeit eines solchen Mißverständnisses vgl. das oben in Anm. 50 und S. 118ff. Gesagte.

55 Siehe PJA (wie Anm. 1), S. 232 (doch vgl. auch unten Anm. 57). Auf das hier anklingende *ordnungspolitische Motiv* komme ich im Schlußkapitel noch ausführlicher zurück, siehe S. 130.

56 Vgl. S. 127f.

57 Vgl. das oben in Anm. 27 über den Bekanntheitsgrad der Privilegien der Altonaer Schutzjuden Gesagte. Übrigens wurde selbst der Dänischen Kanzlei das Jurisdiktionsprivileg erst einige Jahre später durch die Erklärung des Altonaer Oberrabbiners im Gerichtsstandstreit (S. 115ff.) bekannt, siehe die entsprechenden, S. 120f. und Anm. 139 angeführten Bemerkungen des Generalprokureurs Henrik Stampe in seiner Erklärung vom 9. Juli 1767 (Anm. 130), S. 1f.

58 Siehe oben S. 101f. und Anm. 26.

59 Siehe die Schreiben der Schlachter an den Obersekretär der Dänischen Kanzlei vom 14. Juni und 6. September 1763 (oben S. 103 und Anm. 34).

60 Der Wortlaut des Conseilprotokolls (oben Anm. 40) scheint eher in die Richtung der Möglichkeiten 2 und 3 zu deuten. – Weiteres zur Rückzahlungsforderung siehe unten Anm. 67 und S. 114.

61 Siehe oben S. 104.

62 Die Möglichkeit, daß dem oben erwähnten Eybeschütz-Brief vom 22. Februar 1763 ein anderer, nicht erhaltener voraufgegangen war, in dem der Oberrabbiner sich ohne Einschränkung hinter die Gebührenerhöhung der Vorsteher stellte, und daß er erst auf Grund des Einspruchs der Schlachter gegen diese Entscheidung seine Forderung abänderte, ist nach dem Wortlaut des Schreibens vom 22. Februar (Anm. 13–15) auszuschließen.

63 Dafür könnte die Tatsache sprechen, daß Eybeschütz sich zwar in seinem Brief an die Schlachter (oben S. 100 und Anm. 14f.), nicht aber dem Magistrat gegenüber (oben S. 101 und Anm. 21) auf das Jurisdiktionsprivileg berief; auch in seiner an den König gerichteten Stellungnahme vom 4. August 1763 (Anm. 35) berief er sich nicht auf das Jurisdiktionsprivileg, sondern nur allgemein auf die den Juden gegebene königliche Garantie der Religionsfreiheit.

64 Vgl. oben Anm. 10 und Anm. 13.

65 Siehe oben S. 101.

66 Über einige bisher noch nicht berücksichtigte beziehungsweise nicht hinreichend gewürdigte Einzelheiten siehe weiter unten und Anm. 67.

67 Wenn die oben angedeutete und in Anm. 63 begründete Vermutung richtig ist, wußte Eybeschütz, daß sein Autoritätsanspruch den Juden in Fredericia gegenüber durch das Jurisdiktionsprivileg nicht gedeckt war (vgl. oben S. 105f.). Wenn er sich in seinem Brief an die Schlachter (und nur in diesem, vgl. Anm. 63) trotzdem auf das Jurisdiktionsspivileg berief, so muß das als ein Einschüchterungsversuch intellektuell und wissensmäßig Unterlegenen gegenüber erscheinen, der nur unter der – anfechtbaren – Voraussetzung nicht anstößig wäre, daß der Zweck ein solches Mittel heiligte. – Daß Eybeschütz in seinem «Spruch» die Rückzahlungsforderung der Schlachter nicht berücksichtigte, berührt ebenfalls merkwürdig. Da er die Gebührenforderung der Vorsteher für überhöht hielt – und das tat er ja, wie die Abwandlung dieser Forderung durch

seinen «Spruch» zeigt –, wäre es nicht mehr als billig gewesen, wenn er die Rückzahlung der erhöhten Gebühren verfügt hätte. Daß er es aus Gründen, die wir nicht kennen, nicht tat, erweckt den Eindruck, hier seien die berechtigten Interessen kleiner Leute «höheren» Gesichtspunkten unterlegen. – Bedenklich scheint mir schließlich auch die Ungenauigkeit in einer «ex officio» abgegebenen Erklärung, die oben in Anm. 36 registriert ist.

68 Vgl. das Referat des Magistratsschreibens und die daran geknüpften Überlegungen oben S. 100f.

69 Es heißt dort (zitiert nach dem Konzept in LAN D 6 nr. 103): *vi har vel vildet medieret* [!] *dem i mellem, men Forstanderne ere* [gestrichen: *urimelig*] *paastaaende, saa vi hoilig har aarsag at være misfornóiet over deris opforsel* [gestrichen: *imod os*]; zu deutsch: «Wir haben zwar zwischen ihnen vermitteln wollen, aber die Vorsteher sind [gestrichen: bis zur Ungereimtheit] eigensinnig, so daß wir in hohem Grade Ursache haben, mit ihrem Benehmen [gestrichen: uns gegenüber] unzufrieden zu sein.»

70 In diesem Sinne dürfte auch der oben S. 102 und Anm. 28 referierte Schluß des Magistratsschreibens an den Stiftamtmann zu verstehen sein.

71 Vgl. S. 113 und Anm. 79.

72 Da die Appellation der Schlachter unmittelbar mit ihrer Ablehnung des Schiedsspruches zusammenhängt (vgl. dazu weiter unten), ist nicht anzunehmen, daß der Magistrat nicht zumindest von ihrer Absicht wußte.

73 Darauf deutet die in Anm. 25 zitierte Wendung in der Konzeptfassung des Magistratsschreibens an den Stiftamtmann.

74 Die Möglichkeit bewußter, absichtlicher Fälschung scheidet aus. Zwar hätte der Magistrat bei einer solchen vielleicht voraussetzen können, daß die vorgesetzte Behörde (in der Regel?) nur das Referat der nachgeordneten Amtsträger, nicht dagegen die beigelegten Originalschreiben selbst gründlich in Augenschein nahm (vgl. oben Anm. 29). Aber ganz sicher war das natürlich nicht. Darum war das Risiko einer Fälschung einfach zu groß; und abgesehen davon wird man ohne eigentlichen Beweis oder wirklich zwingenden Grund eine solche Amtspflichtverletzung nicht unterstellen dürfen.

75 Vgl. die betreffenden Artikel von Theodor Hauch-Fausbøll in: Dansk Biografisk Leksikon. Grundlagt af C. F. Bricka. Redigeret af Povl Engelstoft under Medvirkning af Svend Dahl. [Künftig: DBL.] Bd. 10. København 1936, S. 308 f. und von Svend Cedergreen Bech in: Dansk biografisk leksikon [...] 3. udgave. Bd. 6. København 1980, S. 411 f.

76 Das ergibt sich aus der Entscheidung des Oberrabbiners, der die Gebührenerhöhung als notwendig und rechtmäßig anerkannte, sie gleichzeitig aber stark reduzierte und die Konkurrenzfähigkeit der jüdischen mit den christlichen Schlachtern wiederherstellte, siehe oben S. 101; 103 f. und Anm. 26.

77 Vgl. die folgende Anm.

78 Es heißt dort nämlich (zitiert nach dem Konzept, LAN D 6 nr. 103): *Da Slagterne derover klagede, har vi foreholdet Forstanderne, at dette Paalæg var alt for stor med videre, men de fremturede i deris Paastand, tog idelig denne Afgift af Jode slagterne* [...], *og for des bedre at reussere i denne deris* [über gestrichenem *Selvstændighed:*] *Forehavende, da de merkede, at Jode slagterne derover vilde klage til Hans Mayst., har de faaet Rabbineren i Altona til at befale Jode slagterne, at de skulde betale dette nye Paalæg, hvis ikke blev de sadt i Band.* («Als die Schlachter sich darüber beschwerten, haben wir den Vorstehern vorgehalten, daß diese Auflage allzu groß wäre etc., aber sie beharrten auf ihrer Forderung und hörten nicht auf, diese Angabe von den jüdischen Schlachtern zu erheben [...], und um noch besser in dieser ihrer [über gestrichenem *Selbständigkeit:*] Unternehmung zu reüssieren, haben sie, als sie merkten, daß die jüdischen Schlachter

sich darüber bei Seiner Majestät beschweren wollten, den Rabbiner in Altona dazu gebracht, den jüdischen Schlachtern zu befehlen, sie müßten diese neue Auflage bezahlen,
sonst würden sie mit dem Bann belegt.»)
79 Wie bereits oben S. 102 erwähnt, räumte der Magistrat in seinem Schreiben an den
Stiftamtmann vom 24. März 1763 (Anm. 23) ein, er wisse wohl, «daß der Rabbiner in
Altona allein über die jüdischen Zeremonien zu befehlen habe». Daß der Magistrat die
Schlachter trotzdem nicht gleich anfangs an den Oberrabbiner verwies, läßt darauf
schließen, daß er damals noch nichts über dessen (vermeintliche) Zuständigkeit im allgemeinen oder im vorliegenden Fall wußte; und wenn das so war, liegt es nahe anzunehmen, daß die Schlachter es waren, die den Magistrat auf die (vermeintliche) Kompetenz
des Oberrabbiners in Angelegenheiten der Juden in Fredericia aufmerksam machten.
80 Vgl. oben S. 99f. Diese Klage hatte sich, wie bereits an anderer Stelle erwähnt, auch
der Magistrat in Fredericia zu eigen gemacht, siehe oben S. 101 und S. 102. – Klagen über
Eigenmächtigkeiten von Gemeindevorstehern wurden auch an anderen Orten bei den
Behörden vorgebracht, siehe die Ausführungen über die «Opposition gegen die Ältesten»
in der Kopenhagener Gemeinde in den Jahren 1787–1796 bei Julius Salomon og Josef
Fischer: Mindeskrift i anledning af hundredaarsdagen for anordningen af 29. marts 1814.
(København) 1914, S. 38 ff. und vgl. auch die Bemerkungen über Mißstände in der Verwal-
tung jüdischer Gemeinden in Deutschland seit dem 17. Jahrhundert bei Heinz Mosche
Graupe: Die Entstehung des modernen Judentums. Geistesgeschichte der deutschen
Juden 1650–1942. 2., revidierte und erweiterte Auflage. Hamburg (1977), S. 49.
81 Diese beiden Vorwürfe finden sich, wie bereits oben S. 101f. referiert, in den
Magistratsschreiben vom 10. März 1763 (an Oberrabbiner Eybeschütz) und vom 24.
März 1763 (an den Stiftamtmann), und es ist anzunehmen, daß die Schlachter auch in
dieser Hinsicht die Informanten des Magistrats gewesen sind. Um so mehr muß es auffallen, daß diese Vorwürfe in den Eingaben der Schlachter nicht auftauchen. Ebenso
merkwürdig ist, daß der Oberrabbiner zu den Vorwürfen nicht Stellung nahm, obwohl
sie als ziemlich schwerwiegend angesehen werden müssen. (Vgl. hierzu Heinz Mosche
Graupe: Die Statuten der drei Gemeinden Altona, Hamburg und Wandsbek. Quellen
zur jüdischen Gemeindeorganisation im 17. und 18. Jahrhundert. Herausgegeben, eingeleitet, übersetzt und mit Anmerkungen versehen. Teil I: Einleitung und Übersetzungen. Hamburg 1973, S. 96f. und die dort Anm. 126 genannten Stellen aus babyloni-
schem Talmud und Schulchan Aruch.) Nahm er sie nicht zur Kenntnis, weil sie nicht aus
der Gemeinde an ihn herangetragen wurden? Oder billigte er aus übergeordneten Be-
weggründen den inkriminierten Sachverhalt, fühlte sich aber dem Magistrat gegenüber
nicht zur Rechenschaft verpflichtet? Oder schwieg er sich aus noch anderem Grund über
diesen Punkt aus? Das ist nicht mehr festzustellen und muß offen bleiben. Daß auch die
Dänische und die Deutsche Kanzlei sich mit diesen Vorwürfen nicht befaßten, läßt sich
dagegen einleuchtend erklären: Sie konzentrierten sich auf die Klärung der Frage, ob die
Beschwerde der Schlachter begründet oder die Entscheidung des Oberrabbiners gerechtfertigt war. Das Problem der Rechtsförmigkeit der Gebührenerhöhung durch die
Vorsteher stellte sich ihnen nicht, da die Schlachter diese in ihrer Supplik nicht angefochten hatten, der Oberrabbiner auf diese Frage nicht eingegangen war und sie zudem «die
innere Verfassung der Judengemeinde zu Fredericia» betraf, für die die Kanzleien sich,
wie an anderer Stelle bereits ausgeführt, nicht zuständig fühlten.
82 Siehe oben S. 99 und Anm. 8
83 Siehe oben S. 99 und Anm. 9
84 Siehe oben S. 99 und S. 103.
85 Siehe oben S. 109.
86 Vgl. oben S. 108 f.

87 Die Überzeugung oder zumindest das Gefühl der Bedrohtheit ihrer Existenz wird man den Schlachtern nicht ohne weiteres absprechen dürfen; andererseits weisen Ungenauigkeiten wie die oben S. 103 und Anm. 33 notierte darauf hin, daß man nicht alles buchstäblich nehmen darf, was in Eingaben dieser Art steht. Vgl. auch den Hinweis auf den hyperbolischen Stil der Suppliken S. 125 und Anm. 169 sowie die in Anm. 125 angeführten und besprochenen Spuren der Nachgeschichte des Gebührenstreits. Diese Spuren sind allerdings zu vage und die darin möglicherweise sich andeutenden Vorgänge und Sachverhalte zu uneindeutig, als daß sich daraus etwas für die Beantwortung der oben gestellten Fragen gewinnen ließe.

88 In dem bei Hirsch (wie Anm. 3), S. 60 abgedruckten Voranschlag des Gemeindevorstands wurden die für die Zeit von Ostern 1810 bis Ostern 1811 zu erwartenden Schächtgeldeinnahmen mit 150 Reichstalern dänischen Kurantgeldes angesetzt; aber von daher kann selbstverständlich nicht auf den Umsatz und die Schächtgebührenbelastung der jüdischen Schlachter im Jahre 1762/63 geschlossen werden, zumal aus der bei Hirsch a. a. O., S. 62 abgedruckten Protokollnotiz hervorgeht, daß die tatsächlichen Schächtgeldeinnahmen sich allein im zweiten Halbjahr 1811 auf 115 Reichstaler beliefen. Auch andere sich zunächst anbietende Wege führten nicht zum Ziel. So mußten die Schlachter für jedes von ihnen zur Schlachtung gekaufte Stück Vieh eine «Akzise» (später «Consumption») genannte Steuer entrichten; ihr Umsatz müßte sich also anhand der Akziserechnungen ermitteln lassen, vorausgesetzt, daß diese detailliert genug waren. Leider ergaben entsprechende Recherchen im Rigsarkivet in Kopenhagen (RAK) jedoch, daß diese Voraussetzung – zumindet für Fredericia und die fragliche Zeit – nicht gegeben ist, da die Akzise in Fredericia damals Jahr für Jahr an den/die Meistbietenden verpachtet wurde und infolgedessen nur eine sehr summarische Abrechnung über die Pachtsumme und ihre Verwendung an die Rentekammer gelangte, siehe RAK RK og GTK Rev. Rgskr., Fredericias Regnskaber for Told og Konsumtion. A 1. Acciseregnskaber 1731–1780. Auch über die zweite für die Ermittlung des Einkommens der Schlachter grundlegende Größe, die Fleischpreise in Fredericia zur fraglichen Zeit, war nichts in Erfahrung zu bringen. (Anfragen im Rigsarkivet in Kopenhagen und im Landsarkivet for Nørrejylland in Viborg blieben ohne Ergebnis; und die vorliegenden Arbeiten zur Preisentwicklung in Dänemark – Henrik Pedersen: Die Kapitelstaxen in Dänemark. In: Jahrbücher für Nationalökonomie und Statistik. Band 84 [= 3. Folge, 29. Band], 1905, S. 784–793; Axel Nielsen: Dänische Preise 1650-1750. In: Jahrbücher a. a. O. Band 86 [= 3. Folge, 31. Band], 1906, S. 289-347; Friis/Glamann [wie Anm. 17] sowie die dort angegebene weitere Literatur – lassen ihres Untersuchungszeitraums und/oder ihrer Materialgrundlage wegen keine hinreichend zuverlässigen Schlüsse auf die Einzelhandelspreise in Fredericia in der fraglichen Zeit zu.)

89 Vgl. oben S. 107 und Anm. 67.

90 Levi Marcus – er selbst schrieb *Lewie Marcos* –, genannt Levi Wiesbaden (Margolinsky [wie Anm. 34], S. 588), erwarb am 20. Februar 1755 das Bürgerrecht in Fredericia und gab dabei an, sich von «Kaufmannschaft» (dänisch: *købmandskab*) ernähren zu wollen (LAN D 6 nr. 63: Fredericia Rådstueprotokol 1755, fol. 24b; das von Margolinsky a. a. O. angegebene Geburtsjahr – «ca. 1740» – dürfte demnach zu spät angesetzt sein). Er ist wahrscheinlich identisch mit Levin Marcus, der im Oktober 1762 mit Frau, Hausmädchen und 3 sonstigen (das heißt nicht zu den Dienstboten zählenden) Personen an der Ostseite der *Ridder Gade* wohnte, siehe RAK Rtk, Designation (wie Anm. 34 unter II), Nr. 175. Er war Vorsteher der jüdischen Gemeinde in Fredericia, starb am 3. Mai 1800 und liegt neben seiner 1802 gestorbenen Frau Hanna auf dem jüdischen Friedhof in Fredericia begraben (Margolinsky a. a. O.).

Seligmann Levin, etwa 1731 als Sohn des Levin Joseph zu Hamburg geboren (Margolinsky a. a. O., S. 586; Stadtarchiv Plön XXVI 1.d.2: Quittung vom 5. April 1764), erwarb am 18. November 1756 das Bürgerrecht in Fredericia und gab dabei ebenfalls an, sich von «Kaufmannschaft» ernähren zu wollen (LAN a. a. O. 1756, fol. 54a). Er wohnte im Oktober 1762 mit Frau, 1 Kind über 12 Jahre, 1 Hausmädchen und 1 weiteren, nicht zu den Dienstboten zählenden Person an der Nordseite der *Dannemarcks Gade*, siehe RAK a. a. O., Nr. 252a. Er war Vorsänger der jüdischen Gemeinde in Fredericia, starb am 13. Februar 1794 und liegt auf dem jüdischen Friedhof in Fredericia begraben (Margolinsky a. a. O.).

91 Die Beschwerde liegt mit anderen zur Sache gehörenden Schriftstücken beim Konzept des königlichen Reskripts vom 25. September 1767 (siehe weiter unten und Anm. 144) in RAK DK D 29, Koncepter og Indlæg til jyske Tegnelser 1767, Nr. 91. Die Zitationsschreiben des Oberrabbiners sind nicht erhalten. Da in ihnen Fristsetzung und Banndrohung enthalten waren, hatten sie jedenfalls nicht die Form des Zitationszettels, dessen sich später Oberrabbiner Raphael Cohen zumindest innerhalb der Drei Gemeinden bediente; denn in dessen Formular fehlt die Banndrohung, und die Ladung besteht in der Aufforderung, zu einem angegebenen Termin (nicht: innerhalb einer bestimmten Frist) vor dem jüdischen Gericht in Altona zu erscheinen, siehe die in StAH Senat Cl VII Hf Nr. 5 Vol. 1 c 22 (mit Übersetzung) überlieferten beiden Zitationszettel mit Raphael Cohens Unterschrift.

92 Die Namen der Kläger sind in der Beschwerde nicht genannt und anderweit nicht zu ermitteln, da das Zitationsbuch des jüdischen Gerichts zu Altona nur für die Jahre 1767–1769 erhalten ist (StAH JG 126) und sich auch nicht mehr feststellen läßt, ob die Schuldforderungen später vor dem Stadtgericht in Fredericia eingeklagt wurden. (Entsprechende Urteile des Stadtgerichts sind nach Auskunft des Landsarkivet for Nørrejylland [LAN] in Viborg nicht nachweisbar.)

93 Über Termin und Dauer der genannten Märkte im Jahr 1766 läßt sich folgendes sagen: 1. Das Viborger Snapsting begann in den Jahren 1745–1769 am 26. April und dauerte gewöhnlich vierzehn Tage, vgl. Viborg Købstads Historie, udgivet af Viborg Byraad. Bd. 2. København 1940, S. 552 und S. 554. 2. Über das Datum des Pfingstmarktes – dänisch *Pinsemarkedet* – in Aalborg liegen für 1766 direkte Nachrichten nicht vor. Aus dem Jahrgang 1768 der Zeitung *Jydske Efterretninger* ergibt sich jedoch, daß er in diesem Jahr, unabhängig vom Pfingsttermin, Anfang Juni stattfand; und da das offenbar auch noch im 19. Jahrhundert der Fall war (vgl. Svend B. Olesen: Forsvundne gader og gyder i Aalborg. Aalborg 1970, S. 103), liegt die Annahme nahe, daß er auch schon im Jahre 1766 um diese Zeit abgehalten wurde. 3. Der Olufsmarkt – dänisch *Olufsmarkedet, Olsmarket*) in Aarhus begann am Olufstag (29. Juli) und dauerte drei Tage. (Alle diese Angaben verdanke ich Auskünften der Bibliotheken in Viborg, Aalborg und Aarhus, die freundlicherweise durch die Dänische Zentralbibliothek für Südschleswig – Dansk Centralbibliotek for Sydslesvig – in Flensburg vermittelt wurden.)

94 Das Schreiben des Magistrats vom 24. April 1766 liegt im RAK am Anm. 91 a. O.

95 Siehe die Protokollnotizen in RAK DK D 109, Supplikprotokol 6 F, Nr. 973 und RAK DK D 106, Kancelliprotokol 6 F, Nr. 973 und vgl. die von Obersekretär Otto Thott unterschriebene Remissorialnotiz auf der Adressenseite des Magistratsschreibens (Anm. 94), durch welche der Stiftamtmann im Namen des Königs aufgefordert wurde, über die Angelegenheit zu berichten. (Aus den Akten ist nicht ersichtlich, ob auch die Beschwerde der beiden Juden an den Stiftamtmann gelangte. Die Tatsache, daß er eine Erklärung der beiden einholen ließ, die bereits in ihrer Beschwerde enthalten war, spricht wohl eher dagegen – obwohl es Indizien dafür gibt, daß Beamte nicht die gesamte Vorakte, sondern nur die Zusammenfassung im Bericht der jeweils vorhergehenden Instanz lasen, vgl. oben Anm. 29.)

96 Das Schreiben ist überliefert in LAN D 6 Nr. 104: Indkomne breve til Fredericia bys magistrat.

97 Das Konzept dieses Schreibens liegt bei der Berichtserforderung vom 30. Mai 1766 am Anm. 96 a. O. Die Ausfertigung findet sich nicht bei den Akten und ist offenbar nicht erhalten.

98 Der Rabbiner – es handelte sich um den vom Altonaer Oberrabbiner als More Zedek (Jüdisches Lexikon IV / 2 [wie Anm. 34], Sp. 161) für die Gemeinde in Fredericia autorisierten Moses Isaac (vgl. Anm. 122), der am 16. April 1773 starb und auf dem jüdischen Friedhof in Fredericia begraben wurde, siehe Hirsch (wie Anm. 3), S. 26 und Margolinsky (wie Anm. 34), S. 583 – scheint seine Erklärung – wenigstens zunächst – nur mündlich abgegeben zu haben. Darauf bezieht sich ein später gestrichener Passus im Briefkonzept des Stadtpräsidenten, der in deutscher Übersetzung lautet: «Wir haben auch mit dem hiesigen Rabbiner gesprochen, um zu erfahren, was dem Oberrabbiner Anlaß geben könnte, solche Amtsgewalt für sich in Anspruch zu nehmen; aber er versicherte, besagten Oberrabbiners Privileg nicht zu kennen, er könne sich auf die Frage auch nicht einlassen, da er dem Befehl des Oberrabbiners unterstände, er versprach aber, jene zwei Juden nicht mit dem Bann zu belegen, bevor die Sache durch die königliche Kanzlei entschieden sei. Zu dem Ende möchten wir diese Sache für jene zwei Juden aufs beste empfohlen haben und leben mit aller Submission.» Dieser Passus ist im Konzept durch den bereits oben im Haupttext referierten ersetzt, der in deutscher Übersetzung lautet: «Und da der eine Jude, Seliman [!] Levin, sich bereits dieser Sache wegen im Kirchenbann befindet und über den anderen, Levin [!] Marcus, nun ebenfalls der Kirchenbann verhängt wird, so bitten wir untertänigst, daß Dero Hochgräfliche Excellenz diese Sache gnädigst [dahingehend] recommendiren möge, daß besagter Oberrabbiner in Altona solche Amtsgewalt nicht ausüben darf, sondern die Betreffenden statt dessen hier vor dem für sie zuständigen Gericht wegen dieser Schuldforderung belangt werden müssen, Wir verbleiben.» Der Brief enthielt in seiner Endfassung also keinerlei Angabe über den Inhalt der Erklärung des Rabbiners; sein Text läßt auch nicht eindeutig erkennen, ob ihm außer der – jetzt verschollenen – Versicherung von Levi Marcus und Seligmann Levin eine schriftliche Erklärung des Rabbiners beigefügt war. Sollte das der Fall gewesen sein, ist zu vermuten, daß sie inhaltlich mit dem oben angeführten, gestrichenen Passus im Briefkonzept des Stadtpräsidenten übereinstimmte. So ließen sich jedenfalls die weiter unten zu referierenden, auf die wirkliche oder vermeintliche Legitimation des Oberrabbiners bezüglichen vagen Formulierungen in der Endfassung des Briefes am besten erklären.

99 Das Schreiben liegt im RAK am Anm. 91 a. O.

100 Es ist weder aus der Erklärung des Stiftamtmanns noch aus den übrigen erhaltenen Akten ersichtlich, ob auch das Schreiben des Stadtpräsidenten und dessen Anlagen (Anm. 97 f.) mit der Erklärung eingesandt wurden.

101 Das Schreiben war an den König gerichtet und entsprach damit der in Anm. 95 erwähnten Form der Remissorialnotiz.

102 Siehe die Protokollnotizen in RAK DK (wie Anm. 95), Nr. 973.

103 Siehe die Protokollnotizen am Anm. 102 a. O.

104 Das Konzept dieses Schreibens findet sich in RAK DK D 101, Koncepter og Indlæg til Kancelliets Breve 1766, Nr. 458, der Registereintrag in RAK DK D 99, Oversekretærens Brevbog 1766, Nr. 458. Die Ausfertigung war nicht zu ermitteln und ist wahrscheinlich durch Kassation oder auf andere Weise verlorengegangen; ihr lag, wie aus dem Wortlaut des Schreibens hervorgeht, außer der Erklärung des Stiftamtmanns (Anm. 99) auch das Schreiben des Magistrats in Fredericia (Anm. 94) bei.

105 Vgl. LASH Abt. 65.2, Nr. 7555, Supplikenprotokoll 1766, Nr. 2492.

106 Vgl. LASH Abt. 65.2, Nr. 7773, Conseilprotokoll B, 1766, Nr. 193. Das Schreiben an Baur, dessen Registereintrag in RAK TKIA B 12, Inl. Reg. 1766, September Nr. 80 erhalten ist, übernimmt die zweite der oben zitierten Fragen wörtlich aus dem Votum der Deutschen Kanzlei, das dem Referat im Conseilprotokoll a. a. O. hinzugefügt ist; ihm lagen die von der Dänischen an die Deutsche Kanzlei remittierten Schriftstücke (Anm. 104) bei. – Daß das Conseil im Abstand von fünf Wochen nochmals, und zwar in einer bloßen Verfahrensfrage, mit der Angelegenheit befaßt wurde, mutet seltsam an, zumal das geplante Vorgehen der Kanzlei, wenn ich recht sehe, keineswegs außergewöhnlich war, sondern dem in vergleichbaren Fällen Üblichen entsprach. (Vgl. oben Anm. 32.)

107 LASH (wie Anm. 105), Supplikenprotokoll 1766, Nr. 4046 (20. Dezember). Das Schreiben selbst ist verschollen.

108 Die Erklärung des Oberrabbiners und der Nachtrag liegen im RAK am Anm. 91 a. O.; die Erklärung ist unterschrieben *Isaac Jacob Levy H.*, während der Name im Rubrum als *Isaac J: Levi Horwitz* erscheint und die Unterschrift im Nachtrag, dessen Rubrum keinenAbsendernamen nennt, *J. Jacob Levi Hurwitz* lautet. Bei Eduard Duckesz: IWOH LEMOSCHAW. Krakau 1903, S. XXIV hat der Name die Form «Isak, Sohn des Jakob Hurwitz Levi», während das Grabbuch (StAH JG 82, Nr. 2737) *Isaac Jokel Horwitz* schreibt. – Vgl. über Oberrabbiner Horwitz auch unten Anm. 120.

109 Vgl. LASH Abt. 65.2, Nr. 7556, Supplikenprotokoll 1767, Nr. 224 (26. Januar).

110 Der Bericht ist verschollen, und die erhaltenen Aktenstücke geben keinen Aufschluß mehr über seinen Inhalt.

111 Darauf weist der Vermerk «ad Prot:» im Supplikenprotokoll am Anm. 109 a. O. und der Eintrag im Conseilprotokoll (LASH Abt. 65.2, Nr. 7776, Conseilprotokoll C, 1767, Nr. 37), der sich freilich auf den bloßen Betreff beschränkt und weder ein Votum der Kanzlei noch eine Resolution des Conseils enthält. (Bericht und Stellungnahme der Deutschen Kanzlei dürften mit dem Inhalt ihres Schreibens an die Dänische Kanzlei vom 14. März 1767 [Anm. 112] übereingestimmt haben; das Votum scheint am 26. Februar 1767 vom Conseil gebilligt worden zu sein, vgl. den wahrscheinlich auch für die folgenden, in der gleichen Sitzung behandelten Nummern geltenden Approbationsvermerk bei Nr. 36 im Conseilprotokoll a. a. O.)

112 Die Ausfertigung des Promemoria vom 14. März 1767 liegt im RAK am Anm. 91 a. O., das Konzept ist verschollen; das Schreiben ist registriert in LASH Abt. 65.2, Nr. 6872, S. 43 (= Patenten Extrakten 1767, März Nr. 34), in das Kopialbuch (RAK TKIA B 5, Patenten 1767) an der entsprechenden Stelle jedoch nicht eingetragen worden.

113 Erklärung vom 2. Januar 1767 (Anm. 108), S. 2.

114 Siehe PJA (wie Anm. 1), S. 232f.

115 Siehe PJA (wie Anm. 1), S. 248f.

116 Siehe in der Erklärung vom 2. Januar 1767 (Anm. 108), S. 3 und PJA (wie Anm. 1), S. 232f.

117 Erklärung vom 2. Januar 1767 (Anm. 108), S. 6 und PJA (wie Anm. 1), S. 248f.

118 Erklärung vom 2. Januar 1767 (Anm. 108), S. 7.

119 a. a. O., S. 8.

120 Erklärung vom 2. Januar 1767 (Anm. 108), S. 11. – Isaac Jacob Levi Horwitz – zur Namensform vgl. oben Anm. 108 – wurde 1765 als Nachfolger von Oberrabbiner Jonathan Eybeschütz nach Altona berufen, starb dort am 6. Ijjar 5527 (= 5. Mai 1767) und wurde noch am gleichen Tage auf dem Friedhof in der Königstraße beigesetzt (Grab N 2982), siehe über ihn Duckesz (wie Anm. 108), S. 53–59 (hebr. Teil) und vgl. auch ebenda, S. XXIV f. (deutscher Teil) sowie StAH JG 82, S. 140, Nr. 2737; der Grabstein

ist – mit falscher Wiedergabe des in der Grabinschrift richtig angegebenen Todesjahres – abgebildet bei Duckesz a. a. O., S. 58.

121 Erklärung vom 2. Januar 1767 (Anm. 108), S. 10.

122 Nachtrag vom 12. Januar 1767 (Anm. 108), S. 1: [...] *hat bißhero zu Fridericia kein Unter-Rabbiner können bestellet werden, ohne daß des Ober-Rabbiners zu Altona vorgängige Einwilligung erfolget, und die Bestellung durch ihn geschehen sey, wie denn der itzige Unter-Rabbiner daselbst vor etwa 12 Jahren von dem verstorbenen Ober-Rabbiner Eibeschütz eingesetzet und bestellet worden.* (Vgl. oben Anm. 98.)

123 Siehe am Anm. 121 a. O.

124 Erklärung vom 2. Januar 1767 (Anm. 108), S. 9.

125 Nachtrag vom 12. Januar 1767 (Anm. 108), S. 2. – Die Zeitangabe «vor etwa vier Jahren» legt einen Zusammenhang des hier Angeführten mit dem oben ausführlich behandelten Streit um die Erhöhung der Schächtgebühr nahe. Bendix Levi ist in den Akten dieses Streits freilich nicht bezeugt – es sei denn, er wäre identisch mit dem dort genannten Bendix Hendrich, wofür es eine vage Möglichkeit gibt. (Bendix Hendrich und Bendix Levi könnten Namensvarianten des bei Margolinský [wie Anm. 34], S. 586 aufgeführten Baruch Joseph Henrik Levy sein, vgl. oben Anm. 34.) Allerdings erscheinen Bendix Hendrich und Levi Meyer Levi im Zusammenhang des Streits um die Schächtgebühr nicht als Schächter, sondern als Schlachter (vgl. über diese unterschiedlichen Berufe am Anm. 6 a. O.). Es hat demnach den Anschein, als hänge der hier von Oberrabbiner Horwitz angeführte Vorgang nur indirekt mit dem Gebührenstreit zusammen: Die Gebührenerhöhung (und damit der Streit) war, wie oben dargestellt, durch die Notwendigkeit veranlaßt worden, zusätzliche Mittel für die Anstellung eines neuen, von auswärts zu beschaffenden Schächters aufzubringen; statt dessen scheinen nach Abschluß des Gebührenstreits *zwei* neue Schächter bestellt worden zu sein, von denen der eine mit Sicherheit, der andere vielleicht vorher zu den über die Gebührenerhöhung Beschwerde führenden jüdischen Schlachtern in Fredericia gehört hatte. Oder beruht die Bezeichnung der Genannten als Schächter auf einem Irrtum oder auf unzureichender Kenntnis des Vorgangs auf seiten von Oberrabbiner Horwitz (siehe unten)? Dann haben wir es hier vielleicht mit dem letzten Akt im Streit um die Gebührenerhöhung zu tun: In Anerkenntnis der Entscheidung der Regierung, die, wie oben dargelegt, Oberrabbiner Eybeschütz recht gab, verpflichteten sich zwei der beteiligten Schlachter, künftig den Weisungen des Oberrabbiners Gehorsam zu leisten. Sollte diese Vermutung zutreffen, liegt die Annahme nahe, die anderen beschwerdeführenden Schlachter seien in diesem Zusammenhang nicht genannt, weil sie sich nicht unterwarfen, sondern das Schlachten aufgaben. (Zu dieser Annahme könnte passen, daß einer von ihnen, nämlich der am 23. September 1771 gestorbene Leiser Abraham Kohn [Lazarus Abraham Cohen] bei Margolinsky [wie Anm. 34], S. 578 als Einzelhandelskaufmann – dänisch: *købmand* – bezeichnet ist. Es ist allerdings nicht deutlich, woher und von wann diese Information stammt, so daß sie in diesem Zusammenhang wenig Beweiskraft hat.) Übrigens würde Oberrabbiner Horwitz, wenn er detaillierte Kenntnis von dem Streit um die Schächtgebühr gehabt hätte, wohl kaum versäumt haben, darauf als auf einen wichtigen Präzedenzfall hinzuweisen, in dem die Jurisdiktion des Altonaer Oberrabbiners über die Juden in Fredericia durch die Kopenhagener Zentralbehörden ausdrücklich anerkannt worden war. Daß er es nicht tat, läßt also darauf schließen, daß er diese detaillierte Kenntnis eben nicht hatte.

126 Erklärung vom 2. Januar 1767 (Anm. 108), S. 10f.

127 Am Anm. 112 a. O.

128 Siehe die Protokollnotizen in RAK DK (wie Anm. 95), Nr. 973. – Über das Amt

des Generalprokureurs, das eines der wichtigsten und höchsten Ämter im absolutistisch regierten Dänemark war, siehe Edvard Holm: Danmark-Norges indre Historie under Enevælden fra 1660 til 1720. Indledning til den dansk-norske Stats Historie fra 1720–1814. Bd. 1–2. Kjøbenhavn 1885–1886; hier: Bd. 1, S. 86–88, und vgl. auch Luxdorphs Dagbøger (wie Anm. 42), Bd. 1, S. XIXf.

Danach war der Generalprokureur ursprünglich mit der Untersuchung und Realisierung ausstehender Forderungen des Staates betraut, wurde im Laufe der Zeit aber immer mehr zum Wächter darüber, daß in Administration und Rechtspflege nichts zum Nachteil der «königlichen Interessen» geschah – was noch im 17. Jahrhundert eine ausgedehnte Reise- und Berichtstätigkeit des Generalprokureurs mit sich brachte. Darüber hinaus war er «eine Art Faktotum für die Regierung» (Holm a. a. O., S. 88: Han var overhovedet et Slags Faktotum for Regeringen), die in allen möglichen – hauptsächlich juristischen – Fragen sein Gutachten anforderte. In Henrik Stampes Amtszeit (1753–1784) bestand die Haupttätigkeit des Generalprokureurs darin, Gutachten über wichtige und schwierige Rechtsfragen abzugeben und Entwürfe für Gesetze auszuarbeiten, die durch die Dänische Kanzlei (Danske Kancelli) erlassen werden sollten, während die in seiner Instruktion vorgesehene Aufsichts- und Berichtstätigkeit faktisch nicht stattfand. Stampe, der als Generalprokureur Sitz und Stimme im Obersten Gericht (dänisch: *Højsteret*) und in der Dänischen Kanzlei hatte, hat die dänische Rechtsentwicklung stark beeinflußt, vgl. über ihn und seine Amtstätigkeit J[ohan] H[enrik] Deuntzer: Henrik Stampe. Meddelelser om hans Liv og hans Virksomhed. In: Indbydelsesskrift til Kjøbenhavns Universitets Aarsfest til Erindring om Kirkens Reformation. Kjøbenhavn 1891 (bes. S. 32–45; 82f.; 104f.; 116) und siehe auch Hans Jensen/Stig Juul: Stampe, Henrik. In: DBL (wie Anm. 75), Bd. 22, S. 401–407.

129 Remissorialnotiz vom 23. März 1767 auf der Adressenseite des Magistratsberichts vom 24. April 1766 am Anm. 91 a. O. – Ob sämtliche Vorakten der Sendung beilagen, ist aus den Akten nicht ersichtlich. Fest steht lediglich, daß dem Generalprokureur außer dem Magistratsbericht vom 24. April 1766 auch die Erklärung des Oberrabbiners vorlag, da er sie zu Beginn seines eigenen Gutachtens ausdrücklich erwähnt und sich auch sonst hauptsächlich auf sie bezieht.

130 *Allerunderdanigst Erklæring* von Generalprokureur Henrik Stampe vom 9. Juli 1767, S. 1. (Die Erklärung liegt im RAK am Anm. 91 a. O.; sie wurde, mit einer kurzen, den gesamten Vorgang resümierenden Einleitung versehen, später auch gedruckt in [Henrik Stampe:] Erklæringer, Breve og Forestillinger, General-Prokureur-Embedet vedkommende. Bd. 5 [1766–68]. København 1797, S. 294–299.) – Stampe hat, wie aus seinen Ausführungen hervorgeht, die Angaben des Oberrabbiners hinsichtlich des Jurisdiktionsprivilegs ebensowenig nachgeprüft, wie die Dänische Kanzlei dies tat: Daß sie zutreffend waren, durfte man seiner Meinung nach daraus schließen, daß die Deutsche Kanzlei an ihnen nichts auszusetzen fand (a. a. O., S. 2).

131 Am Anm. 130a. O., S. 1f.

132 a. a. O., S. 3f.

133 Tatsächlich heißt es im Gesuch *der gesambten Schutzverwandten Juden zu Altonah Hochteutscher Nation* vom 30. Mai 1721 (LASH Abt. 65.1, Nr. 1693, Vol. 2, fol. 152–159) unter Punkt 6 (a. a. O., fol. 155v): *Weilen auch die Kirchen Desciplin* [!] *bey unß in große Decadence gerahten, und dahero täglich viele Zerrüttungen und Desordres sich eräugnen, welche abzustellen aber die allergnädigste Constitution, so in dem 5ten Articul höchstgedachten Privilegii vom 24ten Januarii 1680 enthalten, bereits genugsahme Vorsehung gethan hat, so ist unser allerunterthänigstes Gesuch, daß derselbe* [!] *zu allergehorsamster Folge die in Euer Königlichen Majestät Fürstenthümern und Landen biß an die* [!] *Belt (außer zu Glückstadt) sich aufhaltende Juden, inclosive* [!] *diejenige*

hochteutsche Juden, so in Hamburg wohnen und ihre [!] *Kirch-Hoff auf Euer Königlichen Majestät Grund und Boden liegen haben, schuldig und gehalten sein müßen, den Rabby in Altonah zu compariren, auch der Gemeine ihre Rechten, Ceremonien und Statuten nach zu leben.* Freilich führte dieses Gesuch nicht unmittelbar zu einer entsprechenden «königlichen Expedition», wie Stampe anzunehmen scheint; erst das von Oberpräsident Christian Detlef Graf Reventlow verfaßte Generalprivileg vom 18. April 1722 trug dem Gesuch Rechnung und folgte weitgehend wörtlich seinen Formulierungen (siehe PJA [wie Anm. 1], S. 214), die auf diesem Umweg auch für den sechsten Artikel im Generalprivileg Christians VI. vom 12. März 1731 (PJA, S. 232 f.) maßgebend wurden, vgl. PJA, S. 207–219. Allerdings weichen die genannten Texte gerade in der Grenzangabe mehr oder weniger voneinander ab: Im Gesuch der Juden steht, wie bereits zitiert, *biß an die Belt.* Diese Form habe ich mit Hilfe der einschlägigen Wörterbücher anderweit nicht nachweisen können, es handelt sich also wahrscheinlich um einen der Fehler, wie sie in diesem nicht gerade durch eine korrekte Grammatik ausgezeichneten Brief häufiger begegnen. Daß diese Fehlform als endungsloser Akkusativ Plural und nicht als femininer Akkusativ Singular aufzufassen ist, läßt sich daraus schließen, daß es in Reventlows Generalprivileg statt dessen *biß an die Belten* heißt. (Diese Pluralform konkurrierte in der älteren Zeit mit *Belte,* wurde aber spätestens in der ersten Hälfte des 19. Jahrhunderts durch letztere verdrängt, vgl. unter «Belt» in Johann Christoph Adelung: Grammatisch-kritisches Wörterbuch der Hochdeutschen Mundart, mit beständiger Vergleichung der übrigen Mundarten, besonders aber der Oberdeutschen. Theil 1–4. Leipzig 1793–1801, hier T. 1, Sp. 846; Joachim Heinrich Campe: Wörterbuch der deutschen Sprache. Theil 1–5. Braunschweig 1807–1811, hier T. 1, S. 451; Daniel Sanders: Wörterbuch der deutschen Sprache. Band 1–3. Leipzig 1860–1865, hier Bd. 1, S. 114, sowie in: Fuldstændig Tydsk og Dansk Ordbog, sammendragen af de nyeste og bedste Tydske Ordbøger. Bd. 1. Kjøbenhavn 1787, S. 369.) Während Gesuch der Juden und Reventlows Generalprivileg in bezug auf die Grenzangabe also inhaltlich übereinstimmen, hat das Generalprivileg Christians VI. abweichend davon *biß an den kleinen Belt,* und dies ist die Formulierung, auf die sich, wie oben referiert, Oberrabbiner Horwitz berief. Es ist möglich, daß die ursprüngliche Form der Grenzangabe durch das Bestreben motiviert war, außer den Juden in Fredericia auch die Juden in Nakskov und auf Fünen (vgl. Per Katz: Jøderne i Danmark i det 17. århundrede. København 1981, S. 100–103) der Kontrolle der Altonaer Gemeinde und der geistlichen Aufsicht und der Jurisdiktion des Altonaer Oberrabbiners zu unterwerfen. Es ist aber bisher kein Fall aus der Zeit zwischen 1722 und 1731 bekannt geworden, in dem der Oberrabbiner unter Berufung auf Reventlows Generalprivileg diese Funktion gegenüber Juden in Nakskov oder auf Fünen tatsächlich ausgeübt hat. – Übrigens taucht der Plural von «Belt» im Zusammenhang mit Angaben über den Jurisdiktionsbezirk des Altonaer Oberrabbiners im Jahre 1803 noch einmal auf, und zwar in der Zeitschrift *Hamburg und Altona.* Deren zweiter Jahrgang enthält in mehreren Forsetzungen *Charakteristisch-topographische Fragmente über die Stadt Altona und deren Straßen und Pläzze von einem Reisenden,* und darin heißt es (im Abschnitt über die Langestraße): *Unter die ansehnlichern Gebäude dieser Straße gehören das Haus des Postmeisters der konigl. fahrenden Post, des Dr. Mutzenbechers und das des jüdischen Oberrabbiners, welches der Gemeinde gehört, und allemal zur Wohnung dieses Oberhauptes bestimmt ist. Ein solcher Oberrabbiner ist keineswegs eine unwichtige Person. Außer der Hamburger hochdeutschen Judengemeine, gehören alle hochdeutsche Israeliten, die in den dänischen Staaten diesseits der Belte wohnen, unter dessen sowohl weltliche als geistliche Gerichtsbarkeit. Jude contra Jude, müssen alle Sachen, die sich nicht zu Kriminalfällen qualifiziren, vor das jüdische Gericht (das aus dem Oberrabbiner als Präses, aus den Gemeindeältesten und einem Sekretär bestehet,)* gebracht werden. Von diesem Gericht kann nur an die deutsche Kanzlei nach Kopenhagen appelirt werden. Wenn dieses geschieht, so wird das jüdische Gericht befragt, in wie ferne es nach dem Buchstaben des israelitischen Gesezzes gesprochen habe: wird der Spruch als gesezmäßig befunden, so wird an demselben nichts geändert. In sehr vielen Stükken könnte die jüdische der christlichen Gerechtigkeitspflege sehr zum Muster dienen. Außer, daß die Gesezze, nach welchen jenes Gericht spricht, gewöhnlich ganz klar und bestimmt, dabei die Gerichtskosten so billig sind, daß einem Juden sein Prozeß oft nicht so viel Schillinge kostet, als dem Christen vor seinem Gerichtshofe ein Rechtshandel von gleichem Belang an Marken kosten würde; so kommen auch die wenigsten Händel zum eigentlichen richterlichen Spruch, indem die meisten durch gütlichen Vergleich beendiget werden (a. a. O., Jahrg. 2, Bd. 4, S. 72 f.).

134 Am Anm. 130 a. O., S. 4.

135 Am Anm. 130 a. O., S. 5.

136 a. a. O.

137 Am Anm. 130 a. O., S. 6.

138 Am Anm. 130 a. O., S. 7: At de Jöder, som have nedsatt sig og taget Borgerskab i Fridericia, skulde, ligesom andre Byens Borgere og Indvaanere, udi Gields og andre Sager, som mod dem maatte blive anlagde, være sig af Christne eller Jöder, tiltales og liide Dom for Fridericiæ Byeting; og maae ikke, mod deres Villie, fra dette deres rette Værneting, trækkes hen for nogen anden Rett eller Dommere. (Der Passus ist a. a. O. unterstrichen.)

139 Am Anm. 130 a. O., S. 7 f.: At, da de af Ober-Rabbineren paaberaabte Privilegier, som ere udfærdigede giennem det Tydske Cancellie, alleene angaae Fyrstendömmene; ligesom de og hidindtil have været alldeeles ubekiændte, ey alleene i Fridericia, men og overaldt i Dannemark, og i det Danske Cancellie; Saa ombedes de at lade denne Resolution bekiændtgiöre for Over-Rabbineren i Altona, og ham derhos advare, i alle Maader, at holde sig samme efterrettlig, og at redressere, hvad derimod maatte være foretaget. (Der Passus ist unterstrichen.)

140 Am Anm. 130 a. O., S. 8: 9de Julii Ao 1767.

141 Am Anm. 130 a. O., S. 1. Die entsprechende Notiz im Supplikenprotokoll (am Anm. 95 a. O.) nennt statt dessen den 9. Juli: Er indkommen dat: 9 Julii 1767, og vil oplæses; es ist damit jedoch möglicherweise das Datum der Erklärung, nicht ihres Eingangs in der Dänischen Kanzlei gemeint. Im Kanzleiprotokoll (am Anm. 95 a. O.) ist kein Eingangsdatum angegeben.

142 Siehe die entsprechenden Protokollnotizen in RAK am Anm. 95 a. O. und vgl. auch Luxdorphs Dagbøger (wie Anm. 42), Bd. 1, S. 318.

143 Siehe ebenda.

144 Das Konzept des Reskripts liegt im RAK am Anm. 91 a. O., der Registereintrag findet sich in RAK DK D 28, Jyske Tegnelser 1767, Nr. 91. – Was im Reskript als königlicher Befehl erscheint, entspricht fast durchgehend wörtlich dem oben in Anm. 138 zitierten Votum des Generalprokureurs; auch sonst übernimmt das Reskript weitgehend die Formulierungen des Stampeschen Gutachtens.

145 Das Konzept dieses als «Promemoria» bezeichneten Schreibens liegt in RAK DK D 101, Koncepter og Indlæg til Kancelliets Breve 1767, Nr. 471, der Registereintrag findet sich in RAK DK D 99, Oversekretærens Brevbog 1767, Nr. 471. – Das Ersuchen der Dänischen Kanzlei entspricht weitgehend wörtlich dem oben in Anm. 139 zitierten zweiten Teil des Stampeschen Votums.

146 Siehe das Konzept dieses Schreibens in RAK TKIA B 18, XII, Koncepter og Indlæg, lagt efter Reskripten Extrakten, 1765–1770. Ein Registereintrag ist nicht erhalten, vgl. aber LASH Abt. 65.2, Nr. 7151, Reskripten Extrakten 1767, S. 146, November Nr. 80.

147 Vgl. oben Anm. 120.

148 Mitteilung des Landsarkivet for Nørrejylland (LAN) vom 6. November 1973.

149 Vgl. S. 125 und Anm. 170.

150 Vgl. Aage Friis: Bernstorfferne og Danmark. Bidrag til den danske Stats politiske og kulturelle Udviklingshistorie 1700–1835. 2. Bd. Johann Hartvig Ernst Bernstorff i Frederik V's Conseil. København og Kristiania 1919, S. 86 und S. 100–104; Aage Friis: Die Bernstorffs und Dänemark. 2. Bd. Johann Hartvig Ernst von Bernstorff im Conseil Friedrichs V. (Aus dem Dänischen übersetzt von Ernst Hoffman und Joachim Graf von Bernstorff. Bentheim 1970), S. 80 und S. 92–94. (Künftig wird nur die deutsche Übersetzung angeführt.)

151 Vgl. Danmarks Historie. Under redaktion af John Danstrup og Hal Koch. Bd. 1–14. (København) 1962–1966. [Künftig zitiert: DH]; hier Bd. 9: Oplysning og Tolerance 1721–1784. Af Svend Cedergreen Bech. (København) 1965, S. 404–408; 410–416; 419–421 (bes. S. 414–416).

152 Siehe Friis (wie Anm. 150), S. 87f. und vgl. auch ebenda, S. 85f.; 92.

153 Vgl. oben S. 118f. – Der Text desRabbinatsbriefes (ktav ha-rabbanut) findet sich in StAH JG 16, Bl. 7f., der den Amtsbezirk betreffende Passus ebenda, Bl. 7, Zeile 25ff. Diese Stelle stimmt wörtlich mit dem entsprechenden Passus im Rabbinatsbrief des Jonathan Eybeschütz überein, vgl. dessen Text in StAH JG 1, Bl. 52–55 (die fragliche Stelle: Bl. 52a, Zeile 24f.). Der erste Rabbinatsbrief, der bei der Angabe des Amtsbezirks über die Drei Gemeinden hinausgeht, ist, wenn ich recht sehe, der von Eybeschütz' Vorgänger Jecheskel Katzenellenbogen, vgl. den Text seines Rabbinatsbriefes in StAH JG 1, Bl. 46f. (die fragliche Stelle – die im Wortlaut von den oben genannten abweicht – findet sich dort Bl. 46a, Zeile 21f.); Jecheskel Katzenellenbogen kam 1713 nach Altona, im gleichen Jahr wie Oberpräsident Christian Detlef Graf Reventlow, bei dem und durch den die Altonaer Schutzjuden später die Restitution und Extension ihres Jurisdiktionsprivilegs durchsetzen konnten (siehe PJA [wie Anm. 1], S. 83–85; 207–214 und vgl. auch oben S. 129f. und unten Anm. 195 und Anm. 199). Übrigens könnte eine – allerdings in stark polemisch gefärbtem Kontext stehende – Stelle bei Jakob Emden: Megillat Sefer [...]. Warschau 1897, Nachdruck New York 1955, S. 136 (vgl. auch S. 133f.) darauf hindeuten, daß der jahrzehntelang in der führenden Schicht der aschkenasischen Gemeinde in Altona eine wichtige Rolle spielende Bär Cohen dabei die treibende Kraft war. Doch bedarf diese Vermutung jedenfalls der Bestätigung durch andere, von Jakob Emden unabhängige Quellen (vgl. Anm. 195 am Ende). Über Bär Cohen vgl. David Kaufmann: Isachar Bär Cohen gen. Berend Cohen, der Gründer der Klause in Hamburg, und seine Kinder. In: MGWJ 40 (1896), S. 220–229; 262–279; 330f.; Denkwürdigkeiten der Glückel von Hameln. Aus dem Jüdisch-Deutschen [in Auswahl] übersetzt, mit Erläuterungen versehen und herausgegeben von Alfred Feilchenfeld. (Nachdruck der vierten Auflage, Berlin 1923). Königstein/Ts. 1980, S. 237ff.

154 Vgl. oben S. 117 und Anm. 107.

155 Vgl. PJA [wie Anm. 1], S. 240f.; 271f.; 333f.; 339–341 u. ö.

156 Über den dänischen Absolutismus, seine Besonderheiten und seine Bedeutung für die Absolutismus-Diskussion der historischen Forschung sowie über diese selbst vgl. Kersten Krüger: Absolutismus in Dänemark – ein Modell für Begriffsbildung und Typologie. Mit zwei Beilagen: Erb- und Alleinherrschaftsakte 1661 und Lex Regia 1665 in der Übersetzung von Theodor Olshausen. In: ZSHG 104 (1979), S. 171–206. Über die oben erwähnten Friedensschlüsse und was ihnen vorherging, über die kritische Lage in Dänemark um 1660, über die Einführung des Absolutismus in Dänemark und über die Probleme und Aufgaben, denen die absolute Monarchie in Dänemark sich bei ihrer Errichtung gegenübersah, vgl. DH (wie Anm. 151), Bd. 7: Christian 4.s Tidsalder 1596–1660.

Af Svend Ellerhøj, S. 454–525; DH, Bd. 8: Den unge Enevælde 1660–1721. Af Gunnar Olsen. Afsluttet af Finn Askgaard, S. 11–18 und S. 19 ff.; Holm (wie Anm. 128), Bd. 1, S. 3 ff.; Krüger a. a. O., S. 179 ff. und die dort angegebene weitere Literatur. (Oben im Text ist von diesen Vorgängen und Verhältnissen nur dasjenige erwähnt, was im vorliegenden Zusammenhang von Bedeutung ist.)

157 Vgl. Holm (wie Anm. 128), Bd. 2, S. 3 ff. und über das Königsgesetz DH, Bd. 8 (wie Anm. 156), S. 126–130; Ernst Ekman: Das dänische Königsgesetz von 1665. In Walther Hubatsch (Hrsg.): Absolutismus. Darmstadt 1973. (Wege der Forschung, Band 314), S. 223–237; Krüger (wie Anm. 156) S. 182 f. Der dänische und der lateinische Text des Königsgesetzes ist bequem zugänglich durch einen 1973 erschienenen reprografischen Nachdruck von: Kongeloven og dens Forhistorie. Aktstykker, udgivne af de under Kirke- og Undervisningsministeriet samlede Arkiver. Kjøbenhavn 1886. Eine deutsche Übersetzung liegt vor in Theodor Olshausen: Das dänische Königsgesetz. Das ist das fortwährend geltende Grundgesetz für das Königreich Dänemark. Nach der dänischen officiellen Ausgabe übersetzt, mit einer historischen Einleitung und einer Schlußbemerkung versehen. Kiel und Eutin 1838. Sie ist wieder abgedruckt bei Krüger (wie Anm. 156), S. 196–206.

158 Siehe DH, Bd. 8 (wie Anm. 156), S. 47–51; 150 f.; 511; Holm (wie Anm. 128), Bd. 1, S. 43 ff.; Friis (wie Anm. 150), S. 13–15; 77 ff. und vgl. auch Krüger (wie Anm. 156), S. 184 f.

159 Vgl. Holm (wie Anm. 128), Bd. 2, S. 105 ff.; Friis (wie Anm. 150), S. 12 f.; 15 ff.

160 Vgl. Holm (wie Anm. 128), Bd. 1, S. 111 f.; DH, Bd. 8 (wie Anm. 156), S. 273–276 sowie die ebenda, S. 510 angeführte Literatur. Danske Lov wird zitiert nach Buch – Kapitel – Artikel (= Paragraph); ich habe folgende Ausgabe benutzt: Kong Christian den Femtis Danske Lov. Ved Justitsministeriets Omsorg, under det Juridiske Fakultets Tilsyn udgivet og med Kildehenvisninger forsynet af V[ilhelm] A[dolf] Secher. København 1891. Eine deutsche Fassung des Gesetzbuches erschien 1699: Königs Christians Des Fünfften Dänsches Gesetz. Aus dem Dänschen ins Teutsche übersetzet [...] Durch H(enrich) W(eghorst). Copenhagen [...] 1699. (Künftig zitiert: Weghorst.) – Über die Rechtspflege und ihre Mängel, die hauptsächlich durch fehlende Qualifikation und unzureichende Bezahlung und zum Teil durch die Abhängigkeit der Richter bei den Untergerichten verursacht waren, vgl. Holm (wie Anm. 128), Bd. 1, S. 66 ff.; 271 ff.; Bd. 2, S. 133; 153; 171 f.; DH, Bd. 8 (wie Anm. 156), S. 276–286.

161 Vgl. Holm (wie Anm. 128), Bd. 1, S. 40–71; 467.

162 Vgl. Holm (wie Anm. 128), Bd. 1, S. 84 f.; 466.

163 Vgl. Holm (wie Anm. 128), Bd. 1, S. 25 ff.; 40 ff.; 466.

164 Vgl. Holm (wie Anm. 128), Bd. 1, S. 85.

165 Vgl. DH, Bd. 8 (wie Anm. 156), S. 19–46; Krüger (wie Anm. 156), S. 180 f.

166 Vgl. Holm (wie Anm. 128), Bd. 2, S. 5 ff.; 83 ff.

167 Über den Dirigismus des absolutistischen Staates vgl. weiter unten und die in Anm. 185 genannten Stellen bei Holm.

168 Vgl. Holm (wie Anm. 128), Bd. 1, S. 145; Bd. 2, S. 32.

169 Vgl. Holm (wie Anm. 128), Bd. 1, S. 21 ff.; 468; Bd. 2, S. 372; 404.

170 Zur Überlastung der Zentralbehörden vgl. Luxdorphs Dagbøger (wie Anm. 42), Bd. 1, S. XXIII; Holm (wie Anm. 128), Bd. 1, S. 49 f.; Friis (wie Anm. 150), S. 79. Über den schleppenden Geschäftsgang siehe Friis a. a. O., S. 40 und S. 79.

171 Vgl. zu ersterem Holm (wie Anm. 128), Bd. 1, S. 148; Friis (wie Anm. 150), S. 40 und S. 87, zu letzterem P[eter] Vedel: Den ældre Grev Bernstorffs Ministerium. Inledning til «Correspondance ministerielle du comte J. H. E. Bernstorff». Kjøbenhavn 1882, S. 359.

172 Siehe Kongeloven (wie Anm. 157), S. 43. Die Stelle ist in modernisierter Schreibweise zitiert bei Hartvig (wie Anm. 2), S. 62 und findet sich in Olshausens deutscher Übersetzung bei Krüger (wie Anm. 156), S. 197 f.

173 Vgl. Per Katz (wie Anm. 133), S. 63 f.

174 Das oben im Text Gesagte gilt nur für das eigentliche Dänemark. In Glückstadt hatten sefardische Juden bereits 1619 von Christian IV. das Recht zur Niederlassung erhalten, siehe Gerhard Köhn: Die Bevölkerung der Residenz, Festung und Exulantenstadt Glückstadt von der Gründung 1616 bis zum Endausbau 1652. Methoden und Möglichkeiten einer historisch-demographischen Untersuchung mit Hilfe der elektronischen Datenverarbeitung. Band 1: Textband. Neumünster 1974. (Quellen und Forschungen zur Geschichte Schleswig-Holsteins, Band 65), S. 127–139 (das Privileg vom 3. August 1619 ist ebenda, S. 165 f. abgedruckt) und vgl. auch M[ax] Grunwald: Portugiesengräber auf deutscher Erde. Beiträge zur Kultur- und Kunstgeschichte. Hamburg 1902, S. 128 ff.; Hartvig (wie Anm. 2), S. 33 f.; Per Katz (wie Anm. 133), S. 17–21; und als Altona mit der Herrschaft Pinneberg 1640 an die dänische Krone gekommen war, durften die in diesem Ort ansässigen Juden auf Grund ihrer älteren, am 1. August 1641 von Christian IV. bestätigten Privilegien dort wohnen bleiben, siehe PJA (wie Anm. 1), S. 54 f.; 134–139.

175 Vgl. Hartvig (wie Anm. 2), S. 61 ff.; Per Katz (wie Anm. 133), S. 65 ff.

176 Mit dieser Einstellung und Praxis stand der dänische Absolutismus nicht allein da, vgl. zum Beispiel Stefi Jersch-Wenzel: Juden und «Franzosen» in der Wirtschaft des Raumes Berlin/Brandenburg zur Zeit des Merkantilismus. Mit einem Geleitwort von Otto Büsch. Berlin 1978. (Einzelveröffentlichungen der Historischen Kommission zu Berlin, Band 23), besonders S. 33–42.

177 Vgl. PJA (wie Anm. 1), S. 61 und S. 295–297.

178 Der Begriff «Interesse» ist hier verwendet als «Bezeichnung für Absichten und Ziele (vor allem: materielle, ökonomische und politische Ziele), deren Verwirklichung für eine Person oder Personengruppe nützlich oder vorteilhaft ist» (Lexikon zur Soziologie. Herausgegeben von Werner Fuchs u. a. Band 1–2. Reinbek bei Hamburg 1975; hier Bd. 1, S. 312).

179 Vgl. oben S. 117; 119; 121 und Anm. 106.

180 Siehe PJA (wie Anm. 1), S. 72 f. und vgl. weiter unten und Anm. 184.

181 Vgl. oben S. 105 und Brilling (wie Anm. 3), S. 29 f.

182 Vgl. oben S. 105–107

183 Brilling (wie Anm. 3), S. 30.

184 Vgl. Hartvig (wie Anm. 2), S. 176 ff. (über Streitigkeiten in den jüdischen Gemeinden in Kopenhagen und Fredericia, die mit Hilfe staatlicher Instanzen ausgetragen wurden); Bernhard Brilling: Der Hamburger Rabbinerstreit im 18. Jahrhundert. In: ZHG 55 (1969), S. 219–244 – vgl. auch PJA (wie Anm. 1), S. 72 – (über den durch den Vorwurf der Ketzerei ausgelösten sogenannten Amulettenstreit zwischen Jakob Emden und Oberrabbiner Jonathan Eybeschütz in Altona); StAH Altona 100 Ia 2, S. 1037 f. (betreffend die Klage zweier jüdischer Prozeßparteien beim Altonaer Oberpräsidenten auf Herausgabe eines vom Oberrabbiner im Zusammenhang mit dem Verfahren vor dem jüdischen Gericht beschlagnahmten Buches). Zur Möglichkeit der Appellation vom jüdischen Gericht in Altona vgl. unten Anm. 190. Ein Eingriff des Staates in jüdische Religionsangelegenheiten ist PJA (wie Anm. 1), S. 73, staatliche Eingriffe in die jüdische Rechtsprechung sind ebenda, S. 87 angeführt.

185 Vgl. Holm (wie Anm. 128), Bd. 1; S. 232 f.; 296–298; 469 f. u. ö. – Holm illustriert mit diesen und anderen Beispielen, was er gelegentlich den «Regelungsgeist» (Reguleringsaanden, a. a. O., Bd. 1, S. 256) des dänischen Absolutismus und an anderer

Stelle «die disziplinierende Autorität des Staates» (Statsmagtens disciplinerende Myndighed, a. a. O.,Bd. 1, S. 296) nennt. Solange man den Blick nur darauf richtet, liest sich das wie eine Bestätigung der These von Gerhard Oestreich, «Sozialdisziplinierung» sei als «Fundamentalvorgang» «Grundtatsache und Leitidee» des europäischen Absolutismus und zugleich sein politisches und soziales Ergebnis gewesen, siehe Gerhard Oestreich: Strukturprobleme des europäischen Absolutismus. In: Vierteljahrschrift für Sozial- und Wirtschaftsgeschichte 55 (1968), S. 329–347; hier S. 337f. Doch widersetzt sich die in Holms Darstellung zutage tretende Komplexität des historischen Befundes einer so einäugigen Betrachtungsweise, welche die – oben S. 124 bereits kurz gestreiften – gegenläufigen Tendenzen außer acht läßt, und fordert dazu auf, Programm und Wirklichkeit nicht zu verwechseln, sondern den Grad ihrer Übereinstimmung beziehungsweise Nichtübereinstimmung möglichst genau zu bestimmen, vgl. dazu auch Franklin Kopitzsch: Die Sozialgeschichte der deutschen Aufklärung als Forschungsaufgabe. In: Franklin Kopitzsch (Hrsg.): Aufklärung, Absolutismus und Bürgertum in Deutschland. München 1976. (Nymphenburger Texte zur Wissenschaft. Modelluniversität 24), S. 11–169; hier S. 23.

186 Vgl. oben S. 106f.

187 Vgl. oben S. 119.

188 Rücksicht auf das Wohl der betroffenen Untertanen kam als Haupt- oder Nebenmotiv der Regierungsentscheidung in diesem Fall nicht in Betracht, da die Untersuchung ja ergeben hatte, daß die Schächtgelderhöhung in der vom Oberrabbiner modifizierten Form keine zusätzliche Belastung der Schlachter bedeutete.

189 Vgl. oben S. 107.

190 Vgl. zum Eid der Pastoren Danske Lov 2-3-9 (Weghorst, 2. Buch, S. 7), der Richter Danske Lov 1-5-1 (Weghorst, 1. Buch, S. 27; das Eidesformular ebenda, 6. Buch, S. 81f.), anderer königlicher Beamter Danske Lov 3-4-1 (Weghorst, 3. Buch, S. 7), des (Ober-)Rabbiners in Altona PJA (wie Anm. 1), S. 167; 215. (Wie aus dem königlichen Reskript an den Oberpräsidenten in Altona vom 6. November 1752 hervorgeht, hatte der Oberrabbiner den Eid der Treue vor dem altonaischen Obergericht abzulegen, siehe RAK TKIA B 12, Inl. Reg. 1752, November Nr. 23, hier a. a. O., S. 1334f.). – Die Urteile des jüdischen Gerichts waren im Prinzip inappelabel; doch wurde gelegentlich die Appellation ausdrücklich zugelassen, und unabhängig davon stand es dem Verurteilten immer frei, sich an den König zu wenden, vgl. PJA (wie Anm. 1), S. 86f. und die dort in Anm. 246f. angegebenen weiteren Stellen. Vgl. auch oben S. 127 und die in Anm. 184 erwähnte Klage gegen den Oberrabbiner vor dem Oberpräsidium.

191 Vgl. oben S. 120.

192 Vgl. oben S. 120f.

193 Vgl. oben S. 121.

194 Stampe weist in seinem Gutachten (oben Anm. 130) darauf hin, daß diejenigen Juden, die in Fredericia Bürger geworden seien, mit gleichem Recht wie die Juden in Kopenhagen oder Nakskov darauf bestehen könnten, daß ihre Prozesse und Zivilstreitigkeiten nach dänischem Recht (Danske Lov) entschieden würden; und es sei nicht zu vermuten, daß das dänische Recht dem Oberrabbiner in Altona bekannt sei. Die klare Bestimmung des Danske Lov (1-2-3f.), daß niemand «von seiner ordentlichen Gerichtsstätte gezogen werden» dürfe (Weghorst, 1. Buch, S. 5) und daß diese sich nach dem Wohnort des Beklagten richte (vgl. a. a. O., S. 6), ist allerdings in Stampes Gutachten merkwürdigerweise nicht erwähnt. Dabei hätte diese Bestimmung ihn eigentlich veranlassen müssen, die Frage zu untersuchen, ob Sonderrecht (Privileg) Landesrecht bricht oder umgekehrt. Der Gedankengang seines Gutachtens scheint freilich ersteres implizit vorauszusetzen. (Andernfalls wäre es überflüssig gewesen, die Formulierung des Juris-

diktionsprivilegs betreffend die Grenzen des Jurisdiktionsbezirks des Altonaer jüdischen Gerichts eingehend kritisch zu untersuchen.) Aber es bleibt doch auffallend, daß Stampe die Frage nicht explizit formuliert hat.

195 Die Geschichte des Jurisdiktionsprivilegs der Altonaer Schutzjuden, von der oben nur die seinen geographischen Geltungsbereich betreffenden Daten angeführt sind, verlief nicht im Sinne einer geradlinigen Entwicklung. So wurde ihnen die 1680 zugestandene Gerichtsbarkeit in Polizei- und Zivilsachen der Altonaer Schutzjuden 1705 wieder entzogen und erst 1722 wieder zugestanden; und im Zusammenhang mit dem sogenannten Amulettenstreit (oben Anm. 184) war die ausschließliche Zuständigkeit des Altonaer jüdischen Gerichts für Zivilsachen der Altonaer Schutzjuden von 1754–1763 aufgehoben, vgl. die Skizze der Geschichte des Jurisdiktionsprivilegs in PJA (wie Anm. 1), S. 80–88. – Nicht mit der Geschichte dieses Jurisdiktionsprivilegs als solchen zu tun hat die Unterbindung der Zivilgerichtsbarkeit des Altonaer Oberrabbiners über in Hamburg wohnende aschkenasische Juden durch die Hamburger Stadtregierung. Sie ist auch weder – wie Jakob Emden behauptet (Megillat Sefer [wie Anm. 153], S. 41 f.) – als Reaktion der Hamburger Behörden auf die Klagen Hamburger Juden über die (angebliche) Willkürjustiz des Oberrabbiners Jecheskel Katzenellenbogen aufzufassen noch hängt sie – wie Shohet (wie Anm. 230), S. 87 annimmt – mit dem Antagonismus zwischen jüdischer Autonomie und staatlichem Herrschaftsanspruch zusammen. Vielmehr dürfte sie auf den hamburgisch-dänischen Gegensatz zurückzuführen sein: Der Hamburger Senat betrachtete die Ausübung der Gerichtsbarkeit des der dänischen Krone unterstehenden Altonaer Oberrabbiners über Hamburger Juden als Eingriff in die Souveränität des Stadtstaates und verbot daher den Hamburger Juden im Jahre 1734, *fremde Citationen allhier zu bestellen oder zu insinuiren oder dergleichen anzunehmen* (Senatsdekret vom 21. Januar 1734, hier zitiert nach M[oses] M. Haarbleicher: Aus der Geschichte der Deutsch-Israelitischen Gemeinde in Hamburg. Zweite Ausgabe. Hamburg 1886, S. 13), nachdem in den zwanziger Jahren, vermutlich aus dem gleichen Grunde, den Hamburger Rabbinern und Ältesten vorübergehend eine eigene Jurisdiktion zugestanden worden war (siehe Grunwald [wie Anm. 14], S. 40 f.). Wie aus dem oben Gesagten erhellt, ist auch die weitere Behauptung Shohets (a.a. O), im Jahre 513 sei Oberrabbiner Jonathan Eybeschütz auch die Jurisdiktionsbefugnis über die Altonaer Juden entzogen worden, so nicht zutreffend. Jakob Emden, auf den Shohet sich in diesem Fall ausschließlich stützt, ist in seiner Formulierung vorsichtiger, wenn er schreibt (Megillat Sefer [wie Anm. 153], S. 179), zu Chanukka 513 (d. h. im Herbst 1752) sei ein Wort des Königs wegen Eybeschütz ergangen, das die Macht und die Ehre von ihm nahm, so daß er niemanden mehr *zwingen* konnte, sich seinem Gericht zu stellen (Hervorhebung von mir). Allerdings stimmt diese Formulierung allenfalls zum königlichen Reskript vom 11. März 1754, durch das unter anderem die Jurisdiktion des Oberrabbiners und der Altonaer Ältesten *bis auf weiteres* auf die freiwillige Gerichtsbarkeit eingeschränkt wurde (PJA [wie Anm. 1], S. 280), während das königliche Reskript vom 6. November 1752 lediglich anordnete, daß, *solange bis die unter ihnen wiederhergestellte vorige Ruhe und Einigkeit zulänglich würde bescheiniget werden, und zwar vorerst auf ein Jahr, einem jeden ihres Mittels, der sich durch die Erkentniß des Ober-Rabbiners und der Aeltesten graviret finden mögte, erlaubet seyn solte, davon, ohne Befürchtung eines Bannes, an dich als dermaligen Ober-Praesidenten zu provociren und nach genugsam vernommener beiderseitigen Notdurft rechtliche Verfügung zu gewärtigen* (PJA [wie Anm. 1], S. 281 Anm. 1). Die 1754 verfügte Einschränkung des Jurisdiktionsprivilegs wurde übrigens 1763, also noch zu Eybeschütz' Lebzeiten, wieder aufgehoben (siehe PJA [wie Anm. 1], S. 298 f.), was Jakob Emden verschweigt. Der ganze hier erörterte Befund veranlaßt mich, an dieser Stelle mit Nachdruck, wenn auch in aller Vorläufigkeit, auf die grund-

sätzliche Frage nach dem Quellenwert von Jakob Emdens Megillat Sefer hinzuweisen. Angesichts der notorischen Parteilichkeit des Verfassers und des polemischen Charakters zumindest eines großen Teils seiner Schrift hat, wie ich meine, der Quellenwert der in ihr enthaltenen historischen Nachrichten prinzipiell als fragwürdig zu gelten. Das bedeutet – was bei Shohet und anderen nicht immer hinreichend beachtet zu sein scheint –, daß sie wohl heuristischen Wert haben können, aber in jedem Fall der Verifizierung durch andere Quellen bedürfen.

196 PJA (wie Anm. 1), S. 167.

197 PJA (wie Anm. 1), S. 214. Vgl. dazu auch oben S. 120 und Anm. 133.

198 So bestimmte der 6. Artikel des Generalprivilegs Christians VI. für die königlich dänischen Schutzjuden in Altona und Hamburg vom 12. März 1731, daß der im oben zitierten Text von 1722 genannte Personenkreis *schuldig und gehalten seyn* solle, *vor dem Rabbiner und den Ältesten zu Altona zu compariren und, was unter ihnen streitig und strafbahr, ohne Zuziehung des Stadt-Magistrats* in Altona *beurteilen oder vertragen zu laßen, jedoch nur in so weit Unser hohes königliches Interesse darunter nicht versiret, auch die Sache kein Delictum criminale betrifft* (PJA [wie Anm. 1], S. 232f.); und das königliche Reskript an das Oberappellationsgericht zu Glückstadt vom 24. Juli 1739 stellte fest, dies gelte *ohne einigen unter denen Casibus, so die jüdischen Gesetze und Ceremonien specialiter concerniren, und anderen, blos bürgerlichen Sachen gemachten Unterschied* (PJA, S. 248) und fügte hinzu, daß damit *auch die seitherige Praxis und Observance völlig übereinstimmt, nach welcher in denen unter Juden vorfallenden Schuldforderungs- und anderen Civil-Streitigkeiten (wohin jedoch die Policey- und Concurs-Sachen und Actiones reales von der Judenschaft selbst niemahls gerechnet, sondern jederzeit vor denen altonaischen Stadt-Gerichten, mit Vorbehalt der Appellation, abgetan worden) die Rabbiner und Aeltesten fundatam jurisdictionem haben und ihre Erkäntniße so gleich remota appellatione durch den Bann vollstrecken* (PJA, S. 249).

199 Das gilt vor allem für Reventlows «Generalentwurf» von 1722, siehe PJA (wie Anm. 1), S. 211 und Anm. 3 sowie oben Anm. 133; doch vgl. auch PJA, S. 171 Anm. 17 mit PJA, S. 167 (§ 5), wo allerdings die den Jurisdiktionsbezirk bezeichnende Formel des Gesuchs – *in Ihro Königlichen Majestät Reichen und Landen* – auf das oben zitierte, nur die Herzogtümer umfassende *fürstentumben und landen* reduziert ist. (Vgl. dazu auch oben Anm. 153.)

200 Vgl. oben S. 120 und Anm. 133.

201 PJA (wie Anm. 1), S. 214 (vgl. auch S. 232). Der entsprechende Passus im Gesuch vom 30. Mai 1721 ist bereits oben in Anm. 133 zitiert.

202 Vgl. Holm (wie Anm. 128), Bd. 1, S. 374–378.

203 Vgl. PJA (wie Anm. 1), S. 55f. sowie generell ebenda, S. 74f. und siehe auch LASH Abt. 65.1, Nr. 1693, Vol. 1, fol. 49, wo Oberpräsident Christian Detlef Graf Reventlow sich – in einem eigenhändigen französischen Brief an den Obersekretär der Deutschen Kanzlei, Kristian von Sehestedt – für die Restitution des 1705 auf Zeremonialsachen eingeschränkten Jurisdiktionsprivilegs (vgl. oben Anm. 195) unter anderem mit der Begründung einsetzt, *il ny a pas autre mojen detenir ce petit peuple juif dans la discipline.* – Die hier geschilderte Politik und die Einstellung, auf der sie beruhte, waren nicht nur für den dänischen Absolutismus charakteristisch. So wurde der von Jonathan Eybeschütz 1751 zum Rabbiner in Mecklenburg (Schwerin) ordinierte Jeremias Israel 1763 von Herzog Friedrich dem Frommen zum Landrabbiner von Mecklenburg-Schwerin ernannt und ihm durch herzogliches Reskript vom 5. November 1763 auch die Jurisdiktion in Streitsachen zwischen Juden übertragen; und durch herzogliches Reskript vom 2. Mai 1764 wurden die Behörden unterrichtet, «Oberrabbiner Jeremias Israel» sei «zum Ober-Landes-Rabbiner» [...] bestellt und [...] zur Hemmung aller Unordnungen

und richterlichen Entscheidung der Streitigkeiten [...] unter den Juden [...] autorisiert»
worden, siehe L. Donath: Geschichte der Juden in Mecklenburg. Leipzig 1874, S. 124–
126.

204 Das *ordnungspolitische Interesse* der Altonaer Schutzjuden kommt sehr deutlich
zum Ausdruck in ihrer Eingabe an den König vom 30. Mai 1721. Darin klagen sie, daß
die ihnen *allergnädigst verliehenen Privilegia und heilsame Statuta gemißbrauchet, hint-*
angesetzet, oder auch contra mentem et intentionem Regiam interpretiret würden, *wo-*
durch allerhand nicht allein unß sondern auch dem gantzen Publico höchstnachtheilige
Unordnungen eingerißen, und zu Zeiten verschiedene lasterhaffte Menschen mit einge-
schlichen, welche die Nation in üble Nachreden gebracht, ihren Credit geschwächet,
Commercien [?] *gehemmet, und unß auf viele Wege großen Schaden zugefüget, angese-*
hen daßjenige, so von dergleichen Particuliren geschehen, zum öffteren unsern [!] *gant-*
zen Corpore wollen imputiret und selbiges sowohl bey Einheimischen alß Fremden, sogar
auch bey anderwertigen unserer eigenen Glaubensgenoßen denigeriret werden (LASH
Abt. 65.1, Nr. 1693, Vol. 2, fol. 152v–153r); und auf die Abstellung dieser «Unordnungen» zielt die von ihnen gewünschte Restitution (und Extension) des Jurisdiktionsprivilegs, siehe den betreffenden, oben in Anm. 133 zitierten Passus der Eingabe (und vgl.
auch PJA [wie Anm. 1], S. 146, § 6 und PJA, S. 213, Artikel III). Vgl. außerdem Graupe,
Entstehung (wie Anm. 80), S. 49 und wegen der die Steuermoral gefährdenden und für
die Gemeindefinanzen nachteiligen Exemtionen unten Anm. 225.

205 Die *Allerunterthänigste Vorstellung und Bitte abseiten der gesambten Schutzver-*
wandten Juden zu Altonah hochteutscher Nation vom 30. Mai 1721 begründet das Gesuch um ein neues Generalprivileg – welches das Jurisdiktionsprivileg in seinem alten,
vollen Umfang enthalten sollte (vgl. oben Anm. 133) – unter anderem mit dem Hinweis
darauf, *daß die Aufnahme und der Anwachß eines nützlichen Commercii, ein gutes Ge-*
richte, ungeschwechten Credit, und ehrlichen Nahmen als ein unentbehrliches Requisi-
tum gleichsahm praesuponiren (LASH Abt. 65.1, Nr. 1693, Vol. 2, fol. 153r). Übrigens
zeigt die hier und in der vorigen Anmerkung zitierte Eingabe sehr deutlich, daß und wie
eng *das ordnungspolitische* und *das wirtschaftspolitische Motiv* nach Auffassung der
Altonaer Schutzjuden miteinander zusammenhingen. – Der allgemein gehaltenen Argumentation dieser Bittschrift fügte Oberpräsident Christian Detlef Graf Reventlow ein
spezielles Argument hinzu, das aller Wahrscheinlichkeit nach ebenfalls auf die Juden
zurückgeht. Es findet sich erstmals im Postskriptum zu einem eigenhändigen französischen Brief Reventlows an Obersekretär Kristian von Sehestedt vom 3. Oktober 1721
(zitiert in PJA [wie Anm. 1], S. 210 Anm. 4) und sehr viel ausführlicher in seinem Schreiben an den König vom 11. Dezember 1721, in dem er sich für die Wiederherstellung der
jüdischen Jurisdktion in ihrem alten Umfang einsetzte (vgl. PJA, S. 208); er schreibt
dort, *durch Entziehung sothanes Privilegii* seien *sehr viele vornehme und reiche Familien*
von den Juden abgeschrecket worden, sich in Altona niederzulaßen und zu etabliren;
dagegen hoffe er zuversichtlich, daß durch die Restitution des Privilegs *sehr viele an-*
sehnliche und considerable Familien von dieser Nation, die sich anitzo in auswärtigen
Ländern aufhalten, würden angereitzet werden, sich in Altona niederzulaßen und da-
selbsten ihr Wesen zu treiben, wodurch Eurer Königlichen Majestät Intereße und der
Stadt Altona Nutzen und Aufkommen umb ein großes würde befordert werden. Er fügt
hinzu, er habe *die Nachricht* [...], *daß ein gewißer Jude, aus Altona gebührtig, sich itzo*
in Engelland aufhaltend, so aus Indien gekommen und einen fast unbeschreiblichen
Reichthumb besitzet, nicht unabgeneigt [!] *seyn soll, sich in Altona zu setzen, deßen*
Vorsatz durch die erbethene Allergnädigste Wieder-Ertheilung ofterwehnten Privilegii
umb ein groses würde befordert werden (LASH Abt. 65.1, Nr. 1693, Vol. 2, fol. 151v
und 170r). – Hierher gehört ferner die im Jahre 1739 geäußerte Befürchtung, die von der

Regierung erwogene Einschränkung der sofortigen Vollstreckbarkeit von Urteilen des jüdischen Gerichts in Altona durch den Bann könnte zur Abwanderung von Juden aus Altona führen, vgl. PJA (wie Anm. 1), S. 247, 248 und 249 und das Zitat der zuletzt genannten Stelle unten in Anm. 208.

206 Graupe, Statuten (wie Anm. 81), S. 123 Anm. 168. (Dort ist nicht von Altonaer Juden, sondern von jüdischen Kaufleuten überhaupt die Rede.)

207 Die Notwendigkeit einer solchen Verifizierung läßt sich wie folgt begründen: 1. Juden in Altona waren auch mit den Verfahren vor nichtjüdischen Instanzen vertraut (vgl. S. 133). 2. Auch das Argument des Zeit- und Kostenvorteils bei Verfahren vor dem jüdischen Gericht trifft auf die Altonaer Verhältnisse vermutlich allenfalls mit Einschränkung zu. Denn Verfahren vor dem Oberpräsidium scheinen ebenfalls ausschließlich oder überwiegend mündlich abgewickelt worden zu sein; auch bemühte sich der Oberpräsident offenbar, die Überweisung zunächst bei ihm anhängig gemachter Sachen an die ordentlichen Gerichte und damit einen förmlichen Prozeß zu verhindern, indem er die Parteien, wo irgend möglich, zu einem außergerichtlichen Vergleich überredete, der dann im Oberpräsidialprotokoll beurkundet wurde. (Diese auf stichprobenartiger Durchsicht einiger Bände der Oberpräsidialprotokolle beruhende Vermutung wird für die Amtszeit des Oberpräsidenten Hans Graf Rantzau – Oktober 1746 bis März 1749 – weitgehend bestätigt durch die – auf Rantzaus eigenen Bericht zurückgehende – Darstellung seiner an die Praxis des Oberpräsidenten Christian Detlef Graf Reventlow anknüpfenden, unentgeltlich ausgeübten Tätigkeit als «Friedensrichter» bei Wolfgang Prange: Hans Rantzau auf Ascheberg im königlichen Dienst. In: ZSHG 94 [1969], S. 189–229; hier S. 212). Das stimmt zu den von Holm erwähnten Verhältnissen in Schleswig und zu den fortgesetzten Bemühungen des absolutistischen Staates um schnellstmögliche Entscheidung in Zivilstreitigkeiten, siehe Holm (wie Anm. 128), Bd. 1, S. 274 und vgl. Danske Lov 1-5-7f. (Weghorst, 1. Buch, S. 28f.). 3. Da es tatsächlich Fälle gab, in denen Altonaer Schutzjuden ihre Streitigkeiten vor das Oberpräsidium brachten (siehe S. 133 und Anm. 218 und vgl. auch Anm. 223), bleibt nur der Weg des quantitativen Vergleichs, um herauszufinden, ob die Altonaer Schutzjuden, aufs Ganze gesehen, das Verfahren vor dem jüdischen Gericht oder vor nichtjüdischen Instanzen vorzogen. (Die Quellenlage läßt solchen Vergleich freilich, wenn überhaupt, frühestens für die zweite Hälfte des 18. Jahrhunderts zu, weil Unterlagen des jüdischen Gerichts aus der Zeit vor 1767 nicht erhalten sind.)

208 So bemerkte Oberpräsident Christian Detlef Graf Reventlow anläßlich eines konkreten Einzelfalls, daß die als Beweismittel dienenden *Rechnungen aus lauter hebraeischen Büchern bestehen, welche doch von Juden mußen nachgesehen werden* (PJA ([wie Anm. 1], S. 225 Anm. 6); und als Präsident Bernhard Leopold Volkmar von Schomburg sich zu der Frage äußern sollte, *was es nach dortiger Praxi mit der Appellation von denen Erkenntnißen des Rabbiners und derer Aeltesten eigentlich für eine Beschaffenheit habe* (PJA, S. 247), antwortete er, *daß man von Appellationen wegen der Aussprüche der Juden-Ältesten und Rabbiner bisher nichts weiß* und daß *der Juden Sachen lauter Handlungs- und Commerce-Sachen sind, die keinen Aufschub leyden,* und wies in diesem Zusammenhang auch darauf hin, daß die in Frage kommenden (nichtjüdischen) Appellationsinstanzen des jüdischen Rechts nicht kundig seien (PJA, S. 248). Vgl. auch das königliche Reskript an das Oberappellationsgericht zu Glückstadt vom 24. Juli 1739, in dem es heißt, daß nach bisheriger Praxis *in denen unter Juden vorfallenden Schuldforderungs- und anderen Civil-Streitigkeiten [...] die Rabbiner und Aeltesten* in Altona *fundatam jurisdictionem haben und ihre Erkäntniße so gleich remota appellatione durch den Bann vollstrecken; und aber in dieser Verfaßung ichtwas zu ändern um so bedenklicher scheinet, je geringere Kenntniß Unsern Dicasteriis von denen jüdischen*

Rechten und Gewohnheiten, nach welchen die inter Judaeos vorfällige Streit-Sachen decidiret werden müßen, beywohnet, und je wahrscheinlicher die Besorgniß ist, daß eine anderweite Anordnung die Judenschaft zu Altona veranlaßen möchte, sich zum Nachteil des alldasigen Commercii davon wegzubegeben und in Hamburg oder anderswo zu etablieren (PJA, S. 249).

209 Der Hinweis findet sich in dem PJA (wie Anm. 1), S. 165 erwähnten undatierten Gesuch aus dem Jahre 1679 (LASH Abt. 65.1, Nr. 1693, Vol. 1, fol. 88–95; hier fol. 89 v). Das gleiche Argument wird später auch von Oberpräsident Christian Detlef Graf Reventlow verwendet, vgl. das Zitat aus seinem Schreiben an den König vom 11. Dezember 1721 oben in Anm. 205.

210 Siehe PJA (wie Anm. 1), S. 66 und vgl. auch ebenda, S. 143 (4); 145 (4); 167 (4); 193 (19); 194 (13).

211 Vgl. PJA (wie Anm. 1), S. 167 (4); 194 (13). Durch Oberpräsident Christian Detlef Graf Reventlow wurde die Aufteilung der Bußgelder 1722 dahin geändert, daß die Juden ein Viertel für ihre Armen behielten, während sie ein Viertel an das Altonaer Armenhaus abführen mußten, siehe PJA, S. 214 (VII).

212 Im Zusammenhang mit der Veranlagung zur sogenannten Prinzessinsteuer gab Oberrabbiner Jonathan Eybeschütz im Jahre 1753 sein festes Gehalt mit 166 und seine *accidentien* mit 100 Reichstalern jährlich an, siehe StAH Altona 6 A, Stadtrechnung 1755, Beilage 184. In Wirklichkeit betrugen seine Einkünfte, wie er später einräumte, rund 500 Reichstaler jährlich; es besteht jedoch Grund zu der Annahme, daß die «Akzidentien» keinen geringeren, sondern eher einen größeren Anteil an dieser Gesamtsumme hatten, als nach der ursprünglichen Angabe zu erwarten wäre, vgl. Grunwald (wie Anm. 14), S. 72 f.

213 Daß trotz vielfältiger Aktenverluste noch einschlägiges Material in den Archiven ruht, zeigen die oben folgenden Bemerkungen und Hinweise. (Vgl. auch unten Anm. 221). Weitergehende Nachforschungen waren im Zusammenhang mit der vorliegenden Untersuchung nicht möglich.

214 Vgl. die (unvollständigen) Akten betreffend «Sachen der Schutzjuden Seligmann und Marcus Levin» im Stadtarchiv Plön, XXVI 1.d.2.

215 Da die Behörden in Fredericia sich weigerten, das Urteil im Wege der Amtshilfe zu vollstrecken, kam die Sache an die Regierungskollegien und schlug sich demgemäß in den Akten und Protokollen der Dänischen und der Deutschen Kanzlei nieder, siehe RAK DK D 101, Koncepter og Indlæg til Kancelliets Breve 1764, Nr. 517.

216 PJA (wie Anm. 1), S. 336. (Vgl. auch den Hinweis ebenda, Anm. 3, wonach sich wichtiges Material über Prozesse zwischen Juden vor dem Magistratsgericht in Friedrichstadt in LASH Abt. 65.2, Nr. 2538 findet.)

217 1763 wandten sich die Elmshorner Juden gegen die Jurisdiktion des Altonaer Oberrabbiners über sie in Zivilsachen, siehe die betreffenden Akten in LASH Abt. 65.2, Nr. 3629 II. 1768 erhielt der Schutzjude Hertz Engel in Burg auf Fehmarn auf ein Gesuch, dem Oberrabbiner in Altona möge die Jurisdiktion in Zivilsachen über ihn untersagt werden, von der Deutschen Kanzlei den Bescheid, *daß nach den dem Oberrabbiner und den Ältesten der Altonaischen Juden-Gemeine verliehenen Privilegien dieser Bitte nicht Statt zu geben sey.* (Die Abschrift einer Abschrift dieses Bescheides liegt als Anlage beim Bericht des Magistrats zu Burg a. F. vom 21. Dezember 1780 in LASH Abt. 65.2, Nr. 3803. Der Registereintrag ist verloren, vgl. Skovgaard [wie Anm. 37], S. 20.) – Vermutlich gingen auch die 1735 vom Besitzer und 1739 vom Verwalter des Gutes Moislingen erhobenen Einsprüche gegen die Zivilgerichtsbarkeit des Altonaer Oberrabbiners über dort ansässige Juden auf deren Beschwerde zurück, obwohl in den Akten davon nicht die Rede ist, vgl. PJA (wie Anm. 1), S. 240 f.; 248 f. – Nicht um die Jurisdiktion des

Oberrabbiners in Zivilsachen, sondern um seine Zuständigkeit als übergeordnete Instanz für Gemeindeangelegenheiten der aschkenasichen Juden in Rendsburg ging es dagegen offenbar bei den Bemühungen des Rendsburger Gemeindevorstandes um «Abweisung der Cognition des Altonaer Oberrabbiners» im Jahre 1765, vgl. Verzeichnis der im Schleswig-Holsteinischen Landesarchiv befindlichen Quellen zur Geschichte des Judentums. Teil 1. Bearbeitet von Rolf Busch. [Masch. vervielf.] Schleswig 1963, S. 55; doch steht eine Untersuchung der betreffenden Akte der Deutschen Kanzlei – LASH Abt. 65.2, Nr. 3231 – noch aus.

218 Das gilt auch für die Zeit zwischen der Wiederherstellung der jüdischen Zivilgerichtsbarkeit und der vorübergehenden, teilweisen Suspendierung des Jurisdiktionsprivilegs infolge des sogenannten Amulettenstreits (vgl. PJA [wie Anm. 1], S. 85f. und oben Anm. 184 und Anm. 195), siehe zum Beispiel die im Oberpräsidialprotokoll der Jahre 1731–1734 protokollierten Fälle (StAH Altona 100 I a 2, S. 1045; 1129; 1148; 1197; 1200; 1201 f.; 1227; 1266 u. ö.). Allerdings habe ich im Protokoll des Jahres 1743 keinen einzigen Fall finden können, für den nach dem Jurisdiktionsprivileg mit Sicherheit das jüdische Gericht zuständig gewesen wäre. Das legt die Vermutung nahe, das Reskript vom 24. Juli 1739 (PJA, S. 246 ff.) habe das Verhalten der Altonaer Schutzjuden nachhaltiger beeinfluß als der Jurisdiktionsartikel des Generalprivilegs Christans VI. vom 12. März 1731 (PJA, S. 231 ff.; hier S. 232 f.). Da die Oberpräsidialprotokolle der Jahre 1736–1742 verloren sind, müßten zur Nachprüfung dieser Vermutung die Stadt- und Niedergerichtsprotokolle durchgesehen werden, eine Arbeit, die im Rahmen der vorliegenden Untersuchung nicht zu leisten war.

219 Graupe, Entstehung (wie Anm. 80), S. 49. (Siehe auch das ganze betreffende Kapitel «Auflockerungserscheinungen im 17. Jahrhundert», a. a. O., S. 41–58.) Früher und ausführlicher als Graupe hatte sich bereits Azriel Shohet im vierten Kapitel seines in Anm. 230 genannten hebräischen Buches mit der Austragung von Streitigkeiten zwischen Juden «Vor nichtjüdischen Instanzen» (so die Übersetzung der Kapitelüberschrift) beschäftigt, vgl. unten Anm. 233 f.

220 Zum Begriff der Akkulturation vgl. Lexikon zur Soziologie (wie Anm. 178), Bd. 1, S. 24. Danach ist Akkulturation «der Wandel der Kultur einer Gruppe oder auch eines einzelnen durch Übernahme von Elementen aus einer anderen Kultur» und «kommt zustande aus nachhaltigem Kontakt und mehr oder minder kontinuierlicher Interaktion zwischen kulturell verschiedenen Gruppen. Dabei werden in ihrem Verlauf Techniken, Verhaltensmuster, Werte, Institutionen übernommen und je nach Gegebenheiten abgeändert und angepaßt.»

221 Daß und in welchem Umfang das in Altona der Fall war, läßt sich den Oberpräsidialprotokollen (StAH Altona 100 I a) und den Stadtgerichtsbüchern (StAH Altona 2 II) entnehmen. Für andere Städte und Gerichte bleibt die Quellenlage noch zu klären. Mit Aktenverlust infolge Kassation ist zu rechnen, wie der die Justizakten des Obergerichts in Glückstadt betreffende Hinweis in Gottfried Ernst Hoffmann (u. a.): Übersicht über die Bestände des Schleswig-Holsteinischen Landesarchivs in Schleswig. Schleswig 1953. (Bestandsübersichten schleswig-holsteinischer Archive, Heft 1), S. 22 zeigt.

222 Die Frage, inwieweit das Verfahren vor dem jüdischen Gericht für Altonaer Juden vorteilhafter war, ist noch nicht endgültig geklärt, vgl. dazu vorläufig oben S. 131 und Anm. 206 f. und unten Anm. 223.

223 Bei künftigen Bemühungen um die Klärung dieser Frage wird man wohl von der Annahme ausgehen dürfen, daß die Bevorzugung nichtjüdischer Instanzen durch Altonaer Juden wie bei den Juden in Schleswig-Holstein und Fredericia durch geschäftliche Interessen veranlaßt war. Da Zeit und Kosten Faktoren darstellen, die für das Geschäftsergebnis von unmittelbarer Bedeutung sind, ist weiter zu vermuten, daß das Verfahren

vor dem jüdischen Gericht zumindest nicht allen Verfahren vor nichtjüdischen Instanzen in Altona hinsichtlich dieser Faktoren überlegen war. Tatsächlich gibt es Indizien dafür, daß zum Beispiel das Oberpräsidium als (quasi) gerichtliche wie als außergerichtliche Instanz in dieser Hinsicht mit dem jüdischen Gericht konkurrieren konnte (vgl. oben Anm. 207). Wenn das wirklich so war, war die Bevorzugung der einen oder der anderen Instanz nicht durch die genannten Faktoren bedingt. Ich sehe statt dessen zwei mögliche Gründe dafür. Erstens: Das Verfahren vor dem Oberpräsidium war dem Verfahren vor dem jüdischen Gericht möglicherweise überlegen wegen der durch die staatlichen Zwangsmittel garantierten «prompten Execution» von Urteilen (oder Sanktionen im Fall der Nichteinhaltung von Vergleichen). Zweitens: Juden könnten das Verfahren vor dem Oberpräsidium vorgezogen haben, weil dessen (Verlauf und) Ergebnis im Oberpräsidialprotokoll festgehalten wurde und dieses Protokoll ihnen ohne weiteres zugänglich war. (Urteile und Ergebnisprotokolle des jüdischen Gerichts wurden dagegen bis Ende des 18. Jahrhunderts in hebräischer Sprache abgefaßt und waren deshalb nur dem dieser Sprache hinreichend Kundigen ohne weiteres verständlich, vgl. PJA [wie Anm. 1], S. 349f.; und es liegt nahe anzunehmen, daß ein Extrakt aus dem Oberpräsidialprotokoll billiger und schneller zu erhalten war als die Übersetzung eines Auszuges aus dem Protokoll des jüdischen Gerichts.). – Vgl. zu diesem Fragenkomplex auch unten Anm. 234.

224 Siehe oben Kapitel 2 und PJA (wie Anm. 1), S. 86f.; 336; 339f.; 345–353; 355f.; 365f. Über entsprechende Einschränkungen der jüdischen Autonomie seitens anderer absolutistischer Staaten vgl. weiter unten und Anm. 226.

225 Auf andere Weise, nämlich offiziell und grundsätzlich, entzogen sich diejenigen Juden dem Ausschließlichkeitsanspruch der jüdischen Gerichtsbarkeit, denen vom König die Exemtion von dieser oder sogar von der Zwangsmitgliedschaft in der jüdischen Gemeinde bewilligt wurde, vgl. PJA (wie Anm. 1), S. 76. Solche Exemtionen, die freilich Ausnahmefälle waren, erhielten 1683 der Hoffaktor der Königin, Meyer Marx (PJA, S. 175–177), 1765 Dr. med. Abraham Meyer (PJA, S. 302f.), 1767 der kurhannoversche Kammeragent Meyer Michael David (PJA, S. 308–310), 1768 der Fabrikant Israel Samson Popert (PJA, S. 317–320), 1769 Proba Gomperz, Witwe des Dr. med. Aaron Emmerich Gomperz (PJA, S. 322–324), 1797 der Hof- und Kammeragent Nathan Meyer aus Neustrelitz (PJA, S. 353–355) und 1828 Ferdinand Benjamin Leo und Lorette Bensa (PJA, S. 382f.), deren Exemtion von der jüdischen Jurisdiktion sich allerdings darauf beschränkte, *daß sie hinsichtlich der Disposition über ihr Vermögen, sey es durch Testamente, Ehepacten oder durch sonstige Verfügungen unter Lebenden oder auf den Todesfall, den für christliche Einwohner der Stadt Altona geltenden Rechten und den dortigen ordentlichen Gerichten unterworfen seyn* sollten (a. a. O., S. 383).

226 Vgl. Jacob Katz (wie Anm. 229), S. 31–33. Shohet (wie Anm. 230), S. 75ff. (siehe dazu auch unten Anm. 234).

227 Vgl. Jacob Katz: Exclusiveness and Tolerance. Studies in Jewish-Gentile Relations in Medieval and Modern Times. (London) 1961, S. 52f.

228 Vgl. das in Anm. 230 genannte Buch von Azriel Shohet und Graupe (wie Anm. 80), S. 41ff.

229 So vor allem Jacob Katz: Out of the Ghetto. The Social Background of Jewish Emancipation, 1770–1870. Cambridge, Mass. 1973, siehe dort insbesondere im dritten Kapitel («The Portents of Change», S. 28–41) die Seiten 34–37 und vgl. dazu auch die von Jacob Toury (wie Anm. 231), S. 65–67 referierte methodologische Diskussion.

230 So vor allem Azriel Shohet: Im hillufe tequfot. Yerušalajim (1960), vgl. die Besprechung dieses Buches durch Jacob Toury in der in Anm. 231 genannten Sammelrezension, LBYB 1961, S. 60–62.

231 So Jacob Toury: Neue hebräische Veröffentlichungen zur Geschichte der Juden im deutschen Lebenskreise. In: LBYB 1961, S. 55–73; hier: S. 67–73.

232 Jacob Katz (wie Anm. 229), S. V; Jacob Toury: Qawwim le-ḥeqer kenisat ha-yehudim le-ḥayyim ha-ezraḥim be-germaniya. (Prolegomena to the Entrance of Jews into German Citizenry.) Tel Aviv 732 (1972). (Deutsche Fassung: Der Eintritt der Juden ins deutsche Bürgertum. In: Das Judentum in der Deutschen Umwelt 1800–1850. Studien zur Frühgeschichte der Emanzipation, herausgegeben von Hans Liebeschütz und Arno Paucker. Tübingen 1977. [Schriftenreihe wissenschaftlicher Abhandlungen des Leo Baeck Instituts, Band 35], S. 139–242); Jacob Toury: Der Eintritt der Juden ins deutsche Bürgertum. Eine Dokumentation. Tel Aviv 1972. – Toury spricht statt vom «Eintritt ins Bürgertum» oder vom «Eintritt in die bürgerliche Gesellschaft» auch von «Verbürgerungsprozeß» und «Verbürgerlichung», siehe im zuletzt genannten Werk, S. VII und in der deutschen Fassung der Qawwim, S. 141 (u. ö.) und S. 150f. An der zuletzt genannten Stelle versucht Toury auch eine nähere Bestimmung des Begriffs «Bürgertum» im Kontext seiner Untersuchung. Vgl. dazu auch die kritische Bemerkung bei Stephen M. Poppel: New Views on Jewish Integration in Germany. In: Central European History 9 (1976), S. 86–108; hier: S. 95f.

233 Vgl. Shohet (wie Anm. 230); die von ihm angeführten jüdischen Quellenzeugnisse über die Inanspruchnahme nichtjüdischer Instanzen durch Juden bei Streitigkeiten untereinander reichen bis etwa 1600 zurück, siehe a. a. O., S. 72ff.

234 Das stimmt teilweise zu Shohets Schlußfolgerungen, der im vierten Kapitel seines oben genannten Buches (siehe Anm. 230 und vgl. auch Anm. 219) auf Grund der von ihm untersuchten – hauptsächlich jüdischen – Quellen zu dem Ergebnis kommt, die Anrufung nichtjüdischer Instanzen in Streitigkeiten zwischen Juden sei durch äußere und innere Gegebenheiten veranlaßt oder gefördert worden (a. a. O., S. 88). Zu den äußeren Faktoren rechnet er die Zerstreuung eines Teils der jüdischen Bevölkerung in kleine Niederlassungen ohne Rabbiner und Dajjanim (a. a. O., S. 73) und die Einschränkung der jurisdiktionellen Autonomie der Juden durch die nichtjüdischen Behörden (a. a. O., S. 75ff.). Von innen unterminiert worden sei die alte Ordnung durch Mißstände in der Praxis der jüdischen Rechtsprechung, die das Vertrauen der breiten Schichten in diese erschütterten (a. a. O., S. 73f.; 88). Appellationen an nichtjüdische Instanzen sind Shohet zufolge teils dadurch, teils aus dem oben S. 122 erwähnten Streben nach Zeitgewinn zu erklären. Klagen bei nichtjüdischen Gerichten seien anscheinend auch durch die Erwartung eines für die klagende Partei günstigen Urteils bei einem Prozeß nach nichtjüdischem Recht veranlaßt worden (a. a. O., S. 73).

235 Toury (wie Anm. 231), S. 70.

KUGGEL UND LOCKSCHEN IN HAMBURG

Ein Beitrag zur jüdischen Schiller-Rezeption im 19. Jahrhundert

Peter Freimark

Vorbemerkung

Im Herbst des Jahres 1979 machte mich mein holländischer Kollege Dr. Lode Frank Brakel, seit 1979 Professor für Austronesische Sprachen und Kulturen an der Universität Hamburg, auf einen Text aufmerksam, der im «Memorboek», einem Erinnerungsbuch an die Juden in den Niederlanden, abgedruckt ist.[1] Bei dem Text handelt es sich um den Nachdruck einer 1854 in Amsterdam erschienenen Parodie auf Schillers «Lied von der Glocke», welche den Titel «Das Lied vun die Kuggel» trägt.[2] Beim Einleitungstext wird von «een Hollands-Jiddisje parodie» gesprochen, allein schon in der Corrigenda-Beilage findet sich der Hinweis, daß das Werk bereits 1845 in Amsterdam erschienen war, ein Klammervermerk «1ste druk, niet vermeld, Altona 1842» schließt sich an. Nicht zuletzt wegen der in der Parodie anzutreffenden Anspielungen auf bestimmte Hamburger Vorkommnisse regte Brakel an, gemeinsam eine neue Edition dieses in völlige Vergessenheit geratenen Textes vorzulegen. Hierfür stellte er 2 (unvollständige) Glossar-Listen zusammen, während ich mit den ersten Recherchen zur Textgeschichte und zum sozialen Umfeld begann. Diese erwiesen sich als überaus zeitaufwendig, aber auch wegen anderer Verpflichtungen kamen unsere Arbeiten nur zögernd voran.

Am 4. Juni 1981 ist Lode Frank Brakel im Alter von 40 Jahren in Hamburg gestorben. Seiner Erinnerung sind die nachfolgenden Ausführungen gewidmet.

I.

Die überragende Bedeutung, die Friedrich Schiller unter den Juden in Deutschland und in Osteuropa einnahm, ist auf denkwürdige Weise von Gershom Scholem in seiner Rede «Juden und Deutsche» von 1966 gewürdigt worden:[3] «Schiller, der Sprecher des reinen Menschentums, der Pathetiker der höchsten Ideale der Menschheit, hat für Generationen von

Juden in und fast noch mehr außerhalb von Deutschland das repräsentiert, was sie als deutsch empfanden oder empfinden wollten, selbst dann noch, als diese Sprache in Deutschland selbst, im letzten Drittel des 19. Jahrhunderts, schon hohl klang. Die Begegnung mit Friedrich Schiller war für viele Juden realer als die mit den empirischen Deutschen. Hier fanden sie, was sie am glühendsten suchten. Die deutsche Romantik hat vielen Juden etwas bedeutet, Schiller allen. Er war ein Faktor im Glauben der Juden an die Menschheit.»[4]

Diese Feststellungen finden ihre volle Bestätigung, wenn man sie älteren jüdischen Quellen gegenüberstellt. Als zusätzliches Ergebnis einer derartigen Gegenüberstellung kann festgehalten werden, daß Schiller nicht nur von Vertretern bestimmter Gruppierungen innerhalb der deutschen und osteuropäischen Judenheit bewundert und gefeiert wurde. Das gesamte breite Spektrum jüdischer Grundeinstellungen im 19. Jahrhundert – Orthodoxie, bzw. Neo-Orthodoxie, konservatives und liberales Judentum, Reformjudentum – äußert sich zu Schiller übereinstimmend in positiver und euphorischer Weise, wenn auch die Akzente unterschiedlich gesetzt werden.

Samson Raphael Hirsch, der Begründer der Neo-Orthodoxie, rühmt, daß sich Schiller vor allem für die sittliche Erhebung des Menschen eingesetzt habe. Hirsch stellt in diesem Zusammenhang einen Bezug zu jüdischen Grundlehren her, wenn er sagt, «darum würden unsere Weisen keinem ‹Weisen der Völker› lieber den Kranz der Huldigung geflochten haben als ihm. Ja, sie würden in Schiller den *Ihrigen* gegrüßt und in seinen Tönen nur verwandte Anklänge zu erkennen vermocht haben. Denn aus wessen Borne sind – bewußt und unbewußt – gerade die Gedanken gequollen, die vor allem Schiller zum Dichter der Völker gemacht, wessen sind die Anschauungen und Wahrheiten, für welche vor allem Schiller die Gemüter der Menschen und durch welche er sich die Gemüter der Menschen gewonnen? Sind es nicht gerade *jüdische* Gedanken und Anschauungen, mit denen er sich in das Herz des deutschen Volkes hineingesungen und für welche jetzt das ganze deutsche Volk aufsteht und Schiller den Jubel seines Herzens entgegenbringt?»[5]

Für Hirsch hat sich Schiller besondere Verdienste dadurch erworben, daß er für Menschenwürde und bürgerliche Freiheiten eintrat: «Geister wie Schiller sind es, denen wir es verdanken, daß allmählich auch der Jude Mensch sein darf unter den Menschen, daß allmählich dem Juden auch das Recht und die Würde des Bürgers nicht vorenthalten bleibt. Wenn heute die engen Schranken der Ghetti gefallen sind, und die Menschen auch im Juden den Menschenbruder begrüßen, so ist diese Erleuchtung der Menschen, dieses Humanitäts- und Rechtsgefühl, unter deren Banner der Jude sich heute ebenbürtiger Freiheit erfreut, ein Fortschritt, für welchen zunächst Geister wie Schiller gewirkt.»[6]

Gabriel Riesser, Vertreter der liberalen Sache und Vorkämpfer für die Emanzipation der Juden in Deutschland, rühmt die Freiheitsidee Schillers und stellt zur Sprache des Dichters fest: «So hat er in uns Allen die Liebe zu unserer Sprache und damit die Liebe zu unserem Volk erhöht, dessen Organ der Einheit, dessen lebendig verknüpfendes Band die Sprache ist. Wenn es überhaupt die Heroen unserer Literatur waren, die seit der Mitte des vorigen Jahrhunderts die trennende Hinneigung der höheren Stände zu fremder Sprache und Sitte überwunden, die durch die Herstellung einer selbständig nationalen, aber zugleich das reiche Culturleben aller Völker und Zeiten mit warmer Liebe umschließenden und in sich aufnehmenden Bildung das vaterländische Bewußtsein auch für das politische Dasein gestärkt und vorbereitet, eine innigere Verschmelzung der geistigen Interessen aller Volksclassen ermöglicht haben, so hat *Schiller* auch in dieser Hinsicht am Tiefsten und Weitesten gewirkt.»[7]

Johann Jacoby, der überzeugte und furchtlose Demokrat, preist Schiller als «Dichterprophet(en) des deutschen Volkes», als «Werkmeister der von ihm verkündeten Zukunft», als «Schutzgeist unseres Volkes» und als «Kämpfer für Freiheit und Recht».[8]

Der pathetische und feierliche Ton der drei Zitate hat seinen Grund: sie alle entstammen Festansprachen zu Schillers einhundertjährigem Geburtstag am 10. November 1859. Aber auch abseits der Festreden, der Gedächtnisfeiern und Umzüge[9] und der Errichtung von Schiller-Denkmälern[10] in jenen Jahren, an denen sich jeweils deutsche Juden aktiv beteiligten, liegen andere Belege für die Begeisterung und Liebe zu Schiller vor. Hierzu zählen Memoiren[11], literarische Bearbeitungen zu Schillers Einfluß und Popularität im osteuropäischen Ghetto[12] und eine Vielzahl von Übersetzungen Schillerscher Gedichte und Dramen ins Hebräische.[13]

Doch zurück zum Schillerjahr 1859 mit zwei weiteren Äußerungen, die nun freilich eine Literaturform erwähnen, in der sich die Schiller-Rezeption im jüdischen Raum ebenfalls nachweisen läßt: es ist dies die Parodie und Travestie in jiddischer Sprache.

Das Heft Nr. 11 des 2. Jahrgangs der «Hebraeischen Bibliographie» (September–October 1859), herausgegeben von Moritz Steinschneider, ziert ein Kranz und der einleitende Artikel beginnt mit folgenden Sätzen: «Zum Schillerfeste winde auch die hebräische Bibliographie ein bescheidenes Blättchen in den Lorbeerkranz: Schiller in der hebräischen Literatur!

Wer in Wentzel's ‹bibliographischer Jubelfestgabe› sich vergeblich nach der Ueberschrift ‹spanisch› umsieht, der möchte sich wohl nicht wundern, daß der Dichter des Don Carlos und der Geschichtsschreiber des Abfalls der Niederlande am Heerde der Inquisition sich keiner besonderen Gunst erfreute. Hebräisch dort zu suchen, ist schwerlich Jemand eingefallen, [...] obwohl es bekannt ist, daß in der Periode der Goethe- und Schiller-Partheien, die Juden in der Regel zu Schiller's Fahne schwuren. In der That weiß die hebräische Literatur dieses Jahrhunderts, die aus den Klassikern aller Nationen und Sprachen schöpfte [...] den Namen des ‹westöstlichen› Goethe kaum zu nennen, während man aus den grössentheils [!] gelungenen Uebersetzungen und Nachahmungen von Schiller's Gedichten einen ziemlichen Band zusammenstellen kann!»

In einer Anmerkung zu diesem Text heißt es: «Schiller hebräisch zu parodiren verbot derselbe Genius, der die Uebersetzungen förderte, aber es giebt einige handschriftlich kursirende jüdisch-deutsche Parodien der Glocke, darunter eine (der Kaffee oder die Derascha?) von Saphir, in Rußland (nach Mittheilung eines Kundigen) eine geistreiche ‹der Kittel›;[14] ‹das Lied vom Scholet› v. Leser Scholetsetzer (Laz. Schnabel) ist gedruckt Wien 1855.»

Auch in dem Artikel «Zur Schillerfeier» von Moritz Kayserling in der Allgemeinen Zeitung des Judentums vom 31. 10. 1859 findet sich zum Schluß ein Hinweis auf die angesprochene Literaturform: «Dergestalt hat Friedrich von Schiller, welcher im gleichen Alter mit dem ihm in vielen Beziehungen ähnlichen Spinoza der Menschheit zugleich entrissen wurde, auf die Veredlung und Bildung der Juden gewirkt. Seine den Psalmen an Reinheit und Lauterkeit gleichenden lyrischen Poesien sind von unseren Dichtern in die neuhebräische Poesie übertragen, andere in deutscher Sprache travestirt worden – ich erinnere nur an die ‹Glocke› – und selbst in Gegenden, welche sogar noch heute im Dunkel liegen, wo deutsche Bildung den Juden noch immer ein leerer Schall ist, hat dennoch Schiller bei ihnen das Bürgerrecht erlangt, selbst da liest man ‹Schillers Werke› und ihr Lieblingsdichter ist und bleibt – Schiller.»

Zwei dieser Parodien von Schillers Glocke, die in den vierziger und fünfziger Jahren des 19. Jahrhunderts in Hamburg entstanden sind, sollen im folgenden vorgestellt werden.

II.

In seinem so profunden, materialreichen und noch heute lesenswerten Werk zur Wirkungsgeschichte Schillers im 19. Jahrhundert weist Albert Ludwig an einer Stelle darauf hin, daß Parodien Schillerscher Gedichte ein sicheres Merkmal für dessen Popularität seien und fährt fort, «und ihre

Zahl war, wie sich aus den bibliographischen Nachschlagwerken ergibt, Legion; [...] Parodien sind auch solche, die unter Benutzung Schillerscher Vorlagen ihre Spitze gegen irgendwelche Zeiterscheinungen richten. Kritik derart einzukleiden scheint damals ziemlich beliebt gewesen zu sein.»[15]

Parodie und Travestie sind in der deutschen Literatur bereits im 18. Jahrhundert als literarische Formen nachzuweisen, was auch für die Literatursatire gilt.[16] Die Travestiemode des letzten Jahrhundertdrittels, die neben lyrischen und dramatischen auch kleinepische Produktionen hervorbringt, geht auf die italienischen Burlesken der Spätrenaissance und die burleske Modedichtung in Frankreich zwischen 1640 und 1660 zurück,[17] wobei antike Traditionen nicht vergessen werden dürfen.

Für unseren Zeitraum – die vierziger und fünfziger Jahre des 19. Jahrhunderts – ist von Bedeutung, daß beide – verwandte – Gattungen wohl etabliert sind und in Anthologien und Gedichtsammlungen nicht fehlen. In der 4. Auflage seines «Poetischen Hausschatzes» von 1842[18] bemerkt Oskar Ludwig Bernhard Wolff[19], «daß die Parodie [...] Form und Ton der Dichtung, deren Gegenbild sie sein soll, beibehält und den Gegenstand ändert, die Travestie [...] dagegen den Gegenstand beibehält, aber die ernsthafte Form in eine komische umwandelt, so daß der erstere selbst komisch erscheint».[20]

Schillers Gedichte, die nach Hans Mayer in anderthalb Jahrhunderten eine Bedeutung für das deutsche Bildungsleben erlangt haben, die unermeßlich genannt werden muß,[21] waren in besonderer Weise Gegenstand von Parodien. Das Vortragen von Gedichten und das Zitieren bestimmter Verszeilen sind ein Charakteristikum des erwähnten Bildungslebens, wobei man nun aber nicht nur bei den Werken der Klassiker verblieb, sondern parodistisch-satirische Gegenentwürfe – Gegengesänge – mit einbrachte und damit neue Reflexionsmöglichkeiten schuf.[22] Gewiß drückt sich hierin auch eine Haltung der Distanz und zuweilen der Auflehnung gegenüber einem als verbindlich anerkannten Kanon von bestimmten Gedichten aus.[23] Trotzdem ist Rudolf Schenda zuzustimmen, wenn er der Protesthaltung, die sich in einer Parodie erkennen läßt, einen konservativen und traditionskonservierenden Charakter zuspricht.[24]

Deutlicher als etwa bei Schülerpersiflagen gilt diese Feststellung für die jiddischen Parodien und Travestien klassischer deutscher Lyrik und Dramatik (auch sie gibt es), was mit der sprachlichen Situation der jüdischen Minorität in den vierziger und fünfziger Jahren des 19. Jahrhunderts in Deutschland zusammenhängt.[25] Deutsch als Umgangssprache begann sich in den sich verbürgerlichenden jüdischen Schichten – vor allem in den Großstädten – immer stärker durchzusetzen, wozu der Schul- und Universitätsbesuch sicherlich stark beitrug. Auf dem Lande und in kleinbürgerlichen jüdischen Schichten der Städte dominierte aber – zumindest in der älteren Generation – um 1840 noch das Jiddische, der Jargon, mit einem eigenen literarischen Markt. Die publizierten Texte in Jiddisch oder in jüdisch-deutscher Sprachfärbung – unter ihnen Parodien, Gedichte, Prosa und Flugblätter[26] – unterscheiden sich sprachlich deutlich vom Ostjiddischen, sie sind auch in deutscher Schrift gedruckt. Sie stehen in einem offenkundigen Gegensatz zu den literarischen Werken jüdischer Autoren in deutscher Sprache[27], zu den Veröffentlichungen der Wissenschaft des Judentums und zu der reichhaltigen jüdischen Publizistik, in der selbst die (Neo-)Orthodoxie in überwiegendem Maße ihre Publikationen in deutscher Sprache vorlegte. Umfang und Bedeutung dieses jüdisch-deutschen literarischen Marktes sind bis jetzt noch nicht hinlänglich analysiert. Auch deshalb ist es sinnvoll und auch reizvoll, sich nunmehr konkret mit zwei Produkten dieses Marktes, der in sich nicht abgeschlossen war, zu beschäftigen.[28]

III.

In den ersten Wochen des Jahres 1842 erschien in Hamburg ein Büchlein mit dem Titel «Das Lied vun die Kuggel» eines gewissen S. N. Orhaphesoi. Die schmale Schrift mit einem Umfang von 16 Seiten war bei den Gebrüdern Bonn[29] in Altona gedruckt worden; sie wurde kommissionsweise von dem Verlag B. S. Berendsohn[30] in Hamburg vertrieben.[31] Dem literarischen «Scherz» war ein gewisser Erfolg auf dem Buchmarkt nicht abzusprechen: 1845 und 1854 erschienen (gekürzte) Nachdrucke in Amsterdam, die keinen Autor nannten. 1858 erschien anonym eine leicht veränderte Version in Hamburg[32] und dort wurde das Werk 1864 erneut herausgebracht.[33]

Versuche, eine Kopie der Erstausgabe Altona 1842 zu erhalten, schlugen zunächst fehl, über die Fernleihe konnte die Schrift in den wissenschaftlichen Bibliotheken der Bundesrepublik Deutschland und der DDR nicht beschafft werden.[34] Eine Kopie war dann aus der National- und Universitätsbibliothek Jerusalem zu erhalten. Erneute Recherchen bei der Staats- und Universitätsbibliothek Hamburg förderten dann noch zwei Exemplare der Erstauflage zutage und ein Exemplar der Ausgabe von 1858.[35]

Einfacher war es, den zunächst rätselhaften Namen S. N. Orhaphesoi zu entschlüsseln. Es handelt sich um ein rückläufiges Anagramm (Palindrom), das den Namen Joseph Ahrons ergibt, der sich als handschriftlicher Zusatz (der Bibliothekare) auch auf den verschiedenen Ausgaben, sowie bei Steinschneider und Grunwald findet.

Obwohl ein Joseph Ahrons im Hamburger Adreßbuch von 1842 – in diesem Jahr erschien «Das Lied vun die Kuggel» erstmals – nachgewiesen ist,[36] und sich auch sonst noch Angaben über ihn finden, bleiben einige Fragen zur Autorschaft bis heute ungeklärt. Joseph Ahrons, geboren 1782 in Lüneburg, kam nach Hamburg und heiratete hier 1816 Friederike Aroni aus Celle. Er wohnte in diesem Jahr in der Alte Wallstraße 32, als sein Gewerbe wird «Handelsmann» angegeben.[37] Im Jahre 1842 wird als seine Anschrift Hütten 65 in der Hamburger Neustadt genannt.[38] Er starb 1851 und hat zuletzt am Großneumarkt 42 gewohnt, als sein Gewerbe wird nun «Buchhalter» angegeben.[39] Als Autor erscheint Joseph Ahrons in den einschlägigen zeitgenössischen Nachschlagewerken aus Hamburg nicht. Weder bei Schröder,[40] Hoffmann,[41] noch bei M. M. Haarbleicher[42] finden sich irgendwelche Eintragungen. Gleichwohl wird er in der kürzlich vorgelegten jiddischen Literaturgeschichte von Chone Schmeruk erwähnt, der recht ausführlich über «Das Lied vun die Kuggel» berichtet.[43]

Die oben erwähnten ungeklärten Fragen zu Ahrons rühren daher, daß er trotz der traditionell-konservativen Grundstimmung seines opus anderenortes als Anhänger des liberalen Tempelvereins in Hamburg erscheint. Immerhin überrascht es, daß er für das «Allgemeine Israelitische Gesangbuch, eingeführt im neuen israelitischen Tempel zu Hamburg», das 1833 in 1. und 1845 in 2. Auflage erschien, sich mit 39 Liedern beteiligte und damit nur von Rabbiner Dr. Gotthold Salomon mit 85 Nummern übertroffen wurde.[44]

Auf der Rückseite des Titelblatts der Parodie findet sich eine «Anmerkung zum richtigen Lesen dieses Liedes». Sie lautet: «Ch am Anfang der Sylbe wird wie das spanische j, oder wie das ch in Sache, Woche, Buch, gelesen; ebenso lautet es in S'ch, wo das S besonders und das ch nach obiger Weise gelesen wird; Sonst lautet sch wie im Hochdeutschen, ebenso die Sylbe che, wenn sie dem hochdeutschen chen entspricht.

Ee lautet wie das plattdeutsche harte e in Heda! Steen, wollehr.

Oo lautet wie das plattdeutsche harte o in Door, old, School.

S vor p oder t wird wie Sch ausgesprochen.»

Diesem Hinweis folgt ein Satz, der auf die sprachliche Situation der Hamburger Juden zu Beginn der vierziger Jahre des 19. Jahrhunderts ein wichtiges Schlaglicht wirft: «Da dieser Jargon dem größten Theil unserer israelitischen Jugend jetzt wohl unbekannt geworden ist, so habe ich die obige Anmerkung für nöthig erachtet.»

Doch nun zum vollständigen Text:[45]

Das Lied vun die Kuggel[46]

Fest gemauert an den Herd is
Unser Eebenche[a] soo ror[b],
Scholentessen[c][47], das was werth is,
Soll drin morgen werren gor;
 Schabbes[d] eßt mer doch
 For die ganze Woch;
Drum loßt uns vor alle Sachen
'N gude, fette Kuggel machen.

An Freitig, wenn ich mach die Kuggel,
Do schmuß[e] ich gern dabei, mein Chais[f];
Das Schmußen is dozu meßuggel[g],
Mer lernt noch immer zu, was Neu's.
Soo loßt uns denn mit Fleiß betrachten,
Was zu an gude Kuggel g'hört;
Den schlechten Jüd muß mer verachten,
Der Schabbes nit mit Kuggel ehrt;
Un is es nit an grooße S'chië[h],
An guder, frummer Jüd zu sein?
Sechs Tog lang schneidt er sich an Krië[i],
Derkeegen[k] Schabbes is er fein.

 Hoolt mer Mehl vun Höker drübben,
 Nemmt es man forerst zu Borg;
 Steeh schoon bei ihm ufgeschribben,
 Loß ihn schreiben, aach mein Sorg!

a = Topf; b = rar, selten; c Scholent = Sabbatspeise; d = Schabbat, Sabbat; e = reden, erzählen; f = Leben; g = passend; h = Verdienst; i = 6 Tage befindet er sich im Elend; k = dagegen

Schneidt mir Aeppel klaan,
Thut aach Krinthen dran,
Meßt sie obber woohl perbiren[a],
Daß kan Milben sich drinn rühren.

Was heint[b] mir setzen in den Ooben[c]
Un erbeten dobei soo frisch,
Das soll mer morgen Mittig looben
Un unsern chosch'wen[d] Schabbestisch.
Noch dauren solls zu hundert Johren,
Wenn unser Herrgott loßt gesund,
Mir wellen nit an Freitig sporen,
Un Schabbes leben wie an Hund;
Denn was dem Jüd nor zu thut kummen,
In diesen Oolem[e], Frad un Lad,
Der Schabbes druf werd hergenummen,
Do macht er sich domit erst braat.

Langt mir her an große Schüssel,
Die sich woohl zum Mengen schickt;
Peßche[f]! nemm dir do den Schlüssel,
Waßt doch, wu der Zucker ligt?
Was ich noch gern hätt,
Is an grooß Stück Fett;
Was mer Schabbes will genießen
Muß vun Fett un Zucker fließen.

Denn wie der Jüd kummt uf den Oolom[e]
Is gleich den Schabbes was dermehr;

---

a = probieren; b = heute; c = Ofen; d = wichtigen, bedeutenden; e = Welt; f = Name

Mer macht an Sochor[a] um den Goolom[b],
Un waß noch nit wuhen, wuher;
Was aus ihm werren werd waß Kaner,
An Klausner[c][48] odder'n Tempeljaner[d][49],
An grooßer Kozin[e], 'n großer Pracher[f],
An Doctor odder 'n Uhermacher;
Die Johren fliegen, wie der Wind.

Schoon hör ich sein Barmizwe-Drosche[g],
Der Rebbe hot sie gut geknellt[h];
Un kenn er niks, is ach niks kosche[i],
Der Ette[k] hot an Bische Geld,
Der kaaft ihm Suntig 'n Körbche S' choore[l],
Do geeh in Mokem[m], thu dir Müh!
Bald schmeißt er weg sein Bische Thoore[n],
Is abbonirt in Tivoli,[50]
Geeht Schabbes Nochmittog in 'n Trechter,[51]
In 'n Pavillon an Schbeeßenacht[o];
Do essen sie Eis, die Jüddentöchter,
Do macht er gleich uf Aane Jagd,
Der fangt er an die Gur[p] zu machen,
Un schleppt sich mit ihr in un aus,
Un wie sie nu soo geehn, die Sachen,
Es werd leßoff an Schidduch[q] draus;
Oo weih! was gibt es do for 'n Schabbes!
An guder Zuspruch is niks Dumm's,
Mit sibb'n un sibbezig Borchabbes[r]
Un hundertzehn Esgottelkumms[s].
Och, möchts nor viel Schiduchim geben!
Do könnt mer Szimches[t] noch derleben.

a = Handel; b = Golem, künstlicher Mensch; c = Besucher einer Klaus-Synagoge; d = Anhänger des Tempelverbandes; e = reicher Mann; f = Bettler; g = Ansprache zur Bar-Mizwa-Feier; h = eingeübt; i = schwierig, schlimm; k = Vater; l = Ware; m = Stadt; n = Thora, religiöses Wissen; o = Nacht zum Sabbatausgang; p = cour = Hof; q = Hochzeitsantrag; r = Willkommensgruß gegenüber Besuchern; s = Willkommensgruß; t = Freuden

Mengt noch drin an Bißche B'ßomen [a],
Eppes [b] Schell [c] aach vun Citrun.
Loßt's uns denn in Gottes Nomen
In an ranen Gropen thun;
    Gießt mir obber man
    'N Bißche Wasser dran,
Daß es nit verbrennt zu Koolen,
Eehr mirs aus den Ooben hoolen.

Denn, wu was Trucknes mit was Nasses,
Wu Kaltes port sich mit was Haaßes,
Do werd das Essen immer gut;
Soo muß mer aach nit sehn ufs Kladche,
Wie denn? ob Jung sich paßt zum Madche,
Versteeht sich, eehr mer'n Schidduch thut.

Gor [d] becheent seht aus das Ponim [e]
Vun die Call' [f] an'n Chassnetog [g];
Wenn sie schreiben, die Nemonim [h],
Denkt mer nit an Sorg un Plog;
Noch die Chaßne [i] kummt die G'seere [k],
Wenn mer Geld verdienen muß,
Do haßt's: Kry'ber kan Bereere [l]!
Rühren muß mer Hand un Fuß.

Bis d'Chupp' [m] is gestellt,
Haßt's immer: mein Engel!
Dernoch haßt's: schaff Geld!
Die Kinder well'n Krengel [n],
Der Mann muß heraus,
Herum uf die Marken [o],

a = Gewürze; b = etwas; c = Schale; d = gar; e = Gesicht; f = Braut; g = Hochzeits-
tag; h = Trauzeugen; i = Hochzeit; k = schlechte Botschaft; l = es gibt keine Wahl; m =
Hochzeittraghimmel; n = Kringel, Gebäck; o = Märkte

Muß dingen un kargen,
Un geehn mit den Packen,
Un krümmen den Nacken,
Zu Ferd un zu Wogen
Den Handel nochjogen;
Denn kummt er ahaam, un hot er's bejode[a],
Er miet sich an Büdche[52] un macht sich's comode,
Das Büdche werd größer, es werd draus an Bud.
Un drinnen meßt er
Kattun un Manchester
Un Bänder un Spitzen
Un Klader un Tücher,
Un schreibt in die Bücher,
Macht Rechnungs un Noten
Un wägt sein Dukoten
Un zeehlt sein Dittcher[b]
Un macht sein Schnittcher,
Frogt niks noch die Welt,
Un verdient sich viel Geld.
Un schafft sich Commis an un Schreibers un Burschen,
Un geeht uf die Börsch[c] un frogt noch die Courschen,
Loßt rasen in Holstan, in Preußen un Schweeden,
Un fangt mit die Mäklers an Wörter zu reeden,
Un hot an Cantor in Manchester for immer,
un ruhet nimmer.

Un an Freitigsnacht noch Schul
Ziegt er sich an an warmen Schlofrock,
Setzt sich bekowed[d] in'n wachen Stuhl,
Macht sein Kiddesch[e] mit scheene Dreedlcher[f],
Eßt sein choschewe[g] Hecht mit Kneedlcher,
Un sein Gänsegrümpels mit Schlatten[h],

a = in der Hand; b = kleine Münze; c = Börse; d = geehrt; e = Segen; f = Singsang;
g = bedeutenden; h = Schalotten, Zwiebeln

Schmußt mit die Fra vun sein guden Maßmatten[a],
Fangt sich zu prohlen an:
Ich bin an reicher Mann!
Parish[53] un Heine[54] schmußt
Mit mir, wie du es thust!
Doch kenn Kaaner unterschreiben,
Daß es eebig soo werd bleiben,
Un das Blättche dreeht sich bald.

Soo weit is die Kuggel fertig,
Was dorin gehört is drin;
Seid nu Alle keegenwärtig,
Daß sie kummt in'n Ooben rin;
Macht ihn erst recht haß,
Scholent es kaan Spaß,
Hot mer Freitig epp's[b] vergessen,
Hot mer Schabbes niks zu essen.

Der Schabbes is an grooße Sach
For'n Jüd, der fleißig is un wach;
Die Erbet[c], die die Woch er thut,
Die kummt uf Schabbes ihm zu gut;
Dem Jüd kummt obber niks zu gut,
Der immer sein will woohlgemuth,
Der nit um Tachlis[d] is bedacht,
Un alle Tog zu Jontef[e] macht.
Weeh un och, wenn Aner schnuddelt[f],
Un kaan Ordnung bei sich hot.
Un sich selbst sein Sach verhuddelt[g],
Weil er leben will zu flott;

a = Geschäfte; b = etwas; c = Arbeit; d = ernsthafte Geschäfte; e = Festtag; f =
liederlich lebt; g = verheddert

As mer erst uf Anen ruddelt[a],
Is's verbei, genod ihm Gott!

Aus dem Loger,
Ganze Schwallen,
Geehn die Ballen,
Aus dem Loger, ohn Perdon,
In d'Auction.
Hört ihr's preppeln[b] in'n Contor?
Der is klor!
Banco – Geld
Soll er zohlen,
Warten hot mer nit gewellt,
Hört das Prohlen!
Klopp uf'n Tisch!
Un an Krisch[c]!

Do steeht kanem bei S'chuß – Owis[d],
Soo an Chill'f[e] is kaan Ketowis[f],
Zohlen muß er, wenn's der Row[g] is! –
Wer nit is an Balmaßmatten[h],
Geeht mechulle[i], niks will batten[k],
Schreibers schlumpern, M'schorßim[l] ganwen[m],
Sühn verschwieren[n], Pumpers chanfen[o],
Fra un Töchter,
Zum Gelächter,
Putzen sich un geehn spazieren,
Lossen d'Maad die Werthschaft führen;
Unterdessen

a = über jemanden schlecht sprechen; b = murmeln; c = Kreischen; d = Verdienst der
Väter; e = Wechsel; f = Spaß, Witz; g = Rabbiner; h = Geschäftspartner; i = kaputt;
k = nützen; l = Diener, Knechte; m = stehlen; n = sich herumtreiben; o = schmeicheln

Kummen Ch'lufen[a]
Ungerufen
Anzufliegen; abgeschribben!
Schreit mer hier un schreit mer drübben;
Uf die Folio's niks geblibben,
Uf den Spieker's[b] niks dermehr,
Un die eisern' Kist is leer.
Hört mer erst, er is an Dalfen[c],
Borgt ihm aach niks mehr der Chalfen[d],
Mohners kommen anzujogen,
Schneider, Schuster, Tapezier,
Bäcker, Kazzef[e] un Balbier;
Solche G'seeres[f] zu vertrogen
Is gor schwer;
Was thut er?
Thut mer'n mehr noch solche Toowes[g],
Macht er'n Reester vun sein Choowes[h],
Un erklärt sich insolvent.

Abgemacht,
Uf die M'nute!
Kaner kriegt an Schowe-Prute[i];
Loß s'sich stecken in'n Bauch an Besen!
Loß sie brummen!
As der Mensch nit aus kenn kummen,
Kummt er in.

'S thut mer d'mit!
Uebbermorgen
Geeht er borgen,

a = Wechsel; b = Speicher; c = Armer, Unbemittelter; d = Wechselhändler; e = Fleischer; f = schlechte Botschaften; g = Gutes; h = Schulden; i = einen Pfennig

Schafft sich an an neu'n Credit;
Er brauch afille[a] nit zu sorgen,
Denn was ihm aach is kummen an,
Aan süßer Troost is ihm geblibben:
Er hot sein Sach soo woohl betribben,
Daß'r nu erst is'n gemachter Mann.

Gut, forerst in'n Ooben steeht se,
Zugedeckt mit Torref – Gruß[b];
Wer gibt nu an gude Eeze[c],
Daß sie aach gerothen muß?
Efscher[d] backt sie recht,
Efscher[d] backt sie schlecht;
Ringestellt is All's nach Noten,
Wie es rauskummt, muß mer rothen.

Der Mensch is gleich an Scholent-Ooben,
Oft stellt mer was in ihm herin,
Un kummt es raus noch unser Sinn,
Soo waaß mer's nit genung zu looben,
Nit immer trefft mer soo'n Gewinn.
Mer setzt in Anem sein Nemonis[e],
Un er greift Schkorim[f] aus die Luft,
Mer stellt in ihm erin Jaschronis[g],
Un was kummt raus? an grooßer Schuft.

Zu d'Haschkome[h]
Schabbes früh,
Mit den Bort bis
Uf die Knie,

---

a = sogar; b = Torf-Grus; c = Ratschlag; d = möglicherweise; e = Ruf, Renomee; f = Lügen; g = Aufrichtigkeit; h = Frühe

Geeht der frummste vun die ganze Khille^a,
Unterm Arm an grooße, dicke Tfille^b.

Oi, der is an grooßer Choßid^c!
Oi, wie tief er buckt sich Moodim^d!
Wie er Chassen^e un ganz Kohel^f
Uebberschreit bei Schmajißroel^g! –
Joo, peschite^h! – stellt ihr nit
In ihm rin den guden Jüd? –
Seht sein Maßimⁱ in sein Haus,
Kummt an schlechter Goi^k heraus;
Drinnen redt er Loschenhorre^l,
Drinnen is er massig G'wull^m
Un vun Schifflesⁿ un Newoles^o
Stecken alle Hucken vull;
Un was waß ich seine Strachen,
Die er macht? Was thut mer d'mit!
Die Taback an Schabbes rachen
Senn die ärgste Jüdden nit.

    Bis's is gor, das Scholentessen
    Lossn mir alle Erbet ruhn,
    Denn mir hebben unterdessen
    Gor nicks in die Küch zu thun.
      Kriegt zurecht die Licht,
      Wäscht euch Händ un G'sicht,
    Ziegt euch raan an, denn ich glaab, es
    Is um halber sibben Schabbes.

a = Gemeinde; b = Gebetsbuch; c = Frommer; d = Dankgebet; e = Vorbeter; f = Gemeinde; g = Gebet Schma Jisrael; h = freilich, gewiß; i = Taten, Tun; k = Nichtjude; l = Verleumdung; m = verletzt den Geschäftsbereich eines Konkurrenten; n = Niedrigkeiten; o = Torheiten

Z'sammen packen ihre Sachen,
Die in Mokum steehn mit Karr'n un Tisch,
Geehen hamzu Schabbes machen;
Eelje[a] stellt aweck sein Tellers,
Un d'Hausirers
Kummen ham mit Korb un Packens,
Setzen nidder,
Ruh'n sich aus die müde Glidder.
Blank un raan
Senn' gescheuert
Stub un Kammer,
Un gebiggelt
Un geschniggelt
Kind un G'sind,
Un die Fra geeht vor die Lomp hen
Un anzündt.
An die Jüddenbörsch[55] werd's stiller,
In die Schulen[b] un die Chewres[c]
Sammeln sich die frumme Jüdden,
Un der Chassen singt L'cho Doodi[d].
Is der Niegen[e]
Nit aus Norma?[56]
Seid Ihr m'schugge[f]? aus d'Entführung!
Reichel[57] singt
Euch die Arie soo mit Rührung,
Daß es wie der schönste Chassen klingt.

B'nee Melochim[g] senn mir Jüdden!
Immer lustig un zufridden;

a = Name (Elias); b = Synagogen; c = Betstuben; d = Gebet zum Beginn des Sabbats;
e = Melodie; f = verrückt; g = Söhne von Königen, Prinzen

Frei un leicht un ohne Sorgen
Steehn mir uf an Schabbes Morgen,
Sitzen uf an waachen Soffe,
Trinken unser guden Koffe,
Ziegen fein uns an, in Ehren,
Geehen Schulen, Berneis [58] hören,
B'suchen nochher Freund un Krooben [a],
Denn geeht offn der Scholent Ooben.

Tausend koschre Jüdden setzen
Untern Schabbes-Tisch die Füß,
Ette, Memme, Kinder letzen
Sich mit Kuggel, fett un süß,
Doo druf geeht mer'n Schoche [b] schlofen,
Das is gut uf jeden Fall,
Denn beseht mer'n neuen Hofen,
Geeht spaziren uf den Wall [59];
Soo geeht unser Schulchon oruch [c],
Wie mir's machen Klaan un Grooß,
Bis mer mit Ledowid boruch [d]
Macht den lieben Schabbes aus.

Jüddenkinder!
Bnee – Melochim!
Woohl Euch! woohl Euch!
Wenn Ihr in Eur Schetach [e] bleibt.
Mog der Tog nit widder kummen,
Wu die Chuzpe [f] vun Eur Jungens
Dringt in alle Koffehäuser,
Bis mer z'sammen, –

a = Verwandte; b = Stündchen; c = religiös-gesetzliches Werk; d = Gebet am Sabbatausgang; e = Gebiet; f = Unverschämtheit, Frechheit

Wie sie do soo führen Alle
'S grooße Wort, –
Schmeißt Sie aus die Alsterhalle,
Wie mirs hebb'n erlebt schoon dort.[60]

Päßche! Beele! Jüttle! Chaje[a]!
Sogt mir nor, wu steckt Ihr denn?
Ruft mir gleich die Schabbesgoje[b],
Daß mer'n Ooben öffnen kenn!
  Sie see man geschickt,
  Dat see niks tobrickt!
Puscht see erst de Asch vun Gropen,
Ehr se makt den Deckel open.

Die Fraa, die muß uf Alles passen,
Mit Szeechel[c], wie sie's g'lerrent hot;
Doch weeh, will sich domit befassen,
Der Mann, un kiekt in jeden Pott.
Meschugge, wie der Ichmognitsogen,
Geeht er in Haus herum zu kehr;
Do hört mer niks, wie brumm'n un klogen,
Mit soo an Mann is epps dermehr!
Wu Männer welln die Werthschaft führen,
Do kenn kaan Fra sich orntlich rühren,
Denn wu der Parnes[d] hot kaan Cheen[e],
Do kenn die Khille nit besteehn.

Weeh, wenn sich in an frumme Khille,
Neumodischkat mit Chuzpe rührt;
Kan alte Tkone[f], un afille

a = weibliche Namen; b = christliche Bedienstete für Arbeiten am Sabbat; c = Verstand; d = Gemeindevorsteher; e = Anmut; f = Gemeindestatut

Kan Row nit mehr wird respektirt;
Do geeht es zu, wie'n Schiff ohn' Ruder,
'S is kaner Herr un kaner Knecht;
Was jeder Cheeschek[a] hot, das thut er,
Un was er thut, das muß sein recht.
An neuen Tempel loßt mer bauen,
An Tempel, – joo! – 's is nor'n Local,
Do geeht es zu drin, 's is an Grauen,
Aweeres[b] g'schehen sunder Zahl.
Do werren Kinder zu Chasonim[c],
Un singen aus an galchis[d] Buch,
Un hot die ganze Sach an Ponim[e],
For alle Schabbes aan Besuch?
Die T'fille machn sie gor mechulle[f],
Sie suchen Stückcher draus heraus,
Un wu epps drin steeht vun die Gulle[g],
Das loss'n sie agenmächtig aus. –
Ich schenk sie chodsche[h] Bame madlikin[i]
Un Eese M'koomon[k] noch dobei;
wie kenn mer obber so zerflicken
Die hal'ge T'fille, sunder Scheu?
Es is loo nischme weloo nirre[l],
Was all's mer do for Maßim[m] thut!
Sie kennen kan Iwre[n] un hebb'n kan Jirre[o],
Un machen Alles mit die Orgel gut.[61]

> Kinder! sie is gut gerothen!
> Hört, ich sog euch, very fine!
> Joo, es is kaan Dower koten[p],

a = Lust; b = Gesetzesübertretungen; c = Vorsänger; d = christlich; e = Ansehen; f = bankrott; g = Erlösung; h = meinetwegen; i = Gebet zum Sabbatbeginn; k = Gebet; l = wir hören und sehen nichts; m = Taten; n = Hebräisch; o = Gottesfurcht; p = kleine Sache, Kleinigkeit

In die Küch perfect zu sein.
  Wie mer vun ihr redt,
  Wabbelt sie vor Fett!
An Kuggelche, soo soll ich leben,
Mer kenn an Kind domit ausgeben.

Herin! herin!
Mir richten an! macht unterdessen
Den Tisch in Ordenung zum Essen,
Un leegt die Berches[a] noch den Din[b],
Dernoch geeht wäschen un macht Mooze[c],
Mit unser Kuggel sen'n mir jooze[d].

Un soo welln mir uns nooheg sein[e]:
An Schabbes welln mir leben fein,
Dobei doch obber nit vergessen,
  Daß Jontew[f] aach muß sein geëhrt;
An Jontew muß mer gor gut essen,
An Jeden, was sich dran gehört.
An Mazzekneedlich[g] mit Roseinen
Gefüllt, un druf an Zuckerbrüh,
Muß Peeßach[h] uf den Tisch erscheinen,
Un loohnen uns alle unsre Müh;
An guder Putterkuchen Sch'wuës[i],
Der muß soo schmelzen uf die Zung; –
Was thu ich mit all die neue Schmuës[k],
Mer braucht gor kaan Verbesserung!
Die Gäns, die kriegen'n gud'n Borchhabbe[l],
Wenn Tischri[m] mit d'Jomtoowim[n] kummt,
Un Kräppcher[o] hot mer Hooschainorabbe[p],

---

a = Sabbatbrot; b = Gesetz; c = Segnung des Brotes; d = ausgezeichnet; e = so wollen
wir uns gewöhnen; f = Festtag; g = Mazzeknödel; h = Fest Pessach; i = Wochenfest;
k = Erzählungen; Gerüchte; l = Willkommen; m = Monatsname (September); n =
Festtage; o = Krapfen; p = 7. Tag des Laubhüttenfestes

Un wenn mer's Geld dozu aach pumpt;
Un Purim[a] stellt uns gor zufridden,
An Puderhohn, soo dick un braat! –
Ich sog Euch, bleibt mir gude Jüdden,
Es geeht niks über d'Jüddischkat.

Nu kummt her un loßt uns machen!
Alle uf den Agenblick
Meßt Ihr her die Tellers rachen,
Daß ich Jeden gib sein Stück;
Daß mer gleich erfohrt,
Wer hot gut geort[b];
Um den lieben Schabbes z'Ehren
Wellnmer sie mit Gesund verzehren.[62]

a = Fest Purim (März); b = gebetet

Linguistisch betrachtet bildet unser «Lied vun die Kuggel» einen westjid-
dischen Text in lateinischen Buchstaben mit starken niederdeutschen Ein-
flüssen (z. B. Spiekers – Speicher, open – offen). Nicht zu verkennen sind
die Anklänge an Schillers «Glocke». Sie zeigen sich nicht nur in der Übernahme bestimmter Sprachbilder bzw. sprachlicher Wendungen (Fest gemauert ... Der Mann muß heraus ...), sondern auch in dem gewählten
Versmaß, nämlich fünfhebigen Trochäen, die abschnittweise aus dramatischen Gründen bis zu zwei Hebungen verkürzt werden.

Inhaltlich bietet das Gedicht ein überaus farbiges Gemälde jüdischen
Lebens aus den frühen vierziger Jahren des 19. Jahrhunderts in Deutschland mit vielen interessanten Details zum religiösen und sozialen Leben
dieser Minderheit. Der lokale Ort ist eindeutig Hamburg. Dies zeigt sich
in der Erwähnung zeitgenössischer hamburgischer Örtlichkeiten, Institutionen und Personen, so etwa stichwortartig mit der Nennung von Hafen,
Wall, Alsterhalle, Judenbörse, Tempel, Tivoli, Bernays und Reichel. Aus
der Art der Darstellung und Charakterisierung wird die traditionelle, alt-
gläubige Sichtweise und Bewertung des Betrachters und Autors deutlich,
die sich mit aller Schärfe und Heftigkeit gegen den (liberalen) Tempelverband und seine Anhänger richtet. Diese Tendenz wird gegen Schluß dieses
Gedichts immer erkennbarer: die Ausfälle und Anklagen weisen den Autor als Anhänger der orthodoxen und konservativen Gruppe innerhalb der
Judenheit Hamburgs aus, der auch vor Invektiven nicht zurückschreckt
(Do werren Kinder zu Chasonim [Vorsängern], Un singen aus an galchis
[christlich] Buch). Gerade vor diesem Hintergrund wird eine vermutliche
Autorschaft des Mitglieds des Tempelverband, des präsumtiven Verfassers
Joseph Ahrons, immer zweifelhafter. Als Rezept für ein konfliktfreies so-
ziales Zusammenleben wird von unserem Autor eine Art Restringenz
empfohlen (Woohl Euch! woohl Euch! wenn Ihr in Eur Schetach [Gebiet,
Bereich] bleibt), um hierdurch die alten traditionellen Werte – Stichwort:
Jüdischkeit – abzusichern.

Zu diesen konservativen Tendenzen gehört auch die gewählte sprachliche Form, das Jiddische oder der Jargon, dessen Kenntnis nach der Vorbemerkung bei dem größten Teil der jüngeren Generation nicht mehr vorausgesetzt werden kann. Modern hingegen ist die gewählte literarische
Form: die Parodie eines offensichtlich auch in diesen Kreisen als bekannt
vorausgesetzten deutschen Gedichts von Schiller. Ist es auch die traditionelle Sabbatspeise «Kuggel», die anstelle der «Glocke» – verständlicher-
weise – erscheint, so zeigen sich in der Behandlung des Gegenstands gewisse Affinitäten, bei denen das literarische Vorbild des «Lieds von der
Glocke» als Vorgabe fungiert.

Nach Wilhelm von Humboldt enthält das «Lied von der Glocke» «die

wundervollste Beglaubigung vollendeten Dichtergenies», «das in wech-
selnden Silbenmaßen, in Schilderungen der höchsten Lebendigkeit, wo
kurz angedeutete Züge das ganze Bild hinstellen, alle Vorfälle des menschlichen und gesellschaftlichen Lebens durchläuft, die aus jedem entsprin-
genden Gefühle ausdrückt und dies alles symbolisch immer an die Töne
der Glocke heftet, deren fortlaufende Arbeit die Dichtung in ihren verschiedenen Momenten begleitet. In keiner Sprache ist mir ein Gedicht bekannt, das in einem so kleinen Umfang einen so weiten poetischen Kreis
eröffnet, die Tonleiter aller tiefsten menschlichen Empfindungen durch-
geht und auf ganz lyrische Weise das Leben mit seinen wichtigsten Ereignissen und Epochen wie ein durch natürliche Grenzen umschlossenes
Epos zeigt.»[63] Von der Intention her kann diese Feststellung auch – unter
Berücksichtigung des veränderten Sujets und der gewählten literarischen
Form der Parodie, sowie eingegrenzt durch sprachliche, religiöse, soziale
und regionale Bezüge – für das «Lied vun die Kuggel» gelten.

IV.

Neun Jahre nach dem Kuggel-Lied erschien im Herbst 1853 ebenfalls bei
B. S. Berendsohn in Hamburg «Das Lied vum Lockschen»[64], wie sein
Vorgänger mit dem Umfang eines Druckbogens, also 16 Seiten.[65] Wurde
das «Lied vun die Kuggel» noch als «Scherz» vorgestellt, so ist nunmehr
auf dem Titelblatt, das von einer Abbildung des Gerichts geschmückt
wird, vermerkt «Parodie uf Schiller sein Lied vun de Glock. In jiddisch-
deitschem Dialekt un mit Erklärungen für Nichtjidden vun Mausche
Worscht». Gedruckt wurde das Büchlein in Conrad Müller's Buchdruckerei.[66]
Bei dem Namen des Autors Mausche Worscht handelt es sich eindeutig
um ein Pseudonym. Leider waren alle Bemühungen erfolglos, das Pseudonym (Moses Wurst) aufzulösen und den Autor zu bestimmen. Für die
Vermutung, daß sich hinter dem Pseudonym der Hamburger Literat Hermann Schiff (1801–1867)[67] verberge, fanden sich keine Anhaltspunkte.
Unser Autor Mausche Worscht legte übrigens zu Beginn des Jahres 1854
bei Berendsohn erneut eine Schiller-Parodie vor. In seinem Schauspiel in 5
Akten «Koppelche und Liebetche» «verarbeitet» er Schillers «Kabale und
Liebe», wobei aber die Liebenden zum Schluß des Stücks anstelle des Gifts
ein Abführmittel einnehmen und glücklich weiterleben.[68]

Anders als beim Kuggel-Lied hat es der Autor dieses Gedichts für notwendig erachtet, bestimmte Ausdrücke und Wendungen zu übersetzen und in einer langen Anmerkung Hinweise zur korrekten Aussprache zu geben. Dem nun folgenden Text sind die Übersetzungen des Autors beigegeben.

Das Lied vum Lockschen.[a]

Festgeklemmt mit Aisenzacken[b]
Hot der Gropen[c] seinen Stand,
Hait' noch muß der Lockschen backen,
Zipperche[d]! nu rihr' de Hand.
    Thust du missig steihn,
    Hot er kainen Chein[e];
Soll mä'n v'rotten Lockschen loben,
Mußt du fleißig sein beim Ooben[f]!

Zum Lockschen, den ich hier bereite,
Paßt sich 'ne gute Eize[g] aach,
Sunst geiht de ganze G'schichte pleite[h],
Der scheene Lockschen schmeckt nach Raach;
Die Kechin, die will brot'n un backen,
Un waaß nit, was derzu geheert,
Meeg sich leschasch wels'osel[i] packen,
Die is, bei Gott, den Lohn nich werth.
As Sie nix weiß, känn Se doch frogen,
Wozu hot Se denn ihren Mund?
Ich muß der Schiffche[k] Alles sogen,
Denn sie waiß viel vun ihr Gesund.

    Nemm' Se Kohlen – nich ze viele!
    Ausgebrannt aach miss'n se sein,
    Daß de Flamm' chas wecholile[l]
    Schlog' nich in den Gropen 'rein.
        Rihr Se schnell en Ei!
        Mit'm Mehl herbei!
    Wasser dribber – nor bekwone[m],
    Alls lekowed roschhaschone[n].

a = Eine Art Pudding, ein Lieblingsgericht der Juden an Sams- und Festtagen; b = Eisenzacken; c = Grapen, großer Topf, meist von Eisen; d = Frauenzimmernamen; e = Anmuth, Witz, Geist, ein schwer übersetzbares Wort; f = Ofen; g = Rath, Lehre; h = entzwei, verdorben; i = Zum Teufel! Zur Hölle! k = Mädchen; l = Gott bewahre, um Gotteswillen; m = gemächlich; n = Zu Ehren des Neujahrsfestes.

Was mer hier unten in de Kiche
Nu kochen, Gott loß uns gesund!
Das werd mit B'ßomen-Wauhlgeriche[a]
En Naaches[b] sein vor Nees' un Mund.
Von unsre Owes Oweseinu[c]
Genießen mer noch haint den S'chuß[d],
Worum? Am Iomtew[e], sogt Mausche Rabbeinu[f],
Der Jidd en Lockschen essen *muß*!
Das Treife[g], das is vor d' Areilim[h],
Was ich nich in de Hände nemm',
Mir aber, mir senn' Barjisreilim[i]
Un essen kooscher, bor'chhaschem[k]
 Waaße Quaddeln[l] seh' ich scheinen,
 Roll' un schneid' Se 'n Lockschen nu,
 Thu' Se Mandeln d'ran, Roseinen,
 K'rinthen, Zucker aach derßu,
  Salz noch muß Se strain
  In de Mischung d'rein!
 Und denn noch, in Gottes Nomen
 Werf' Se zu ä Bißsche B'ßomen[m]!
En gutes Essen is, wie'n S'chië[n]!
Schaun bei Bois'miles[o] vun Gewicht;
Dem Jeled[p] is's 'chad schmu[q], ob Mil' ob Prië[r],
Es hot den Schmazz – das Essen nicht!
Un ob's en Dalfen[s] werd uf b' Orez[t],
Ob'n Kozin[u], Lambden[v] oder Amhorez[w] –
Wer känn was wissen vun die Sachen,
Eh' es nich werd Bermizzwe[x] machen; –
Die Johr', de geihn gor sau geschwind!
Das Jeled werd nu bald zum Socher[y],
Lest Thaure[z], Dikdik[aa] – pscht, wie'n Kopp!
Gemore[bb], Rambam[cc] lernt der Bocher[dd],
Un werd schaun geg'n de Memme[ee] grob!

a = Wohlgerüche aus einer Spezereibüchse; b = Vergnügen; c = Vorfahren; d = Der
Segen oder Vortheil, den Jemand vom Verdienste eines Andern hat; e = Feiertag; f =
unser Lehrer (Prophet) Moses; g = Verbotenes, unreines Essen; h = Christen; i = Israeliten; k = Gelobet sei Gott; l = Blasen; m = Spezereien; n = Glück; o = Beschneidung;
p = Kind; q = Einerlei, gleichgültig; r = Das Ueberziehen und die Beschneidung; s =
armer Mensch; t = Erde; u = Reicher; v = Gelehrter; w = Ignorant; x = die israelitische
Confirmation oder Firmelung; y = Knabe; z = Die Bibel; aa = Grammatik; bb = die
talmudistische Philosophie u. s. w.; cc = berühmter Philosoph, Maimonides, dessen
Werk «more nebuchim» ein besonderes Studium bildet; dd = Jüngling; ee = Mutter.

Am Schabbes[a] ruf'n se'n in die Schule[b]
Zu psiches or'n bakaudesch[c] fein,
Da roint[d] er obben 'ne Besule[e];
Mm! – denkt er sich – das haaßt ä Chain[f]!
Er loßt den Chasen[g] ruhig ooren[h],
Umsunst winkt ihm der Schammes[i] zu,
Un käm' jetzt Eilje 'nowe[k] g'fohren,
Er is verliebt, ihm wär's 'chad Schmu[l].
Un Schbeis-Nacht[m] Obend vor Hawdole[n]
Verloßt er Ette, Memme[o], Freund,
Ihm werd de Broche[p] zur Kelole[q]
Wenn er nich 's Peisselponim[r] roint;
De scheenste kaaft er vun de Uhren
Un gäb' se hin for aanen Kuß,
Un macht sich Deiges[s] un Jesuren[t],
Un saifzt un planjent[u] – mm, wie'n Stuß[v]!
Gott! – ruft er – in main Hazz wie'n Trubbel!
Das Taibche[w] is doch gor ze sieß!
Keg'n ihr is Ninon d'Lanklos 'n Menubbel[x],
Mir is vor alle Nekeiwes[y] mieß[z]!

    Schon werd's braun! nu muß Se schmieren
    Or'ntlich Fett d'rin, doch recht heiß!
    Au waih! Sie will räsonniren,
    Un weiß doch nix von ihr Chai's[aa]!
        Hör' Se, wenn ich ruf'
        Zippperche! un pruf'[bb],
    Ob das Salzige un Sieße,
    Wauhl un gut zesammenfließe!

Denn wie das Salzige zum Sießen,
So muß aach Geld zum Gelde fließen,
Sunst werd mer bei 'en Schiddech[cc] bang.

a = Sonnabend; b = Synagoge; c = Oeffnen der heiligen Lade; d = sieht; e = Jung-
frau; f = Anmuth; g = Vorsänger; h = beten; i = Küster; k = der Prophet Elias; l =
gleichgültig; m = Sonnabendabend, wenn der Sabbath (von Freitagabend bis Sonnabendabend, wenn die Sterne untergehen, dauernd) zu Ende ist; n = das Gebet, mit dem
die Sabbathfeier schließt; o = Mutter; p = Segen; q = Fluch; r = das reizende Gesicht-
chen; s = Sorgen; t = Leiden (eigentlich Jesurim, aber von den Juden im gewöhnlichen
Leben Jesuren ausgesprochen); u = weint; v = dummes Zeug, Thorheit; w = Frauen-
name; x = häßliche Person; y = Frauenzimmer; z = Ekel; aa = Leben, (von seinem
Leben oder Gesund nichts wissen, heißt bei den Juden so viel wie sehr bornirt sein); bb =
probiren; cc = Ehe, Partie.

D'rum frogt beim Schadchen[a] erscht der Frumme,
Ob er sich nemmes[b] nich merumme[c];
Der Stuß[d] is korz – der Dalles[e] lang!

Unter d' Chuppe[f] steihn se Baade,
Un der Roof[g] red't wie ä Buch!
Choßen[h] ganz in schwazzem Klaade,
Mit läckirte Schuh', betuch[i],
Vull Gewure[k], wie 'ne S'chië[l]!
Tret't er nu das Glas entzwaa. –
De Kall'[m] ihr Schlai'r is aach kei M'zië[n],
Paddl'n[o] trogt s' ä ganze Raah.
  De Scheenheit vergeiht,
  De Liebe is flichtig,
  Das Kesef[p] besteiht,
  Der Schiddech blaibt richtig.
  Der Mann muß nu 'raus
  Glaich uf de Medine[q],
  Daß er epps[r] verdiene,
  Muß handeln un kaafen,
  Un schwitzen un laafen,
  Un schneid'n sich ä Krië[s]
  Um de klaanste Mezië[t].
Da werd er lezoff[u] noch ä graußer Serore[v],
Kaaft erst sich ä Schiebkarr' mit wohlfeile Woore;
Nach'm Johr, wie'n Masel[w]! hot er schon ä Haus.
  Un drinnen regieret   Kocht Kuggel un Bauhnen[dd]
  Mejuschew[x] de Memme[y],   Un Supp' mit Makraunen,
  Un schlogt de Jelodim[z]   Un mänchmol sogar
  Un schreit mit de Schikse[aa], Geiht *sie* in's Comtor,
  Un m'kaint[bb] das Scheigez[cc];

a = Freiwerber, Ehemakler; b = wirklich; c = betrogen; d = Wahn; e = Armuth; f = Thronhimmel bei jüdischen Hochzeiten; g = Rabbiner; h = Bräutigam; i = fein, elegant; k = Kraft; l = Glück, (bei der Trauung muß der Bräutigam das Glas zertreten, kann er es nicht, so wird dies als ein Zeichen angesehen, daß er nicht der herrschende Theil im Hause sein wird); m = Braut; n = wohlfeil; o = Perlen; p = Silber, Geld; q = Land, Dörfer; r = etwas; s = Kriee schneiden, eine Ceremonie, bei welcher der Sohn am Sarge seiner Aeltern seinen Rock als Zeichen der Trauer zerreißt, Krie schneiden im Allgemeinen heißt: sich grämen, abhärmen, abplacken, abarbeiten; t = Kleinigkeit, wohlfeile Sache; u = am Ende; v = Gentleman; w = Glück; x = ordentlich, vernünftig; y = Mutter; z = Kinder; aa = Mädchen, Dienstmädchen; bb = prügeln, schlagen; cc = Bursche, Laufjunge; dd = ein Lieblingsgericht der Juden, auch eine Art Pudding mit Fleisch und Bohnen zu einer dicken Suppe gekocht.

Un schneid't von Kattun un von Parchent die Eelen[a],
Und thut sich mit'm Schochen[b] Chiduschim[c] verzählen.
Nochher rennt se in den Keller herein,
Gebt Gurken 'raus, Torfgrus[d], Butter un Wein,
Un macht Peißach[e] mit de Schabbesgoi[f] ä G'fluche,
Un hot kai Menuche[g]!

Und der Balbo's[h], mit Stolz un Vergnig'n
Gibt Erew Jontew[i] ä prächtigen Zeider[k],
In Nachtmitz un Kittel singt 'r mit ä Nign[l]
Ibber de Mazzes[m] d' geheerige Broche[n],
Sogt Chaddegaddje[o] mit de ganze Mischpoche[p],
Un les't von Anfang bis Ende de Gode[q],
Nimmt Afkaumen[r], Charausses[s] un Ei'r, wie's Mode,
Thut epps gewaltig dick:
«Ich bin der Liebling vum Glück;
Mm! was bin ich betuch[t],
Hob' kai Chauwes[u] im Buch!»
Doch mä soll kai Reden fihren,
En Schlemasel[v] känn passiren,
Un der Dalles kummt gor schnell.
Abgekocht der Lockschen brudelt,
Pscht! wie geiht der Taag schaun uf!
Seht mol, wie das Fett druf sprudelt!
Ruft den Hausknecht 'ruf!
Friedrich! – Nu? – Au waih!
Was gebrecht dem Goi[w]?
Er roint[x] aus wie'n Kesselflicker!
Schma beni[y]! er is lotschicker[z]!
Viel Broche[aa] hot der Jaj'n[bb] gebracht,
Wenn es der Mensch mejuschew[cc] macht,
Un ibber Pri hagef'n[dd] äfille[ee],
Is schaun ä Broche[ff] in de Tfille[gg].

a = Ellen; b = Nachbar; c = Neuigkeiten; d = Torfstaub; e = Ostern; f = eine
christliche Aufwärterin, die am Sonnabend und an Feiertagen die Lichter putzt und
allerlei Handreichungen leistet, weil an diesen Tagen die Juden dergleichen nicht anrüh-
ren dürfen; g = Ruhe; h = Hausherr; i = Abend vor dem Festtage; k = Gelage, Abend-
mahl am Vorabend des Ostern; l = gebräuchliche Melodie; m = Osterkuchen; n =
Segensspruch; o = ein Theil des Ostergebetes; p = Familie; q = Beschreibung des Aus-
zugs der Juden aus Aegypten; r = einzelne Stücke des Osterkuchens; s = ein Gemengsel
von Apfelmus, Wein u. s. w.; t = fein; u = Schulden, Passiva; v = Unglück; w = eine
Benennung für jeden Nichtjuden; x = sieht; y = Um Gotteswillen; z = total betrunken;
aa = Segen; bb = Wein; cc = ordentlich; dd = Frucht des Weinstocks; ee = wahrlich,
sicher; ff = Gebet, Segensspruch; gg = Gebetbuch.

Doch sauft mä zum übrig'n Hust'n[a] 'rein
Un schaßjent[b] gor noch Branntewein,
Daß mä nit steihn känn uf de Fieß,
Vor sau en Schickern[c] werde mer mießd[d].
Waih, wenn sau Aaner lausgelassen,
Wie en Kind vum Gängelband,
Mir nix, dir nix uf de Gassen,
Torkelnd haulecht[e] mit'n Brand[f],
Und sich chotsche[g] sehn will lassen,
Zu sein' eigen Charp[h] un Schand.
   Aus de Buddel[i]
   Meinetwegen,
   Meeg' sich pflegen
   'N Kozin[k] bloß!
   Doch beim Buddel,
   Werd zum Schnuddel[l]
   Mänch' Balbo's[m].
   Seht'n liggen uf'n Hof,
   Was en Zoff[n]!
Schwazz wie Wix
Is das Ponim[o]!
Vorr Dalfonim[p]
Is der Wein ewadde[q] nix!
Oi, das schmazzt,
Wenn verschwazzt[r]
Schicker liggt der Mann statt oort,[s]
Oder gor aus «lange Weile»
Sich en Schicksche[t] hält, ä Schfeile[u],   Das Gejammer
Die mit ihm bei Jom un Laile[v]   Vun dem Chammer[aa]!
Dorchbringt, was die Fraa gesport.   Das Gequäke
B'chinnem[w] hofft er uf de Gulle[x],   Vun Jelodim[bb]!
Sain Parnoße[y] is mechulle[z].   Wie'n Gezeeke[cc]!

a = Zum übrigen Husten, eine Redensart: überflüssig, was nicht nothwendig ist; b = trinkt; c = Säufer; d = Ekel; e = geht; f = einen Brand haben, so viel wie betrunken sein; g = gar, sogar; h = Schimpf; i = Bouteille, Flasche; k = Reicher; l = unreinlicher Mensch, Lüderjahn; m = Hausherr; n = wörtlich: Ende, auch Schicksal, Loos; o = Gesicht; p = arme Leute; q = sicherlich; r = unglücklich, heruntergekommen; s = betet; t = Dirne; u = eine schlechte Person; v = bei Tag und Nacht; w = umsonst, vergeblich; x = die Erlösung aus der Sklaverei, dann auch im Allgemeinen: Errettung aus einer schlimmen Lage; y = Brot, Geschäft, Nahrung; z = verloren sein, verderben, bankerott sein; aa = Esel; bb = Kinder; cc = Geschrei.

Un Meschmodim[a],
Goi'm un Jidd'n[b]
Senn' zufridd'n,
Wenn se zehn Perzent noch chapsen[c],
Ebbes bei de Pleite[d] grapsen!
Und das Bai's[e] werd angeschlogen,
Hailend kummt de Fraa geflogen,
Sucht de Balchauwe's[f] abzejogen
Was se känn! «Wie haißt? ich laihn?
Ooßer'n Chaser[g]!» – sogt der Chalfen[h], –
«Ich werr' pumpen sau 'nen Dalfen[i]?
«Kai Maschk'n un Orew[k]? wie'n Chaseire[l],
«Mna! da mißt ich meschugge[m] sein!»
     Er derweil in sein Geseire[n],
     Putzt de Nees[o];
     Klomperkees[p]
Schimpft er uf den Jeizer horre[q],
Schreit: der is Schuld, daß ich nu schnorre[r]!
Das haaßt: Krie 'ber kai Bereire[s].

     Ausgeraamt,
     Senn' nu Loden,
     Stubben, Keller, Kiche, Boden,
     Och'n nebbich[t], in de Geldkist'
     Nix mehr d'rin!
     Doch er denkt in seinem Sinn:
     Nit gedacht!
     Niemand will
     Nu mehr borgen?
     Aach mai Sorgen!
Aan Trost, ich mach' mir kai Grill',
Gitel[u] känn Wartsfra[v] werd'n morgen,
Oder sie geiht haam zu Rebb' Refo'l[w].
Ich bin vum Wein nebb'ch «apoplektisch»,
Sogt Doctor Cohn, geih nach'n Hekdisch[x],
Un vor d' Kinder sorgt schon Ko'l[y].

a = Getaufte Juden; b = Christen und Juden; c = erhaschen, ergreifen; d = bankerott;
e = Haus (anschlagen – d. h. die Subhastation publiciren); f = Balchauwe ist Gläubiger;
g = Ooßer'n Chaser, bedeutet etwa: unter keiner Bedingung; h = Wechsel-Inhaber; i =
armer Teufel; k = kein Pfand und Bürge; l = Schweinerei, Unordnung; m = verrückt; n
= Unglück; o = Nase; p = Quantsweise, zum Schein; q = das böse Geschick; r =
betteln; s = Unglück aber kein Ausweg; t = ach leider! o weh; u = Weibername; v =
Wärterinn; w = Herr Raphael; x = Krankenhaus; y = Vorstand der jüdischen
Gemeinde.

Schnell den Gropen ufgenummen,
Stellt 'en or'ntlich in de Rook[a]!
Is de Form aach sau gekummen,
Wie sich's paßt vor'n Faaërtog[b]?

Efscher[c] gor nit gohr[d],
Efscher schwazz wie'n Mohr,
Is, deweil mä hier geschmuset[e],
Er verbrännt, tomer[f] zermuset.

Do draußen uf en Baißhakworis[g],
Werd aach was in de Rook gestellt,
Das dribben in de andre Welt,
Wo mä nich frogt noch Bankogeld,
Zu Geinem[h] oder G'neiden[i] gohr is.

Wenn erst de Chewrelait[k] erscheinen,
Der Malchhamowes[l] nemmt sain Schwert,
Do werd, wo die Kabronim[m] leinen[n],
Das letzte Schma Jisro'l[o] geheert.

Uf em Soffa,   Sitzt de Wittwe
Bei 'n Taß' Thee,   Im Negligé.

'Schkauch[p], sogt se zu Blimche, Scheinche, Frummet,
Daß ihr zu menachem owel[q] kummet.

Och, was muß ich all's derleben,
Och, sau jung, sau schain, un Witwe!
Ich bin nebbich sau verlassen,
Wer soll uf's Geschäft nu passen?
Mai Schwoger's Leib un Schmu'l[r]
Geihn zum Kaddisch[s] in de Schul'!
Schiwwe[t] sitzen – was vorr'n Zoff[u]!
Kai Mensch macht mer mehr den Hof!
Doch der Himmel hot Rachmones[v],
Mit Jeßaumim[w] un Almones[x],
Un bald kennen mer's derleben,
Loßt se sich Chalize[y] geben.

a = In de Rook stellen, ist: einraken, auf heiße Kohlen; b = Feiertag; c = vielleicht;
d = gahr; e = geplaudert; f = vielleicht; g = Begräbnißplatz; h = Hölle; i = Paradies; k
= die Leute, welche mit den Sterbenden beten; l = Todesengel; m = Todtengräber; n =
beten; o = Höre Israel! der Anfang eines Gebetes, welches bei einem Sterbenden gesagt
wird; p = statt jischhkoach danke; – das Folgende sind drei Frauennamen; q = zur
Condolation; r = Vettern, Schwäger – Levi, Samuel; s = Gebet für den Todten; t =
sieben Tage auf dem Boden oder einer Fußbank sitzen, als Zeichen der Trauer für einen
verstorbenen nahen Verwandten; u = Schicksal; v = Erbarmen; w = Waisen; x = Witwen; y = die Erlaubniß für kinderlose Wittwen, wieder heirathen zu dürfen.

Heiroth't widd'r, un ich mecht' wetten,
Daß se nu schon denkt daran,
Wie sich meeg lossen getten[a],
Nemmen chodsch'[b] ä dritten Mann.

Loßt den Lockschen sich man kihlen;
Minjen[c], glaab ich, werd gemacht.
Aanmol kännst an'n Gropen fihlen,
Daß er steihn meeg ibber Nacht.
    Der Balboës[d] brummt;
    Weil der Jomtew[e] kummt
Muß de Goje d'Kohlen schiren,
Jidden derf'n nix mehr anrihren.

Munter fördern ihre Schritte
An dem schainen Fest der Zuckes[f]
Zu de grine Lauberhitte
Rings die frummen Barjisreilim[g];
Un de Kinder,
Ungezoggne Jungens, kummen
Mit Gebleeke;
Schemjischmareinu[h], wie'n Gezeeke[i]!
Hinterdrin
Geiht der Ette[k],
Nemmt den Lulew[l],
Den er rittelt
Bentscht[m] un schittelt;
Uf 'm Tisch
Liggt epps Rores[n] vun en Essrog[o],   Kummt en Scheigez[q]
Un en Fisch   Macht sich ä Chain[r],
Steihet neben ä Putterkuchen.   Will de Zucke[s] sich beseihn;
Oi, wie brennt die Lampe helle!   Jau beschite[t]!
Der Balboës macht den Kiddisch[p],   Loß en anderswo hengeihn;
Un de Hausthir welln se schließen;   Jog' en fort, ich zohl hier meine Miethe!

---

a = Scheiden; b = gar; c = Gebet; d = Hausherr; e = Feiertag; f = Lauberhütten; g = Isrealiten; h = Gott bewahre uns!; i = Geschrei; k = Vater; l = Palmenzweig (den die Juden an diesem Feste tragen und schütteln); [m = betet]; n = etwas Seltenes; o = Paradiesapfel; p = Segen; q = Straßenjunge; r = Spaß, Witz; s = Lauberhütte; t = O ja doch! versteht sich! (ironisch gesagt).

Die Täg sinn borch'schem[a] voribber,
Wau do alls ging drunt'r un dribber;
Jetze gibt's ä Leb'n ä frisches,
Nooch un nooch verschwindt der Risches[b].
Jau, mer meegn de Zeiten benschen[c],
Wo mä uns gemacht zu Menschen.
Wozu an Jeruschalajim[d] denken?
Loß Jischmo'l[e] un Eisew[f] zenken!
Mir red'n taitsch un loschnhakaudesch[g],
Faaërn Weihnacht un Roschchaudesch[h]!

Tausend Jidden ohne Maure[i]
Kegen Nacht, mit frohem Sinn,
In de Schul zu Simchesthaure[k]
Geihn se mit de Kinder hin.
Was vorr'n Leben! wie de Segels
Vun de Maschtbaim[l] nidderweihn,
Jetzt de Jung'ns mit Lichter un Degels[m]
Rings um den Almemmer[n] geihn.
Ferschten[o] frait Glanz un Geschmeichel[p]
Und en Zeilem[q] den Soldoot[r].
Unser Mog'n awrohm[s] is: Zeichel[t]
Koscher[u] essen uns Gebot.

  Chajim, Scholem,
  Masel, Broche
  Un Parnoße[v]
Sellen uns beschidden sein!
Meeg ich nie den Jom[w] derleben,
Wo de fremden Balmelchomes[x]
Ganwnen[y], plindern, schlogen, hargnen[z],
Wo der Schilling,
Den mä sich mit Mih muß sporen
Mänches Johr,
Bei de Kriegsstair'n geiht verloren;
Vorr Melchome[aa] Gott bewohr!

a = Gottlob; b = Judenhaß; c = Segnen; d = Jerusalem; e = Muselmänner; f = Christen;
g = hebräisch; h = Monatsanfang (die Juden feiern jeden ersten Tag ihrer Monate);
i = Furcht, Angst; k = Fest der Gesetzesfreunde, der letzte Tag des Lauberhüttenfestes;
l = Mastbäume; m = Fahnen; n = Altar; o = Fürsten; p = lächeln, lachen; q = Orden;
r = Soldat; s = Schild Abrahams, hier so viel wie Devise, Wahlspruch, Wappen;
t = Klugheit; u = vom jüdischen Gesetz Erlaubtes; v = Leben, Frieden, Glück, Segen und
Verdienst; w = Tag; x = Krieger; y = stehlen; z = morden; aa = Krieg.

Zipper[a], geb der Goje 'n Schlissel,
Daß se Tellers haulen känn!
Breng Se her ä grauße Schissel,
Stell Se uf den Heerd se hen!
    Sei Se nit so dumm!
    Stilp Se'n Gropen um[b],
Känn Se'n nich mit'n Schwupp[c] umdreihen
Werd der Locksch'n mechulle geihen.

En Lockschen meeg zu Gamsel'tauwe[d]
Mä essen, weil's dem Mogen frummt,
Doch waih geschrien, wenn 'n Saulelw'sauwe[e]
Gepreit[f] werd un zu Tische kummt.
Blindwithend fallt mit Gabb'l un Messer
Er dribber her, hebt ab das Dach[g]
Bohrt drin ä graußes Loch, sau'n Fresser,
Sau'n g'schmadter Zaw'r[h], is das ä Sach?
Wo solche Zudeschänder[i] walten,
Da känn man kaanen Jomtew[k] halten. –
Do fallt mer acht und vazzig ein,
Dran hebben me noch haint zu dain[l].

Do woren aach viel Zudeschänder,
Die sich beim Volk zu Tisch gesetzt,
Un ufgefressen ganze Länder,
Un Alles ufenand'r gehetzt.
Die hetz'n un sich zu Bette legen,
Wenn Alles geiht wie Rübb'n un Kohl,
D'Achbrauschim[m] meegen mainetwegen
Ä K'pore werd'n vor Kol Jisro'l.[n]

Jen'rolmarsch trummelt's uf de Gassen,
De Borgergarde greift zur Wehr;
Vor Schreck weiß ich mer nich zu fassen:
«Gott sei meschamm'r[o], was is dermehr?[p]»

---

a = Frauennamen; b = umstülpen, umwenden; c = schnelle Wendung, Schwenkung;
d = wer weiß, wozu es gut ist; e = gieriger Mensch; f = einladen; g = der obere gebra-
tene Theil des Lockschen; h = ein Näscher; i = Festschänder, so nennt man die, die bei
Mahlzeiten den Andern Alles vor dem Munde wegessen; k = Fest; l = Sorgen, leiden;
m = Frevler, Bösewicht; n = ein Sühnopfer werden für ganz Israel (von der Ceremonie
hergenommen, wo man ein Huhn am Versöhnungstag schlachtete, welches die Sünden
des ganzen Volkes auf sich nahm); o = Gott behüte!; p = was giebt's? was ist los?

«Up'm Stadthuus smiiten se in de Ruden[a]!»
Da muß ich nebbich[b] aus en Bett,
Waih! Barrikoden machen s' aus Buden,
Und ich muß fällen 's Bajenett.
Kaan Tarbes[c] is nich mehr zu fihlen,
Voll Chuzpe[d] Gass'nsch'gozim[e] schra'n;
Ich werr mer noch de Fiß verkihlen,
Patrulje geihn uf d' kalte Staan! –
En Kunststick is's 'en Chillef[f] decken,
En Schickern[g] fihren is kai Spaß,
Jedoch das Schrecklichste der Schrecken,
Das is 'n politischer Meschuggaß[h].
Worum seid Ihr Eich denn mehanne[i]?
Weil Die grauß thun, die nix versteihn?
Wie kummt Homen in de Manneschtanne[k]?
Wie hat sau'n Tam[l] z'regieren Chain[m]?

Och, wie wauhl, wie wauhl gerothen
Kummt er aus en Gropen 'raus!
Kosten thut 'r äfill'[n] ä D'koten,
Dovorr is des Naaches[o] grauß.
Braun is er un zort,
Nix is dran gesport;
Und Roseinen, Mandeln, K'rinthen
Obben, unten, vorn un hinten!

Herin! Herin!
Ihr Bochrim[p] alle, kummt zum Essen!
Die Mitz ufsetzen nit vergessen –
Bekalles rosch[q], das is kai Din[r]!
Erscht kummt das Wichtigste vun alle Sachen,
Erscht müssen mer vor Tisch die Mauze[s] machen.
Das sog ich Eich lemoschl b'seh[t]
Loßt uns vor frumm blaiben wie wauleh,[u]
Denn Frummsein ist das *halbe* Leben!
Das *ganze* is: en koschrer[v] Tisch.

a = (Plattdeutsch): auf dem Stadthaus werfen sie die Scheiben ein!; b = leider; c = Scheu, Respekt; [d = Unverschämtheit]; e = Gassenbuben; f = Wechsel; g = ein Betrunkener; h = Verrücktheit, Wahnsinn; i = sich freuen; k = eine Redensart, ungefähr gleichen Sinnes mit: wie kommt Saul unter die Propheten?; l = Einfaltspinsel; m = Witz, Anlage, Talent; n = gewiß; o = Vergnügen; p = Burschen, Knaben; q = mit entblößtem Haupte; r = Brauch, Vorschrift; s = Tischgebet vor dem Essen; t = zum Beispiel; u = vordem, ehemals; v = was zu essen den Juden erlaubt ist.

Gott sell uns bis an's Ende geben
So'n Lockschen un ä guten Fisch!
Man meeg, bei Gott, sai Schicksal loben,
Bei sau'n fett'n kalkutschen Hohn –
Was is doch keg'n ä Scholetooben[a],
D' Erfindung vun de Aisenbohn[b]!
En Supp mit Schwemmches[c], Mazzekleese[d],
Gerimpels[e], Ochsenflaasch mit Krein[f],
En guter Bierfisch, Kalbsgekreese,
En Birenkuggel[g] – mm, wie fein!
Almundege's[h] un Bolesanches[i],
Melinje[k] uf Portugieser-Oort[l],
Un Kneidlech's[m], Knobblich[n] und noch Manches,
Vor Allem ene Eppeltoort[o] –
Das nenn ich Jiddischkaat[p]! in Scholem[q]
Genießt das Alls, das blaabt gewiß,
Weil alles Andre doch nor Cholem[r]
Un, wie Schlaum'melech[s] sogt, hewel[t] is.

    Jetze nemmt nor Gabb'l un Messer,
    Thaal'n will ich 'n Lockschen aus;
    Leipche[u]! du verdammter Fresser,
    Puhl[v] nit de Reseinen 'raus!
        Bis zum Kiddisch[w] nu
        Eßt in guter Ruh.
    Gott erhalt de ganze Mischpoche[x]
    Schenk' kol Jisro'l Mas'l un Broche[y]!

a = Scholetooben: Ofen, in welchem das Schalet-Essen bereitet wird; b = Eisenbahn; c = Schwemmklöse; d = Klöse von Osterkuchen; e = Gänseklei'n; f = Meerrettig; g = ein Birnenpudding; h = kleine Fleischklöse mit Gewürzen; i = eine Art süßen Gebäcks; k = Fleischtorte; l = Diese drei vorhergenannten Gerichte haben die portugiesischen Juden aus Spanien und Portugal nach Deutschland verpflanzt. m = kleine Klöschen; n = Knoblauch; o = Apfeltorte; p = Judenthum; q = Frieden; r = Traum, Wahn; s = König Salomo; t = eitel; u = Diminutiv von Leib (Levi); v = herauskratzen; w = Tischgebet nach Tische; x = Familie; y = Schenke dem ganzen Israel Glück und Segen.

Wie im Kuggel-Lied wird uns auch im Lied vom Lockschen ein überaus lebendiges Bild von Sitten, Gebräuchen und Eigenheiten des traditionellen jüdischen Lebens in seinen sozialen und religiösen Bereichen vermittelt, wobei ausführlich auf die jüdischen Feste eingegangen wird. Sprachlich ist das Gedicht stärker jiddisch eingefärbt, niederdeutsche Elemente sind gleichwohl nicht zu verkennen.

Inhaltlich sind die Unterschiede zum Kuggel-Lied beträchtlich mit Ausnahme der Schilderung der Zubereitung des Gerichts, die Ähnlichkeiten und vielleicht Abhängigkeiten vom Vorgänger erkennen läßt. Zunächst einmal fehlen die konkreten und aktuellen Bezüge, die das Kuggel-Lied auszeichnen und die seinen über das rein Literarische hinaus reichenden Reiz ausmachen. Politische Vorkommnisse, topographische Punkte, Verhältnisse der Gemeinde und ähnliches werden in bezug auf Hamburg nicht angesprochen. Dafür findet sich nun neben der schon erwähnten Behandlung der Feste ein langer Einschub zu den Gefährdungen durch den Alkohol (S. 199 f.), der abrupt abbricht, wie überhaupt die Übergänge zwischen den Einzelthemen nicht so harmonisch sind, wie beim Kuggel-Lied. In allgemeinerer Form werden politische Vorgänge aber auch erwähnt, so in der Schilderung der Revolution von 1848 (S. 205 f.). Freilich dominiert hier bei der Schilderung des Aufruhrs und der Wirrnisse ein quietistisch-konservativer Grundzug, der auch an anderen Stellen anklingt. Besonders interessant und kennzeichnend für die politische und soziale Situation der jüdischen Minderheit in den fünfziger Jahren des 19. Jahrhunderts in Deutschland sind die Zeilen, in denen nach (in Hamburg) vollzogener Emanzipation die Situation wie folgt beurteilt wird (S. 204):

«Die Tage sind Gott sei Dank vorüber,
wo alles drunter und drüber ging.
Jetzt gibt es ein Leben, ein frisches,
nach und nach verschwindet der Judenhaß.

Ja, wir mögen die Zeiten segnen,
in denen man uns zu Menschen gemacht hat.
wozu an Jerusalem denken?
Laß sich Ismael und Esau zanken!
Wir reden deutsch und hebräisch,
feiern Weihnachten und den Monatsanfang!»[70]

V.

Auf vielen Ebenen und in den unterschiedlichsten kulturellen und sozialen Bereichen ist die Schiller-Rezeption in Deutschland im 19. Jahrhundert nachweisbar. Hierzu zählen neben den Aufführungen der Dramen die musikalische Bearbeitung einzelner Stücke, Illustrationen (zur Glocke von Moritz Retzsch und Ludwig Richter), Aufnahme seines Werks in die Curricula von Schulen und Universitäten, Errichtung von Denkmälern, Gründung von Gesellschaften, Durchführung von Festen und Feierlichkeiten, sowie die Auseinandersetzung mit und Preisung des Schillerschen Werks und der Person des Dichters durch nachfolgende Autoren in Lyrik und Prosa.[71] Bis in den Bereich des täglichen Lebens ist die Nachwirkung Schillers spürbar: Schillerbackwerk, Schillerbüsten und Schillerkragen seien hierfür stellvertretend genannt.

Die Nachwirkung Schillers blieb nicht auf das Bildungsbürgertum beschränkt. Albert Ludwig konstatiert für die Epoche zwischen Juli- und Februarrevolution (1830–1848) «eine stetig wachsende Popularität in den mittleren Schichten: ein Bannerträger seiner Ideale schien Schiller dem dritten Stande zu sein, der sich dabei nur leider mit sehr äußerlicher Auffassung des Wesens und Wirkens seines Lieblings begnügte.»[72] Ein Bannerträger ihrer Ideale war Schiller auch für die Juden, die in ihm den Vorkämpfer ihrer Freiheit sahen.

Einen Aspekt der Wertschätzung Schillers durch die Hamburger Juden in der Mitte des 19. Jahrhunderts bilden die beiden vorgestellten Texte. Formal angegliedert an die literarische Vorlage, verbleiben sie linguistisch noch im vertrauten Sprachmilieu, welches um diese Zeit zugunsten der deutschen Hochsprache schon deutlich zurücktritt. In der Diglossie von literarischer Vorlage und neuer Textgestalt liegt ein besonderer Reiz beider Gedichte. Wenn auch Züge der Parodie und Satire in ihnen nicht zu verkennen sind, so ist doch der Eindruck von liebevoll und sorgfältig gezeichneten Genrebildern vorherrschend. Die humorvolle Schilderung jüdischen Alltagslebens und der Nöte und Freuden vermitteln einen deutlichen Eindruck der damaligen Situation der jüdischen Minderheit in Hamburg und ermöglichen einen Einblick in vorherrschende Mentalitäten. Evident sind hierbei die Unterschiede: während das Kuggel-Lied (1842) keine Worterklärungen enthält, sieht sich der Autor des Lockschen-Liedes (1853) genötigt, die jiddischen und hebräischen Wörter und Wendungen zu verdeutschen. Auch von der historischen Verankerung her sind die Unterschiede beträchtlich: Das Kuggel-Lied, welches offensichtlich unter dem Eindruck der heftigen Auseinandersetzungen um die 2. Auflage des Tempelgebetbuchs von 1841 entstanden ist, bezieht eindeutig Stellung gegen die Reformer und für die Tradition, wenn es auch stellenweise nicht ganz unkritisch der eigenen Position gegenüber ist. Demgegenüber werden im Lockschen-Lied innerjüdische Spannungen kaum erwähnt, als beherrschendes politisches Ereignis erscheint die Revolution von 1848/49 und die durch sie bewirkten Veränderungen. Die in diesem Zusammenhang geäußerten Hoffnungen auf sozialen Frieden und auf politische Freiheiten sind kennzeichnend für die Situation der fünfziger und sechziger Jahre. Unter Beachtung ihres literarischen Eigenwerts fungieren beide Gedichte als Indikatoren für entscheidende Entwicklungen und Veränderungen jüdischen religiösen und sozialen Lebens in der Mitte des 19. Jahrhunderts in Hamburg.

ANMERKUNGEN

1 Memorboek. Platenatlas van het leven der joden in Nederland van de middeleeuwen tot 1940 door Mozes Heiman Gans, Baarn ⁴1974.

2 A. a. O., S. 352–353.

3 Abgedruckt in Judaica II, Frankfurt a. M. 1970, S. 20–46.

4 Zitat auf S. 30.

5 Worte, bei der Schulfeier der Unterrichtsanstalt der Israelitischen Religionsgesellschaft zu Frankfurt a. M., den 9. Nov. 1859 am Vorabend der Schillerfeier gesprochen von Samson Raphael Hirsch, Rabbiner der Israelitischen Religionsgesellschaft und Rektor der Unterrichtsanstalt, in: Gesammelte Schriften von Rabbiner Samson Raphael Hirsch, hrsg. von Justizrat Dr. Naphtali Hirsch, Bd. 6, Frankfurt a. M. 1912, S. 308–321. Das Zitat findet sich auf S. 311.

6 A. a. O., S. 317.

7 Gabriel Riesser, Festrede zum hundertjährigen Geburtstage Schiller's 1859, in: Gabriel Riesser's Gesammelte Schriften. Herausgegeben im Auftrag des Comité der Riesser-Stiftung von M. Isler Dr., Bd. 4, Frankfurt a. M. – Leipzig 1868, S. 329–352. Zitat: S. 335. Die Rede – gehalten am 11. 11. 1859 im Stadttheater Hamburg – ist auch abgedruckt in: Bernhard Endrulat, Das Schillerfest in Hamburg am 11., 12. und 13. November 1859, Hamburg 1860, Anhang S. 39–54. – Am gleichen Tag hielt im Thalia-Theater in Hamburg der berühmte Schauspieler und Regisseur Heinrich Marr (1797–1871) die Festrede (Bernhard Endrulat, a. a. O., S. 63–72). Zu Heinrich Marr, der Vater des Antisemiten Wilhelm Marr war, vgl. Ludwig Eisenberg's Großes Biographisches Lexikon der Deutschen Bühne im XIX. Jahrhundert, Leipzig 1903, S. 644f.; Wilhelm Kosch, Deutsches Theater Lexikon. Biographisches und Bibliographisches Handbuch, 2. Band, Klagenfurt-Wien 1960, S. 1365f.; Mosche Zimmermann, Wilhelm Marr, «The Patriarch of Antisemitism» (hebr.), Jerusalem 1982, S. 16–19.

8 Johann Jacoby, Schiller der Dichter und Mann des Volkes. Festrede im Königsberger Handwerkerverein am 10. November 1859, in: Johann Jacoby, Gesammelte Schriften und Reden, 2. Teil, Hamburg 1872, S. 129–142. – Vgl. hierzu Edmund Silberner, Johann Jacoby. Politiker und Mensch, Bonn 1976, S. 289f. – Hinzuweisen ist auch auf die bekannten Äußerungen Heinrich Heines zu Schiller im Ersten Buch der Romantischen Schule (Heinrich Heine, Sämtliche Schriften in zwölf Bänden. Herausgegeben von Klaus Briegleb, Bd. 5, München–Wien 1976, S. 393f.).

9 Für Hamburg vgl. Bernhard Endrulat, a. a. O. (Anm. 7). – Zu den Mitgliedern des vorbereitenden Komitees zählten u. a. Dr. Anton Rée, der Direktor der Israelitischen Freischule, und der Jurist Dr. Isaac Wolffson. Rée schied bald aus Gesundheitsgründen aus. Im Verlaufe der Schillerfeier in seiner Schule hielt er eine Ansprache, «in welcher er Schiller's hohe Bedeutsamkeit den Knaben vor Augen stellte und mit Hinweis auf die Einigung Deutschlands schloß, dessen Karte dereinst nicht so bunt aussehen, dessen schwarz-roth-goldenes Banner dereinst triumphirend über die Lande flattern werde». (Endrulat, a. a. O., S. 105). – Vgl. auch Ernst Baasch, Geschichte Hamburgs 1814–1918, 1. Bd. 1814–1863, Gotha-Stuttgart 1924, S. 185.

10 Für Hamburg vgl. Volker Plagemann, Denkmäler und Brunnen in Hamburg. Flut 1771 – Feldzug 1870/71, Hamburg 1973 (Ms.), S. 271–282; Roland Jaeger, Das Hamburger Schiller-Denkmal. Historischer Hintergrund, politische Motive, künstlerische Probleme und organisatorische Stationen einer bürgerlichen Denkmalsetzung im 19. Jahrhundert, Hamburg 1980. – Die Enthüllung des Denkmals fand am 10. Mai 1866

statt, das Denkmal war in der Wallanlage am Ferdinandstor, gegenüber der Kunsthalle aufgestellt. Seit 1958 befindet es sich in dem Park am Dammtordamm.

11 Vgl. Monika Richarz (Hrsg.), Jüdisches Leben in Deutschland. Selbstzeugnisse zur Sozialgeschichte 1780–1871, Stuttgart 1976, S. 53, 202f., 209, 259, 445, 457, 460; dies., Jüdisches Leben in Deutschland. Selbstzeugnisse zur Sozialgeschichte im Kaiserreich, Stuttgart 1979, S. 194, 252, 366. Vgl. auch Jacob Toury, Soziale und politische Geschichte der Juden in Deutschland 1847–1871. Zwischen Revolution, Reaktion und Emanzipation, Düsseldorf 1977, S. 181f. und 209. – Für den Hamburger Raum vgl. Dora Lehmann, Erinnerungen einer Altonaerin, in: Jahrbuch für die Jüdischen Gemeinden Schleswig-Holsteins und der Hansestädte 1 (5690/1929/30), S. 146.

12 Vgl. nur Karl Emil Franzos, Die Juden von Barnow, Stuttgart–Berlin 1907, S. 55 und Schiller in Barnow, in: Aus Halb-Asien. Kulturbilder aus Galizien, Südrußland, der Bukowina und Rumänien, Stuttgart–Berlin 1914, S. 151–167. Zu Franzos vgl. Ludwig Geiger, Karl Emil Franzos, in: Jahrbuch für jüdische Geschichte und Literatur 11 (1908), S. 176–229, wieder abgedruckt in: ders., Die Deutsche Literatur und die Juden, Berlin 1910, S. 250–304. Aus diesem Werk sei noch auf das Kapitel Schiller und die Juden (S. 125–160) hingewiesen. Geiger zitiert auf S. 144 folgende Äußerung von Dr. Gustav Karpeles: «Von der Popularität Schillers im Ghetto, namentlich in den Talmudschulen (Jeschiwas), können Sie sich gar keine Vorstellung machen. Man kann diese nicht hoch genug einschätzen und getrost behaupten, Schiller war der Dichter des Ghetto; namentlich gilt dies für Polen und Österreich. Diese Tatsache steht so fest, als wenn sie durch tausend Bände Memoiren verbürgt wäre. Jeder einzelne, der aus dem Ghetto hervorgegangen, weiß dies und kann es bekräftigen, und die älteren Bachurim wußten darüber die ergötzlichsten Dinge zu berichten.» Und derselbe bemerkt:

«Für das Kapitel von der Popularität Schillers im Ghetto ist auch charakteristisch, daß fast alle größeren Balladen Schillers in verschiedenartigen Parodien und Travestien im Ghetto zirkulierten, von denen auch viele gedruckt sind, ein Zeichen dafür, wie bekannt er gewesen ist. Schließlich will ich Ihnen noch eine Schiller-Anekdote, die Ihnen vielleicht Spaß machen wird, mitteilen: Ein Bachur wird von einem Kollegen erwischt, wie er ein deutsches Buch liest. Der Späher hört ihm aufmerksam zu, wie er liest:

Zu Dionys dem Tyrannen – dem Rosche – schlich – er ist geloffen – Möros, den Dolch – den Chalef, im Gewande – in die Kapote –.

Nun stürzt der Späher auf den harmlosen Leser los: ‹Was machst De denn da?› Antwort: ‹Ich verteutsch mir Schiller!›» Vgl. auch J. Radler, Schiller in der Judengasse, in: Jüdische Turnzeitung 6 (1905), S. 31–36; Oskar Frankl, Friedrich Schiller in seinen Beziehungen zu den Juden und zum Judentum, Leipzig 1905.

13 Vgl. hierzu M. Steinschneider, Catalogus Librorum Hebraeorum in Bibliotheca Bodleiana, Berlin 1852–1860, Nachdruck Hildesheim 1964, Sp. 2565f.; B. Saphra [Binjamin Segel], Schiller in hebraeischem Gewande, in: Ost und West 5 (1905), S. 299–310; Israel Schapiro, Schiller und Goethe im Hebräischen. Eine Bibliographie, in: Festschrift für Aron Freimann zum 60. Geburtstag, Berlin 1935, S. 149–154; Schmuel Lachower, Fridrich fon Schiler be-ʿivrit. bibliografiah. bimleʾut 150 šanah le-moto (1805–1955) (hebr.), in: Yad la-qore 4 (1956/57), S. 59–75; 193–194. Vom Lied von der Glocke – vollständig oder Teilabschnitte – sind 13 hebräische Übersetzungen nachgewiesen. – Vgl. auch zu Schillers 175. Geburtstag C. V.-Zeitung vom 8. 11. 1934 sowie Jüdische Rundschau vom 9. 11. 1934 (teilweise wieder nachgedruckt in Mitteilungsblatt Tel Aviv vom 2. 11. 1979.) Zu einer aktuellen Bewertung von Schillers Bedeutung für die Juden vgl. Sol Liptzin, Schiller on the Mission of Moses, in: Judaism 28 (1979), No. 109, S. 114–118. – Gavriel Sivan wundert sich in Midstream, December 1981, S. 29, daß in Jerusalem eine Straße nach dem Dichter benannt wurde. Dies ist unrichtig. Tatsächlich

erfolgte die Benennung der Straße nach dem Pädagogen Salomon Schiller (1879–1925). Vgl. Z'ev Vilnay, Yerušalayim–birat yiśra'el. ha-ʿir ha-ḥadašah, Jerusalem ²1963, S. 280.

14 Israel Zinberg, A History of Jewish Literature, Bd. 10: The Science of Judaism and Galician Haskalah, New York 1977, S. 104, Anm. 26 charakterisiert das Gedicht «Der Kitl» als Paraphrase von Schillers Glocke. Verfasser war Hirsch Reitmann, Direktor einer jüdischen Schule in Brody. Das Werk war mir nicht zugänglich. Zum Einfluß Schillers auf die Juden in Osteuropa vgl. die Seiten 29 und 116 des angegebenen Werkes. Vgl. auch M. Pines, Die Geschichte der jüdisch-deutschen Literatur, Leipzig 1913, S. 43.

15 Albert Ludwig, Schiller und die deutsche Nachwelt, Berlin 1909, S. 136. Zur späteren Schiller-Rezeption vgl. Eva D. Becker, Schiller in Deutschland 1781–1970. Texte und Materialien zum Literaturunterricht, Frankfurt a. M. – Berlin – München 1972. – Etliche dieser Parodien – darunter auch solche zur Glocke – erschienen auch im Druck. Vgl. Friedrich Schaefer, Schiller's «Lied von der Glocke» und seine geistvollsten Parodien, Berlin [1895]. Auf S. 171 wird eine der beiden hier behandelten Parodien angeführt (Das Lied vum Lockschen, jiddisch-teitsch); der Erscheinungsort ist irrtümlich mit Homburg [18]53 angegeben.

16 Vgl. Rolf Grimminger, Hansers Sozialgeschichte der deutschen Literatur vom 16. Jahrhundert bis zur Gegenwart, Bd. 3: Deutsche Aufklärung bis zur Französischen Revolution 1680–1789, München–Wien 1980, S. 391 ff.

17 A. a. O., S. 415.

18 Dr. O. L. B. Wolff, Poetischer Hausschatz des deutschen Volkes. Vollständigste Sammlung deutscher Gedichte nach Gattungen geordnet, begleitet von einer Einleitung, die Gesetze der Dichtkunst im Allgemeinen, so wie der einzelnen Abtheilungen insbesondere enthaltend, nebst einer kurzen Uebersicht ihrer Bildungsgeschichte seit der frühesten Zeit ihres Erscheinens in Deutschland bis auf unsere Tage und biographische Angaben ueber die Dichter, aus deren Werken Poesieen gewählt wurden. Ein Buch für Schule und Haus, ⁴Leipzig 1842. Die 1. Auflage des umfangreichen Werks erschien 1839, bis 1908 erreichte es 31 Auflagen.

19 Oskar Ludwig Bernhard Wolff (geboren 26. 7. 1799 in Altona, gestorben 16. 9. 1851 in Jena) war nach seiner früh erfolgten Konversion zum Christentum ab 1832 Professor für Literatur in Jena. Vgl. zu ihm Joseph A. Kruse, Heines Hamburger Zeit, Hamburg 1972, S. 190–193 u. ö.

20 A. a. O., S. 1131. – Als Beispiele von Parodien Schillerscher Gedichte erscheinen «Die Worte des Glaubens», «Die Worte des Wahns» und «Das Mädchen aus der Fremde» (S. 1136 f.). – Zur Begriffsklärung vgl. Erwin Rotermund, Die Parodie in der deutschen Dichtung, München 1963, S. 9 ff.; J. G. Riewald, Parody as Criticism, in: Neophilologus 50 (1966), S. 125 ff.; Wido Hempel, Parodie, Travestie und Pastiche. Zur Geschichte von Wort und Sache, in: Germanisch-Romanische Monatsschrift N. F. 15 (1965), S. 150–176. – Beliebt ist die Parodie auch als Stilmittel in der politischen Lyrik. Vgl. hierzu Walter Grab / Uwe Friesel, Noch ist Deutschland nicht verloren. Eine historisch-politische Analyse unterdrückter Lyrik von der Französischen Revolution bis zur Reichsgründung, München 1970. Hier finden sich Parodien zum Mignon-Lied von Goethe (S. 133: Jacob Schmidt, S. 161: Friedrich von Sallet, S. 222: Adolf Glasbrenner, S. 262: Franz Dingelstedt). Vgl. auch die Parodien auf S. 176 und 283 sowie die Schiller-Parodien auf S. 43 und 130. Vgl. auch Wulf Segebrecht, «Kennst du es wohl». Parodien zu Goethes Mignon-Lied als Lebenszeichen seiner Poesie, in: Frankfurter Allgemeine Zeitung 29. 5. 1982.

21 Hans Mayer, Schillers Gedichte und die Traditionen deutscher Lyrik, in: Jahrbuch der Deutschen Schillergesellschaft 4 (1960), S. 75; wieder abgedruckt in: Klaus L. Berghahn (Hrsg.), Friedrich Schiller. Zur Geschichtlichkeit seines Werkes, Kronberg/Ts. 1975, S. 382. – Vgl. auch Horst-Albert Glaser (Hrsg.), Deutsche Literatur. Eine Sozial-

geschichte, Bd. 5, Zwischen Revolution und Restauration: Klassik, Romantik, Reinbek 1980, S. 249.

22 Vgl. Karl Riha, Durch diese hohle Gasse muss er kommen, es führt kein andrer Weg nach Küßnacht. Zur deutschen Klassiker-Parodie, in: Germanisch-Romanische Monatsschrift N. F. 23 (1973), S. 320–342; Erwin Rotermund, Gegengesänge. Lyrische Parodien vom Mittelalter bis zur Gegenwart, München 1964. Zur älteren Schiller-Literatur vgl. Schiller-Bibliographie 1893–1958, bearbeitet von Wolfgang Vulpius, Weimar 1959, S. 507–508 (Schiller in der Parodie).

23 Vgl. Peter Rühmkorf, Über das Volksvermögen. Exkurse in den literarischen Untergrund, Reinbek 1967, S. 116: «Die Parodie beschneidet nicht nur die Ewigkeits- und Machtansprüche von legendären Leitfiguren, setzt nicht nur den dick annoncierten Superlativen der offiziellen Heldenkunde einen polemischen Diminuitiv entgegen, sie scheint überhaupt von einem gerechten Rochus auf alles zu lang Geratene, breit Ausgewalzte durchdrungen, weshalb sie mit Vorzug unsere Jelängerjelieberballaden zu lyrischen Kurzwaren verarbeitet.»

24 Rudolf Schenda, Volk ohne Buch. Studien zur Sozialgeschichte der populären Lesestoffe 1770–1910, München 1977, S. 425.

25 Für Norddeutschland vgl. Peter Freimark, Sprachverhalten und Assimilation. Die Situation der Juden in Norddeutschland in der 1. Hälfte des 19. Jahrhunderts, in: Saeculum 31 (1980), S. 240–261 mit ausführlichen Literaturangaben.

26 Vgl. hierzu Horst Denkler, Flugblätter in «jüdischdeutschem» Dialekt aus dem revolutionären Berlin 1848/49, in: Jahrbuch des Instituts für Deutsche Geschichte 6 (1977), S. 215–257; Gesine Abert u. a. (Bearb.), Berliner Straßenecken-Literatur 1848/49. Humoristisch-satirische Flugschriften aus der Revolutionszeit, Stuttgart 1977, S. 37, 80f. u. ö.

27 Heftige Angriffe gegen «jüdische Literaten» richtet schon Wilhelm Heinrich Riehl in seinem 1851 erschienenen Werk «Die bürgerliche Gesellschaft»: «Nur bei der originellen Gruppe des jüdischen Geistesproletariats finden wir, daß der völlig gleichzeitige, ebenmäßig und gleichbegründete Haß gegen die Gesellschaft wie gegen den Staat den verneinenden Literaten geschaffen hat. Diese jüdischen Literaten, wie wir sie in den letzten Revolutionsjahren immer da in der Vorderreihe fanden, wo es galt, die Lichter auszulöschen und die Feuer anzuzünden, sind gleich sehr Ausgestoßene der Gesellschaft wie des Staates. Das echte Judentum haben sie verlassen und dem Christentum haben sie sich nicht zugewandt, vom germanischen Staat wollen sie nichts wissen und von der hebräischen Theokratie auch nichts. Sie sind so plötzlich einer überstrengen Schule des religiösen, politischen und bürgerlichen Zwanges und der Beschränkung entlaufen, daß sie überhaupt keine historische Schranke, keine beschlossene Form weder in staatlichen noch in sozialen und kirchlichen Dingen mehr anerkennen mögen. Sie sind daher die echten Literatenköpfe, in Holzschnittmanier gezeichnet, die wahren Vorbilder der modernen Literatenwirtschaft, sie vertreten das Literatentum in allen Konsequenzen des vierten Standes.» (Wilhelm Heinrich Riehl, Die bürgerliche Gesellschaft, hrsg. und eingel. von Peter Steinbach, Frankfurt/M. – Berlin–Wien 1976, S. 231). – Vgl. auch Heinrich von Treitschke, Deutsche Geschichte im Neunzehnten Jahrhundert, 3. Theil, Leipzig 1885, S. 703ff., sowie 4. Theil, Leipzig 1889, S. 433ff.

28 Verbindungsglied oder Scharnier zum allgemeinen literarischen Markt war die jiddische Sprache. Paradigmatisch hierfür sind Umstände bei der Aufführung von Sessas Posse «Unser Verkehr» 1815, in der der Schauspieler Wurm seine Texte im Jargon vortrug, was jüdische Proteste hervorrief. Vgl. Ludwig Geiger, Geschichte der Juden in Berlin. Als Festschrift zur zweiten Säkular-Feier, Berlin 1870, S. 150f. und Anmerkungen, S. 191f. – Der Schauspieler Wurm trat auch öffentlich als Deklamator klassischer

deutscher Gedichte – darunter auch Schillers «Taucher» – «in jüdischem Dialekt» auf (vgl. Ludwig Geiger, Kleine Beiträge zur Geschichte der Juden in Berlin, 1700 bis 1815, in: Zeitschrift für die Geschichte der Juden in Deutschland 4 (1890), S. 64). – Die Zeitschrift «Hamburgs Wächter» enthält im Jahrgang 1817 (3.–23. Stück) einen autobiographischen Bericht von Wurm mit dem Titel «Ueber Albert Wurm, einen der ausgezeichnetsten Komiker unserer Zeit, dessen Leben und Schicksale». Im 18. Stück schreibt Wurm (S. 140f.): «Auch in Berlin war – ich läugne es nicht – das Studium des Komischen in den Charakterzügen der Juden meine Lieblingsbeschäftigung gewesen. Stundenlang konnte ich am Sabbath unter den Linden auf einer Bank sitzen, um die hier an diesem Tage in unzähliger Menge auf und nieder spazierenden jüdischen Karikaturen zu betrachten, und die hier aufgefaßten Sonderbarkeiten auf der Bühne zu benutzen. Auch ausser derselben gaben sie meiner Laune eine reichliche Nahrung. In Gesellschaften mußte ich häufig im jüdischen Dialekte Gedichte von Schiller etc. rezitiren, in jüdischer Manier Arien singen etc. Selbst vornehme Juden, die sich gar zu gern das Ansehn von Freigeistern geben wollten, luden mich in ihre Zirkel ein, um sich dort zur Unterhaltung und Aufheiterung der Gäste persifliren zu lassen. Und ich nahm solche Einladungen häufig an, um neue Bemerkungen zu sammeln, die ich für meine Kunst und meinen Humor anwenden konnte. Auch dort genirte ich mich so wenig, wie zu Hause, und, wie ich grade gestimmt war, sang, deklamirte und sprach ich jüdisch. Oft hatte ich dann meine heimliche Freude, wie so ein sich vornehm dünkender Hebräer mit Protektionsmiene sein Wohlgefallen zu erkennen gab. Ein Jude machte mir sogar einmal in dem gräßlichsten jüdischen Jargon das Kompliment: Herr Warm, wie ist es möchlich, daß Sie so ausserordentlich jüdisch sprechen, und wann Sie mir tausend Lugidors geben, so kann ich es nicht. – Aber es entging mir auch nicht, welche grimmige Gesichter sie mir beim Weggehen schnitten, und wie erzwungen ihr Lachen und ihr Beifall war. Dies konnte mir gleichgültig sein: angenehm ist freilich dem Verspotteten der Spott und die Persiflage nie, aber sie bessert ihn gewiß, zumal wo die Satire nicht bösartig ist.» – Zu Ferdinand Albert Aloys Wurm, geb. 14. 11. 1783 in Greifenhagen/Pommern, gest. 21. 6. 1834 in Karlsruhe vgl. Ludwig Eisenberg's Großes Biographisches Lexikon der Deutschen Bühne im XIX. Jahrhundert, S. 1154. Dort heißt es zu den Geschehnissen in Berlin: «Seine unwiderstehlich lustigen Einfälle sowie das grelle Anfassen der Sitten und Eigentümlichkeiten des jüdischen Volkes als ‹Jacob› in Sessas «Unser Verkehr» verwickelte ihn in einen skandalösen Kriminalprozeß, der ihn zum größten Bedauern der christlichen Bevölkerung der preußischen Hauptstadt seinem künstlerischen Beruf daselbst 1815 entzog. Er war genötigt, infolge der Gärung, welche seine so drastische Darstellung in genannter Posse unter den Berliner Juden hervorrief, das Hoftheater zu verlassen.» – Zu einer Parodie auf Schillers Tell, in der Tell z. T. «jüdisch spricht» vgl. Zeitschrift für die Geschichte der Juden in Deutschland 4 (1890), S. 96f. Zum allgemeinen Hintergrund vgl. Reinhard Wittmann, Das Literarische Leben 1848–1880, in: ders., Buchmarkt und Lektüre im 18. und 19. Jahrhundert. Beiträge zum literarischen Leben 1750–1880 (Studien und Texte zur Sozialgeschichte der Literatur, Bd. 6), Tübingen 1982, S. 111–231.

29 Zu der jüdischen Buchdruckerei Gebrüder Bonn in Altona, die seit 1800 über ein eigenes Druckereiprivileg verfügte, vgl. Bernhard Brilling, Die Privilegien der Hebräischen Buchdruckereien in Altona (1726–1836). Ein Beitrag zur Geschichte des hebräischen Buchdrucks in Altona, in: Studies in Bibliography and Booklore 9 (1971), S. 157ff.; ders., Zur Geschichte der Hebräischen Buchdruckereien in Altona, in: a. a. O. 11 (1976), S. 41–56; 13 (1980), S. 26–35; Martin Cohen, Das jüdische Buch in Altona, in: Israelitischer Kalender für Schleswig-Holstein für das Jahr der Welt 5688 vom 27. Septbr. 1927 bis zum 14. Septbr. 1928, S. 45f.; B. Friedberg, Geschichte der Hebräischen Typographie der mitteleuropäischen Städte: Altona [...], (hebr.), Antwerpen

1935, S. 107 f. Vgl. auch Hermann Colshorn, Altona als Drucker- und Buchhändlerstadt von den Anfängen bis 1850, in: Börsenblatt für den Deutschen Buchhandel, Frankfurter Ausgabe 17 (1961), Nr. 27, S. 520–526. – Das 1800 für die Brüder Juda und Samuel Bonn ausgestellte Druckereiprivileg, welches 1817 bestätigt wurde, ist 1836 auf Isaac Abraham Marcus aus Altona übertragen worden, der die Druckerei unter der alten Bezeichnung «Gebrüder Bonn» weiterführte (StAH Altona 3, XXXII A II A 11, Nr. 49). Isaac Marcus erscheint auch in dem «Alphabetischen Register derjenigen Mitglieder der Altonaischen Hochdeutschen israelitischen Gemeinde, welche zu Anfang Februar 1843 selbständig ein buergerliches Gewerbe betrieben haben» (StAH Altona 2, Stadtbücher IV a 10, Nr. 217). Die Druckerei druckte sowohl in hebräischer wie in deutscher Schrift. In dem in der Firma gedruckten jüdischen Kalender erscheint vom Jahre (5)599 (1839/40) an eine Ankündigung in deutscher Schrift, in der es heißt: «Unterzeichnete empfehlen ihren Freunden und Gönnern ihre mit den neuesten und geschmackvollsten Lettern versehene Buchdruckerei, welche erst kürzlich bedeutend verbessert worden ist, und in welcher jetzt die größten Werke in allen Sprachen (worunter vorzüglich die in hebräischer, sowohl merubba, wie auch rabbinisch- und deutsch-hebräisch) gedruckt, und auf's schnellste geliefert werden können [...] Gebrüder Bonn, Königl. Dän. privil. Buchdruckerei, Bäckerstraße No. 2, in Altona.» Die Firma Gebrüder Bonn wird auch in dem Werk von Hubert Koehler, Die Buchdruckerkunst in Hamburg-Altona. Festschrift herausgegeben anläßlich des siebenzigjährigen Stiftungsfestes von der Innung des Hamburgischen Buchdrucker-Prinzipal-Vereins. Hamburg den 27. Februar 1895, Hamburg 1895 erwähnt (S. 30: Versammlung der Druckereibesitzer im Kraemer-Amtshaus vom 17. 10. 1824; S. 38: J. W. Schultz unterschreibt für die Firma die «Bestimmungen des Vereins der Buchdruckereibesitzer in Hamburg und Altona» vom 27. 2. 1825).

30 Vgl. Walter A. Berendsohn, Der Buch- und Kunstverlag B. S. Berendsohn in Hamburg, in: BLBI 6 (1963), Nr. 22, S. 113–125. Der auf S. 116 erwähnte «Verlags-Catalog von B. S. Berendsohn in Hamburg 1833–1881» war mir leider nicht zugänglich. – Vgl. auch Jacob Toury, Jüdische Buchhändler und Verleger in Deutschland vor 1860, in: BLBI 3 (1960), Nr. 9, S. 60.

31 In der AZJ vom 19. 2. 1842, S. 116, erschien folgende Anzeige: «Bei Berendsohn ist kommissionsweise erschienen und durch jede Buchhandlung zu beziehen Das Lied vun die Kuppel [!]. Ein Scherz von S. N. Ochaphesoi, elegant broschiert, Preis 7 ½ Rgr (6gGr». 2 Wochen später erschien in der AZJ (5. 3. 1842, S. 147) erneut eine Anzeige, in der es nun das «Lied vun die Kuggel» heißt; der Name des Autors stimmt freilich wieder nicht exakt mit den Angaben auf dem Titelblatt überein (S. N. Oraphesoi).

32 Schiller's Glockenkuggel. Ein Scherz, Im Jahre T. R. J. Ch. [1858]. Erscheinungsort war offensichtlich Hamburg.

33 Vgl. Hebräische Bibliographie hrsg. von M. Steinschneider Bd. VII (1864), S. 103: Ahrons, Jos. Das Lied vun die Kuggel (Parodie v. Schillers Glocke. 2. Aufl. 8. Hamburg, Glogau, 1864 (1/6 Thlr.); Max Grunwald, Hamburgs deutsche Juden bis zur Auflösung der Dreigemeinden 1811, Hamburg 1904, S. 177, 164. Als Autor wird ein Joseph Ahrons genannt. Im National Union Catalog, Pre-1956 Imprints, Vol. 5, London–Chicago 1968, S. 530, findet sich die Eintragung: Ahrons, Joseph, Das Lied vun die Kuggel, ein Scherz. Hamburg. Eigenthum der Erben, 1864, 19 p., 14 cm.

34 Staats- und Universitätsbibliothek Hamburg, Bestell-Nr. 022868. – Das Werk wird in Wilhelm Heinsius, Allgemeines Deutsches Bücher-Lexikon, Bd. 10,2, 1842–46, S. 88, angeführt. Eine Eintragung in Volkmar Eichstädt, Bibliographie zur Geschichte der Judenfrage, Bd. 1 (mehr nicht erschienen) 1750–1848, Hamburg 1938, findet sich nicht.

35 Erschlossen über den Realcatalog SCa (Schiller-Bibliothek), Vol. XI, Suppl., p. 161 der früheren Hamburger Stadtbibliothek.

36 Hamburgisches Adress-Buch für 1842, Hamburg 1842 (Nachdruck Hamburg 1973), S. 2: «Ahrons, Jos., Commissn., Hütten no. 65». Siehe auch S. 287.

37 StAH JG 702 a (Proclamations- und Copulations-Register Anno 1816), Nr. 27.

38 Vgl. Anm. 35.

39 StAH JG 725 g (Leichen-Register der Deutsch-Israelitischen Gemeinde, Anno 1851), Nr. 46. Seine Frau war zu dieser Zeit bereits verstorben. – Im Umschreibebuch des Bürgermilitärs, 5. Bataillon, 4. Compagnie, erscheint Ahrons unter der Anschrift «Hütten» nicht, was vermutungsweise darauf zurückzuführen ist, daß dies nur seine Geschäftsadresse war (StAH Bürgermilitär, Bc 46, Bd. 6–9). Unter seiner letzten Anschrift ist er nachgewiesen im Umschreibebuch des 5. Bataillon, 8. Compagnie, Martini 1848 – Martini 1849 (StAH Bürgermilitär, Bc 40, Bd. 12) mit dem Hinweis «Buchhalter, Israelit, über die Jahre Abschied erhalten 9. Juni 1825». – In einem handschriftlichen Vermerk des früheren Besitzers, des ehemaligen Oberrabbiners von Dänemark David Simonsen, in einem Buch von Moritz Steinschneider, welches jetzt die Königliche Bibliothek (Judaistische Abteilung) Kopenhagen besitzt, findet sich auf dänisch die Notiz: «Meyer Nathan aus Rendsburg sagt mir 21. 10. 1897, Verfasser sei ihm bekannt gewesen. Der Name sei Joseph Ahron, also bloß umgestellt» (freundliche Mitteilung des Oberassistenten der Judaistischen Abteilung S. Heimann vom 29. 10. 1979).

40 Hans Schröder, Lexikon der hamburgischen Schriftsteller bis zur Gegenwart, Bd. 1, Hamburg 1851.

41 F. L. Hoffmann, Verstorbene und lebende jüdische Schriftsteller, die in Hamburg geboren oder diese Stadt zum Aufenthalt gewählt, in: Hebräische Bibliographie 8 (1865), S. 42 ff. Hoffmann stützt sich weitgehend auf die Angaben bei Schröder.

42 Vgl. die Liste jüdischer Schriftsteller und Künstler in: M. M. Haarbleicher, Aus der Geschichte der Deutsch-Israelitischen Gemeinde in Hamburg, Hamburg, ²1886, S. 316.

43 Chone Schmeruk, Sifrut yidiš. Pěraqim lětoldoteha (hebr.), Tel Aviv 1978, S. 170 f.

44 Vgl. David Leimdörfer (Hrsg.), Festschrift zum hundertjährigen Bestehen des Israelitischen Tempels in Hamburg 1818–1918, Hamburg 1918, S. 74 und 69.

45 Grundlage ist der Text der Erstauflage von 1842. Übersetzungen und kurze Erklärungen, die zum Verständnis des Textes beitragen, sind durch Kleinbuchstaben gekennzeichnet und unter den Text gesetzt. Sachliche Erläuterungen zum historischen Umfeld werden in den fortlaufenden Anmerkungen gegeben.

46 Kuggel oder Kugel ist ein Sabbatgericht, das aus Zucker, Honig, Mehl oder Nudeln bereitet und in einer Auflaufform überbacken wird. Die Kugel dient der Erinnerung an das während der Wüstenwanderung gegessene Manna (vgl. Jüdisches Lexikon, Bd. 3, Sp. 917). Es gibt verschiedene Kugel-Arten: Lockschen-Kugel, Lockschen-Käse-Kugel, Kartoffel-Kugel, Apfel-Matze-Kugel. Zur Zubereitung vgl. Zvi Sofer, Das Jüdische Kochbuch, Münster 1979, S. 97–100.

47 Scholent, auch Tscholent, Schalet und Scholet ist ebenfalls ein Sabbatgericht, das – wie die Kugel – ebenfalls am Freitag zubereitet wird. Scholent sind Eintopfgerichte, die bis zum Mittag des Sabbats im Ofen warmgehalten werden. Auch von diesem Gericht gibt es verschiedene Abwandlungen (vgl. Zvi Sofer, a. a. O., S. 92–95). – Berühmt sind die Verse, die Heinrich Heine in dem Gedicht «Prinzessin Sabbat» – beginnend als Schiller-Parodie! – dem Gericht widmet:

Schalet schöner Götterfunken,
Tochter aus Elysium!
Also klänge Schillers Hochlied,
Hätt er Schalet je gekostet.

In unserem Lied werden Kuggel und Scholent als Synonyme für das Sabbatgericht verwendet (vgl. auch Jüdisches Lexikon, Bd. 5, Sp. 141). Vgl. Abraham E. Millgram, Sabbath. The Day of Delight, Philadelphia, Penn., 1965, S. 18 f.

48 Eine Klaus ist eine Lehrhaus, in dem sich Gelehrte und ihre Schüler mit dem traditionellen Schrifttum beschäftigten. Finanziert wurden diese Lehrhäuser zumeist durch fromme Stiftungen. – 1840 befand sich das Gebäude der Alten und Neuen Klaus in der Zweiten Peterstraße. Die Klaus war 1798 entstanden durch die Vereinigung der alten (gegründet 1754) und der neuen (gegründet 1757) Klaus. Vgl. Leopold Dukes, Übersicht aller wohlthätigen Anstalten und Vereine, so wie auch aller milden Stiftungen der deutsch- und der portugiesisch-israelitischen Gemeinde in Hamburg, Hamburg 1841, S. 135 f.; M. M. Haarbleicher, a. a. O. (Anm. 42), S. 194. – Als Klausner ist hier ein Anhänger des traditionsbewahrenden, orthodoxen Judentums zu verstehen.

49 Anhänger oder Mitglied des 1817 gegründeten (liberalen) Tempel-Verbandes. Der Tempel befand sich 1842 in der Brunnenstraße. Die Grundsteinlegung für den Neubau in der Poolstraße erfolgte am 18. 10. (!) 1842, die Einweihung am 5. 9. 1844. Vgl. Harold Hammer-Schenk, Hamburgs Synagogen des 19. und frühen 20. Jahrhunderts, Hamburg 1978, S. 14–21. Hammer-Schenk zitiert die bekannten Verse aus Heinrich Heines «Deutschland. Ein Wintermärchen» (Caput XXII), in denen die beiden Gruppierungen unter den Juden in Hamburg ebenfalls erscheinen (S. 21):

> Die Juden teilen sich wieder ein
> In zwei verschiedene Parteien;
> Die Alten gehn in die Synagog',
> Und in den Tempel die Neuen.

> Die Neuen essen Schweinefleisch,
> Zeigen sich widersetzig,
> Sind Demokraten; die Alten sind
> Vielmehr aristokrätzig.

50 Der Hamburger Tivoli war 1842 ein Lokal vor dem Steintor in St. Georg. Das Hamburger Adress-Buch von 1842 (S. 412) charakterisiert ihn als «einzige(n) Vergnügungsort in der Umgegend, wo man für ein billiges Abonnements oder Eintrittsgeld die angenehmste und verschiedenartige Unterhaltung findet.»

51 Der Trichter war ein Wirtshaus in der Gegend des Steintors (Hamburger Adress-Buch von 1842, S. 433).

52 Buden waren Häuser, die man auf den Höfen errichtet hatte. Vgl. hierzu F[riedrich] Winkelmann, Wohnhaus und Bude in Alt-Hamburg. Die Entwicklung der Wohnverhältnisse von 1250 bis 1830, Berlin 1937, S. 8. – Über die Auseinandersetzungen zwischen dem Krameramt, das den Juden das Recht bestritt, offene Läden zu halten und Aushängeschilder anzubringen, vgl. Helga Krohn, Die Juden in Hamburg 1800–1850. Ihre soziale, kulturelle und politische Entwicklung während der Emanzipationszeit, Frankfurt a. M. 1967, S. 12.

53 Zur Familie Parish, die aus England im 18. Jahrhundert eingewandert war und es zu großem Wohlstand gebracht hatte, vgl. Richard Ehrenberg, Englische Familien in Hamburg, in: Mittheilungen des Vereins für Hamburgische Geschichte 20 (1900), S. 258 f.; ders., Das Haus Parish in Hamburg (Grosse Vermögen. Ihre Entstehung und ihre Bedeutung, 2. Band), Jena 1905. Zu den Beziehungen John Parish' zu den Juden vgl. S. 27 f. und S. 111. 1783 rettete in einer Wirtschaftskrise Wolf Lewin Popert durch die Annahme von Wechseln John Parish vor dem Bankrott. Am 24. 9. 1806 gab John Parish

ein Jubiläumsdiner «meinen Freunden, den Juden». Von den 18 eingeladenen Juden kamen 8. – 1842 hatte Richard Parish mit seinen Söhnen George und Charles sein Geschäftshaus in der Deichstr. 60.

54 Salomon Heine (1767–1844), Bankier und Wohltäter, Onkel Heinrich Heines. Vgl. Erich Lüth, Der Bankier und der Dichter. Zur Ehrenrettung des großen Salomon Heine, Hamburg [1964]; Salomon Heine in seiner Zeit. Gedenkreden zu seinem 200. Geburtstag von Gerhard F. Kramer und Erich Lüth (Vorträge und Aufsätze herausgegeben vom Verein für Hamburgische Geschichte, Heft 16), Hamburg 1968.

55 Volkstümliche Bezeichnung für die Elbstraße.

56 Die Oper Norma von Bellini (Uraufführung am 26. 12. 1831) hatte ihre Hamburger Erstaufführung am 16. 3. 1835. Vgl. Joachim E. Wenzel, Geschichte der Hamburger Oper 1678–1978, Hamburg 1978, S. 259.

57 Josef Reichel (Reichl), geboren 21. 1. 1801 in Weindorf b. Ofen-Pest, gestorben 30. 6. 1856 in Darmstadt, war Bassist. Zu seinem Repertoire zählten die Rollen des Sarastro, Komthur, Osmin und Figaro. Von 1840–1844 gehörte er dem Ensemble des Stadttheaters in Hamburg an. Vgl. den Nekrolog, in dem seine «Glanzepoche» in Hamburg besonders betont wird, in: A. Heinrich, Deutscher Bühnen-Almanach, Jahrgang 21, Berlin 1857, S. 180–189. Vgl. auch Hermann Uhde, Das Stadttheater in Hamburg 1827–1877, Stuttgart 1879, S. 111, 162f.

58 Isaac «Chacham» Bernays, geboren 1792 in Mainz, gestorben 1849 in Hamburg, amtierte seit 1821 als Oberrabbiner in Hamburg. Vgl. Hans I. Bach, Jacob Bernays. Ein Beitrag zur Emanzipationsgeschichte der Juden und zur Geschichte des deutschen Geistes im 19. Jahrhundert (Schriftenreihe wissenschaftlicher Abhandlungen des Leo Baeck Instituts, Nr. 30), Tübingen 1974, S. 5ff. mit Literaturangaben.

59 Vgl. hierzu die oben, S. 31 angeführten Äußerungen von G. Merkel.

60 Gemeint sind die antijüdischen Krawalle von 1819, 1830 und 1835, die sich in Hamburg auch in den Kaffeehäusern am Jungfernstieg abspielten. Vgl. hierzu Mosche Zimmermann, Hamburgischer Patriotismus und deutscher Nationalismus. Die Emanzipation der Juden in Hamburg 1830–1865 (Hamburger Beiträge zur Geschichte der deutschen Juden, Bd. 6), Hamburg 1979, S. 31f.; Jacob Katz, The Hep-Hep Riots in Germany of 1819. The historical Background (hebr.), in: Zion. A Quarterly for Research in Jewish History 38 (1973), S. 62–115 (mit deutschem Quellenmaterial).

61 Zu diesem Abschnitt vgl. den folgenden Haupttext.

62 Die mir vorliegenden Texte – Altona 1842, Amsterdam 1854, Hamburg 1858 – weichen voneinander in der Orthographie geringfügig ab. Der Text Amsterdam 1854 weist in dem Nachdruck von 1974 Kürzungen auf. Im zuletzt erschienenen Text finden sich an 2 Stellen Ergänzungen. Nach den Zeilen

> Un hot an Cantor in Manchester for immer
> Un ruhet nimmer

folgt

> Auch krigt er jetzt viel zu sogen,
> Denn er hott nu viel Geld –
> Und stellt was vor in de Welt –!
> Er steigt immer heher,
> Un wird über alles Vorsteher,
> Er geht auch auf Reisen,
> Un befehlt auch Arme un Waisen.
> Macht sich ganz fein –
> Un bildet den Synagogenverein.

Do machen se es letzoff zu bunt
Un kummen alle uff den Hund.
Die 2. Ergänzung kurz vor dem Schluß nach der Zeile
Es geht niks über d'Jüddischkat
verstärkt die Tempel-feindliche Tendenz:
Ich sog Eich sogar affille,
Sie machen kappore (kaputt) die ganze Khille.
Un alles in aan Hitz,
Steen sogor Stahnbricker an die Spitz –
Wenn ma geht vun Staanweg eben um die Eck,
Do ligt die Jiddischkat in Dreck –!
Der Chassen steht wie saun Popp,
Un alles stinkt no Ziropp –
Das haaßen Sie – Ordnung! –
Thun rinn und raus laufen,
Un was dono kummt, well'n mir versaufen.

63 Vorerinnerung über Schiller und den Gang seiner Geistesentwicklung, in: Der Briefwechsel zwischen Friedrich Schiller und Wilhelm von Humboldt, Bd. 1, Berlin-Ost, 1962, S. 32.

64 Lockschen (Nudeln) ist eine besondere Art der Zubereitung des Sabbatgerichts Kuggel. Zumeist werden gekochte Nudeln in eine eingefettete Backform gefüllt und dann gebacken. Zu Einzelheiten vgl. Zvi Sofer, a. a. O. (Anm. 46), S. 97 f.

65 Vgl. die Verlagsanzeigen in der AZJ vom 3. 10. und 31. 10. 1853. Die Parodie wird auch angeführt in Louis Mohr, Schiller's Lied von der Glocke. Eine bibliographische Studie, Strassburg 1877, S. 29 und im Gesamt-Verlags-Katalog des Deutschen Buchhandels, Bd. 5, Münster 1881, S. 324. Vgl. auch Walter A. Berendsohn, a. a. O. (Anm. 30), S. 121.

66 Conrad Müllers Buchdruckerei befand sich 1853 in der Straße Cremon 5 (Hamburgisches Adress-Buch für 1853, S. 225, 383).

67 Zu Schiff vgl. Hans Schröder, a. a. O. (Anm. 40), Bd. 6, Hamburg 1873, S. 522-524 und die ausführliche Biographie in Friedrich Hirth, Lebensbilder von Honoré de Balzac. Dem Verfasser des letzten Chouan, oder die Bretagne im Jahre 1800. Aus dem Französischen übersetzt vom Dr. Schiff. 3 Teile in 2 Bänden. Mit einer Geschichte des Werkes und einer Biographie Schiffs, 1. Bd. München–Leipzig 1913, S. VII-CCVI. Vgl. auch Siegfried Schmitz, Vergessenes Romantikerleben, in: Menorah 5 (1927), Nr. 10, S. 611–614.

68 Das Stück umfaßt 32 S. Vgl. die Verlagsanzeigen in der AZJ vom 30. 1. und 27. 2. 1854, die Eintragung im Gesamt-Verlags-Katalog (wie Anm. 65), S. 325 und Walter A. Berendsohn, a. a. O. (Anm. 30), S. 324.

69 An einigen Stellen wurden im Text fehlende Anmerkungen durch Klammer-Hinweise ergänzt. Der Text des Liedes wurde so gelassen, wie er in der Vorlage anzutreffen ist, obwohl an einigen Stellen Berichtigungen sicher sinnvoll gewesen wären (etwa 6. Abschnitt, 2. Zeile: «Bris'miles» anstelle von «Bois'miles»). Eine textkritische Edition wurde nicht angestrebt.

70 Zum Prozeß der politischen und sozialen Angleichung in jenen Jahren vgl. Jacob Toury, a. a. O. (Anm. 11), S. 119 ff., 178 ff.

71 Vgl. hierzu das in Anm. 15 genannte Werk von Albert Ludwig.

72 A. a. O., S. 335.

SOZIALISTISCHE GESELLSCHAFT IN PALÄSTINA

Ein Briefwechsel Ernst Tollers mit einer
Hamburger Zionistin (1925)

Ina Lorenz

I.

1. Anspruch und Erfüllung nationaler Autonomie prägen das politische Handlungsfeld des 19. Jahrhunderts. Nationalität und Autonomie gelten in dieser Zeit – in fast synomysierender Betrachtung – als politische Rahmenbedingungen einer neuen Dimension der Staatlichkeit, welche sich der bisherigen integrativen Kraft und der Legitimität des Gottesgnadentums nicht mehr sicher weiß. Die Forderung nach nationaler Autonomie, nach Nationalstaatlichkeit erweist sich rückschauend auch als eine Reaktion auf die Krise traditionaler Autoritäten, Werte und Überzeugungen, in der vor allem im Verlaufe des 19. Jahrhunderts die transzendentale Qualität des christlichen Universalismus endgültig verloren geht. Dem einzelnen kann mit der nationalen Zuordnung gleichzeitig der Ort seines gesellschaftlichen Selbstverständnisses verbindlich zugewiesen werden. In einer Phase rascher Industrialisierung, verstärkter sozialer Mobilität und der Bildung politischer Parteien ermöglicht die nationale Zuordnung dem Individuum eine erneute Sedimentierung seiner gesellschaftlichen Wirklichkeit.[1] Der Nationalismus erhält so die strategische Position einer veränderten Legitimierung der staatsbürgerlichen Gesellschaft. Dieser Zusammenhang von Nationalstaatlichkeit und politischer Infrastruktur wird in der Vorstellungswelt der Funktionseliten des ausgehenden 19. Jahrhunderts zum beherrschenden Element langfristiger und mittelfristiger Politik, zur zunehmend ideologischen Komponente der tagespolitischen Forderung und für den einzelnen zum Gegenstand seiner emotionalen und verhaltensmäßigen Identifikation.[2] In gewisser Hinsicht übernimmt die Forderung nach nationaler Autonomie die Aufgabe, die verlorengegangene Einheit des Normen- und Wertsystems einerseits und der ständischen Gesellschaft andererseits für die entstandene bürgerliche Gesellschaft wiederherzustellen.[3] Insoweit ist der Nationalismus auch Ausdruck eines krisenhaften Überganges, indem er den Bedarf an kollektiver Identität zu befriedigen sucht.

Im allgemeinen pflegt man die zionistische Nationalbewegung des ausgehenden 19. Jahrhunderts als eine Variante der hier nur skizzierten Forderung nach nationaler Autonomie zu betrachten. Vor allem politischhistorische und sozialpsychologische Gründe sprechen für eine derartige Problembestimmung. Neben der eher kompensatorischen Funktion der Nationalstaatlichkeit muß indes für das 19. Jahrhundert auch auf den Zusammenhang von Nationalismus und Wirtschaftssystem aufmerksam gemacht werden. Der durchaus kosmopolitischen Theorie des englischen Wirtschaftsutilitarismus, nach der jedermann selbst seine Wohlfahrt suchen sollte, wurde ein nationales System einer «politischen Ökonomie» entgegengesetzt. Ein derartiges Konzept der nationalstaatlich verfaßten Gesellschaft brauchte sich nicht mehr oder in erster Linie auf vorhandene sozio-kulturelle, ethnische oder sprachliche und territoriale Gemeinsamkeiten zu stützen. Vielmehr wurde angenommen, daß die nationale Autonomie eine notwendige Bedingung sei, um einen dauerhaften Wohlstand zu erreichen. Für Friedrich List beruhte die ökonomische Rückständigkeit Deutschlands auf dem Fehlen der nationalen Einheit.[4] Zur Verbesserung und zum Schutze der Produktivkräfte sei ein staatlicher Interventionismus unerläßlich, der seinerseits den Nationalstaat als Zweckverband voraussetzte. Die historische Schule der Nationalökonomie folgte dieser Auffassung. Karl Marx radikalisierte den Zusammenhang in der These, daß als einzige Rechtfertigung für die Existenz des Staates die Entwicklung der Wirtschaft gelten könne. Entsprechende ökonomisch-industrielle Fortschritte würden zudem zu einem höheren proletarischen Klassenbewußtsein führen. Ein so begriffener ökonomischer Nationalismus konnte sich in gewisser Hinsicht ebenfalls als ein Mittel der sozialen Integration einer Gemeinschaft im Stadium sozialer Umwälzung verstehen. Das galt vor allem dann, wenn der ideologische Gehalt eines ökonomischen Modelles zur Grundlage eines veränderten Normen- und Wertesystems genommen wurde.

Die ideengeschichtliche Forschung hat den jüdischen Nationalismus des ausgehenden 19. Jahrhunderts und seine bei der Besiedlung Palästinas erkennbare Wirkung als Ausdruck der politischen Absicht bestimmt, die Bedingungen zur Wahrung kultureller Identität mit Mitteln der Nationalstaatlichkeit zu konstituieren.[5] Ohne Frage ist dies das programmatische Ziel des politischen Zionismus des ausgehenden 19. und des beginnenden 20. Jahrhunderts gewesen. Das vermag indes noch nicht zu erklären, aus welchen Gründen sich die intellektuelle und soziale Struktur der zionistischen Nationalbewegung sowohl im politischen Handlungsfeld als auch vor allem innerhalb des gesamtjüdischen Selbstverständnisses durchsetzen konnte. Immerhin hatte es Vorläufer eines politischen Zionismus gegeben. Seit dem Mittelalter waren wiederholt Projekte eines autonomen Judenstaates entwickelt worden.[6] Obwohl sich derartige Überlegungen auf ein vorhandenes jüdisches Volksbewußtsein stützen konnten, waren aus ih-

Ernst Toller, vermutlich 1927
(The Jewish National and University Library Jerusalem).

nen wirksame politische Forderungen nicht entstanden. Vielmehr gelang es der jüdischen Orthodoxie als der beherrschenden Instanz gesellschaftlicher Wirklichkeitsbestimmung offenbar stets, die aufkommende Frage nach der kulturellen und kollektiven Identität mit dem Hinweis auf die Notwendigkeit einer glaubensbezogenen Verinnerlichung zu beantworten. Dementsprechend blieb bis zur Mitte des 19. Jahrhunderts das Bemühen, den jüdischen Bewohnern in Palästina zu helfen und eine Besiedlung im «Land der Väter» zu fördern, nahezu ausschließlich von Erwägungen religiös-kultureller und philanthropischer Art geprägt.[7] Auch der «Judenstaat», wie ihn Theodor Herzl in der gleichnamigen Schrift um 1895/96 forderte, besaß zunächst durchaus utopischen Gehalt. Für sich genommen deutete fast nichts auf die Möglichkeit seiner Verwirklichung hin. Diese Feststellung mag zunächst überraschen. Gleichwohl ist hervorzuheben, daß etwa in den Schriften von Hirsch Kalischer (Drischat Zion, 1861), Moses Hess (Rom und Jerusalem, 1862) und Leon Pinsker (Autoemancipation, 1882) vergleichbare Ausarbeitungen vorlagen, welche die Gründung eines eigenen Nationalstaates als Lösung des als Frage empfundenen Problems der jüdischen Diaspora empfahlen.[8] Ihnen war ein entsprechender politischer Erfolg wie dem Werk von Theodor Herzl nicht beschieden, dessen Tätigkeit gleichsam katalysatorisch zu wirken schien. Dies ist um so bemerkenswerter, als sich Herzl im «Judenstaat» nicht darum bemühte, seine Vorschläge mit dem religiösen Zionsgedanken zu verbinden oder eine geistig-kulturelle Rechtfertigung zu begründen.

2. Auf dem Baseler Kongreß (1897) gelang den Kongreßzionisten unter der bestimmenden Führung von Herzl, die etwa seit 1880 entstandenen zionistischen Teilbewegungen unter national-jüdischer Zielsetzung zusammenzufassen und in der Zionistischen Weltorganisation (ZWO) zu institutionalisieren. In der Folgezeit gelang es des weiteren, für den im Baseler Programm zunächst diplomatisch zurückhaltend formulierten Nationalzionismus die Anerkennung der politischen Mächte zu erhalten. Dieser grundlegende Erfolg einer etwa 20jährigen Tätigkeit hatte naturgemäß auf den politischen Zionismus eine nicht zu unterschätzende stabilisierende und integrative Wirkung. Herzls Grundansatz eines politischen Zionismus versprach damit gegenüber der jüdischen Diaspora endgültig eine durchsetzbare Alternative zu sein, welche die anderen Theorien des religiösen, kulturellen, autonomen oder sozialistischen Zionismus in die Rolle eines eher intellektuellen Modelles ohne Realitätsbezug zurückdrängen konnte.

Dieser unbestreitbare Erfolg des nationalstaatlichen Lösungsmodelles hat die geschichtswissenschaftliche Forschung dazu angeregt, das im Modell vorausgesetzte Selbstverständnis jüdischer Nationalität und die Nationalstaatlichkeit Israels insgesamt zu untersuchen.[9] Zur genaueren Analyse der Geschichte der Besiedlung Palästinas dürfte es sich indes auch empfehlen, zwischen einer externen und einer internen Problemstellung des nationalstaatlichen Lösungsmodelles zu unterscheiden. Es bleibt also zu fragen, welche Gründe dafür angeführt werden können, daß sich die national-jüdische Zielsetzung gegenüber konkurrierenden Ansätzen durchzusetzen vermochte, welches Schicksal die mit anderen Lösungsvorschlägen verbundenen Ideen hatten und weshalb es seit Mitte des 19. Jahrhunderts überhaupt als geboten angesehen wurde, über Lösungen der sog. Judenfrage konzeptionell nachzudenken. Die nachfolgenden Bemerkungen wollen hierzu zunächst einige sozialpsychologische Analysen vortragen, welche sich in erster Linie mit der häufig vernachlässigten innerjüdischen Problematik des nationalstaatlichen Lösungsmodelles beschäftigen. Damit kann insgesamt ein Bezugsrahmen geschaffen werden, der es ermöglicht, einen aufgefundenen Briefwechsel zwischen Ernst Toller und einer jungen deutschen Jüdin aus dem politischen Umfeld des deutschen Hechaluz vor dem Hintergrund weitergeführter ideologischer Auseinandersetzung zu interpretieren.

II.

1. Die zionistische Nationalbewegung des ausgehenden 19. Jahrhunderts wird im allgemeinen als ein Kind der westlichen Aufklärung angesehen.[10] Das trifft insoweit zu, als die intellektuellen Begründer des modernen jüdischen Nationalismus und dessen politische Vertreter der ersten Generation westeuropäisch erzogener und emanzipierter Juden angehörten, denen ein politisches oder kulturelles Leben in den Formen der jüdisch-religiösen Orthodoxie nicht mehr möglich erschien und denen eine sozialistische Gesellschaftsordnung noch fremd war.[11] Ideengeschichtlich könnte man daher in einem strengen Sinne sogar von einer Assimilation sprechen. Denn die jüdische Nationalbewegung übernahm mit ihrer Forderung nach einer «nationalen Heimstätte» im Grundsatz einen politischen Anspruch, der sich ganz allgemein aus der Bewältigung einer Krise tradierter Normen- und Wertsysteme entwickelt hatte. Unter diesem Gesichtspunkt war die zionistische Nationalbewegung in der Tat ein Kind ihrer Zeit. Gleichwohl erweist es sich als problemverkürzend, das Nationaljudentum des ausgehenden 19. Jahrhunderts lediglich als eine Konsequenz der Abwertung religiöser Lebensformen aufzufassen.[12] Es dürfte vielmehr geboten sein, genauer zwischen den Voraussetzungen für den Erfolg der jüdischen

Nationalbewegung und der Zwangsläufigkeit und der Begrenztheit dieses Erfolges im Verhältnis zu konkurrierenden Alternativen zu unterscheiden. Gerade die radikale Religionskritik hatte nämlich bei der jüdischen Intelligenz durchaus auch zu Ansätzen eines zionistischen Sozialismus geführt, dessen Verwirklichung in Palästina nicht außerhalb einer politischen Zielsetzung liegen mußte.

Hierzu wird man vereinfachend von folgenden Erwägungen ausgehen können: Sowohl der entstehende politische Zionismus des 19. Jahrhunderts als auch der sozialistische Zionismus stellten Antworten auf krisenhaft empfundene soziale Strukturen dar. Das Leben des einzelnen ist ohne eine gesellschaftliche Konstruktion der ihn umgebenden Wirklichkeit kaum möglich.[13] Die erfahrbare Wirklichkeit strukturiert sich für ihn in sozial vermittelten Legitimitätsbezügen, die ihm jeweils geeignete Referenzebenen seines Handelns sind. Im sozialen System seiner Umwelt erfährt das Individuum seine kognitiven, normativen und institutionellen Sinnbezüge, welche für ihn den Grad der Stabilität der ihm zugeordneten Gesellschaftsstrukturen bestimmen.[14] Dabei erweist sich das Bewußtsein der kulturellen und kollektiven Identität als von zentraler Bedeutung. Daraus folgt unter anderem, daß eine Desintegration der jeweils gesellschaftlich vermittelten Konstruktion der Wirklichkeit den alsbaldigen Aufbau einer veränderten Wirklichkeitsbestimmung nachsichziehen wird. Das Individuum bedarf des Bewußtseins der sozialen Zuordnung. Gelingt eine Integration konkurrierender Vorstellungsinhalte nicht, so müssen neue Referenzebenen begründet werden. Die sozialpsychologische und wissenssoziologische Forschung unterscheidet deshalb zutreffend zwischen dem Zustand der Desintegration sozialer Bewußtseinsstrukturen und den diesen Zustand auslösenden Ursachen einerseits und dem veränderten Inhalt einer neuen Wirklichkeitsbestimmung und den diesen Inhalt begründenden Ursachen andererseits. Diese zunächst nur analytische Differenzierung zweier Phasen der Strukturierung des sozialen Umfeldes und der ihm zugeordneten Bewußtseinsinhalte ermöglicht es, zwei Ursachenbereiche zu trennen. Das ist für das bessere Verständnis jener Konkurrenzlage nützlich, die sich am Ende der zweiten Hälfte des 19. Jahrhunderts zwischen der zionistischen Nationalbewegung und dem sozialistisch ausgerichteten Zionismus abzuzeichnen begann.

Die Annahme der Desintegration bisheriger sozialer Strukturen und der ihnen zugeordneten Bewußtseinsinhalte gibt somit lediglich eine Voraussetzung dafür an, daß sich eine neue Wirklichkeitsbestimmung bilden und damit gegenüber konkurrierenden Möglichkeiten durchzusetzen vermochte. Sie erklärt indes den Erfolg einer derartigen Politik noch nicht. Dementsprechend konnte sich politisches Handeln sowohl auf die Phase der Desintegration überkommener Vorstellungsinhalte als auch auf die Neubestimmung geeigneter Referenzebenen sozialen Handelns beziehen. Die These der hier vertretenen Erwägungen ist es, daß die zionistische Nationalbewegung zwar eine derartige erfolgreiche neue Wirklichkeitsbestimmung darstellte. Sie bot insbesondere auch jenen Juden, welche nicht nach Palästina auswandern wollten, für ihr Verbleiben eine geeignete Referenzebene, die eine kompromißhafte Haltung zwischen zögerlicher Assimilation und jüdischem Selbstbewußtsein eröffnete.[15] Dennoch mußte diese Position in die Gefahr der Desintegration geraten, sobald im realen Rahmen der «nationalen Heimstätte» die Anforderungen an eine wesentlich differenziertere Wirklichkeitsbestimmung wuchsen. Eine derartige Lage mußte sich bei dem Aufbau eines autonomen kulturellen und ökonomischen Systems alsbald einstellen. Dies eröffnete für einen sozialistisch ausgerichteten Zionismus eine durchaus vorteilhafte strategische Position. Ohne vorherige Politik einer revolutionären Desintegration durfte er hoffen, die von ihm befürwortete sozialethische und ökonomische Zielsetzung durchsetzen zu können.

2. In der zweiten Hälfte des 19. Jahrhunderts mehrten sich die Anzeichen für eine ernsthafte Gefahr der Desintegration des europäischen Judentums hinsichtlich ihrer kulturellen und kollektiven Identität.[16] So erwies sich beispielsweise die am Beginn des 19. Jahrhunderts in Westeuropa eingeleitete rechtliche Emanzipation der Juden aus der Sicht traditioneller Wirklichkeitsbestimmung als ausgesprochen desintegrativ. Unterschiedliche Antworten waren hierzu möglich. Teilweise entstand eine bewußte Phase der kulturellen Assimilation.[17] Es war indes erreichbar, unter Ausnutzung des Systems der versprochenen bürgerlichen Freiheiten mit einem verstärkten Bewußtsein kulturell-religiöser Eigenständigkeit zu reagieren.

Auch für die jüdischen Gemeinschaften in Ost- und Mitteleuropa – deren Abgrenzung zu Westeuropa im folgenden nicht geographisch, sondern kulturell, sozial und politisch bestimmt und verstanden werden soll – stellte sich die Gefahr einer Desintegration der traditionellen, gemeinschaftsorientierten Lebensformen.[18] Dies hatte sowohl innerjüdische als auch allgemeinpolitische Ursachen. Beispielsweise führte die Haskala-Literatur bei der zunächst chassidisch geprägten jüdischen Intelligenz zu einer erheblichen Religionsfeindlichkeit. Die jüdische Religion wurde nicht eben selten für das im osteuropäischen Ghetto vorhandene soziale Elend verantwortlich gemacht, da die Bildungsfeindlichkeit des Chassidismus eine intellektuelle und damit auch soziale Emanzipation der Juden der Diaspora verhindert habe.[19] Die tatsächliche Reaktion auf ein derart angenommenes Versagen bisheriger traditioneller Wirklichkeitsbestimmungen belegt zum einen die Krise der Orthodoxie. Es erwies sich zunehmend als problematisch, weltliche Konfliktlagen mit den Mitteln der tradierten Glaubensgewißheiten zu verinnerlichen. Zum anderen stellte sich insbesondere für die intellektuelle Jugend des osteuropäischen Judentums die bedrängende Frage nach handlungsbezogenen Alternativen. Im Vergleich zu den westeuropäischen Juden war die Lage, in welcher sich die Juden in Ost- und teilweise auch in Mitteleuropa infolge zunehmender Pogrome befanden, wesentlich schwerwiegender. Insoweit stellte dies zugleich eine humanitäre Herausforderung der westeuropäischen Juden dar.

Die Analyse der unterschiedlichen Lösungsinhalte braucht hier nur konzeptionell angedeutet zu werden. Als Modelle einer neuen Wirklichkeitsbestimmung standen den Juden im Ansatz drei Grundmuster zur Verfügung. Unter Aufgabe der jeweiligen kulturellen und kollektiven Identität konnte man zur völligen Assimilation übergehen. Das setzte unter anderem die Bereitschaft der gesellschaftlichen und politischen Umwelt voraus, eine jüdische Assimilierung hinzunehmen. Des weiteren konnte man im Rahmen der gegebenen Verhältnisse versuchen, einen politisch und rechtlich hinreichend gesicherten Status eigener Autonomie zu konstituieren und die kulturelle und kollektive Identität durch absichtsvolle Segregation zu bewahren. Endlich konnte man die sog. Judenfrage durch eine klare Ablösung von der Diaspora radikalisieren und die verlangte Identität in einem anderen Territorium bei eigener nationaler Autonomie zu finden hoffen. Dies bedeutete folgerichtig die Forderung nach eigener Nationalstaatlichkeit. Bei dieser Lösung blieb zunächst die nähere Lokalisierung offen. Das erklärt etwa den sog. Ugandastreit.[20] Tatsächlich ist es zu einer einheitlichen Lösung nicht gekommen. Das zweite Modell war von vornherein auf die Verhältnisse in Osteuropa bezogen, da es nur dort die vorausgesetzten demographischen und territorialen Bedingungen gab. Es gelang nicht, die verelendeten, ghettoisierten jüdischen Volksmassen mit dem Ziele politischer und sozialer Verbesserung zu «autonomisieren». Insbesondere die liberal-bürgerliche Gruppe der Autonomisten um den Historiker Simon Dubnow blieb erfolglos.[21] Der für die weitere Entwicklung der jüdischen Arbeiterbewegung bedeutsame «Allgemeine Bund jüdischer Arbeiter in Litauen, Rußland und Polen» (1897) scheiterte nicht zuletzt an den inneren Widersprüchen seiner Programmatik.[22] Die Gründer des Bundes waren Angehörige der jüdischen Intelligenz, die sich als russische Sozialisten betrachteten. In ihrer anfänglichen Perspektive lag es, das jüdische Proletariat in das russische und polnische Volk und damit in dessen jeweiliges Proletariat einzugliedern. Die Zielsetzung dieser Überlegung mußte es mithin sein, den verelendeten Juden Osteuropas ein sozialistisches Klassenbewußtsein als neue Wirklichkeitsbestimmung zu vermitteln. Das war im Ergebnis nichts anderes als ein sublimes Modell einer

Assimilation, das eine sozialrevolutionäre Desintegration der noch bestehenden Machtverhältnisse im zaristischen Rußland voraussetzte und den anschließenden Aufbau eines sozialistischen Gesellschaftssystems erst noch zu erreichen hatte. Immerhin war eine derartige politische Konzeption von bestechendem Scharfsinn. Konnte nämlich der zunächst offenkundig utopische Gehalt dieser Überlegungen verwirklicht werden, so erledigte dies gleichzeitig die konfliktauslösende jüdische Ghettoisierung im Sinne einer dem jüdischen Ideengut ohnehin geläufigen Gemeinschaftsorientierung. Zudem hatte das Judentum eine nähere Vorstellung vom staatlichen Aufbau einer Gesellschaft bislang nicht entwickelt. Der Entwurf ließ sich indes bereits innerjüdisch nicht durchsetzen. Auf dem 6. Kongreß des «Bundes» im Jahre 1903 entschied man sich für die Forderung nach «nationaler und kultureller Autonomie» im Sinne des skizzierten zweiten Lösungsmodelles.[23] Die verbleibende Bedeutung der «sozialrevolutionären» Assimilationsthese ist nicht zu unterschätzen. Im deutlichen Gegensatz zu den Vorstellungen des westeuropäischen Judentums war hier die prinzipielle Möglichkeit einer sozialistischen Gesellschaft erörtert und programmatisch vertreten worden. Gewiß stellte dies noch nicht die Grundlage eines sozialistischen Zionismus dar. Gegenüber einer derartigen Fragestellung nach den inneren Bedingungen einer jüdischen Gesellschaft mußte aber die jüdisch-nationale Zielsetzung des Baseler Programmes eher wie der Versuch der Reproduktion der bestehenden bürgerlichen Gesellschaft Westeuropas in Palästina wirken. Gleichwohl erwies sich die theoretische Bestimmung einer Verbindung von Sozialismus und Zionismus als schwierig. Nachdem Nachman Syrkin diese Frage in seinem Buch «Die jüdische Frage und der sozialistische Judenstaat» (1898) erstmals nach Moses Hess wieder thematisiert hatte, war damit jedenfalls deutlich, daß die territoriale Konzentration des jüdischen Volkes in Palästina in zunehmendem Maße einer gesellschaftspolitischen Auseinandersetzung unterzogen sein würde.[24] Dabei ist vor allem die Zeit vor dem Ersten Weltkrieg von einer Fülle von sehr unterschiedlichen Auffassungen gekennzeichnet. Diese betrafen zum einen die spezifische Problematik einer Zusammenführung von Zionismus und Sozialismus. Die etwa von Borochov aus der exterritorialen Situation des russischen Judentums abgeleitete marxistische Analyse verdeutlicht dies.[25] Zum anderen war die sozialistische Konzeption keineswegs in sich geschlossen, sondern unterlag ihrerseits seit etwa 1880 mehrfachen Richtungskämpfen. Das gilt vor allem für die Auseinandersetzung zwischen marxistischen und laboristisch-reformistischen Ansichten. Derartige Auseinandersetzungen wiederholten sich in der ostjüdischen Diaspora und in Zusammenhang mit der Zweiten Alija (1904–1914) auch innerhalb der palästinensischen Arbeiterbewegung. Es ist bemerkenswert, daß in Palästina im Jahre 1905 mit dem Hapoel Hazair und den Poalei Zion zwei getrennte Arbeiterorganisationen gegründet wurden.[26] Endlich hatte sich jeder Versuch einer Synthese des Zionismus und des Sozialismus mit der Realität der in Palästina zu leistenden Aufbauarbeit und den hierfür in der Diaspora zu schaffenden politischen und finanziellen Voraussetzungen auseinanderzusetzen. Außerhalb Palästinas neigte man naturgemäß eher zu theoretischen Erörterungen über die soziale und ökonomische Struktur, welche es erst noch zu begründen galt. Wer daher wie Ernst Toller im Jahre 1925 über die Möglichkeit einer «sozialistischen Gesellschaft» in Palästina nachdachte, der mußte gerade für den Zeitraum der Vierten Alija (1924–1928) durchaus genauer sagen, von welcher sozialistischen Konzeption er dabei ausgehen wollte.

3. Das skizzierte Modell einer autonomen Regeneration war kaum entwicklungsfähig. In Westeuropa fehlte es hierzu weitgehend an den politischen und innerjüdischen Voraussetzungen. In einer Phase nationalstaatlicher Einigungsbewegungen und bürgerlicher Emanzipation hatten Bemühungen von Minderheiten um Anerkennung ihrer kulturellen und kollektiven Autonomie kaum Hoffnung auf Verwirklichung. Für die osteuropäischen Juden konnte die Möglichkeit einer nationalen Autonomie im Sinne einer nichtterritorialen Lösung angesichts des zaristischen Regierungsstils als ausgeschlossen gelten. Die Zielsetzung des «Bundes» mußte mithin im zaristischen Rußland scheitern. Vielmehr verstärkte die nationale Ideologie den Druck auf das jüdische Selbstverständnis, indem das Bewußtsein der Fremdheit sowohl außerjüdisch als auch innerjüdisch wuchs. Das gilt für Westeuropa und Osteuropa gleichermaßen. Daß dabei die Formen dieses Druckes unterschiedlich waren, entsprach den verschiedenen gesellschaftlichen und kulturellen Strukturen der außerjüdischen Umwelt. Zur Bewahrung kultureller und kollektiver Identität mußte das Judentum deshalb auf die tatsächliche Minderung seines Verhaltensspielraums mit einer veränderten, gleichwohl bewußtseinsstabilisierenden Wirklichkeitsbestimmung antworten. War dies nicht möglich, so blieb nur die Notwendigkeit einer Assimilation an die jeweilige außerjüdische Gesellschaft. Deren Wirklichkeitsbestimmung wurde alsdann als eigene übernommen.

Für die Juden in West- und Osteuropa bestand indes ein bemerkenswerter Unterschied. Während sich die westeuropäischen Juden im Grundsatz für eine assimilatorische Emanzipation und damit für die Aufgabe ihrer Identität entscheiden konnten, bestand diese Möglichkeit für die osteuropäischen allenfalls mittelbar in der Form der Auswanderung. Tatsächlich verweigerte das zaristische Rußland in jeder Weise eine Assimilation. Die Politik der Rayonisierung und die willkürliche Gesetzgebung waren Ausdruck absichtsvoller Segregation. Die sich seit 1880 häufenden Pogrome zeigten deutlich, daß auch die Bevölkerung zur Wahrung des eigenen Selbstverständnisses sogar das Mittel der physischen Vernichtung nicht ablehnte. Diese Situation verweigerter Assimilation einerseits und physisch bedrängter Lebensform andererseits konnte sowohl durch eine verstärkte religiös motivierte Verinnerlichung als auch durch die zionistische Idee der nationalen Renaissance beantwortet werden. Beide Wege sind beschritten worden. Für die osteuropäische jüdische Intelligenz war im Hinblick auf die dem Chassidismus zugeschriebenen gesellschaftlichen Defizite eine religiöse Reformulierung des Selbstverständnisses nicht möglich. Da man eine sozialrevolutionäre Lösung eher als eine Form utopischer Assimilation ansah, blieb der sich in der Bewegung der Chowewe Zion befindenden Gruppe als Alternative eine nationaljüdische Wirklichkeitsbestimmung.[27] Wenn man überhaupt von einem historischen Verdienst sprechen will, so kommt dieser Bewegung das Verdienst zu, der zumeist philanthropischen Haltung der westeuropäischen Juden eine aktivistische Konzeption nationaler Rekonstruktion durch fortschreitende Kolonisation entgegengesetzt und deren Erfolge eines praktischen Zionismus aufgewiesen zu haben. Dies dürfte eine der Ursachen dafür geworden sein, warum es später nicht gelang, den politischen Zionismus auf eine religiöse, dem jüdischen Messianismus entsprechende Rechtfertigung oder auf einen Kulturzionismus zurückzuführen.[28]

Der von Herzl inaugurierte Zionismus war in erster Linie von politisch-diplomatischer Art. Der betonte Primat einer politisch-territorialen Lösung als ein Inhalt neuen jüdischen Selbstverständnisses war in seiner ideenbezogenen Wirkung sowohl außerjüdisch als auch innerjüdisch erfolgreich. Dieser Erfolg hat zumeist die Frage verdrängt, welche genaue gesellschaftspolitische Konzeption der politische Zionismus vertrat oder – aus der Sicht seiner Kritiker – hätte vertreten sollen. Auch rückschauend ist die Beantwortung dieser Frage angesichts der am Ende des 19. Jahrhunderts vorhandenen Vielfalt ideologisch-politischer Zielsetzungen schwierig. Dies dürfte aber gerade die Richtigkeit der These belegen, daß der politische Zionismus kein Interesse an einer Präzisierung der sozialen und ökonomischen Struktur der von ihm geforderten «nationalen Heimstätte» haben konnte. Vereinfacht man die Frage zudem für den vorliegenden Zusammenhang, so wird deutlich, daß jedenfalls eine «sozialistische Gesellschaft» kaum ernsthaft als ein proklamiertes Modell des politischen Zionismus in Betracht kommen konnte. Dem standen in der zweiten Hälfte des 19. Jahrhunderts die gegebenen politischen Rahmenbedingungen entgegen. Dennoch ist es wichtig, nach den Ursachen dieser gesellschaftpolitischen Zurückhaltung zu fragen.

Man wird hierzu drei Bereiche aufweisen können: (1) Der Zionismus als eine Möglichkeit der Begründung neuen jüdischen Selbstverständnisses mußte innerjüdisch integrierend sein. Das Erfordernis der integrativen Wirkung bedingte eine eher holistische Konzeption. Das verbot zum einen eine ausdrücklich religiöse oder geistig-kulturelle Zielsetzung. Es verbot sich des weiteren eine Programmatik, die im jüdischen Bewußtsein als desintegrativ empfunden werden mußte. Aus der Sicht des westeuropäischen Judentums war der politische Sozialismus vor allem als desintegrativ und mithin negativ besetzt zu beurteilen, weil von gesellschaftsrevolutionärer Strategie. Demgegenüber vermochte sich eine nationalstaatliche Konzeption als dem politischen Zeitgeist gemäß und damit positiv auszuweisen.[29] Anders gesagt: Ein sozialistisches Modell war im westeuropäischen Judentum keine bereits als bewußtseinsstabilisierend anerkannte Referenzebene politisch-sozialer Legitimierung. Die vom politischen Zionismus beabsichtigte diplomatische Strategie mußte zudem eine sozialistische Zuordnung ihrer Politik vermeiden. (2) Für den nichtjüdischen Sozialismus war der Zionismus zunächst lediglich ein Nationalismus im herkömmlichen Sinne. Aus der theoretischen Analyse ergab sich für den Sozialismus zumeist, daß nationale Bestrebungen nicht der objektiven Interessenlage des Proletariats entsprachen. Eine nationalstaatliche Politik diente nach ihrer Auffassung im Regelfall dazu, das bestehende kapitalistische System der Ausbeutung des Proletariats fortzusetzen.[30] Daraus begründeten die sozialistischen Parteien im allgemeinen einen internationalistischen Ansatz. Ihnen mußte deshalb ein politischer Zionismus ein Hindernis auf dem Wege der erstrebten sozialistischen Gesellschaftsrevolution sein. Daß die spätere zionistische Politik vor allem von osteuropäischen sozialistischen Vorstellungen geprägt wurde, änderte hieran für den Beginn des politischen Zionismus westeuropäischer Provenienz nichts. Bei dieser Sachlage kann es schwerlich überraschen, daß die nationaljüdische Zionismusbewegung zunächst eine Unterstützung im politischen Sozialismus nicht erwartete. (3) Die Repatriation des jüdischen Volkes besaß keine Analogie.[31] Jeder detaillierte Plan der organisatorischen, wirtschaftlichen und sozialen Grundlagen der «nationalen Heimstätte» mußte mithin von theoretischer Natur sein. Das von Herzl im «Judenstaat» kursorisch entwickelte Modell einer phasenbezogenen Besiedlung ging dabei unausgesprochen von einer wirtschaftlich gestuften Wirtschaftsgesellschaft aus.[32] Andererseits erörterte der theoretische Sozialismus des ausgehenden 19. Jahrhunderts keine konzeptionellen Vorschläge zur Besiedlung eines Territoriums. Seine Gesellschaftsmodelle betrafen einen nachrevolutionären Zeitraum und setzten hierfür eine bestehende ökonomische, demographische und politische Gesellschaftsstruktur voraus. Gerade weil in Palästina

Produktionsbedingungen erst noch zu schaffen waren, gab es zunächst keine sozialrevolutionäre Arbeiterklasse – beides indes Bedingungen sozialistischer Gesellschaftsmodelle des ausgehenden 19. Jahrhunderts.

In seiner Anfangsphase war der nationaljüdische Zionismus daher darauf angewiesen, die Frage der näheren ökonomischen und sozialen Struktur der «nationalen Heimstätte» als eine erst künftig zu entscheidende Problemstellung auszugeben. Dies entsprach nicht nur den inneren Bedingungen einer wirksamen Ideologisierung, deren Erfolg nicht zuletzt von der Reichweite der sinnhaften Integration auch utopisierender Vorstellungen abhing. Eine derartige gesellschaftstheoretische Zurückhaltung erforderte vor allem eine innerjüdische Rücksichtnahme. Ohne eine umfassende materielle Unterstützung der jüdischen Diaspora war die Verwirklichung der zionistischen Zielsetzung kaum wahrscheinlich. Das hatte die inzwischen gewonnene Erfahrung der seit 1882 betriebenen Kolonisation Palästinas ergeben.[33] Deshalb konnte eine bewußt gesellschaftspolitische Akzentuierung schwerlich darauf hoffen, daß die liberalen Juden Westeuropas, an welche man in erster Linie dachte, die benötigten finanziellen Mittel bereitstellen würden. Ein politischer Zionismus stand ohnehin in der Gefahr, mit der assimilatorischen Tendenz des liberalen Judentums in Konfrontation zu geraten.[34] Aus innerjüdischer Sicht mußte der Zionismus als eine konkurrierende Wirklichkeitsbestimmung, welche die erreichte Existenz des bürgerlichen Judentums in Frage stellte, erscheinen. Bei einer sozialistischen Gesellschaftsstruktur hatte dieser Teil des emanzipierten Judentums zu befürchten, den erreichten sozialen Status wieder zu verlieren. Die vom politischen Zionismus der ersten Generation der Herzl-Wolffsohn-Epoche vertretene Strategie war um so bemerkenswerter, als die praktische Arbeit in Palästina zu einem erheblichen Teil von osteuropäischen Juden geleistet wurde, die im allgemeinen sozialistische Vorstellungen verfolgten oder ihnen gegenüber aufgeschlossen waren.

Das gesellschaftstheoretische Defizit des nationaljüdisch geprägten Zionismus konnte nicht folgenlos bleiben. Zwar war es möglich, die Besiedlung Palästinas zunächst einer pragmatischen Handhabung zu überlassen. Das genügte zugleich den Forderungen eines praktischen Zionismus. Dennoch wurde damit die Gefahr begründet, daß an die Stelle politischer Leitentscheidungen eine Politik der ökonomischen Technokratie treten konnte. Das gilt etwa für die Zielsetzung des Jüdischen Nationalfonds (J. N. F.) oder auch für die durchaus nützliche Arbeit der Palästina-Kommission unter der Leitung von Arthur Ruppin (1908).[35] Die Besiedlung Palästinas geriet dabei zunehmend in den Zustand eines ökonomischen Experimentes, dessen Betroffene zur Wahrung der nunmehr eigenen kulturellen und kollektiven Identität kaum noch sozialpolitische Protagonisten eines Diaspora-Dogmatismus der Zionistischen Weltorganisation sein konnten. Es war mithin seit dem Beginn der Zweiten Alija abzusehen, daß die Frage des ökonomischen und gesellschaftspolitischen Status Palästinas mit der Veränderung der ökonomischen und demographischen Infrastruktur entschieden werden mußte und daß diese Entscheidung später unter den Bedingungen der britischen Mandatsträgerschaft von den Betroffenen selbst getroffen werden würde. Die seit etwa 1905 entstandenen politischen Strömungen innerhalb der jüdischen Arbeiterschaft Palästinas ließen hierzu erkennen, daß die Übernahme einer westeuropäischen Wirtschaftsstruktur nicht mehrheitsfähig sein konnte. Ob andererseits eine Entscheidung zugunsten einer ausgeprägt sozialistischen Gesellschaftsauffassung gefällt werden würde, blieb zunächst ebenfalls offen. Immerhin war die Idee einer sozialistischen Gesellschaft inzwischen auch in einigen Staaten Europas zu einer ernsthaft erörterten Alternative geworden. Mit der erkennbaren Eigendynamik der politischen Strukturierung der jüdischen Besiedlung Palästinas war zugleich deutlich, daß die ursprünglich nationaljüdische Zielsetzung den politischen Zionismus zur Wahrung seiner Existenzberechtigung auf Dauer veranlassen mußte, zunehmend Elemente einer diasporalen Entwicklungshilfe finanzieller und personeller Art aufzunehmen. Eine derartige Veränderung zionistischer Politik bot den sog. Galutjuden erneut die Möglichkeit, ein neues Selbstverständnis und ein geeignetes Äquivalent erreichter assimilatorischer Emanzipation zu begründen.

III.

1. Den ökonomischen und innenpolitischen Zustand Palästinas im Jahre 1925 kann man mit guten Gründen als labil bezeichnen. Im Jahre 1924 hatte die polnische Regierung Grabski wirtschaftliche Maßnahmen angeordnet, welche die jüdische Bevölkerung der unteren Mittelklasse hart trafen. Es entstand die bedrängende Lage eines nunmehr wirtschaftlich ausgerichteten Pogroms staatlicher Macht. Die Reaktion der polnischen Juden war der der Zweiten Alija zwar vergleichbar. Es gab indes Besonderheiten, die sich auf die bereits entstandene ökonomische Infrastruktur nachteilig auswirken mußten. Die Vierte Alija (1924–1928) brachte Einwanderer nach Palästina, welche der zionistischen Idee weitgehend fremd gegenüberstanden.[36] Man sprach jiddisch und hoffte, den bisherigen kleinbürgerlichen, städtisch geprägten Status zu bewahren. Insbesondere empfand man die Einwanderung nicht als Ausdruck der sozialen Emanzipa-

tion und als Beteiligung am Aufbau einer neuen Gesellschaftsordnung. Die Einwanderer dieser sog. Grabski-Alija ließen sich fast ausschließlich in den Städten nieder. Um das Jahr 1926/27 wohnten von etwa 158 000 Juden nur knapp ⅕ auf dem Lande. Die Zahl der Juden in Palästina stieg seit Ende 1923 von 85 300 auf 110 000 (Ende 1924) und auf 147 000 (Ende 1925).[37] Allein im Jahre 1924/25 kamen etwa 45 000, zumeist osteuropäische Juden.[38] Es war ausgeschlossen, die Einwanderer sofort in den laufenden Prozeß der Besiedlung Palästinas zu integrieren. Die osteuropäischen Juden der Vierten Alija besaßen hierzu auch gänzlich gegenläufige Vorstellungen. Sie strebten vor allem danach, in den Städten das geschäftliche Leben ihres kleinbürgerlichen Judentums fortzusetzen. Die sozialistischen Ideen der jüdischen Arbeiterbewegung betrachteten sie mit Argwohn, die landwirtschaftlich-manuelle und kollektive Arbeitsweise der sozialistischen Wirtschaftsmethoden der Kvuzot, der Kibbuzim oder des Gdud ha-Avoda als jüdisch-traditioneller Lebensweise fremd. Die Tätigkeit dieses «Proletariats des Kleinbürgertums» (Ch. Arlosoroff) erwies sich zunächst als ein die Wirtschaft belebendes Element.[39] Der zum Teil spekulative Grundstücksverkehr, die Baukonjunktur und der kleinhändlerische Geschäftsbetrieb erzeugten in den Städten ein Klima des Optimismus. Es schien, als könnte sich die Wirtschaftsstruktur des städtischen Kleinbürgertums ohne finanzielle Unterstützung der zionistischen Organisationen in Palästina autonomisieren.

Die ökonomischen und ideologischen Auswirkungen der Vierten Alija verdeutlichten den linksorientierten politischen Kräften Palästinas alsbald die Möglichkeit, daß sich das bislang eher ambivalente Wirtschaftssystem nunmehr «kapitalistisch» in fast irreversibler Weise entwickeln könnte. Es gelang jedoch zunächst nicht, ein einheitliches Gegenmodell der zionistisch-sozialistischen Emanzipation und nationaljüdischer Progressivität zu begründen. Vielmehr zeichnete sich ab, daß die zu erwartende ökonomische Krise von einer destruierenden Fülle politischer Richtungskämpfe begleitet sein würde.[40] Es erwies sich als unmöglich, die Achdut ha-Avoda, den Hapoel Hazair, den Gdud ha-Avoda, den Haschomer Hazair, die Histadrut und die Poalei Zion in einer politischen Konzeption zusammenzuführen, um den spekulativen und händlerischen Strukturen eines kleinbürgerlichen Besitztums der Städte wirksam entgegentreten zu können. Die Idee eines sozialistisch-sozialdemokratisch-gewerkschaftlichen Aufbaus Palästinas geriet durch derartige exogene Faktoren in eine grundlegende ideologische Krise, welche die Vorläufigkeit der Synthese von Zionismus und Sozialismus in einem konkreten sozio-ökonomischen Prozeß der Kolonisation zeigte. Bereits 1919 hatte der gemäßigte Zionist A. Ruppin die soziale Neugestaltung Palästinas gefordert und prognostiziert:

Es werde «zu allerschwersten Konflikten und zur schlimmsten Erschütterung des ganzen wirtschaftlichen Lebens kommen, wenn man diese alten Wirtschaftsformen unverändert konservieren wollte».[41] Für die Arbeiterbewegung ging es indes längst nicht mehr allein um die Frage, wie eine kapitalistische Wirtschaftsform verhindert werden könne. Während der Zweiten und Dritten Alija war man von der Möglichkeit der Synthese oder der Koexistenz von politischem Zionismus und Sozialismus ausgegangen. Die sichtbaren Erfolge der Besiedlung Palästinas auf sozialistischer oder genossenschaftlicher Grundlage schienen diese Annahme zu rechtfertigen.[42] Gerade die unterschiedlichen kommunitären Lösungen, die erreichte Kolonisation und die Erfolge der ersten Gemeinschaftssiedlungen stellten für die jüdische Arbeiterschaft in Palästina die Realität der palästinensischen Aufbauarbeit dar. Dies bot den eingewanderten Juden gegenüber den ansässigen Arabern durchaus eine geeignete Referenzebene, ihr Verhalten der Judaisierung Palästinas als gerechtfertigt anzusehen. Die sozialistische Idee der humanitären Emanzipation konnte aus innerjüdischer Sicht eine Legitimierungsebene konstituieren, von der aus man die künftigen arabisch-jüdischen Beziehungen entwickeln konnte.[43] Die Praxis der kommunitären Lösungen erklärt zugleich den hohen Grad der politischen und gewerkschaftlichen Organisiertheit der jüdischen Arbeiterschaft und die daraus resultierende Dominanz der politischen Parteien im gesamtgesellschaftlichen Leben.[44] In Ermangelung einer in Palästina politisch wirksamen Rabbinatsorthodoxie kam damit den jüdischen Parteien erstmals und zugleich nahezu konkurrenzlos die Rolle der Funktionselite zu. Zusammen mit den gewerkschaftlichen Institutionen bildeten sie erste prästaatliche Grundlagen aus. Unter den einschränkenden Bedingungen der britischen Mandatsträgerschaft entstand so die ungewöhnliche Situation einer weitgehend «informellen Staatlichkeit».

2. Der Linkszionismus war trotz aller Meinungsverschiedenheiten vor allem in der Frage einer korrekten Theorie des sozialrevolutionären Klassenkampfes von der Annahme ausgegangen, daß die sog. Judenfrage in einer kapitalistischen Gesellschaftsstruktur nicht auflösbar sein werde. Auch ein ökonomischer Nationalismus perpetuiere eine derartige Struktur nur. Die Selbstgewißheit kultureller und kollektiver Identität sollte insoweit in einer im Judentum bislang unbekannten Dimension gefunden werden. Das war gewiß ein in der osteuropäischen Diaspora gefundener Standpunkt, der die Wirklichkeit zu transzendieren geeignet war. In Palästina selbst stellten sich indes andere Fragen. Gleichwohl gehörte es zum integralen Bestand der Programmatik der linksorientierten Parteien Palästinas, daß die Übertragung der west- oder osteuropäischen Sozialstrukturen nach Palästina unter allen Umständen zu verhindern sei. Deshalb war

jede ökonomische Struktur Palästinas auszuschließen, in der für Juden erneut die Gefahr einer vergleichbaren ökonomischen Abhängigkeit mit der Folge einer nunmehr innerjüdischen Segregation eintreten konnte. Man betrachtete es aus diesem Grunde als einen bemerkenswerten Erfolg des sozialistischen Zionismus, daß die Versuche der amerikanischen Zionisten, den Aufbau Palästinas nach privatwirtschaftlichen Prinzipien durchzuführen, erfolglos geblieben waren. Insoweit war es seit 1920 gelungen, die Hilfeleistungen der Zionistischen Weltorganisation einschließlich des Keren Hajessod zu «neutralisieren».

Nunmehr sah sich der linksorientierte Zionismus in mehrfacher Weise angegriffen. Das sich langsam entwickelnde Wirtschaftssystem Palästinas mit stark kollektivistischen Besonderheiten geriet in die ernste Gefahr, Opfer von wirtschaftszyklischen Gesetzmäßigkeiten zu werden, einer Gefahr, der man ein wirksames Instrumentarium staatsinterventionistischer Maßnahmen mangels staatlicher Verfaßtheit und britischen Desinteresses nicht entgegensetzen konnte. Bereits seit der Jahreswende 1924/25 war deutlich, daß etwa die vom Jüdischen Nationalfonds betriebene Eigentumspolitik die in den städtischen Einzugsgebieten eingetretene Bodenspekulation nicht wirksam verhindert hatte. Auf dem XIV. Zionistenkongreß (18.–31. 8. 1925) forderte deshalb A. Ruppin, man müsse ein allgemeines Kontrollorgan für Bodenkäufe schaffen, um der Bodenspekulation begegnen zu können.[45] Es war unübersehbar geworden, daß die Vierte Alija wichtige Bestandteile einer kleinbürgerlichen Diasporastruktur importierte. Ein «bürgerlicher» Zionismus schien 1924/1925 den Beweis antreten zu können, daß eine Wirtschaft des Landes auch ohne unterstützende Zuwendungen der Arbeiterschaft entwickelt werden könnte. Soweit die Einwanderer sich überhaupt für politische Problemstellungen interessierten, gehörte ihre Neigung in ihrer Mehrheit den rechts zur Mitte stehenden zionistischen Parteien an, welche dadurch erstmals an Bedeutung gewinnen konnten. Im Frühjahr 1925 organisierte W. Jabotinsky die erste Konferenz des Zohar (Zionim-Revisionistim) in Paris.[46] Mit dieser extremen Rechtsrichtung war innerhalb der zionistischen Bewegung eine oppositionelle Plattform geschaffen, von der aus nunmehr die ständige finanzielle Unterstützung der jüdischen Arbeiterschaft Palästinas wirksam kritisiert werden konnte. Bereits auf dem XIV. Zionistenkongreß kam es zu erheblichen Auseinandersetzungen, von welcher Wirtschaftspolitik die Zionistische Weltorganisation künftig ausgehen solle.[47] Für den Versuch der Synthese von Sozialismus und Zionismus einerseits und für die Vorstellungen einer etablierten liberalen jüdischen Mittelklasse andererseits schien die Zeit einer koexistenziellen Zusammenarbeit zu Ende zu gehen. Der wirtschaftspolitische Neutralismus etwa des Jüdischen Nationalfonds oder des Palästina-Aufbaufonds war tatsächlich der eher pragmatischen Politik des Hapoel Hazair, aber auch der Achdut ha-Avoda und der Histadrut zugute gekommen.

Vor allem die Achdut ha-Avoda betrachtete die jüdische Arbeiterbewegung und die genossenschaftlichen Unternehmungen als Anfänge einer sozialistischen Gesellschaftsstruktur. Die Besonderheit des «palästinensischen» Sozialismus war nach dieser Auffassung, daß es des sozialrevolutionären Kampfes zur Ablösung einer kapitalistischen Wirtschaftsstruktur nicht bedurfte. Vermied man beim Aufbau Palästinas von vornherein privatkapitalistische Mechanismen und förderte man gleichzeitig gemeinwirtschaftliche Strukturen, so entfiel die Notwendigkeit der klassenkämpferischen Ideologie. Gerade der Pionier- und Siedlungssozialismus erwies sich mit dieser Zurücknahme ultralinker Positionen als integrativ. Im Jahre 1925 zeichnete sich indes ab, daß der Erfolg der bisherigen ideologischen Konzeption des palästinensischen Sozialismus im wesentlichen auf exogene Rahmenbedingungen zurückzuführen war. Hierzu zählten der bisherige wirtschaftspolitische Neutralismus der Zionistischen Weltorganisation, die landwirtschaftlich ausgerichtete Entwicklungspolitik und die Vermeidung einer industriellen Proletarisierung, der linksorientierte Intellektualismus der Einwanderer der Zweiten und Dritten Alija, die vom westeuropäischen Positivismus geprägte Säkularisierung ehemals religiöskulturell geprägter Tradition und die Notwendigkeit, als Ersatz für staatliche Institutionen gewerkschaftliche und genossenschaftliche Organisationsformen zu begründen. Dies alles erzeugte bei der sozialistisch-sozialdemokratisch orientierten Arbeiterbewegung die Selbstgewißheit sozialer Progressivität, deren sichtbare Erfolge eine korrekte Theorie der sozioökonomischen Prozesse entbehrlich erscheinen lassen konnten. Von einer zionistischen Bourgeoisie und einem bürgerlichen Nationalismus war man weit entfernt. Die sozialistisch-zionistische Wirklichkeitsbestimmung glaubte die kulturelle und kollektive Identität in einer Neubestimmung des Zusammenhanges von Arbeit und Boden erreichen zu können.[48] In gewisser Hinsicht entsprach dies dem neuen Utopismus der jüdischen Jugendbewegung in West- und Osteuropa.[49] Der etwa seit der Jahreswende 1924/25 wachsende Druck der rechtszionistischen Politik mußte deshalb die gewonnene Selbstgewißheit der palästinensischen Arbeiterbewegung ernsthaft in Frage stellen. Dabei war nicht ohne weiteres deutlich, ob damit nur die in Europa längst bewußtgewordene Konfliktlage zwischen unterschiedlichen Absolutheitsansprüchen nationalistischer, sozialistischer, kapitalistischer Politik in Palästina eine spezifische Reformulierung erhalten sollte. Die Grundsätzlichkeit war anfänglich nur schwer zu diagnostizieren. Die politische Kritik betraf vordergründig den Mangel an gewinnbringenden Erfolgen in der landwirtschaftlichen Besiedlung. Am Maßstab der Gewinnmaximierung war dies kaum widerlegbar. Seit dem Beginn der Einwanderung der Vierten Alija konnte bei handwerklichen und kleinindustriellen Unternehmungen zudem ein deutlicher konjunktureller Aufschwung nachgewiesen werden. Die Frage war indes, ob sich hinter der Kritik an den sozialistischen Wirtschaftsmethoden einer kooperativen Landwirtschaft nicht eine generelle politische Intervention verbarg.

Die Entwicklung in den Jahren 1927/28 zeigte, daß die Position des sozialistischen Zionismus insgesamt als angegriffen zu gelten hatte. Im Jahre 1925 war allerdings durchaus offen, wie die jüdische Arbeiterbewegung hierauf reagieren würde. Der exogene Druck auf eine tatsächlich gemeinsam geführte Politik konnte für den sozialistischen Zionismus destruierende oder integrierende Wirkung haben. Tendenzen der Radikalisierung innerhalb der Poalei Zion deuteten sich bereits im Jahre 1924 an.[50] Es mußte daher fraglich werden, ob die sozialistische Loyalität in der Verbindung von Zionismus und Sozialismus sich weiterhin als tragfähig erweisen würde. Gab es im städtischen Kleinbürgertum insoweit einen «Klassengegner», so war es jedenfalls ideologisch möglich, die bisherige reformistische Politik etwa der Achdut ha-Avoda als gescheitert auszugeben und zu der früheren Position des Klassenkampfprinzips zurückzukehren. Dem standen andererseits die nichtdogmatischen Politiker der gewerkschaftlichen Einheitsbewegung Histadrut gegenüber. Die These vom Aufbau einer sozialistischen Gesellschaft in Palästina konnte im Jahre 1925 mithin als realistische Erwartung, nicht jedoch als gesicherte Zukunft gelten.

IV.

1. Im Frühjahr 1925 bereiste Ernst Toller, der radikal-sozialistische Revolutionär der Münchner Räterepublik von 1919, der unabhängige, linksorientierte Dramatiker und Essayist, der assimilierte Jude, ein «Außenseiter der Republik», Palästina.[51] Die näheren Umstände dieser Reise sind bislang kaum aufklärbar. Bereits die genaue zeitliche Einordnung erweist sich als unsicher. Man kann annehmen, daß sich Toller im April 1925 in Palästina aufhielt. Unter dem 13. 3. 1925 berichtete die sozialdemokratische Zeitung «Vorwärts», Toller habe eine große Erholungsreise nach dem Süden angetreten und werde Anfang April 1925 der Einweihung der Hebräischen Universität in Jerusalem beiwohnen. Toller bestätigte im Frühsommer 1926 der Zeitung «The American Hebrew», er habe an der Eröffnung der Hebräischen Universität teilgenommen.[52] Die Eröffnung fand

vom 1./3. 4. 1925 statt. Palästina erreichte Toller über Ägypten. Über seine Ankunft in diesem Lande schrieb er eine essayistische Impression, welche die orientalische Andersartigkeit der arabischen Welt zu reflektieren sucht.[53] Der genaue Entstehungszeitraum dieser Arbeit ist nicht bekannt. Die bisherige Quellenlage erlaubt nicht, den Tag der Ankunft Tollers in Palästina festzulegen.[54] Ende April 1925 befand sich Toller wieder in Europa.[55] Manches spricht dafür, daß Toller eine umfassende Orientreise plante, die ihn bis nach Indien führen sollte. Krankheit soll ihn gezwungen haben, seine Pläne aufzugeben.

An welchen Orten sich Toller in Palästina aufhielt und welche Gesprächspartner er hierbei hatte, ist allenfalls in Ansätzen rekonstruierbar. Sein späteres literarisches Werk enthält über den Aufenthalt in Palästina keine Hinweise.[56] Man ist daher auf Annahmen angewiesen. Im Sommer 1924 war Toller aus der Festungshaft in Niederschönenfeld entlassen und aus Bayern abgeschoben worden.[57] Er entwickelte eine rege Vortragstätigkeit. Lesungen aus eigenen Werken kamen hinzu. Manche Reiseberichte der späteren Zeit enthalten betont sozialkritische Bezüge.[58] Toller wird Palästina daher nicht lediglich als Tourist besucht haben. Andererseits gibt es keinen unmittelbaren Hinweis, daß Toller mit seiner Reise einer Einladung folgte. Nach der Darstellung in der Zeitung «The American Hebrew» vom 3. Juni 1927 hielt Toller in Palästina Lesungen, unter anderem aus seinem Gedichtband «Schwalbenbuch», und Vorträge.[59] Dabei sprach er auch vor jüdischen Siedlern, die er in ihren Siedlungen besuchte. Darauf wird noch einzugehen sein. Man wird auszuschließen haben, daß Toller aus einer zionistischen Motivation heraus Palästina besuchte.

Für die Begegnung Tollers mit dem jüdischen Arzt Dr. Elias Auerbach in Haifa dürfte ein hinreichender Beleg bestehen. Die Verbindung dürfte von der langjährigen Sekretärin der Zionistischen Vereinigung für Deutschland (Z. V. f. D.) in Berlin, Betty Frankenstein, hergestellt worden sein.[60] Auerbach war als einer der ersten deutschen Zionisten 1909 nach Palästina ausgewandert. Er hatte in Berlin führende Vertreter der deutschen Zionistischen Vereinigung kennengelernt. Auch nach seiner Einwanderung publizierte er in deutschen zionistischen Zeitschriften. In den 20er Jahren dürfte Auerbach einer der maßgebenden deutschen Zionisten in Palästina gewesen sein. Wiederholt hatte er auf die sog. Araberfrage hingewiesen. In einer von den deutschen Zionisten 1910 veröffentlichten Propagandaschrift betonte er, daß Palästina kein menschenleeres Land sei und daß sein Charakter vom stärksten ethnischen Element geprägt werde.[61] In demselben Jahr machte er darauf aufmerksam, daß die Araber angesichts des jährlichen Geburtenüberschusses die bei weitem führende Kraft bleiben würden.[62] Gleichsam resümierend schrieb er etwa 20 Jahre später, der schwerste Fehler zionistischer Politik sei es gewesen, den Arabern nicht genügend Aufmerksamkeit geschenkt zu haben.[63] In Elias Auerbach traf Toller mithin einen sowohl einflußreichen als auch kritischen Zionisten, der andererseits gewiß nicht von der politischen Notwendigkeit überzeugt war, in Palästina eine sozialistische Gesellschaft zu entwickeln, und ohnehin von unterschiedlichem Naturell. Während Toller in dieser Zeit von einem fast desillusionären, sozialkritischen Skeptizismus bestimmt wird, verkörperte Auerbach eher den im Lande tätigen Realisten eines bürgerlichen Zionismus.

2. Im Jahre 1922 hatte sich Toller als einen «revolutionären Sozialisten» bezeichnet.[64] Seine Auffassungen waren maßgebend von Gustav Landauer und Kurt Eisner geprägt worden.[65] Gleichwohl ist Toller kein «theoretischer» Sozialist im Sinne einer kritischen, sozialphilosophischen Reflexion. Die Sozialismusauffassung Tollers ist weitgehend von emotionaler Rezeption, die sich auf das individuelle Leiden des in ökonomischen und politischen Zwängen lebenden Menschen bezieht. Das Proletarische der Arbeitschaft erfaßt er vor allem in dem Konflikt von wirtschaftlicher, menschlicher Not und der fast mystifizierenden Hoffnung mitmenschlicher Solidarisierung. Diesen «Geist der Gemeinschaft» beschwörte Toller in seiner am 8. November 1925 vor Berliner Arbeitern gehaltenen Rede.[66] In ihr versuchte er, Gustav Landauers «Sozialismus des Geistes» auf die unmittelbare politische Notwendigkeit eines solidarischen Aktionismus zu übertragen.[67] Gerade der sozialistische Internationalismus, von dem Toller stets ausging, mußte indes das Ziel einer Synthese von zionistischem Patriotismus und einem nichtterritorial gebundenen Sozialismus als problematisch erscheinen lassen. Es war deshalb die Frage, ob ein «Sozialismus des Geistes» für jene osteuropäischen Juden, die in ihrer fortdauernden Ghettoisierung die ökonomische und politische Verelendung ständig erlebten, überhaupt eine neue Wirklichkeitsbestimmung geistiger und kollektiver Identität sein konnte. Als ein vor allem ethischer Sozialist konnte Toller den Zustand ökonomischer und politischer Segregation kaum billigen. Andererseits wußte er natürlich, daß die russisch-jüdischen Kommunisten und die Palästinensische Kommunistische Partei (P. K. P.) den sozialistischen Zionismus als eine nationalistische Sonderbewegung erbittert bekämpften.[68] Zudem war Tollers Sympathie zur russischen Revolution und die mit ihr verknüpften Hoffnungen im Jahre 1925 ungebrochen.[69] Selbst der maßgebende Theoretiker der Achdut ha-Avoda, der russische Emigrant N. Syrkin, war davon überzeugt, daß sich der sozialistische Aufbau Palästinas in ähnlicher Weise wie in der Sowjetunion zu vollziehen habe.[70] Bei dieser Sachlage mußten die in Palästina entstandenen kollektiven Siedlungsformen einschließlich der gewerkschaftlich ausge-

richteten Arbeiterbewegung einerseits und der beginnende «bürgerliche» Zionismus der Vieren Alija und der westeuropäisch geprägte «Kongreßzionismus» der Diasporajuden andererseits einen politisch engagierten Besucher mit eigener sozialrevolutionärer «Vergangenheit» zur kritischen Stellungnahme geradezu herausfordern.

Toller hat dieser Herausforderung in dem ihm geläufigen Medium des geschriebenen Wortes nicht entsprochen. Ein Bericht über den Aufenthalt in Palästina wurde nicht verfaßt, der Aufenthalt in keiner der veröffentlichten Arbeiten oder publizierten Vorträgen erwähnt. Fast entschuldigend wirkt es, wenn Toller im Jahre 1927 diesen Mangel mit dem Verlust seiner Aufzeichnungen zu erklären sucht.[71] Dies ist für einen Literaten wie Toller, der in seinen Erinnerungen «Eine Jugend in Deutschland» (1933) ein gutes autobiographisches Erinnerungsvermögen beweist, immerhin bemerkenswert. Tatsächlich dürften hinter dieser Abstinenz grundlegendere Fragen des eigenen Selbstverständnisses stehen. In den 20er Jahren hoffte Toller, sich durch einen bewußten Internationalismus, kosmopolitischen Pazifismus und durch einen «literarischen Sozialismus» der aufkommenden Gefahr eines ihn segregierenden Antisemitismus entziehen zu können. Bei dieser Strategie der assimilierenden Verleugnung mochte es ihm als wenig nützlich erscheinen, die erreichte literarische Wirkung durch eine öffentliche Selbstreflexion in Zweifel zu ziehen. Erst nach seiner erzwungenen Emigration im Jahre 1933 findet Toller einen autobiographischen Zugang zu seiner jüdischen «Vergangenheit».[72] Aber auch jetzt noch bleibt der Bezug zum «Land der Väter» unerwähnt, vielmehr bestimmen die introvertierende Sicht und das kritische Beobachten der nichtjüdischen Umwelt das Sinngefüge Tollers. Zionistische Wirklichkeitsbestimmung und institutionalisiertes Judentum stoßen erneut auf sein Desinteresse, obwohl die zionistische Alija mit ihrer Hoffnung auf Befreiung aus gesellschaftlicher Isolation ein Grundmotiv der frühen Werke Tollers enthielt.[73] Gerade im ethischen Sozialismus der Befreiung hatte Toller unter Einfluß von Gustav Landauer und Kurt Eisner eine Rechtfertigung gesehen, sich an der Errichtung der Münchner Räterepublik zu beteiligen. Aber auch hier war er ein «bürgerlicher» Revolutionär der menschlichen Friedfertigkeit geblieben. Um so beachtenswerter ist das Ergebnis der historischen Rekonstruktion jener Ansichten, welche Toller über die Verhältnisse in Palästina anläßlich seines Aufenthaltes gewonnen hatte. Die Rekonstruktion stützt sich auf mehrere Teilquellen. Sie weisen den politischen Literaten Ernst Toller übereinstimmend als eine Persönlichkeit des öffentlichen Lebens mit hohem Bekanntheitsgrad aus, dem man ein selbständiges Urteil über Palästina ohne weiteres zutraut.[74] Insoweit fungiert Toller als ein Zeuge des politischen Zeitgeschehens der 20er Jahre, in dessen Ansichten sich eine subjektiv vermittelte Wirklichkeit des Aufbaus Palästinas widerspiegelt. Drei Quellen betreffen Interviews, welche Toller einer englischen (1925), einer deutschen (1925) und einer amerikanischen (1927) Zeitung über seinen Aufenthalt in Palästina gab. Eine weitere Quelle stellt ein bislang nicht veröffentlichter Briefwechsel zwischen Toller und dem «Komité für das arbeitende Erez Israel» der Ortsgruppe Hamburg des deutschen Hechaluz um die Jahreswende 1925 / 26 dar.

3. Anfang Dezember 1925 erörterte Toller mit Vertretern der Independent Labour Party (I. L. P.), einer linksradikalen Gruppierung innerhalb der in parlamentarischer Opposition stehenden Labour Party, und mit Redaktionsmitgliedern des von der I. L. P. herausgegebenen Wochenblattes «The New Leader» Fragen der Münchner Räterepublik 1919 und Eindrücke Tollers anläßlich seines Palästinabesuches.[75] Toller befand sich zu dieser Zeit in Großbritannien auf Einladung des englischen PEN-Club.[76] Zu seinen Gesprächspartnern gehören unter anderem Bertrand und Dora Russell. In dem Bericht des Wochenblattes vom 11. 12. 1925 wird über die etwa dreistündige Unterhaltung unter der Überschrift «Communism in Munich and Palestine» versucht, das in der Öffentlichkeit bestehende Interesse an der Person Tollers etwas plakativ auszuwerten. Der Bericht faßt Tollers Ansichten über die politische Situation beim Aufbau Palästinas wie folgt zusammen:[77]

The British administration tolerates these colonies in spite of their Communism, which at present is hardly political at all. The colonists live very poorly and do the hard work of draining marshes and making roads, which would cost heavily if the Government had to pay labour. But already the class war is beginning, and with it will come political Communism; then, when the hard work is done, the Communist colonists will be thrown to the wolves. Rich Jews are beginning to employ cheap Arab labour to undercut the more efficient but better-paid Jews. There is inevitable antagonism between Arabs and Jews. The Jews are faced with a dilemma. If they throw in their lot with the administration, sooner or later the Arabs will rise, and there will be pogroms; if with the Arabs, the administration will suppress them. But the Arab's fear of a Jewish majority is unfounded.

Der Artikel gibt die Ansichten Tollers vermutlich nur stark verkürzend wieder. Toller selbst kritisierte die Zusammenfassung wenige Tage später in einem der zionistischen Jüdischen Rundschau gewährten Interview als sehr unzulänglich.[78] Immerhin dürfte der Bericht die tatsächlichen Besorgnisse und den politischen Skeptizismus Tollers zutreffend kennzeichnen. Gerade die mitgeteilte politische Reflexion bestätigt die analysierende Distanz des außenstehenden, linksorientierten Beobachters, dem ökonomische Strukturen eines innerjüdischen «Klassenkampfes» und demographische Verhältnisse der sog. Araberfrage als problematisch erscheinen. Der Bericht vermittelt nach Befund und Prognose einen weitgehend negativen Eindruck. Der als unvermeidbar beschriebene Gegensatz von Juden und Arabern, der zu einem Dilemma zionistischer Politik reformuliert wird, verdeutlichte dem englischen Leser zugleich die Ratlosigkeit britischer Mandatspolitik als eine dauernde «englische Frage».[79] Im Jahre 1925 schienen sich auf jüdischer Seite für die sog. Araberfrage ohnehin nur die linke Poalei Zion und der liberale Brit Schalom zu interessieren.[80] Die britische Regierung und die offizielle Auffassung der Zionistischen Weltorganisation bevorzugten eher den pragmatischen Weg vorsichtiger Entwicklung. Die konzeptionelle Analyse der linken Poalei Zion wollte den Gegensatz beider erkennbarer Nationalbewegungen durch das Mittel der proletarischen Gleichheit in einer sozialistischen Gesellschaft auflösen. Der politische, ökonomische und ethnische Konflikt sollte durch eine institutionalisierte Arbeitersolidarität aufgefangen werden. Eine derartige Zielsetzung entsprach der früheren sozialistischen «Assimilationsthese» der osteuropäischen Juden. Die anfänglichen Versuche der jüdischen Histadrut, arabische Arbeiter zu organisieren und damit deren Interessen zu institutionalisieren, konnten aus diesem Grunde gegenüber der britischen Mandatsmacht leicht als eine «kommunistische» Gefahr mit destabilisierender Wirkung ausgegeben werden. Eine derartige Politik eines integrativen sozialistischen Zionismus besaß zudem in Palästina keine innerjüdische Mehrheit. Demgegenüber schlug A. Ruppin als einer der maßgebenden Gründer des Brit Schalom bereits auf dem XIV. Zionisten-Kongreß am 25. 8. 1925 ausdrücklich vor, Palästina als einen bi-nationalen Staat zu gründen.[81] Das war ein weitgehend intellektuell geprägter Vorschlag eines zionistischen Humanismus, der gerade für die Diasporajuden erneut die Frage nach der Möglichkeit einer neuen Wirklichkeitsbestimmung in Zweifel ziehen mußte. Konnte die erstrebte kollektive und kulturelle Identität wiederum nur mit dem Mittel einer begrenzten nationalen Autonomie erreicht werden, so war dies in Bezug auf den nationaljüdischen Zionismus ein gegenläufiges Motiv, das eine Minderung der Alija zur Folge haben mußte. Vor allem stellte eine langfristige Perspektive die britische Mandatspolitik vor die Frage, ihrerseits einen konzeptionellen Rahmen zu entwickeln. Darauf zu hoffen, war jedenfalls Mitte der 20er Jahre weitgehend illusorisch. Insoweit war Tollers Skeptizismus in der Tat gut begründbar.

Für eine linksorientierte Zeitschrift geht der Bericht bemerkenswert sorglos mit dem Begriff des Kommunismus um. Die getroffene Unterscheidung zwischen einem Kommunismus der Siedler und einem «politischen» Kommunismus des Klassenkampfes gibt die wirklichen politischen und ökonomischen Strukturen unzutreffend wieder und ist zudem politisch naiv. Die im Bericht enthaltene Gleichsetzung des Pionier-Zionismus etwa des Hechaluz auf sozialistisch-genossenschaftlicher Grundlage mit dem politischen Kommunismus etwa der seit 1923 vereinigten Kommunistischen Partei Palästinas (P. K. P.) stellte eine unvertretbare Vereinfachung dar.[82] Die zionistische Siedlungstätigkeit einer Ideologie planvoller Ausbeutung zuzuordnen, war fast eine vulgäre Disqualifikation des Selbstverständnisses des jüdischen Sozialismus. Im übrigen war der «Siedlungskommunismus» sowohl politisch als auch ökonomisch in den 20er Jahren ungewöhnlich differenziert, mochte auch der gewerkschaftliche und genossenschaftliche Gedanke seit der Gründung der Histadrut und der Chewrat Ovdim deutlich überwiegen. Die Entwicklungsstufen der kommunitären Kibbuz-Bewegung im Gesamtrahmen der jüdischen Arbeiterschaft waren indes schwerlich mit dem begrifflichen Arsenal westeuropäischer Politik bündig zu erfassen. Das gilt vor allem für die bereits 1925 erkennbare Eigenständigkeit der Achdut ha-Avoda, deren bedeutender Beitrag beim Ausbau der jüdischen Infrastruktur sich gerade weitgehend außerhalb der offiziellen Tätigkeit der Mandatverwaltung vollzog. Andererseits mußte der Zionismus mit seiner bewußten Ideologie der zu verändernden sozialen Schichtung dem unkritischen Betrachter leicht als die Verwirklichung der «kommunistischen» Verbindung von Arbeit und Landwirtschaft erscheinen.[83] Eine derartige Zielsetzung war der Grundeinstellung Tollers als eines ethischen Sozialisten gewiß nicht unsympathisch, mochte er auch für seine Person zu entsprechenden Konsequenzen nicht bereit sein. In keinem Falle beschrieb die im Bericht wiedergegebene Analyse das durchaus kritische Selbstverständnis auf dem XIV. Zionisten-Kongreß, soweit sich die Vertreter der Hitachdut, der Poalei Zion und der freien und der radikalen Zionisten geäußert hatten. In ihren Stellungnahmen hatten die Delegierten die Folgen der veränderten Zusammensetzung der Vierten Alija beklagt. Ob die mithin grob vereinfachende Popularisierung der «kommunistischen» Siedlungstätigkeit auf fehlende Kenntnisse Tollers oder auf Mängel redaktioneller Arbeit zurückzuführen ist, läßt sich an Hand des Textes nicht entscheiden.

In ihrer Ausgabe vom 23. 12. 1925 referierte die Jüdische Rundschau den Bericht des «New Leader» vom 11. 12. 1925 mit kurzen Worten, um dann den Inhalt eines eigenen Interviews mit Toller anzufügen. Toller habe Palästina und den Zionismus zunächst unter dem Gesichtspunkt des großen Erlebnisses betrachtet. Was in Erez Israel geschehe, sei – so habe Toller gemeint – ein so großes und bewegendes Ereignis, daß es wertvoll ohne Rücksicht darauf sei, was aus dem zionistischen Unternehmen als Ganzem werde. Angesichts der wirkenden Faktoren habe Toller allerdings seine Skepsis nicht überwinden können. Die Widerstände seien zu groß, wenn die Juden den Gedanken eines nationalen Judenstaates nicht aufgäben. Er glaube nicht an eine Lösung der Judenfrage, die zu tief und menschlich verwoben sei, um gelöst zu werden. «Über die Notwendigkeit einer Einordnung in die arabische Welt denkt er so ähnlich wie wir, aber er vermißt (wie wir!) bei den meisten Zionisten, besonders in Palästina, das Verständnis für diese Sachlage». Der Bericht gibt den Gesprächspartner Tollers nicht an. Man wird indes annehmen dürfen, daß die redaktionelle Kommentierung im wesentlichen den Ansichten von Robert Weltsch entsprach, der seit den 20er Jahren die Jüdische Rundschau als Redakteur maßgebend leitete.[84] Neben Ch. Arlosoroff und Georg Landauer gehörte Weltsch zu den führenden Mitgliedern des deutschen Hapoel ha-Zair. Bereits auf dem XII. Zionisten-Kongreß (1921) hatte er die Frage gestellt, ob die zionistische Bewegung den Krieg mit den Arabern wolle.[85] Im Jahre 1925 war er Mitbegründer des Brit Schalom. Weltsch galt als enger Vertrauter von Weizmann, dessen Politik die Jüdische Rundschau, das zentrale Publikationsorgan der Z. V. f. D., im allgemeinen nachdrücklich vertrat. Erstaunlich ist damit zunächst, daß Toller einem gleichsam offiziösen Organ des bürgerlichen Zionismus überhaupt ein Interview gab. Es entsprach in diesen Jahren den Bemühungen Tollers zumeist eher, eine irgendwie geartete Zuordnung zu politischen Gruppierungen zu vermeiden.

Der redaktionelle Beitrag der Jüdischen Rundschau vom 23. 12. 1925 wird durch eine Vermengung von Bericht und Kommentar gekennzeichnet, so daß die eigene politische Analyse Tollers nur schwer feststellbar ist. Die Thematik des Berichtes beschreibt die sog. Araberfrage als ein Grundproblem künftiger zionistischer Politik. Es überrascht kaum, daß sich die Redaktion der Jüdischen Rundschau insoweit mit Tollers Fragestellung einig wußte. Während Toller indes den Gedanken eines nationalen Judenstaates – dem Bericht zufolge – als nicht verwirklichungsfähig ansah, versucht die Kommentierung dem durch einen Appell entgegenzutreten, daß Anstrengungen und Leistungen in Palästina «das Judentum emporheben und befreien werden». Ohne Frage verdeutlicht damit auch dieses Interview die Aufmerksamkeit, welche Toller der Frage nach den Möglichkeiten einer jüdisch-arabischen Zusammenarbeit widmete. Bemerkenswert ist dabei, daß der Bericht nicht den besonderen sozialrevolutionären Zeugenwert Tollers akzentuiert. Zwar wird auf die von Toller am 8. 11. 1925 zum Jahrestag der «Deutschen Revolution» gehaltene Rede verwiesen und auf den in ihr betonten «ethischen Enthusiasmus» rechtfertigend Bezug genommen. Gleichwohl vermeidet der Bericht jeden eigenen detaillierten

Hinweis auf die bestehenden ökonomischen und politischen Verhältnisse Palästinas. Die insoweit referierte Zusammenfassung über das Gespräch Tollers in der Redaktion des «New Leader» wird lediglich als unzulänglich prädikatisiert. Ihr wird eine eher chiliastische Erwartungshaltung gegenübergestellt, die sich allerdings kritisch gibt. Dieses problemverkürzende Übergehen einer gesellschaftskritischen und politischen Analyse des «Klassenkampfes» in Palästina dürfte schwerlich die wirklichen Ansichten Tollers zutreffend wiedergeben. Der nachfolgend erörterte Briefwechsel zwischen Toller und einer hamburgischen Hechaluzgruppe zeigt gut, daß Toller sich über die innerjüdische Entwicklung der Besiedlung Palästinas inzwischen eine Meinung gebildet hatte. Der Bericht der Jüdischen Rundschau spiegelt damit den neutralen Standort der Zeitschrift, die eine pointierte «sozialistische» Thematik des politischen Zionismus zu vermeiden sucht. Das politische und soziale Umfeld der jüdischen Besiedlung Palästinas bleibt so unwirklich ausgeschlossen.

V.

1. Etwa Anfang November 1925 wandte sich das «Komité für das arbeitende Palästina» der Ortsgruppe Hamburg des Hechaluz an Toller mit der Bitte, in Hamburg zwei Vorträge zu halten. Das Schreiben an Toller hat folgenden Wortlaut:

> Sehr geehrter Genosse Toller!
> Das Komité für das arbeitende Palästina, das sich zur besonderen Aufgabe gemacht hat, die Arbeiterinstitutionen der jüd. Arbeiterschaft in Erez Israel zu unterstützen, geht jetzt daran, gezwungen durch das in letzter Zeit immer deutlichere Abrücken der bürgerlichen Zionisten vom arbeitenden Palästina, den Palästina-Arbeiter-Fonds (PAF) als zentrales Finanzorgan der palästinensischen Arbeiterschaft durch größere Aktionen zu stärken und auszubauen. Die Zweigstelle dieses Komités für Hamburg will in allernächster Zeit die Aktion für den PAF auch hier durchführen und beabsichtigt, um die Aktion sowohl propagandistisch als auch materiell voll auswerten zu können, sie mit dem Vortrage eines hervorragenden, an der Sache interessierten Genossen einzuleiten. Wir hoffen dadurch einen möglichst großen Kreis von Menschen, die bisher diesen Dingen fremd gegenüberstanden, für unsere Probleme ernsthaft zu interessieren. Wir sind nach reiflicher Überlegung zu der Ansicht gekommen, daß

Sie, geehrter Genosse Toller, am geeignetsten dafür sind, weil einerseits Ihr Name in weitesten Kreisen bekannt ist, und Sie jetzt nach Ihrer Palästinareise sicher in der Lage sind, in ganz besonderer Weise die Erfolge und Probleme des Palästina-Aufbaus einer großen Anzahl Menschen nahezubringen, denen es bisher an Verständnis für unser arbeitendes Palästina fehlte.

Einige unserer Chawerim hatten vor kurzem in Wien die Gelegenheit von unseren Freunden Jehuda Kopelewitsch und Leo Kaufmann zu hören, welch warmes Interesse Sie der palästinensischen Arbeiterschaft und ihren Bestrebungen entgegenbringen.

Wir würden Ihnen zwei Vortragsabende vorschlagen; am ersten der mehr für die Hamburger Judenheit gedacht ist, würden Sie vor einem Kreis von bürgerlichen Zionisten und Nichtzionisten, teilweise Groß-Bourgeois, über das jüd. arbeitende Palästina und seine Probleme sprechen (das Thema bleibt Ihnen natürlich freigestellt); am zweiten Abend würden Sie vor jugendlichen, arbeitenden Menschen sprechen, vornehmlich aus den Kreisen der sozialistischen Jugend Hamburgs, womöglich im Arbeiterheim, und sie für die Probleme der entstehenden sozialistischen Gesellschaft in Palästina interessieren können. Das Interesse dafür ist in diesen Kreisen groß.

Diese Veranstaltungen sollen in allernächster Zeit stattfinden. Wir bitten Sie nun, uns möglichst umgehend mitteilen zu wollen, ob Sie geneigt wären, diese Vorträge zu halten und uns in diesem Falle nähere Angaben zu machen. Wir erlauben uns nochmals zu betonen, daß wir uns speziell von Ihrer Anwesenheit in Hamburg aus obengenannten Gründen besonderen Erfolg für unsere Aktion erhoffen.

Frau Dr. Mühsam aus Berlin, die uns nahesteht, dürfte Ihnen inzwischen auch diesbezüglich geschrieben haben.

Wir zeichnen mit dem Grusse der Arbeit
für das Komité f. d. arb. Palästina
«Hechaluz» Ortsgruppe Hamburg

Das Schreiben ist von der 21jährigen Fritzi (Elfriede) Chwolles verfaßt und abgesandt worden.[86] Fritzi Chwolles gehörte spätestens seit Anfang 1924 dem hamburgischen Hechaluz an.[87] Am XIV. Zionisten-Kongreß (1925) hatte sie als Unter-Führerin des Jugendbundes Blau-Weiß teilgenommen.[88] Im Zeitpunkt der Einladung war ihre Mitgliedschaft im Blau-Weiß angesichts der desolaten Verfassung der hamburgischen Gruppe weitgehend formaler Art.[89] Etwa im Herbst 1926 trat Fritzi Chwolles dem Jung-Jüdischen Wanderbund (J. J. W. B.) bei, der in Hamburg eine Gruppe hatte.[90]

Ernst Toller antwortete Fritzi Chwolles mit Schreiben vom 11. 11. 1925 aus Berlin.

Sehr geehrte Genossin,
von Ihren Plänen habe ich mit großem Interesse gelesen. Ich diskutierte drüben in Palästina oft mit Freunden über die Möglichkeit der Schaffung eines eigenen Palästina-Arbeiterfonds, den auch ich bei der unzweifelhaft sich zuspitzenden Spannung zwischen dem bürgerlichen und proletarischen Lager für geboten erachte. Aber leider kann ich Ihren Wunsch aus vielen Gründen nicht erfüllen. Ich bin bis zum Frühjahr durch Vorträge und Reisen in Anspruch genommen. Neben diesen äußeren Gründen gibt es zwischen uns sicherlich Verschiedenheiten in der Beurteilung der Entwicklungsmöglichkeiten, die geklärt werden müßten, ehe ich hoffen dürfte, in einem Ihnen zusagenden Sinne zu sprechen. Um einen Satz herauszugreifen: Sie schreiben von einer «entstehenden sozialistischen Gesellschaft in Palästina». Die Meinung, es entstünde in Palästina eine sozialistische Gesellschaft war einer der tragischen Träume, der unerbittlicher Wirklichkeit nicht standhielt.
Es ist nicht ausgeschlossen, daß ich im März nach Hamburg komme. Ich hoffe, daß wir uns dann sprechen.
Seien Sie alle herzlich gegrüßt von
Ihrem
Ernst Toller

Etwa zwei Monate später bemühte sich Fritzi Chwolles erneut um einen Vortrag von Toller in Hamburg. Man hatte inzwischen mit Alfred Berger, einem führenden Mitglied der deutschen Poalei Zion, gesprochen. Berger war zu dieser Zeit Leiter des «Arbeiterfürsorgeamtes der jüdischen Organisationen Deutschlands» und des Keren Hajessod (K. H.).[91] Er besaß aus dieser Tätigkeit genaue Kenntnisse über die zionistischen Gruppen. In Berlin wohnhaft und dort als Gemeindepolitiker tätig, waren ihm insbesondere die dortigen Verhältnisse wohl vertraut. Berger gab dem hamburgischen Komité den Rat, man möge sich um Vermittlung an die langjährige Sekretärin der Z. V. f. D., Betty Frankenstein, wenden, die Toller persönlich kenne und auf deren Empfehlung man hoffen könne. Man verfuhr in der angegebenen Weise. Unter dem 12. 2. 1926 richtete Fritzi Chwolles an Betty Frankenstein ein Schreiben mit vermutlich folgendem Inhalt:[92]

Sehr geehrtes Frl. Frankenstein!
Vor längerer Zeit beschloß hier in H. ein Komité bestehend aus einigen Mitgliedern des «Hapoël hazair» und der «Poale Zion» zusammen mit

dem Waad der hiesigen «Hechaluz» Ortsgruppe einen Vortragsabend für den PAF zu veranstalten, um unter den hiesigen Zionisten und Sozialisten Propaganda zu machen.

Das Komité (eine Art «Komité f. d. arb. Paläst.» in Hbg.) wandte sich daher an den Genossen Ernst Toller mit der Anfrage, ob er bereit sein würde, hier in H. für den PAF, dessen Ziele und Aufgaben ihm nochmals dargelegt wurden, zu sprechen. Genosse Toller antwortete uns damals abschlägig, da er durch verschiedentliche Reisen und Vorträge zu sehr in Anspruch genommen war, versprach aber bei seinem voraussichtlichen Aufenthalt hier im März mit uns Rücksprache nehmen zu wollen, da er die Klärung prinzipieller Verschiedenheiten in bezug auf den Palästina-Aufbau wünschte, bevor er darüber sprechen wolle.

Wir haben nun heute mit der gleichen Post den Genossen Toller nochmals gebeten, uns seine Zusage für einen Vortrag zu geben, und bitten Sie, liebe Gesinnungsgenossin, uns hierbei behilflich zu sein. Herr Alfred Berger, mit dem wir anläßlich seines letzten Aufenthalts in Hbg. über diese Angelegenheit sprachen, hielt ebenfalls die Idee für äußerst wertvoll, Herrn Toller für einen Vortrag über den Palästina-Aufbau zu gewinnen, wies uns an Ihre Adresse. Da Sie Toller persönlich kennen, wird es Ihnen leichter sein als uns, ihn für diesen Vortrag zu gewinnen, dessen propagandistischer wie auch materieller Erfolg sicher groß sein und dem Palästina-Aufbau wie dem PAF insbes. sehr viel nützen wird. Indem wir Ihnen herzlich für Ihre Bemühungen danken, begrüßen wir Sie

mit Schalom
f. d. Komité f. d. arb. Paläst.
Hechaluz-Ortsgruppe Hamburg
i. A. Fritzi Chwolles

Zu gleicher Zeit entwarf Fritzi Chwolles einen an Toller zu richtenden Brief folgenden Inhaltes:[93]

Sehr verehrter Genosse!
Wir haben Ihren Brief vom 11. XI. erhalten und danken Ihnen für Ihre Antwort. Es tat uns außerordentlich leid, daß Sie damals nicht nach H. kommen konnten. Wir hoffen deshalb, Sie, wie Sie schreiben, im März hier begrüßen zu dürfen.
Die inneren Gründe – andere Beurteilung der Entwicklungsmöglichkeiten in Palästina – die Sie damals außer Ihren Reisen und Vorträgen daran hinderten zu kommen, erkennen wir durchaus an; wir glauben aber, daß Sie wohl «in unserem Sinne» sprechen werden, da auch Sie

z. B. von der Notwendigkeit überzeugt sind, den Palästina-Arbeiterfonds nach allen Kräften zu unterstützen und dadurch die Möglichkeiten des sozialistischen Palästina-Aufbaus zu vergrößern und ihn gut
fundieren.
Im übrigen möchten wir die Wahl des Themas völlig Ihnen überlassen
und Ihren Vortrag in keiner Richtung einengen oder beschränken.
Wir sind selbstverständlich mit Freude zu einer Klärung der Meinungen
durch Diskussion bereit und werden gerne Ihre diesbezüglichen Fragen
ausführlich beantworten.
Wir bitten Sie um möglichst baldige Benachrichtigung, wann wir Sie
erwarten dürfen, damit wir die nötigen Vorbereitungen treffen können.

> Mit dem Gruß der Arbeit
> im Auftrag d. Komité f. d. arbeit. Pal.
> Hechaluz-Ortsgruppe Hamburg
> i. A. Fritzi Chwolles

Man wird annehmen dürfen, daß Fritzi Chwolles einen Brief mit dem kon-
zepierten Inhalt etwa Mitte Februar 1926 an Toller richtete. Eine unmittelbare Antwort erhielt sie – soweit ersichtlich – nicht. Unter dem 23. 2. 1926
antwortet ihr nämlich Betty Frankenstein wie folgt:

Sehr geehrtes Fräulein Chwolles!
Ich habe sofort nach Erhalt Ihres Briefes mit Herrn Toller Rücksprache
genommen. Es ist ihm leider nicht möglich, Ihrer Einladung Folge zu
leisten, da er voraussichtlich in den nächsten Tagen für längere Zeit nach
Rußland fährt.

> Mit Zionsgruß!
> Zionistische Vereinigung für Deutschland
> Sekretariat
> Frankenstein

Von Anfang März bis Mitte Mai 1926 befand sich Toller in der Tat in der
Sowjetunion.[94] Auch später kam es zu einem Vortrag Tollers in Hamburg
nicht.
2. Das Schreiben von Fritzi Chwolles setzte bei seinem Adressaten eine
Fülle von Kenntnissen über die gegenwärtige Lage des sozialistischen Zionismus in Palästina und in der deutschen Diaspora voraus. Das gilt sowohl
hinsichtlich der Zielsetzung der finanziellen Hilfe und der hierfür tätigen
Organisationen als auch für die ausgesprochene Einschätzung Tollers
durch bürgerliche Zionisten und Nichtzionisten. Das Schreiben kenn-
zeichnet damit schlaglichthaft das Ende 1925 vorhandene Selbstverständ-

nis des hamburgischen Hechaluz, aber auch die jugendliche Entschlossenheit, die gewonnene Wirklichkeitsbestimmung einer sozialistischen Gesellschaft in Palästina durchzusetzen. Gerade in dieser Erwartungshaltung spricht die Einladung bereits die deutliche Sprache jener, die man zwei Jahre später ausdrücklich die «junge zionistische dritte Generation» nannte.[95] Diese Generation fühlte sich dem Sozialismus, der Chaluziut und der palästinensischen Arbeiterbewegung programmatisch verpflichtet.[96] Gleich dem jüdischen Arbeiterzionismus war die deutsche jüdische Jugendbewegung in den 20er Jahren fortlaufenden Fraktionsbildungen ausgesetzt, so daß die institutionelle Zuordnung im einzelnen schwierig ist. Verallgemeinernd läßt sich feststellen, daß die Einflußnahme der deutschen Poalei Zion, des deutschen Hapoel Hazair und der palästinensischen Histadrut gegenüber der deutschen Hechaluzbewegung zunahm. Auf dem deutschen XXI. Delegiertentag der Z. V. f. D. (1926) stellte F. Rosenblüth fest, daß die Produktionssphäre in Palästina überwiegend sozialistisch sei und die arbeitende Jugend sich daher in das «sozialistische Palästina» einfügen müsse.[97] Die Schreiben des hamburgischen Hechaluz zeigen diese Tendenz nachdrücklich auf.

Das im Einladungsschreiben genannte Ziel, die Arbeiterinstitutionen der Arbeiterschaft in Erez Israel zu unterstützen, folgte dem satzungsmäßigen Zweck des deutschen Hechaluz in jedenfalls formaler Weise.[98] Tatsächlich verbarg sich in der Bezugnahme auf den Palästina-Arbeiterfonds (Kuppat poalei ereṣ yiśrael) eine deutliche Parteinahme. Die in Palästina im Zuge der Dritten Alija entstandenen linksorientierten politischen und gewerkschaftlichen Richtungen bemühten sich, die satzungsmäßige Neutralität der deutschen Hechaluzbewegung durch ideologische Bindungen aufzuheben. Vor allem die Poalei Zion und die Histadrut traten insoweit konkurrierend auf. So gelang es beispielsweise der Histadrut auf viele Gruppen des J. J. W. B. seit etwa 1925 so sehr Einfluß zu nehmen, daß die Mitglieder dieser Gruppen sich auf den obligatorischen Eintritt in die Histadrut verpflichteten und die Kvuza als das bestimmende Siedlungssystem anerkannten.[99] Das Einladungsschreiben belegt demgegenüber eine Stellungnahme des hamburgischen Hechaluz zugunsten der Poalei Zion, mag dies vermutlich Toller auch nicht bewußt geworden sein. Der im Schreiben genannte Palästina-Arbeiterfonds (P. A. F.) war 1909 durch den Weltverband der Poalei Zion in Krakau zum Zwecke der Förderung der Arbeitereinwanderung geschaffen worden.[100] Dabei hatte vor allem die Erwägung im Vordergrund gestanden, eine finanzielle Abhängigkeit von dem als bürgerlich beurteilten J. N. F. zu vermeiden.[101] Nach dem XIII. Zionisten-Kongreß (1923) kam es zu einer teilweisen Umgestaltung des P. A. F., welche sowohl die Aufgabenstellung als auch die Trägerschaft betraf. Zum einen war mit der Histadrut eine durchaus mächtige Bewegung der jüdischen Arbeiterschaft in Palästina entstanden, an deren Gründung die Poalei Zion über die Achdut ha-Avoda beteiligt war und die gegenüber der Tätigkeit der Zionistischen Weltorganisation eine autonome politische Kraft zu werden versprach. Insoweit konnte man den P. A. F. zu einem gemeinsamen Organ aller zionistischen Arbeiterweltverbände sowie der jüdischen Gewerkschaftsbewegung entwickeln. Entsprechend erweiterte man das Arbeitsprogramm des P. A. F.; neben der bisherigen Förderung ländlicher und städtischer Siedlungen und dem Bau eigener Heime für palästinensische Arbeiterinstitutionen sollten auch Organisationen der Histadrut unterstützt werden.[102] Dieser erweiterten Aufgabenstellung sollte andererseits eine zusätzliche Trägerschaft entsprechen. Die Mittelbeschaffung wurde neben der Poalei Zion einem «Komitee für das arbeitende Erez Israel» übertragen. Damit konnte eine ausdrückliche Stellungnahme des Spenders zugunsten der Poalei Zion oder einer sozialistischen Gesellschaftsauffassung vermieden werden, um so den Kreis potentieller Spender nicht von vornherein zu verengen. Zugleich verblieb es intern bei der weitgehenden Einflußnahme der Poalei Zion, und zwar auch gegenüber der Histadrut. Es war dies die entsprechende Spendenpolitik, welche auch die Zionistische Weltorganisation mit ihren Fonds Keren Kajameth Lejisrael (K. K. L.) und Keren Hajessod (K. H.) verfolgte. Für den P. A. F. wurde allerdings nicht nur durch die Poalei Zion oder durch das «Komitee» gesammelt. Aus einem Rundschreiben des hamburgischen J. J. W. B. vom Juni 1927 ergibt sich, daß die Mitglieder des Bundes ermahnt wurden, mit größerem Eifer für den K. K. L. oder für den P. A. F. zu sammeln.[103] Das läßt auf eine gewisse Neutralität des hamburgischen J. J. W. B. für diesen Zeitpunkt schließen, welche somit erst recht um die Jahreswende 1925/26 gegeben sein dürfte. Ende 1928 wurden die unterschiedlichen Aktivitäten zugunsten der organisierten jüdischen Arbeiterschaft in Palästina in der «Liga für das arbeitende Palästina in Deutschland» zusammengeführt, deren erklärtes Ziel der «sozialistische Aufbau der jüdischen nationalen Heimstätte» in Palästina sein sollte.[104] Bei dem hamburgischen «Komité» um Fritzi Chwolles dürfte es sich mithin um einen der ersten Versuche gehandelt haben, zu einer Institutionalisierung des sozialistischen Zionismus in Deutschland außerhalb der bestehenden parteipolitischen Organisationsformen der Poalei Zion oder des Hapoel Hazair zu gelangen. Aufschlußreich ist, daß das Schreiben von Fritzi Chwolles an Betty Frankenstein vom 12. 2. 1926 die politische Struktur des «Komités» gegenüber dem «bürgerlichen» Z. V. f. D. offenlegt. Dies dürfte erneut belegen, wie sehr man sich intern der «sozialistischen» Sympathie Tollers gewiß war.

Ein Spendenaufruf bei den «bürgerlichen Zionisten und Nichtzionisten, teilweise Groß-Bourgeois», von dem die Einladung an Toller ausgeht, enthielt die Erwartung, man werde gegenüber dem sehr bekannten K. K. L. konkurrierend auftreten können. Das war gerade hinsichtlich der finanzkräftigen «bürgerlichen» Zionisten kaum erfolgversprechend. Diese wußten zumeist recht gut, daß gerade die Zahlung an den K. K. L. oder an den K. H. die Unabhängigkeit der Zionistischen Weltorganisation gegenüber der jüdischen Arbeiterschaft eher stärken würde. Deshalb bot es sich in der Tat an, als Veranstalter die hamburgische Ortsgruppe des Hechaluz auftreten zu lassen. Ende 1925 war nach allgemeiner Einschätzung der bürgerlichen Zionisten der deutsche Hechaluzverband eines erklärten Sozialismus kaum verdächtig, wenngleich man die deutliche Sympathie des Verbandes zugunsten der in Palästina bereits bestehenden jüdischen Arbeiterorganisationen nicht übersehen konnte. Man konnte dies indes immer noch mit den Notwendigkeiten einer als unvermeidbar anzusehenden landwirtschaftlichen und handwerklichen Tätigkeit beim Aufbau Palästinas in Verbindung bringen. Über die Strukturen der landwirtschaftlichen Siedlungsformen bestanden in der Mitte der 20er Jahre in Deutschland ohnehin keine genauen Kenntnisse. In gewisser Weise galt der zumeist jugendliche Chaluz als zionistische Avantgarde, dem man in seiner politischen Ausrichtung einiges nachzusehen bereit war. Dabei waren am Anfang der 20er Jahre die Bemühungen der Z. V. f. D. um integrativen Einfluß auf die deutsche Hechaluzbewegung unverkennbar. Der am 7. Oktober 1918 gegründete deutsche Landesverband des Hechaluz domizilierte zunächst in den Räumen der Z. V. f. D. in Berlin. [105] Anfang 1922 hatte die Z. V. f. D. ein «Technisches Chaluz-Sekretariat» gegründet, um für die deutsche Hechaluzbewegung eine organisatorische Grundlage zu schaffen, nachdem sich die erste Landesverbandsgründung als ein Fehlschlag erwiesen hatte. [106] Auf dem XIV. Zionisten-Kongreß beschloß man, über die Finanzierungskontrolle der chaluzischen Ausbildungsstätten (Hachschara) auf die Chaluzbewegungen Einfluß zu nehmen. [107] In Deutschland leistete der K. H. im Jahre 1925 dem deutschen Hechaluz finanzielle Unterstützung. Zu diesem Zeitpunkt betrug die Mitgliederzahl des deutschen Hechaluz etwa 1040, in Hamburg waren es vermutlich um 40 Personen. [108] Auf dem XXII. deutschen Delegiertentag der Z. V. f. D. (1928) beschloß man zur Hechaluzbewegung programmatisch: «Im Interesse der Fortführung unseres Aufbauwerkes in Palästina und einer erfolgreichen Durchführung der zionistischen Jugendarbeit in der Galuth betrachtet der Delegiertentag die Förderung der fachlichen und kulturellen Arbeit des Hechaluz als eine wesentliche Aufgabe der Z. V. f. D.». [109]

Derartige Erklärungen vermochten indes nichts mehr daran zu ändern, daß sich der deutsche Hechaluz längst zu einer sozialistisch bestimmten Jugendbewegung entwickelt hatte. Bereits beim ersten Gründungsversuch des deutschen Hechaluz ließ die personelle Zusammensetzung des vorbereitenden Ausschusses keinen Zweifel an der politischen Ausrichtung eines Zionismus, der sich der Politik des Hapoel Hazair (Ch. Arlosoroff) und der gemäßigten Poalei Zion (S. Rubaschow) verpflichtet fühlte.[110] Bei der erneuten Gründung des deutschen Hechaluz am 14. / 16. 12. 1922 wiederholte sich diese politische Zuordnung. Zwar wollte man den Verband als eine Art technische Arbeitsgemeinschaft der Jugendverbände für Hachschara und Alija verstehen und ihn damit aus dem dauernden ideologischen Streit des politischen Zionismus heraushalten. Dies war vor allem das Ziel von Gerhard (Gershom) Scholem, damals einem der maßgebenden Vertreter einer innerhalb des Blau-Weiß oppositionellen Gruppe.[111] Den jüdischen Arbeiterorganisationen gelang es indes bereits zu diesem Zeitpunkt, eine deutliche Option des Verbandes zugunsten der Politik der Histadrut durchzusetzen. Der gebildete Zentralausschuß des deutschen Hechaluz bestätigte in seiner personellen Zusammensetzung wiederum den Einfluß des sozialistischen Zionismus. In gewisser Weise war der in Palästina seit dem Beginn der Dritten Alija entstandene Konflikt zwischen neutralen, parteipolitischen und gewerkschaftlichen Zielbestimmungen in die Diaspora reimportiert worden. Vor allem die Poalei Zion und die Histadrut sahen hierin eine strategische Möglichkeit, ihre Stellung außerhalb der als bürgerlich beurteilten Zionistischen Weltorganisation zu festigen. In einem Bericht des religiösen Brit Chaluzim Dathiim von Mitte 1930 heißt es hierzu treffend: «Dem Hechaluz gelang es in zehnjähriger Gruppen- und Werbearbeit als Vertreter der Histadrut und der zionistisch-sozialistischen Arbeiter Palästinas, sich im zionistischen Kreis Deutschlands durchzusetzen.»[112] Tatsächlich verband die religiösen und die eher sozialistisch eingestellten Chaluzim die gemeinsame innerjüdische Fragestellung, wie in einer Zeit politischer Zerrissenheit und dem Wandel idealer Ordnungen geeignete neue Referenzebenen gefunden werden konnten, um der Forderung der bewußten kollektiven und kulturellen Identität entsprechen zu können. Gerade die wirklichkeitstranszendierenden Elemente der chaluzischen Idee und einer veränderten, eben sozialistischen Gesellschaft konnten einer jüdischen Jugend ein Selbstbewußtsein vermitteln, welches ihr weder der Pragmatismus der vorherrschenden Assimilationsthese noch der bürgerliche Zionismus der elterlichen Generation anbot. Eben dieses Suchen nach neuer Wirklichkeit erklärt zu einem erheblichen Teil, daß es in der Nachkriegszeit innerhalb der jüdischen Jugendbewegung immer erneut zu Programmänderungen, Spaltungen, Neugründungen, Verbindungen und Auflösungen kam und daß der zionistische

Gedanke die jüdische Jugendbewegung zu innerjüdischen Auseinandersetzungen zwang.

3. Die Quellenlage erlaubt es nur unter Vorbehalt, über die innere Geschichte der hamburgischen Hechaluzgruppe verläßliche Angaben zu machen. Daß sich diese Gruppe um die Jahreswende 1925 / 26 zu einem sozialistischen Zionismus, der zu diesem Zeitpunkt eher dem der palästinensischen Poalei Zion als jenem des Hapoel Hazair entsprochen haben dürfte, entschlossen hatte, verdeutlicht das Einladungsschreiben an Toller recht gut. Das Schreiben spricht die intime Sprache des eingeweihten «Genossen», der sehr wohl zwischen nach außen gerichteter Politik und deren Verbalisierung und dem eigenen ideologischen Standort zu unterscheiden weiß. Diese deutliche Differenzierung verleiht dem Schreiben seinen Beweiswert. Mit seiner Hilfe läßt sich auch Genaueres über die zionistische Auffassung der hamburgischen Hechaluzgruppe im Spektrum der zionistischen Jugendbewegung aussagen. Die mögliche historische Rekonstruktion knüpft dabei wesentlich an die im Einladungsschreiben genannten Bezugspersonen Jehuda Kopelewitsch und Leo Kaufmann an.

3.1 Mit dem Beginn der Dritten Alija wird die jüdische Jugendbewegung zunehmend mit der Frage der Notwendigkeit einer sozialistischen Chaluziut konfrontiert. Die Frage nach dem Selbstverständnis löst in den Jugendbünden Blau-Weiß und Jung-Jüdischer Wanderbund erhebliche Auseinandersetzungen aus. Die Geschichte der jüdischen Jugendbewegung ist insoweit die Geschichte ihrer Spaltungen. Im J. J. W. B. scheiterte 1921 ein erster Versuch, den Bund auf eine zionistische Auffassung festzulegen. Eine oppositionelle Gruppe trat daraufhin aus dem Bund aus und schloß sich unter Führung der Fuldaer Gruppierung um Oskar Lebenbaum, Uri Rosenblatt und Karl Stein dem Blau-Weiß an.[113] In diesem Bund gab es seit 1920 einen von Max Hirsch gegründeten Praktikantenbund, dessen Mitglieder sich auf eine Siedlungstätigkeit in Palästina vorbereiteten. Im Jahre 1921 ging eine erste Gruppe unter Max Hirsch und Schlomo Ettlinger nach Palästina und gründete dort zunächst die Kvuza Zvi. Im Blau-Weiß verschärften sich unterdessen die Auseinandersetzungen um den Inhalt der zionistischen Zielsetzung. Auf der Bundestagung vom 6. / 8. 8. 1922 in Prunn entschloß sich die Mehrheit für einen ordensbestimmten Romantizismus rechtskonservativer Prägung, dessen elitärer Anspruch schwerlich zu einer Verbindung von Zionismus und gelebtem Sozialismus führen konnte.[114] Damit war die jugendbündische Auffassung eines sozialistischen oder linksliberalen Zionismus erneut in Opposition geraten. Der Rechtsruck des innerhalb der deutschen zionistischen Bewegung etablierten Blau-Weiß löste scharfe Reaktionen aus, wenngleich erst um die Jahreswende 1922 / 23 hieraus organisatorische Folgerungen gezogen wurden. Auf der Tagung über «Wege und Ziele der zionistischen Jugendbewegung in Deutschland» am 10. 9. 1922, die als Vorkonferenz des XVIII. deutschen Delegiertentages der Z. V. f. D. fungierte, mußte sich der Blau-Weiß von dem Chaluz Leo Kaufmann aus der Kvuza Chefziba eine Volks- und Arbeiterfeindlichkeit vorhalten lassen.[115] Inzwischen war eine Fuldaer Gruppe mit anderen Gruppierungen aus dem Blau-Weiß ausgetreten. Man beschloß die Gründung eines eigenen zionistisch-sozialistischen Jugendbundes, dessen programmatische Zielsetzung und Organisationsform man im Herbst 1922 auf einer Zusammenkunft in Schlüchtern erörterte.[116] Bei der Wahl des vierköpfigen Zentralausschusses des deutschen Hechaluz am 14./16. 12. 1922 konnte sich neben je einem Vertreter der Poalei Zion, des Hapoel Hazair und des Blau-Weiß bereits Uri Rosenblatt als Vertreter der sich erst formierenden, streng zionistisch-sozialistischen Gruppierung der jugendbündischen Opposition durchsetzen.[117] Damit standen innerhalb des deutschen Hechaluz zwei Jugendbünde in Konkurrenz. Wenig später nannte man sich in einem Aufruf vom 1. 1. 1923 erstmals «Brit Haolim» und verstand sich ausdrücklich als «die Nachwuchsbewegung für Erez Israel und die Arbeiterschaft des Landes».[118] Um die Verbindung zur palästinensischen Arbeiterschaft zu vertiefen und einen ersten organisatorischen Rückhalt zu finden, schloß man sich sofort dem Weltverband des Hechaluz an, dessen Politik wesentlich durch die Poalei Zion, die Histadrut und den stark linksorientierten Gdud ha-Avoda bestimmt wurde.[119]

Auch innerhalb der hamburgischen Ortsgruppe des Blau-Weiß war es im Anschluß an die Prunner Bundestagung zu Auseinandersetzungen gekommen. Anfang Februar 1923 wurde in Hamburg der «Freie jüdische Wanderbund Blau-Weiß» gegründet, dessen Ziele zunächst weitgehend nur in der erklärten Opposition gegen den im Blau-weiß eingetretenen Richtungswechsel bestimmt wurden. Die Gruppe stand unter maßgebender Führung des Hamburgers Richard Markel.[120] Ein Anschluß an den zu dieser Zeit in Hamburg vorhandenen J. J. W. B. verbot sich, da sich in diesem Bunde erst um die Jahreswende 1922/23 die zionistische Richtung durchzusetzen begann. Zunächst polemisierte die Hamburger Gruppierung gegen den Brit Haolim mit den üblichen Mitteln der Verbandspolitik, indem etwa Richard Markel dem Brit Haolim vorhielt, der hebräische Name des Bundes könne nicht darüber hinwegtäuschen, daß er allenfalls ein Zukunftsbild verfolge, nicht aber «Ausdruck des Seins» sei.[121] Den Hamburgern gelang es innerhalb kurzer Zeit, andere Abspaltungen vom Blau-Weiß an sich zu ziehen und so im Frühjahr 1923 zu einem gewissen Einfluß im norddeutschen Raum zu gelangen. Ihnen schlossen sich der Emdener Blau-Weiß unter Alfred van der Walde, der von Kurt Loewenstein in Breslau geschaffene Jüdische Wanderbund Makkabi mit einigen kleinen Gruppen in schlesischen Städten und eine Berliner Gruppe unter Erich Mendelsohn an.

Bereits Mitte März 1923 fanden erste Gespräche zwischen dem Brit Haolim und der Hamburger Gruppierung statt, die von Hermann Gradnauer einerseits und Richard Markel andererseits mit dem Ziele möglicher Verständigung geführt wurden. Man stand zum Blau-Weiß und zum J. J. W. B. gemeinsam in Opposition. Die hamburgische Richtung ließ sich alsbald von der Notwendigkeit einer sozialistischen Chaluziut überzeugen. Am 24./25. 3. 1923 fusionierten beide Gruppen unter fortbestehender Namensführung des Brit Haolim. In den gemeinsam aufgestellten Richtlinien hieß es, der Bund wolle am Aufbau Erez Israels durch Chaluziut teilnehmen, sich der palästinensischen Arbeiterschaft als dem «sozial aufbauenden Element» anschließen und sich mit national-jüdischen Jugendbünden ähnlicher Tendenz im Galut verbinden.[122] Es sollte sich in wenigen Monaten zeigen, daß sich die hamburgische Gruppierung damit für ein sozialistisches Verständnis einer künftigen Alija entschieden hatte, welchem innerhalb der zionistischen Jugendbewegung die Zukunft gehören sollte. Auf dem ersten Bundestag des so erweiterten Brit Haolim am 28./29. 7. 1923 war die Zuordnung zur palästinensischen Arbeiterschaft ohnehin nicht mehr zweifelhaft. Die meisten führenden Mitglieder des Brit Haolim, vor allem die Bundesleitung, gehörten oder neigten persönlich der Poalei Zion, wenige dem Hapoel Hazair zu. Man wußte sich den Ideen etwa Gustav Landauers ausdrücklich verbunden.[123] Führer der palästinensischen Arbeiterschaft wie Mosche Schapiro, der im März 1923 in die Leitung des Weltverbandes des Hechaluz gewählt worden war, David Syrkin (Kvuza Ein Charod) und Jehuda Kopelewitsch (Kvuza Tel Josef) nahmen am Bundestag teil.[124] Man darf wohl annehmen, daß derartige Verbindungen durch die Anfang März 1923 nach Palästina übergesiedelten Uri Rosenblatt und Oskar Lebenbaum hergestellt worden waren. Beide führenden Mitglieder des Brit Haolim hatten sich im Emek Jesreel niedergelassen, in dem der unter Führung von Jehuda Kopelewitsch gegründete Gdud ha-Avoda die Siedlungen Ein Charod und Tel Josef seit Herbst 1921 entwickelt hatte.[125] Mit der Wahl von Richard Markel in die Bundesleitung des Brit Haolim war auch institutionell die Integration der Hamburger Gruppierung vollzogen.

Für Hamburg bedeutet dies, daß neben der Gruppe des Blau-Weiß und der des J. J. W. B. eine weitere, die des Brit Haolim bestand, dessen Bedeutung man durch das Entsenden zweier «hauptamtlicher» Chaverim zu stärken suchte.[126] Man war sich mithin der Konkurrenzlage in der großen jüdischen Gemeinde Hamburg bewußt.[127] In diesem Zeitraum dürfte auch die Gründung der Hechaluz Ortsgruppe Hamburg fallen. Derartige Ortsgruppen nahmen zumeist Aufgaben einer Arbeitsgemeinschaft für die gemeinsamen Ziele der Hachschara und der Alija wahr. Dabei überwog anfangs der tatsächliche Einfluß der Chaluzim des Blau-Weiß, der in den Jahren 1923 und 1924 jeweils mehr als die Hälfte der Mitglieder des deutschen Hechaluz stellte.[128] Zwar war der Brit Haolim nach wie vor eine kleine Gruppierung, sie hatte jedoch sowohl in Deutschland als auch in Palästina einen bedeutsamen Anteil an den Chaluzim.[129] Eine derartige Zusammensetzung des Hechaluz zwang die einzelnen Ortsgruppen im allgemeinen zu einer neutralen Ausrichtung ihrer zionistischen Politik, da sich die Mitglieder des Blau-Weiß weigerten, in Palästina der Histadrut beizutreten, und damit in deutlichem Gegensatz zum Brit Haolim standen, dessen Politik eine umfassende Integration in die palästinensische Arbeiterschaft forderte.[130] Auch für die hamburgische Hechaluzgruppe wird eine derart neutrale Haltung zunächst bestanden haben. Für das Jahr 1924 wird in der Jüdischen Rundschau im März 1925 berichtet, die Arbeit der Gruppe habe wesentlich in der Hachschara und in der Alija bestanden. Von 20 Mitgliedern im Jahre 1924 seien inzwischen 15 nach Palästina übergesiedelt. Für Anfang 1925 wird die Mitgliederzahl von 40 Chaluzim mitgeteilt.[131] Man wird allerdings mit gebotener Zurückhaltung einen derartigen Bericht einer auf Ausgleich bedachten Verbandspolitik der Z. V. f. D. zu beurteilen haben. Eine Ende 1924 stattgefundene Aussprache zwischen Richard Markel und Hugo Rosenthal vom Brit Haolim einerseits und dem neugewählten Vorsitzenden der Z. V. f. D., Alfred Landsberg, andererseits hatte zu keiner Annäherung geführt. Die Z. V. f. D. unterstützte weiterhin den Blau-Weiß, eine Verbandspolitik, die in Hamburg kaum anders gewesen sein dürfte. Das Einladungsschreiben Fritzi Chwolles an Toller belegt demgegenüber, daß die Hechaluz Ortsgruppe Hamburg spätestens seit Mitte 1925 eine neutrale Haltung aufgegeben hatte.[132] Man traf sich mit Exponenten der palästinensischen Arbeiterorganisationen. Eine Sammlungstätigkeit ausschließlich zugunsten des P. A. F. galt selbst innerhalb des Brit Haolim noch Mitte 1924 als Ausschlußgrund gegenüber «kommunistischen» Chaluzim, wenn nicht gleichzeitig der Maᶜasser an den K. H. gezahlt wurde.[133] Vermutlich hatte sich die Hamburger Ortsgruppe bereits Ende 1924 zur Aufgabe einer neutralen Haltung gegenüber den Chaluzim des Blau-Weiß entschlossen. Immerhin übernahm es die Gruppe nach einem von Fritzi Chwolles gezeichneten Vermerk, eine Rechnung vom 12. 12. 1924 über den Kauf von «Bienenzuchtwerkzeuge[n]» zugunsten des als Exekutivmitglied des Gdud Avodah Erez Israel bezeichneten Leo Kaufmann (Kvuza Chefziba) zu begleichen.[134] Dies deutet an, daß die Hechaluz Ortsgruppe Hamburg auch Aufgaben einer Ortsgruppe des Brit Haolim wahrnahm.

Diese These wird durch die weitere Entwicklung des J. J. W. B. bestärkt. Seit Anfang 1923 gewannen zionistische und sozialistische Auffassungen bei den Mitgliedern des Bundes deutlich an Einfluß. Im Sommer 1923 legte sich der Bund auf seiner Bundestagung endgültig auf eine zionistische Programmatik fest. Zugleich begann man, sich der Frage nach der Notwendigkeit einer nur sozialistischen Chaluziut zu öffnen. Obwohl die Bundesleitung die Zusammenarbeit mit dem Blau-Weiß deutlich bevorzugte und den Ortsgruppen erforderlichenfalls die Bildung von Arbeitsgemeinschaften empfahl, war der Einfluß des sozialistischen Zionismus im Bund nicht aufzuhalten. Treibende Kraft war vor allem die Gothaer Gruppe des J. J. W. B. um Fritz Noack, der über enge Verbindungen zum Brit Haolim verfügte. Eine Zusammenführung beider Bünde deutete sich an, während der Blau-Weiß innerhalb der zionistischen Bewegung beträchtlich an Einfluß verlor. Auf der Führertagung des J. J. W. B. am 24. / 26. 12. 1924 entschloß man sich, mit dem Brit Haolim zusammenzuarbeiten und dem im September 1924 mit einem zionistisch-sozialistischen Programm gegründeten Brit Hanoar beizutreten.[135] Bereits im Januar 1925 gründeten daraufhin die Bundesleitungen des Brit Haolim und des J. J. W. B. mit dem Waad Brit Hanoar b'Germania eine gemeinsame Führungsorganisation.[135] Nachdem der Blau-Weiß im Februar 1925 die bisherige Arbeitsgemeinschaft mit dem J. J. W. B. aufgekündigt hatte, fusionierten im März 1925 die Führungsgremien des Brit Haolim und des J. J. W. B. durch die Bildung einer Fusionsbundesleitung. Am 2. / 4. 8. 1925 bestätigte der erste Bundestag des vereinigten Bundes endgültig die Fusionierung. Dabei übernahm der Bund den bisherigen Namen des J. J. W. B., während die Chaluzim des Bundes sich Brit Haolim nannten. Leiter des Bundes wurden Fritz Noack, Hermann Gradnauer, Walter Heilbrunn und Georg Lubinski. Das Ziel einer aufzubauenden sozialistischen Gesellschaft in Erez Israel und das Selbstverständnis, die deutsche Nachwuchsorganisation der palästinensischen Arbeiterschaft in der Histadrut zu sein, standen dabei fest.

Mitglieder der neuen Bundesleitung des J. J. W. B. / Brit Haolim nahmen wenige Wochen später am XIV. Zionisten-Kongreß (19. / 31. 8. 1925) in Wien teil. Man darf wohl annehmen, daß es auf dem Kongreß zwischen der Bundesleitung des J. J. W. B. und den Führern der palästinensischen Arbeiterschaft zu intensiven Gesprächen kam. In den Kreisen der Histadrut war man seit längerem auf den deutschen Brit Haolim aufmerksam geworden. Uri Rosenblatt, der bereits Anfang 1924 nach Deutschland zurückgekehrt sein dürfte, vertrat den Brit Haolim im Zentralkomitee des

Brit Olamit schel Hanoar Haivrit, dem führende Mitglieder der Histadrut angehörten. Hinzu kamen vielfältige Verbindungen zu den inzwischen übergesiedelten Chaluzim des Bundes, die sich zumeist Organisationen der palästinensischen Arbeiterschaft angeschlossen hatten. Nach einer verbandsinternen Aufstellung befanden sich im April 1925 51 Mitglieder des Brit Haolim in Palästina, und zwar 37 im Kibbuz Ein Charod, davon 22 in der Kvuza Ein Charod, 7 als Mitglieder des Gdud ha-Avoda, 3 in der Kvuza Chefziba und 4 ohne nähere organisatorische Zuordnung.[136] Hugo Rosenthal, einer der Mitbegründer des Brit Haolim, berichtete im Jahre 1930 für den Zeitraum bis zur Fusionierung mit dem J. J. W. B. über persönliche Beziehungen der Bundesleitung vor allem zu Jehuda Kopelewitsch, Mosche Schapiro und Leo Kaufmann, die auch einige wichtige Gruppen des Brit Haolim besucht hätten.[137] Hermann Gradnauer war Ende 1923 als bereits führendes Mitglied des Bundes nach Palästina gekommen und hatte sich dort zusammen mit Uri Rosenblatt und Oskar Lebenbaum in Ein Charod niedergelassen. Seine Wahl in die Leitung des vereinigten Bundes kennzeichnete die Verbindungen zur Siedlungstätigkeit der palästinensischen Arbeiterschaft. Auch das Einladungsschreiben von Fritzi Chwolles bestätigt diese persönlich begründete Vertrautheit etwa zu Jehuda Kopelewitsch oder Leo Kaufmann, welche nahezu familiäre Bezüge besessen haben muß.

3.2 Die teilweise autobiographischen Berichte führender Mitglieder des chaluzischen Brit Haolim vermitteln ein Bild der innerjüdischen Auseinandersetzungen und Abgrenzungen in Deutschland und der tatsächlichen Schwierigkeiten einer erfolgreichen Alija, aber zugleich das einer emanzipatorischen Selbstgewißheit, in einer zionistisch-sozialistischen Synthese die gesuchte Wirklichkeitsbestimmung gefunden zu haben. Als «dritte» Generation war man deshalb mit der eher platonischen Chaluziut des bürgerlich geprägten Zionismus des Westjudentums durchaus unzufrieden. Als tatsächlichen Träger des werdenden Erez Israel sah man die sich organisierende Arbeiterschaft, als deren Teil man sich zunehmend verstand. Auf derartige sozialistische Tendenzen des jugendbündischen Zionismus vermochte sich die Z. V. f. D. nur sehr zurückhaltend einzulassen. Diese Situation erklärt, daß man im J. J. W. B. /Brit Haolim die unmittelbare Verbindung zu den in Palästina bestehenden Organisationen der dortigen Arbeiterschaft suchte und damit innerhalb des deutschen Hechaluz alsbald in Gegensatz zur dogmatisierenden Politik der Praktikantenschaft des Blau-Weiß geraten mußte. Dem entsprach zudem das Bemühen etwa der Histadrut, im Galut an direktem Einfluß außerhalb der etablierten zionistischen Verbände zu gewinnen. Gerade dies stärkte wiederum die Selbstgewißheit des chaluzischen Teils des J. J. W. B., dem erst gegen Ende 1926 eine Art offizieller Anerkennung durch die Z. V. f. D. gelang.[138] Die Schreiben von Fritzi Chwolles reflektieren diese Ausgrenzungen mit jugendlichem Optimismus, dem sich die politische Skepsis Tollers warnend entgegenstellt. Die nachfolgenden Bemerkungen skizzieren den Standort der Hechaluz Ortsgruppe Hamburg innerhalb des deutschen Hechaluz und gegenüber dem chaluzischen Teil des J. J. W. B., also dem Brit Haolim.

Das Einladungsschreiben verdeutlicht in seiner intimen Offenheit für die hamburgische Ortsgruppe des Hechaluz sehr genau, daß man sich gegenüber anderen zionistischen Bewegungen abzugrenzen beabsichtigte.[139] Auf der Grundlage der im Schreiben enthaltenen Motive konnte mit den Chaluzim des Blau-Weiß eine gemeinsame diasporale Politik einer effektiven Chaluziut schwerlich betrieben werden. Darauf wurde bereits hingewiesen. Zwischen der Praktikantenschaft des Blau-Weiß und der Histadrut bestand seit November 1924 ein erklärter Konflikt. Versuche deutscher Zionisten wie etwa des im Jahre 1924 übergesiedelten Felix Rosenblüth, derartige Spannungen, welche sich bis zu Streikmaßnahmen der Histadrut gegen kooperative Formen des Blau-Weiß gesteigert hatten, aufzulösen, scheiterten sowohl an der Hartnäckigkeit der Praktikantenschaft als auch an dem Autonomieanspruch der Histadrut.[140] Im März 1925 siedelten 59 Mitglieder des Blau-Weiß nach Palästina über, weil man einerseits weitere Arbeitskräfte zur Fortführung begonnener Aufträge benötigte, aber andererseits Arbeiter, die in der Histadrut organisiert waren, nicht beschäftigen wollte. Da die Histadrut die Hechaluzbewegung als eine ihrer außenpolitischen Zielsetzungen verstand, wird man mithin auch auf der Grundlage des Einladungsschreibens von Fritzi Chwolles für den hamburgischen Bereich folgern dürfen, daß der Blau-Weiß keinen Einfluß mehr auf die Ortsgruppe besaß. Wer in Erez Israel in Streit mit der Histadrut geriet, mußte innerhalb des deutschen Hechaluz im Jahre 1925 um seine zionistische Reputation fürchten. Man wird deshalb jedenfalls für Ende 1925 annehmen können, daß die Hechaluz-Ortsgruppe Hamburg kaum noch aktive Chaluzim des Blau-Weiß besaß und sich die Gruppierung damit weitgehend als der chaluzische Teil des J. J. W. B. darstellte. Eine Hechaluzgruppe, die sich als «Komité für das arbeitende Erez Israel» verstand, bot für Mitglieder des Blau-Weiß keine Grundlage ihres Selbstverständnisses mehr. So bestätigt das Einladungsschreiben an Toller zugleich die allgemeine Tendenz, daß der J. J. W. B. / Brit Haolim und der Hechaluz durch die Sonderentwicklung des Blau-Weiß und dessen Niedergang zunehmend funktions- und personenidentisch wurden.

Darüber hinaus besteht begründeter Anlaß zu der Annahme, daß sich die Hechaluz Ortsgruppe Hamburg innerhalb des deutschen Hechaluz eher dem linken Flügel zurechnete. Da man außerhalb parteipolitischer Zuordnungen in der zionistischen Bewegung derartige Einordnungen kaum artikulierte, ist man in der Rekonstruktion der Zusammenhänge auf Schlußfolgerungen angewiesen. Angesichts der wenig befriedigenden Quellenlage erweist sich das Einladungsschreiben als ein Dokument, dem erheblicher indizieller Beweiswert zukommt. Dieser Beweiswert erschließt sich allerdings erst vor dem Hintergrund der seit Mitte 1923 in Palästina eingetretenen Fraktionierung der organisierten Arbeiterschaft. Eine Hechaluzgruppe, welche sich im Jahre 1925 in einem Einladungsschreiben auf Jehuda Kopelewitsch und Leo Kaufmann als «unsere Freunde» bezog, mußte wissen, daß sie damit innerhalb des sozialistischen Zionismus Partei ergriff. Das galt erst recht gegenüber einem Adressaten wie Toller, dessen interne Kenntnisse über die jüdische Arbeiterschaft man gerade voraussetzte. Die folgenden Bemerkungen versuchen, diese politische Zuordnung der hamburgischen Gruppe nachzuzeichnen.

Am 25. 8. 1920 gründeten etwa 80 Arbeiter unter Führung von Jehuda Kopelewitsch den linksorthodoxen «Gdud Avoda al schem Josef Trumpeldor».[141] Am 5. 12. 1920 entstand unter Führung der Achdut ha-Avoda die gewerkschaftliche «Histadrut Haklalit schel Haovdim Haivrim beErez Israel».[142] Beide Organisationen sollten in den kommenden Jahren in fortdauerndem Gegensatz zueinander geraten. Beherrschende Persönlichkeit der Histadrut wurde alsbald David Ben Gurion (Poalei Zion), dem es mit Hilfe der Achdut ha-Avoda in kurzer Zeit gelang, die Histadrut zu einer tatkräftigen Organisation zu entwickeln, welche neben oder in Zusammenarbeit mit den zionistischen Ämtern zunehmend Aufgaben der politischen, ökonomischen und kulturellen Infrastruktur wahrnahm. In dem Gdud ha-Avoda blieb Kopelewitsch «geistiges Haupt, Führer und Apostel», wie er in einem Reisebericht des deutschen Linkssozialisten Arthur Holitscher im Herbst 1921 gekennzeichnet wurde.[143] In dem Gdud ha-Avoda verstand man sich als sozialistische Avantgarde, deren Ziel die Führung des Landes durch Errichtung einer allgemeinen Kommune aller jüdischen Arbeiter in Palästina zu sein habe. Dem sollten die gemeinsame Arbeitsbeschaffung im kommunalen Leben, die kommunitäre Siedlungstätigkeit in der Form der kvuza gdola, das Herbeiführen eines egalitären Lebensstandards und die gemeinsame Kasse aller Gruppen der Organisation dienen. Das waren Vorstellungen, welche in ihrer politischen Strenge und ihrem chaluzischem Anspruch den Einfluß sozialrevolutionärer Doktrinen der russischen Linkssozialisten nicht verleugnen wollten.[144] Das Bewußtsein der kämpferischen Solidarität, dem keine Aufgabe im Aufbau einer sozialistischen Gesellschaft zu schwer sein würde, beflügelte die Mitglieder, deren Zahl nach einem Jahr bereits 560 betrug.[145] Während der

Gdud ha-Avoda kaum mehr als acht Prozent der Arbeiterschaft erreichte, vermochte die Histadrut mit Hilfe der Achdut ha-Avoda binnen kurzem etwa die Hälfte der jüdischen Arbeiter zu organisieren. Da man gerade die Einheit der jüdischen Arbeiterschaft erreichen wollte, sah man zunächst von Abgrenzungen gegen linksradikale oder kommunistisch-marxistische Gruppierungen ab und nahm deshalb auch die Mitglieder des Gdud ha-Avoda auf, obwohl man dessen Charakter als Kadergruppierung inner-halb der Histadrut mit Argwohn zu betrachten begann. Derartige Be-fürchtungen verstärkten sich, als der Gdud ha-Avoda sich nicht auf Verba-lisierung seiner Politik beschränkte, sondern unbestreitbare Erfolge im Straßenbau, in der Urbarmachung des Bodens und in der wirkungsvollen Integration der olim chadaschim aufweisen konnte.

Ein beachtenswerter Erfolg gelang dem Gdud ha-Avoda im östlichen Emek Jesreel. Hier hatte Anfang 1921 der J. N. F. ein großes Terrain sumpfigen Landes erworben.[146] Gegen den Widerstand des zionistischen Departements für städtische und ländliche Kolonisation ließ Kopelewitsch das Gelände am 22. 9. 1921 durch etwa 80 Mitglieder des Gdud ha-Avoda besetzen, nachdem eine einverständliche Regelung gescheitert war.[147] Bei dem arabischen Dorf Ein Charod begann man sofort mit den Entsump-fungsarbeiten. Diese mit einem Handstreich eingeleitete Arbeit sollte in der Entwicklung Israels zu einer der wichtigsten Aufbauleistungen wer-den. Bereits im Dezember 1921 gründete man wenige Kilometer von Ein Charod entfernt mit Tel Josef ein zweites Lager. Ende 1921 arbeiteten in dem sog. Nuris-Gebiet etwa 300 Mitglieder des Gdud ha-Avoda, dessen Hauptquartier sich inzwischen in Ein Charod befand. Zur Überraschung sowohl der zionistischen Behörden als auch der Histadrut begann man in beiden Lagern ohne Zögern mit landwirtschaftlichen Arbeiten auf der Grundlage einer den gesamten Gdud ha-Avoda umfassenden Wirtschafts-führung. Wesentliche Zielsetzungen des Gdud ha-Avoda schienen sich mit sozialutopischem Idealismus verwirklichen zu lassen. Während der Leiter des zuständigen zionistischen Departements, A. Ruppin, notgedrungen seine nachträgliche Zustimmung gab, betrachtete die Histadrut die Ent-schiedenheit des Gdud ha-Avoda mit mißtrauischer Zurückhaltung. Man mußte das Entstehen einer konkurrierenden Arbeiterorganisation als nicht mehr ausgeschlossen ansehen. Als sich der Gdud ha-Avoda im Januar 1923 bei den innergewerkschaftlichen Wahlen zum zweiten Kongreß der Hista-drut mit einer pointierten Wahlaussage selbstbewußt für seine Ziele ein-setzte, befürchtete nunmehr auch die Achdut ha-Avoda, die Arbeiterle-gion werde sich zu einer weiteren Linkspartei etwa unter Führung des Jehuda Kopelewitsch entwickeln.

Der Gdud ha-Avoda bestand den sich anbahnenden Machtkampf nicht,

nicht zuletzt wegen eigener Richtungskämpfe. Innerhalb der Siedlungen Ein Charod und Tel Josef waren tiefgreifende Meinungsverschiedenheiten über die Stellung der kvuzot gdolot als Teil des Gdud ha-Avoda entstanden. Damit verbanden sich Auffassungsunterschiede, wie das Verhältnis zur Achdut ha-Avoda, zur Histadrut und zu den zionistischen Organisationen zu gestalten sei. Während die meisten Führer des Gdud ha-Avoda, die nahezu ausschließlich der Dritten Alija angehörten, mit doktrinärem Bewußtsein ihre kommunitäre Siedlungs- und Gesellschaftspolitik durchzusetzen versuchten, waren die gemäßigten Mitglieder um Schlomo Levkowitz, die vor allem der Zweiten Alija entstammten, auf einen Ausgleich mit der Histadrut bedacht und befürworteten eine von dem Gdud ha-Avoda getrennte Betriebsstruktur der Siedlungen. Im Juni 1923 kam es zwischen beiden Gruppierungen zum endgültigen Bruch, nachdem die Histadrut, die inzwischen etwa 8000 Arbeiter umfaßte, wiederholt zugunsten der gemäßigten Gruppe interveniert hatte. Man trennte sich nach einem von der Histadrut aufgestellten Teilungsplan. Eine Gruppe von 105 Arbeitern verließ den Gdud ha-Avoda und übernahm Ein Charod, während Tel Josef mit 225 Arbeitern bei dem Gdud ha-Avoda verblieb.[148] Die Zentrale der Arbeiterlegion wurde in den Kibbuz Tel Josef verlegt, dessen Leitung nunmehr Menahem M. Elkind und Schmuel Hefter übernahmen.

Gleichwohl überstand der Gdud ha-Avoda die Spaltung und den Bruch mit der Histadrut zunächst bemerkenswert gut. Im Sommer 1924 betrug die Mitgliederzahl wiederum knapp 800, nachdem sich die Siedlungen Tel Chai und Kfar Gileadi angeschlossen hatten. Für Leo Kaufmann (Kvuza Chefziba) war noch Ende 1924 für den von ihm in Palästina erwarteten Klassenkampf die «konstruktiv gebaute Kommune ein Stützpunkt...», wie ihn (vielleicht außer Rußland) kein Proletariat der Welt» besitze.[149] Auch Ein Charod gelang es bald, sich zu stabilisieren und zum Zentrum einer gemäßigten Kibbuzbewegung zu werden. Mitte 1925 war die um den Kibbuz Ein Charod organisierte Gruppierung bereits größer, als der Gdud ha-Avoda es jemals gewesen war.[150] Als sich im Herbst 1925 die nach Palästina übergesiedelten Chaluzim des J. J. W. B. / Brit Haolim in Ein Charod versammelten, konnte dies auch als eine Entscheidung gegen die Politik des Gdud ha-Avoda verstanden werden.[151] Denn damit wiederholte man nur eine Entscheidung, die führende Mitglieder des Brit Haolim bereits im Frühjahr 1923 getroffen hatten.[152] Man wollte zur Histadrut in keinem Falle in Opposition geraten, da man daraus für deutsche Chaluzim wohl zu recht nur zusätzliche Schwierigkeiten ableitete. Dies dürfte es auch erklären, wenn Richard Markel in seinem zum Teil autobiographischen Bericht über die Geschichte des Brit Haolim den Gdud ha-Avoda nur mittelbar und nur im Zusammenhang mit der sich im Jahre 1923 abzeichnenden

Spaltung erwähnt. Dagegen werden die positiven Verbindungen zum Kibbuz Ein Charod in vielfältiger Weise belegt. Daß die deutschen Chaluzim in diesen Jahren zumeist Ein Charod oder die von deutschen und tschechischen Einwanderern Ende 1922 gegründete Kvuza Chefziba, der man allerdings linkssozialistische Auffassungen nachsagte, als erste Siedlungsorte bevorzugten und damit den Kibbuz des Jehuda Kopelewitsch, Tel Josef, gleichsam negierten, beruhte nicht zuletzt auf der tatsächlichen Unvereinbarkeit der gleichzeitigen Mitgliedschaft von Histadrut und Gdud ha-Avoda. Dessen linksorthodoxe Zielsetzung, die sich nach der Spaltung von Ein Charod zunächst noch verstärkte, und die von ihm betriebene offene Opposition zur Histadrut, entsprachen jedenfalls nicht den Ansichten der Leitung des vereinigten Bundes von J. J. W. B. / Brit Haolim. Auch der Verbandspolitik des deutschen Hechaluz konnte schwerlich daran gelegen sein, zum Nachteil der Histadrut, der man sich satzungsmäßig verbunden fühlte, im Galut für den radikalen Standort des Gdud ha-Avoda einzutreten. Die Anfang August 1925 gewählte Bundesleitung des J. J. W. B. / Brit Haolim vertrat einen gemäßigten sozialistischen Zionismus.[153] Dogmatische Bindungen und partikularistische Bestrebungen wollte man bewußt vermeiden. In ihnen sah man Hindernisse, in Erez Israel eine sozialistische Gesellschaft aufzubauen. Zudem sollte innerhalb des vereinigten Bundes zunächst eine Phase der Konsolidierung eintreten. Auf der Tagung führender Mitglieder des J. J. W. B. / Brit Haolim im Dezember 1925 war man daher unter ausdrücklichem Bezug auf das Modell Ein Charod nur bereit, kleine bündische Gruppen innerhalb einer größeren kibbuzischen Wirtschaftsstruktur anzusiedeln.[154] Die Politik der Konsolidierung ließ sich ersichtlich nicht durchführen. Bereits auf der Bundestagung im Juni 1926 sah man sich zur Erörterung der Frage gezwungen, ob sich die Zugehörigkeit zur deutschen KP mit der zum J. J. W. B. vereinbaren lasse. Richard Markel beschreibt die Situation in seinem autobiographischen Bericht dahingehend, daß sich das Eindringen des Kommunismus in den Bund empfindlich bemerkbar gemacht habe.[155] Das dürfte für das «rote» Hamburg der 20er Jahre kaum anders gewesen sein.

Wer sich daher Ende 1925 ausdrücklich auf Jehuda Kopelewitsch als den geistigen Führer des Gdud ha-Avoda berief, der bezog damit innerhalb des deutschen sozialistischen Zionismus in beredter Weise eine hinreichend genaue Position. Seit der Trennung von der Histadrut hatte sich die Stellung dieses Führers einer Minderheit der jüdischen Arbeiterschaft verändert. Der Gdud ha-Avoda befand sich nunmehr in erklärter Opposition zur Histadrut. Auf der ersten Bundestagung des Brit Haolim im Sommer 1923 konnte Kopelewitsch noch als einer der Repräsentanten des palästinensischen Arbeiterzionismus gelten, dessen geistigen Habitus und tat-kräftige Energie man bewunderte.[156] Eine Sentenz wie «der Kapitalismus muß uns die Möglichkeit schaffen, daß wir kommunistisch leben können» war sicherlich auch für eine deutsche Nachkriegsjugend, die nach neuer Wirklichkeitsbestimmung suchte, beeindruckend.[157] Inzwischen hatte sich indes in Palästina die Histadrut mit einer gewerkschaftlichen Politik durchgesetzt, welche sich betont gegen kommunistische oder als solche geltenden Tendenzen abgrenzte. Vor allem in der sog. Araberfrage hielt man kommunistischen Auffassungen eine innerjüdische Unzuverlässig-keit vor. Im April 1924 hatte man die kommunistische Arbeiterfraktion aus der Histadrut ausgeschlossen.[158] Daraufhin empfahl das Exekutivko-mitee der Komintern der P. K. P. unter anderem, die Tätigkeit unter den Mitgliedern des Gdud ha-Avoda zu verstärken – eine Taktik, die der Hi-stadrut kaum verborgen bleiben konnte.[159] Die Analyse der Veröffentli-chungen führender Mitglieder des deutschen Hechaluz und des J. J. W. B. / Brit Haolim zeigt, daß man Kopelewitsch oder andere Führer des Gdud ha-Avoda zu tabuisieren begann. Da die Aktivitäten von Kope-lewitsch keineswegs erlahmten, beweist dies den Erfolg der Bemühungen um Abgrenzung. Die im August 1925 gewählte Leitung des vereinigten Bundes von J. J. W. B. / Brit Haolim war gewiß nicht so naiv, die von Da-vid Ben Gurion und Berl Katznelson eingeleitete Politik der Abgrenzung der Histadrut gegen linksradikale oder kommunistische Strömungen zu mißachten. Im Jahre 1925 war dies zudem ein Gebot zionistischer Pragma-tik, nachdem die Histadrut unter den Neueinwanderern eine hohe Mit-gliedschaftsdichte erreicht hatte. Landsmannschaftliche Gruppierungen wie etwa die Praktikantenschaft des Blau-Weiß hatten sich gegen den Au-tonomieanspruch der Histadrut nicht durchzusetzen vermocht. Für Fritzi Chwolles und die Hechaluz Ortsgruppe Hamburg konnte demgegenüber kein Zweifel bestehen, daß man mit Männern wie Jehuda Kopelewitsch und Leo Kaufmann zu reden hatte, wenn man Informationen über Zweck und Erfolg der sozialistischen Chaluziut aus erster Hand erhalten wollte.

4. Auch von Ernst Toller versprach man sich genauere Informationen über die Lage der jüdischen Arbeiterschaft in Palästina im Zusammenhang mit der Vierten Alija. Seiner Sympathie für das «arbeitende Erez Israel» war man sich sicher. Ihm traute man ohne weiteres ein kenntnisreiches, sach-kundiges Urteil über die Probleme der «entstehenden sozialistischen Ge-sellschaft» zu. Es ist bereits hervorgehoben worden, daß die bisherige Quellenlage kaum Hinweise gibt, welche die Annahme näherer Kennt-nisse Tollers über die politische und ökonomische Infrastruktur Palästi-nas hätten belegen können. Der aufgefundene Briefwechsel zwischen der

Hechaluz Ortsgruppe Hamburg und Toller erlaubt hierzu die Annahme, daß Toller während seines Aufenthaltes in Palästina im Frühjahr 1925 mit führenden Vertretern der Arbeiterschaft, mit Jehuda Kopelewitsch oder mit Leo Kaufmann, gesprochen hat. Damit werden erstmals unmittelbare Verbindungen Tollers zum zionistischen Judentum belegbar. Wiederum ist bemerkenswert, daß hierfür in Tollers Veröffentlichungen oder eigenen Aufzeichnungen keine Nachweise vorhanden sind.

4.1 Die hier verfolgte These geht von der Mitteilung des Einladungsschreibens von Fritzi Chwolles aus, einige Chaverim hätten «vor kurzem in Wien die Gelegenheit [gehabt], von unseren Freunden Jehuda Kopelewitsch und Leo Kaufmann zu hören, welch warmes Interesse Sie der palästinensischen Arbeiterschaft und ihren Bestrebungen entgegenbringen». In seiner Antwort bestätigt Toller diese indirekte Referenz mit den Worten, er habe «drüben in Palästina oft mit Freunden über die Möglichkeit der Schaffung eines eigenen Palästina-Arbeiterfonds» diskutiert. Die Analyse des Briefwechsels vermag damit zwei zeitlich voneinander abhängige Gesprächsbereiche zu isolieren. Das zweite, in Wien geführte Gespräch hat ein anderes, an dem Toller beteiligt war, zum Inhalt und setzt es mithin als erfolgt voraus.

Das zeitlich nachfolgende Gespräch fand zwischen Kopelewitsch und Kaufmann auf der einen Seite und «unseren Chaverim» auf der anderen Seite statt. Deren nähere Zusammensetzung bleibt ungewiß. Es könnte sich um Mitglieder des «Komités», der Hechaluz Ortsgruppe Hamburg, des deutschen Hechaluzverbandes oder auch um Mitglieder etwa des Brit Haolim gehandelt haben.[160] Das Zusammentreffen mit Kopelewitsch und Kaufmann dürfte sich vermutlich anläßlich des XIV. ZWO-Kongresses in der zweiten Hälfte August 1925 in Wien ergeben haben. Es war üblich geworden, sich am Ort des jeweiligen Kongresses zu treffen, auch wenn man kein Delegierter war oder eine Funktion in der ZWO hatte. Aus diesem Grunde waren Mitglieder der Leitung des J. J. W. B. / Brit Haolim in Wien erschienen. Zudem ist belegbar, daß die damals 21jährige Fritzi Chwolles als Gast am Kongreß teilnahm. Zwar fehlt es an einem unmittelbaren Nachweis, daß sich Kopelewitsch oder Kaufmann im August 1925 in Wien aufhielten. Es muß indes als wenig wahrscheinlich zu gelten haben, daß man sich außerhalb der Zeit des XIV. ZWO-Kongresses gerade in Wien traf. Hierzu hätte es entweder der Verabredung mit Kopelewitsch und Kaufmann oder eines anderen Anlasses bedurft. Dem steht entgegen, daß Kopelewitsch und Kaufmann wichtige Gruppen in Deutschland besucht hatten.[161] Dies hätten sie jederzeit wiederholen können. Mögen insoweit Unsicherheiten bleiben, so zeigt das Schreiben von Fritzi Chwolles deutlich, welchen erheblichen Bekanntheitswert Jehuda Kopelewitsch und Leo Kaufmann in der deutschen sozialistischen Chaluzbewegung noch im Jahre 1925 besaßen.

Tollers Aufenthalt in Palästina im April 1925 muß führende Vertreter der jüdischen Arbeiterschaft so sehr beeindruckt haben, daß die von Toller geäußerten Ansichten Gegenstand eines Monate später geführten Gespräches in Wien sein konnten. Das ist um so aufschlußreicher, als die Person Toller und dessen literarisches Werk im Frühjahr 1925 in Palästina kaum Allgemeingut der Arbeiterschaft gewesen sein dürften. Auch bei von Toller in Palästina geführten Gesprächen bleibt der Kreis seiner Gesprächspartner unbestimmt. Immerhin steht fest, daß Toller nicht lediglich an der Einweihung der Hebräischen Universität teilnahm oder Vorträge veranstaltete. Damit stellt sich die weitere Frage, woher Kopelewitsch oder Kaufmann wissen konnten, daß Toller der palästinensischen Arbeiterschaft und deren Bestrebungen ernste Sympathie entgegenbrachte. Dies konnten beide entweder aus eigenen Diskussionen mit Toller oder aus Berichten anderer, die mit Toller über die Lage der palästinensischen Arbeiterschaft gesprochen hatten, wissen. Toller gibt in seiner Antwort hierzu nur an, er habe «mit Freunden» diskutiert. Inhalt der Erörterungen sei unter anderem der P. A. F. gewesen. Allerdings unterläuft Toller hierbei eine sachliche Unrichtigkeit, da der Fonds bereits seit Jahren bestand und mithin nicht erst zu «schaffen» war. Man wird zudem skeptisch zu sein haben, ob sich Toller Anfang November 1925 noch an entsprechende Details erinnern konnte. Daß er derartige Diskussionen «oft» führte, wird man angesichts des kurzen Aufenthaltes als eine freundliche Übertreibung gegenüber Fritzi Chwolles zu werten haben. Immerhin bekennt sich Toller ebenfalls zu der Intensität seiner Gespräche und bestätigt mittelbar den Eindruck, den seine Gesprächspartner über sein Interesse gewinnen mußten. Diese Gesprächspartner sind ohne Zweifel im «proletarischen» Lager zu suchen, da nur so die von Toller formulierte Abgrenzung zur «bürgerlichen» Alija verständlich wird. Daß Toller in Palästina mit dem chaluzischen Teil der Arbeiterschaft zusammengetroffen sein muß, ist vielfach belegbar. Es steht fest, daß Toller im April 1925 die Kvuza Tel Josef besuchte und aus seinen Werken vortrug.[162] In dem angeführten Bericht der Jüdischen Rundschau vom 23. 12. 1925 betont Toller seine «Begegnung mit den Chaluzim und der werdenden Welt Erez Israel». Auch wenn man die absichtsvolle Politik dieser zionistischen Zeitung berücksichtigt, so stimmt diese Toller zugeschriebene Einschätzung mit dem Inhalt eines anderen Interviews überein, das Toller «The American Hebrew» im Sommer 1927 gewährte. Danach sagte Toller unter anderem: «... for the Palestine pioneers, for the Chalutzim, I have not only the greatest respect: I love them ever since I came in personal contact with them. I count them as most

worthy contemporaries and I am in thorough sympathy with them».[163]
Margarete Turnowsky-Pinner bemerkte hierzu unter eher autobiographischer Bezugnahme im Jahre 1970, Toller sei ein Freund des «Working Palestine» geworden.[164] Allerdings habe er sich keiner Gruppe angeschlossen. Gerade die Beobachtung von Turnowsky-Pinner läßt gut erkennen, daß die zionistischen Intellektuellen in Berlin von Tollers Sympathie für die sozialistische Chaluziut wußten. Toller verfügte mithin bereits vor seiner Ausbürgerung im Jahre 1933 über eine Reihe von Verbindungen zu Personen des deutschen Zionismus, ohne daß man dies auf der Grundlage seines literarischen Werkes vermuten würde.

4.2 Daß Toller im Frühjahr 1925 in Palästina Jehuda Kopelewitsch und Leo Kaufmann kennenlernte, ist hinreichend gesichert. Mehrere Umstände treffen indiziell zusammen. Es erscheint bereits als wenig wahrscheinlich, daß sich die genannten Vertreter der palästinensischen Arbeiterschaft Tollers Ansichten von dritter Seite berichten ließen. Für Toller war es nicht schwierig, mit Kopelewitsch oder Kaufmann bekannt zu werden. Von Haifa aus, wo Toller vermutlich bei dem Arzt Dr. Elias Auerbach wohnte, war es leicht, nach Emek Jesreel zu fahren, dessen Siedlungen Auerbach genau kannte. Toller besuchte im April 1925 die Kvuza Tel Josef, deren geistiger Führer Jehuda Kopelewitsch war. Zwar fehlt nach der gegenwärtigen Quellenlage ein unmittelbarer Beweis, daß Toller und Kopelewitsch sich gerade anläßlich dieses Besuches kennenlernten. Gesichert ist indes zweierlei: Kopelewitsch hielt sich jedenfalls Ende April in Tel Josef auf, um dort am 1. Mai 1925 zum «Tag der Arbeit» die Mai-Ansprache zu halten.[165] Des weiteren berichtete Kopelewitsch viele Jahre später, er habe im Sommer 1927 Ernst Toller in Berlin als einen seiner Freunde aufgesucht.[166] Es ist nicht bekannt geworden, daß sich Toller und Kopelewitsch zuvor in Europa getroffen hatten. Deshalb ist es nur naheliegend, daß Kopelewitsch 1927 den ihm bereits aus Palästina persönlich bekannten Toller aufsuchte. Innere Gründe treten hinzu: Die im Antwortschreiben an Fritzi Chwolles mitgeteilten Spannungen zwischen bürgerlichem und proletarischem Lager entsprechen einer linksradikalen Situationsanalyse, die vermutlich innerhalb des Gdud ha-Avoda üblich war. Gerade die finanzielle Abhängigkeit von den zionistischen Behörden und dem Privatkapital der Vierten Alija ließen es als erwägenswert erscheinen, in dem P. A. F. eine eigene Finanzierungsbasis verstärkt zu suchen. Der P. A. F. hatte bereits früher Vorhaben der palästinensischen Arbeiterschaft und Kooperative in Tel Chai und Kfar Gileadi unterstützt.[167] Die Frage nach dem notwendigen «Klassenkampf» war eine im Gdud ha-Avoda geläufige Problemstellung. Die im «New Leader» referierte Auffassung Tollers entspricht dem recht genau. Die Äußerungen Leo Kaufmanns Ende 1924 bestätigen das Meinungsbild des Gdud ha-Avoda. [168] Es war demgegenüber erklärtes Ziel der von Ben Gurion und B. Katznelson geleiteten Politik der Histadrut, eine klassenkämpferische Auseinandersetzung unter allen Umständen zu vermeiden. Endlich enthält der im «New Leader» wiedergegebene Bericht Tollers – wenngleich versteckt – eine hinreichend genaue Schilderung über die Entsumpfungsarbeiten im Emek Jesreel. Die angeführten Arbeiten sind im wesentlichen die des Gdud ha-Avoda in den Jahren 1921 und 1922. Einen derartigen Bericht wird man mehrere Monate später zumeist nur dann mit Verläßlichkeit geben können, wenn man die tatsächlichen und politischen Verhältnisse an Ort und Stelle erläutert erhalten hatte. Die Hechaluz Ortsgruppe Hamburg und das damit verbundene «Komité für das arbeitende Erez Israel» nahmen mithin zu Recht an, Toller werde hierüber mit dem sachkundigen Urteil eines Augenzeugen berichten können.

VI.

1. Die deutsche sozialistische Chaluziut der 20er Jahre war eine Bewegung der jüdischen Jugend. Ihre Anhänger und Führer waren junge Leute, die in einer von politischer und weltanschaulicher Kontroversität gezeichneten Zeit ihrerseits die bekennende Aktion suchten. Nach ihrem Verständnis bot ihnen dabei eine sozialistische Grundauffassung eine humanitäre Orientierung, sich mit innerjüdischen und bedrängenden antijüdischen Fragestellungen auseinandersetzen zu können. Gerade der innerjüdische Bezug zwischen Zionismus und Sozialismus schien gegenüber dem assimilierten Judentum nicht einfach herzustellen zu sein. Zur Z. V. f. D., deren bürgerlichen Zionismus man zunehmend als eine Frage der Generation ihrer Führer zu betrachten begann, besaß man als «dritte Generation» ein eher inneroppositionelles Verhältnis. Noch 1925 war die Politik des Jugendsekretariats der Z. V. f. D. gegenüber dem J. J. W. B. /Brit Haolim und den von ihnen beeinflußten Hechaluzgruppen von Zurückhaltung geprägt. Mit der Bedeutung und den Erfolgen einer sozialistischen Arbeiterschaft in Palästina begann man sich erst allmählich vertraut zu machen. [169] Aus dieser Sicht war Ernst Toller jemand mit sozial-revolutionärer Erfahrung, mit persönlichem Mut, mit gezeigter Leidensfähigkeit und mit hohem politischen Sozialprestige, das sich mit literarischer Kraft verband. Gerade deshalb betraf die an ihn gerichtete Einladung, für ein «Komité für das arbeitende Erez Israel» werbewirksam zu sprechen, nicht nur die finanzielle Förderung des P. A. F. und die diesem Fonds zugeschriebene

Aufgabenstellung. Es galt zugleich, sich gegenüber anderen jüdischen Jugendverbänden, in deren Konkurrenz man sich glaubte, zu behaupten und sich appellierend darzustellen. Die von Toller gefundene breite Anerkennung erschien der hamburgischen Hechaluzgruppe offensichtlich als geeignet, diese Ziele zu erreichen. Auf das gesellschaftliche Engagement Tollers hoffte man zuversichtlich.

Das Einladungsschreiben an Toller erlaubt nicht nur Rückschlüsse auf die politische Szene der hamburgischen jüdischen Gemeinde und ihrer zionistischen Jugend. Hier teilt man in Zionisten und Nichtzionisten, in Bourgeois und Sozialisten, in Jugend und Etablierte ein. Der Inhalt des Schreibens belegt darüber hinaus, in welcher Weise diese Jugend Ernst Toller um die Jahreswende 1925/26 beurteilte. Die politische Zuordnung Tollers zum eigenen sozialistischen Spektrum ist ohne jedes Zögern. Einladung und Antwort führen in Anrede und übrigem Vokabular gewiß keine «bürgerliche» Sprache. Man schlägt Toller vor, an einem weiteren Abend «vor jugendlichen, arbeitenden Menschen ..., vornehmlich aus den Kreisen der sozialistischen Jugend Hamburgs, ... im Arbeiterheim» zu sprechen. Diese Einschätzung Tollers deutet an, daß man die Einladung auch dahingehend verstanden wissen wollte, Toller möge für die sozialistische Chaluziut politische Orientierungshilfe geben. Seine Antwort verweist als einen inneren Grund der Ablehnung auf «Verschiedenheiten in der Beurteilung der Entwicklungsmöglichkeiten». Es ist ganz deutlich: Toller möchte die hamburgische Hechaluzgruppe zwingen, sich über die Probleme der erstrebten sozialistischen Gesellschaft in Palästina selbst Klarheit zu verschaffen. Er will innerhalb des sozialistischen Zionismus meinungsbildend nicht in Anspruch genommen werden. Aus diesem Grunde erscheint die der Hechaluzgruppe gegebene Zusicherung, mit ihr zunächst intern zu sprechen, weniger eine höfliche Geste, sondern vielmehr Ausdruck einer grundsätzlichen Verhaltensweise. Toller vermeidet in den 20er Jahren in der veröffentlichten Meinung jeden Hinweis, der den Schluß zulassen könnte, er sympathisiere mit dem zionistischen oder mit dem assimilierten Judentum.[170] Auch als kritischer Sozialist will er sich hierzu nicht gebrauchen lassen. Das ist gegenüber einer sozialistischen Gruppierung, welche sich gewiß ebenso wie Toller der Sozialismusauffassung Gustav Landauers verpflichtet weiß, eine Haltung von beachtlicher Folgerichtigkeit.[171]

Die Hechaluz Ortsgruppe Hamburg konnte die ablehnende Antwort Tollers schwerlich voraussehen. Die Berichte von Jehuda Kopelewitsch und Leo Kaufmann ließen eine gänzlich andere Reaktion erwarten. In Palästina hatte sich Toller sicherlich als überzeugter Sozialist und als politischer Moralist geäußert, dessen auch aktive Sympathie zugunsten des arbeitenden Erez Israel nicht zweifelhaft sein konnte. Für den sozialistischen Zionismus war der Aufbau einer sozialistischen Gesellschaft in Palästina die gewaltlose Selbstbefreiung des jüdischen Volkes aus den Zwängen diasporalen Lebens. Toller kommentiert dieses Ziel mit der im harten Imperfekt gefaßten Bemerkung, das Entstehen einer sozialistischen Gesellschaft in Palästina sei ein tragischer Traum gewesen, der unerbittlicher Wirklichkeit nicht standgehalten habe. Das ist gegenüber dem Dogma einer sich sozialistisch verstehenden Chaluziut eine ohne jede Schonung vorgetragene Sentenz, deren abwehrende Härte sich von der Freundlichkeit Tollers in diesem Brief deutlich abhebt. Wie verwirrend die fehlerhafte Einschätzung für die hamburgische Hechaluzgruppe um Fritzi Chwolles gewesen sein wird, zeigt der Umstand, daß man sich etwa Mitte Februar 1926 zu einem zweiten, indes ebenfalls erfolglosen Schreiben entschloß. Auch die Referenz der zionistisch ungebundenen Journalistin Margaret Muehsam-Edelheim vermochte Toller nicht umzustimmen.[172]

2. Man sucht nach verstehenden Erklärungen, um diesen Widerspruch zwischen Erwartungen, welche Toller anläßlich seiner Palästinareise bei sozialistischen Zionisten erweckt haben mußte, und seinem gezeigten Verhalten aufzulösen. Toller war um die Jahreswende 1925/26 ein sehr gefeierter Literat, der sich kaum mit Beliebigkeit in die sozialistische Provinz begab oder von ihr in anderer Weise in Anspruch genommen werden wollte. Eine Ortsgruppe des deutschen Hechaluz war eine derartige Provinz. Für das hamburgische «Komité für das arbeitende Erez Israel» mochte sich daraus eine eigene Erklärung ergeben, die in Tollers Reisetätigkeit eine mittelbare Bestätigung zu erfahren schien. Tatsächlich dürfte es für Toller in der Sache selbst liegende Bedenken gegeben haben, die ihm angetragene Vortragstätigkeit zugunsten des P. A. F. anzunehmen und eine meinungsbildende Diskussion mit Teilen der sozialistischen Jugend Hamburgs zu führen. Man wird hierbei zwischen genannten Gründen und inneren Voraussetzungen zu unterscheiden haben, ohne indes einen befriedigenden Grad der Gewißheit erreichen zu können. Die Persönlichkeit Ernst Tollers in ihren literarischen, politischen und humanitär handelnden Ausdrucksweisen entzieht sich vordergründig schlüssiger Rationalitätsbestimmung.[173] Vieles im Leben von Toller macht es erklärlich, daß die von der sozialistischen Chaluziut versuchte Synthese von Zionismus und Sozialismus einschließlich der bewußten Hebräisierung des kulturellen Lebens eine für Toller lebensgeschichtlich fremde Wirklichkeitssicht sein mußte, welche anzuerkennen er sich allenfalls aus Gründen der persönlichen Moralität der handelnden Personen entschließen mochte. Tollers literarisch vielfältig geäußerter Pessimismus gegenüber der Realität gesellschaftlicher Zwänge, andererseits sein politischer Optimismus in der Ab-

wehr menschlichen Leidens und seine entschiedene Assimilation stellen in der Mitte der 20er Jahre prägende Elemente seiner eigenen Lebenswirklichkeit dar. Die der hamburgischen Hechaluzgruppe gegebene Ablehnung reflektiert diese Bezüge.

Das Schreiben vom 11. 11. 1925 stellt vermutlich einen der ersten deutlichen Belege aus der Zeit nach seiner Haftentlassung dar, in dem Toller entscheidet, daß seine früher vollzogene Abkehr vom institutionellen Judentum und seine Hoffnung, nichts als ein Deutscher zu sein, keine Konzessionen erlaube. Für die hamburgische Hechaluzgruppe war diese innere Voraussetzung, über welche Toller in jenen Jahren gerade nicht zu diskutieren beabsichtigte, nicht erkennbar. Das mit dem Briefkopf der Z. V. f. D. übersandte weitere Ablehnungsschreiben der Sekretärin dieser Vereinigung, Betty Frankenstein, verschlüsselte diese für Toller wichtige Fragestellung erst recht. Tollers Selbstverständnis als sich bewußt assimilierender Jude ergibt sich rückschließend vor allem aus seinem autobiographischen Werk «Eine Jugend in Deutschland», das nach der am 23. 8. 1933 verfügten Ausbürgerung im November desselben Jahres als eine der ersten Arbeiten der deutschen Exilliteratur erschien.[174] Die Vorarbeiten dürften bis in das Jahr 1929 hineinreichen.[175] Nach seinem eigenen Zeugnis bat Toller noch als Soldat der im Felde stehenden Armee, ihn aus den Listen der jüdischen Gemeinschaft zu streichen.[176] Gefühle der ihm erreichbar erscheinenden nationalen Indentität waren hierfür bestimmend. Noch in der Mitte der 20er Jahre vermied Toller jeden äußeren Hinweis, er sei Jude und fühle sich als ein solcher. Die gesellschaftliche Zuordnung als Jude galt ihm in jeder Hinsicht als unzulässige Rechtfertigung oder Begründung.

Den Auffassungen von Kurt Eisner und Gustav Landauer folgend hatte Toller in einem ethisch motivierten Sozialismus jene neue Wirklichkeitsbestimmung gesehen, welche einen umfassenden humanitären Anspruch mit einer diesseits- und menschenbezogenen Erlösungshoffnung zu verbinden schien und damit den Verzicht auf institutionalisierte Religion mit ihrer realitätstranszendierenden Gläubigkeit nahelegte. Insoweit war die erste gefühlsbetonte Assimilationsentscheidung durch ein reiferes Konzept substituiert worden. Diese neue Sicht versprach, die bestehende, gesellschaftlich wirksame Segregation der Juden und jede klassenbezogene «Unterdrückung» strukturell in anderen Formen des gesellschaftlichen Lebens zu beenden. In diesem Ergebnis traf sich das Sozialismusverständnis von Landauer mit den anfänglichen Thesen der russischen Sozialisten jüdischer Herkunft etwa im «Allgemeinen Bund».[177] Auf der Grundlage einer neuen geistigen Bewegung sollte es nach Ansicht von Landauer möglich werden, in dem von ihm geforderten «Sozialistischen Bund» von untereinander in Gerechtigkeit tauschenden Gemeinden den bestehenden «geistlosen» Staat abzulösen.[178] Die Individualität konnte in dieser Problemsicht durch die Veränderung der gesellschaftlichen Bedingungen bewahrt und in ihrer Bedrängnis zugleich befreit werden. In Tollers erstem Drama «Die Wandlung», das in den Monaten Februar und März 1918 vollendet wurde, stellte diese Auffassung – von Martin Buber später als einer der Pfade in Utopia gekennzeichnet[179] – eine bestimmende erkenntnisleitende Idee dar. Unter dem persönlichen Einfluß von Landauer sollte sich dieses Verständnis des 25jährigen Toller noch verfestigen. Die sozialrevolutionäre Haltung setzte neben der Fähigkeit zur desillusionären Kritik an den von anderen als lebensnotwendig geglaubten Gewißheiten der Gesellschaft die mystifizierende Kraft zum Traum voraus. Nach den Worten Landauers war der Traum der Versuch, «die Welt zu einem Bild zu gestalten».[180] Nur auf dieser Grundlage konnte nach Ansicht von Landauer für den einzelnen die Möglichkeit erwachsen, aus erkennender Notwendigkeit zu handeln, und damit der menschlichen Verlorenheit und Einsamkeit dauernd zu entgehen.[181] Toller benutzte die von Landauer geprägte Metapher von der Kraft zum Traum wiederholt als einen visionären Teil der Befreiung des Menschen aus unverschuldeter Isolation[182] Auch in seinem an die hamburgische Hechaluzgruppe gerichteten Schreiben vom 11. 11. 1925 verwendet er das Bild vom Traum als gegenläufiges Motiv, um die Spannung von erlösender Hoffnung der sozialistischen Chaluziut und erfahrbarer Wirklichkeit auszudrücken.

Die eigenen sozialrevolutionären Träume Tollers waren mit dem Niedergang der bayerischen Räterepublik, mit der für ihn kommunistischen Anarchie und mit dem gewaltsamen Tod von Kurt Eisner und Gustav Landauer gescheitert. Eine persönliche Hoffnung hatte sich nicht durchsetzen lassen. Nur die destruierende Kraft der Revolution, nicht aber die verändernde Verheißung eines sozialistischen Bundes hatte die Massen erreicht. Für den jungen Ernst Toller war damit zugleich der Versuch vorerst mißlungen, sich in einem öffentlich gelebten Sozialismus integrierend zu orientieren. Als revolutionärer Sozialist war er zwar assimiliert, jedoch dabei in der übernommenen Rolle des oppositionellen Intellektuellen, den zu integrieren sich die neue Ordnung weigerte, verblieben. Toller antwortete auf diese Situation persönlicher Desillusionierung mit literarischer Aktivität und solidarischer Standhaftigkeit, ohne dabei den Widerspruch zwischen Forderungen, welche sich aus einem ethischen Sozialismus Eisnerscher oder Landauerscher Provenienz ergaben, und der Wirklichkeit seiner krisenhaften Zeit auflösen zu können. Seine weiteren Dramen der 20er Jahre stilisieren geradezu diese Ohnmacht des Gedankens gegenüber der Macht der faktischen Verhältnisse. Erst das nach der Ausbürgerung entstandene Werk «Pastor Hall» (1938) vermittelt wieder jene kämpferische Vitalität und intellektuelle Entschlossenheit eigener sozialkritischer Erfahrung.

Es ist die Idee des Sozialismus, welche Toller die Selbstgewißheit seiner politischen und menschlichen Existenz gibt. In Anlehnung an die Denkweise von Gustav Landauer formuliert er im Jahre 1922, er sei «Sozialist aus eigener Seiensnotwendigkeit».[183] Dem entspricht Tollers stetiger Verzicht, seine eigene Sozialismusauffassung theoretisch zu begründen und inhaltlich darzustellen, obwohl seine Dramen durchaus argumentative Diskurse zur Gesellschaftstheorie enthalten. So muß man den Eindruck gewinnen, daß es vor allem der funktionale Wert der Idee, weniger der konkrete Inhalt war, der Tollers Beziehung zum Sozialismus begründete. Dies macht den zumeist emotionalen Zugang zur sozialistischen Idee verständlich und erklärt die Unsicherheiten Tollers, die näheren Grundlagen und Grenzen seiner Sozialismusauffassung abstrahierend zu bestimmen. Mit dieser persönlichen Idee erschien es Toller unverträglich, sich in einen institutionellen Rahmen parteipolitischer Aktivitäten drängen zu lassen. Auch darin folgte er Gustav Landauer, der im Sozialismus nicht zuletzt einen geistigen Anspruch sah. Dem Streichen seines Namens aus den Listen der jüdischen Gemeinschaft ähnlich betrachtete sich Toller nach Auflösung der USPD als parteilos.[184]

Diese Selbstgewißheit einer sozialistischen Wirklichkeitsbestimmung berührte, wer gegenüber jemandem, der sich dem Judentum aus eigenem Entschluß entzogen hatte, die Möglichkeit der zu lebenden Synthese von Sozialismus und Zionismus behauptete. Er gefährdete nicht nur die wertsetzende Maßgeblichkeit der Idee des Sozialismus in der ihr von Toller zugeschriebenen Ausschließlichkeit. Er zog zugleich die Notwendigkeit der getroffenen und als emanzipatorisch verstandenen Assimilationsentscheidung in ernsthaften Zweifel. Darin hatte für Toller stets ein existentieller Unterschied zu Gustav Landauer gelegen, der unter dem Einfluß von Martin Buber seit etwa 1910 verstärkt für das Judentum eintrat und sich gegenüber der Z. V. f. D. bereit erklärt hatte, beim Aufbau von Siedlungen in Palästina beratend tätig zu werden.[185] Toller hat diese Fragestellung von Sozialismus und Zionismus in einem Interview, das er im Sommer 1927 dem «American Hebrew» gab, selbst ausgesprochen und für seine Person als entschieden bezeichnet: «I am not a Zionist. I believe that one can only be a Zionist from necessity. Only that individual can be of value to the movement who brings to it the greatest measure of his devotion. Sheer necessity made me a socialist and left no room for devotion to a cause like Zionism».[186] Diese Grundauffassung mag es verständlich machen, weshalb Toller auf das Anliegen des hamburgischen «Komité für das arbeitende Erez Israel» bei gegebener sozialistischer Verbundenheit inhaltlich überzogen antwortete. Für sein eigenes Handeln sollte es eine klare Grenzziehung gegenüber der zionistischen Idee geben, als deren sympathisierenden Förderer er sich nicht verstanden wissen wollte. Eine derartige Strategie der bewußten Abgrenzung vom deutschen Judentum mußte Toller jedenfalls bei der Idee der sozialistischen Chaluziut in ernsthafte Verlegenheit bringen. Nur wenige Jahre nach dem Scheitern einer sozialistischen Revolution auf deutschem Boden begann in Palästina mit Hilfe der jüdischen Arbeiterschaft das zu entstehen, was Gustav Landauer in seinen Schriften einen Wirklichkeitssozialismus genannt hatte.[187] Mit den sozialistischen Kibbuzim, mit der Histadrut und mit dem Gdud ha-Avoda war ein Teil der von Landauer erörterten Visionen, nämlich das sozialistische Dorf, ein Siedlungssozialismus und freiwillige sozialistische Bünde, gesellschaftliche Wirklichkeit geworden. Das mochte in den Augen Tollers im Jahre 1925 noch unvollkommen und angesichts bestehender Kapitalstrukturen gefährdet erscheinen. Aber die Idee war als lebensbestimmende Alternative nicht widerlegt worden.

GLOSSAR

Achdut ha-Avoda	(Arbeitereinheit) Sozialistisch-zionistische Partei, gegründet 1919.
Alija	(Aufstieg) Einwanderung nach Israel.
Brit Chaluzim Dathiim	Bund der religiösen → Chaluzim.
Brit Hanoar	(Bund der Jugend) Jugendbund.
Brit Haolim	(Bund der Aufsteigenden) Chaluzisch-sozialistische Jugendorganisation.
Brit Olamit schel Hanoar Haivrit	Weltbund der jüdischen Jugend.
Brit Schalom	(Friedensbund) Jüdische Vereinigung, die eine jüdisch-arabische Verständigung erstrebte, ca. 1925–1940.
Chaluz	(Pionier) Angehöriger des → Hechaluz. Junge Menschen, die sich durch berufliche Ausbildung für ein Arbeiterleben in Israel vorbereiten.
Chewrat Ovdim	(Gesellschaft der Arbeiter) Wirtschaftsverband der Arbeitergewerkschaft.
Chowewe Zion	(Zionsfreunde) Zionistische Gruppierung in der Zeit vor Herzl.
Emek Jesreel	(Tal Jesreel) West-östliche Ebene zwischen Haifa und Bet Schean.
Erez Israel	(Land Israel) Biblische Bezeichnung des israelitischen Stämmelandes.
Galut	(Verbannung) Bezeichnung des jüdischen Exils
Gdud ha-Avoda al schem Josef Trumpeldor = Gdud ha-Avoda	(Arbeitsbataillon auf den Namen Josef Trumpeldor) Sozialistische Organisation für jüdische Arbeit und Selbstschutz, gegründet 1920.
Hachschara	(Tauglichmachung) Bezeichnung für die von der Chaluzbewegung organisierten Vorbereitung für ein Arbeitsleben in Israel.
Hapoel Hazair	(Der junge Arbeiter) Zionistische Arbeiterpartei, gegründet 1905.
Haschomer Hazair	(Der junge Wächter) Linkssozialistische Jugendbewegung, gegründet 1913.

Haskala	(Bildung, Erkenntnis) Jüdische Aufklärung.
Hechaluz	Weltverband der → Chaluzbewegung, gegründet 1921.
Hitachdut	(Vereinigung) Sozialistische Weltvereinigung, gegründet 1920.
Histadrut Haklalit schel Haovdim Haivrim be Erez Israel = Histadrut	(Organisation der jüdischen Arbeiter im Lande Israel). Allgemeiner Gewerkschaftsverband, gegründet 1920.
Keren Hajessod	(Grundfonds) Fonds für Mittel zum Aufbau der jüdischen Heimstätte in Palästina.
Keren Kajemeth Lejisrael	(Beständiger Fonds für Israel) Jüdischer Nationalfonds zum privatrechtlichen Erwerb von Grund und Boden in Israel.
Kibbuz	Landwirtschaftliche Gemeinschaftssiedlung.
Kvuza	Landwirtschaftliche Gemeinschaftssiedlung.
Ma'asser	(Der Zehnte) Abgabe für Wohltätigkeitszwecke.
Olim chadaschim	Neueinwanderer.
Poalei Zion	(Arbeiter Zions) Arbeiterpartei der zionistischen Sozialisten, gegründet 1903.
Waad	Ausschuß, Komitee
Zohar	Revisionistische Partei, gegründet 1925.

ANMERKUNGEN

1 Zur Sedimentierung gesellschaftlicher Wirklichkeit vgl. Peter L. Berger, Thomas Luckmann, Die gesellschaftliche Konstruktion der Wirklichkeit. Eine Theorie der Wissenssoziologie, (dt. Übers.), 4. Aufl. Frankfurt a. M. 1974 S. 72 ff.

2 Vgl. Daniel Katz, Nationalismus als sozialpsychologisches Problem, in: Heinrich August Winkler (Hrsg.), Nationalismus, Königstein/Ts. 1978, (Neue Wissenschaftliche Bibliothek Bd. 100), S. 67–85, hier S. 77 und passim.

3 Vgl. Heinrich August Winkler, Der Nationalismus und seine Funktionen, in: Winkler (wie Anm. 2), S. 5–49, hier S. 26 mit Hinweis auf Dieter Fröhlich, Nationalismus und Nationalstaat in Entwicklungsländern. Probleme der Integration ethnischer Gruppen in Afghanistan, Meisenheim a. Gl. 1970.

4 Vgl. Friedrich List, Das nationale System der politischen Ökonomie, (1841), Berlin 1930; zur historischen Schule der Nationalökonomie vgl. zusammenfassend Robert A. Berdahl, Der deutsche Nationalismus in neuer Sicht, in: Winkler (wie Anm. 2), S. 138–155, hier S. 143–149 mit Hinweisen auf die Dritte Welt.

5 Thomas Nipperdey, Nationalismus im 20. Jahrhundert. Über einige Formen des Zionismus, in: Helmut Berding u. a. (Hrsg.), Vom Staat des Ancien Regime zum modernen Parteienstaat. Festschrift für Theodor Schieder, München, Wien 1978, S. 385–404, hier S. 390.

6 Vgl. Arthur Hertzberg (Hrsg.), The Zionist Idea. A Historical Analysis and Reader, (1959), 11. Aufl. New York 1977, S. 102–138.

7 Vgl. Jehuda Reinharz (Hrsg.), Dokumente zur Geschichte des deutschen Zionismus 1882–1933, Tübingen 1981, (Schriftenreihe wissenschaftlicher Abhandlungen des Leo Baeck Instituts Bd. 37), S. XXII.

8 Aus der fast unübersehbaren Vielzahl von Stellungnahmen in der Sekundärliteratur zum Thema der Vorläufer des politischen Zionismus vgl. etwa Hertzberg (wie Anm. 6), Einleitung S. 15 ff.; Hans Julius Schoeps (Hrsg.), Zionismus. Vierunddreißig Aufsätze, München 1973, Einleitung S. 9 ff.; Yehuda Eloni, Die umkämpfte nationaljüdische Idee, in: Werner E. Mosse, Arnold Paucker (Hrsg.), Juden im Wilhelminischen Deutschland 1890–1914, Tübingen 1976, (Schriftenreihe wissenschaftlicher Abhandlungen des Leo Baeck Instituts Bd. 33), S. 633–688. – Zu Moses Hess vgl. zuletzt die Monographie von Shlomo Na'aman, Emanzipation und Messianismus. Leben und Werk des Moses Heß, Frankfurt a. M., New York 1982 (Quellen und Studien zur Sozialgeschichte Bd. 3).

9 Vgl. Peter Freimark, Zum Selbstverständnis jüdischer Nationalität und Staatlichkeit, in: Helmut Mejcher, Alexander Schölch (Hrsg.), Die Palästina-Frage 1917–1948. Historische Ursprünge und internationale Dimensionen eines Nationenkonflikts, Paderborn 1981, S. 47–73 mit weiterführenden Nachweisen. – Vgl. ferner allgemein Ben Halpern, The Idea of the Jewish State, 2. Aufl. Cambridge, Mass. 1969, insbes. S. 20 ff., 55 ff., 131 ff.

10 So Shlomo Avineri, Politische und soziale Aspekte des israelischen und arabischen Nationalismus, in: Winkler (wie Anm. 2), S. 232–251, hier S. 233.

11 Avineri (wie Anm. 10), S. 240.

12 Aus anderer Sicht Heinz Mosche Graupe, Die Entstehung des modernen Judentums. Geistesgeschichte der deutschen Juden 1650–1942, 2. Aufl. Hamburg 1977 (Die erste Auflage erschien 1969 als Bd. 1 der Hamburger Beiträge zur Geschichte der deutschen Juden), S. 322.

13 Vgl. hierzu in sozialbehaviouristischer Perspektive u. a. George Herbert Mead,

Geist, Identität und Gesellschaft, (dt. Übers.) Frankfurt a. M. 1968, S. 351–359. – Zum Verhältnis von religiöser Heilsmethodik und Systematisierung der Lebensführung vgl. nach wie vor grundlegend Max Weber, Die protestantische Ethik I. Eine Aufsatzsammlung, hrsg. v. Johannes Winckelmann, 3. Aufl. Hamburg 1973, S. 318 ff.

14 Vgl. zum Text vor allem Berger, Luckmann (wie Anm. 1), S. 49 ff., 124 ff., 174 ff., 185 ff. (vgl. dort insbes. zur sprachkritischen Analyse des Ausdrucks «kollektive Identität»); Niklas Luhmann, Sinn als Grundbegriff der Soziologie, in: Jürgen Habermas, Niklas Luhmann, Theorie der Gesellschaft oder Sozialtechnologie – Was leistet die Systemforschung?, Frankfurt a. M. 1971, S. 25–100; George Herbert Mead, Philosophie der Sozialität, (dt. Übers.) Frankfurt a. M. 1969 passim; Alfred Schütz, Der sinnhafte Aufbau der sozialen Welt, (1932), (dt. Übers.), Frankfurt a. M. 1974, S. 261 ff.; Niklas Luhmann, Reflexive Mechanismen, in: Soziale Welt, Jg. 17 (1966), S. 1–23; vgl. ferner Karin Schrader-Klebert, Der Begriff der Gesellschaft als regulative Idee, in: Soziale Welt Jg. 19 (1968), S. 97–118; Richard Grathoff, Ansätze zu einer Theorie sozialen Handelns bei Alfred Schütz, in: Hans Lenk (Hrsg.), Handlungstheorie interdisziplinär IV, München 1977, S. 59–78. Die nachfolgenden Erwägungen im Text gehen von der hier nicht näher belegten Überlegung der Sozialpsychologie aus, daß der Mensch ohne den Aufbau eines Selbstwertgefühls und Identitätsbewußtseins und ohne die Fähigkeit, sich als ein sinnhaft handelndes Lebewesen zu begreifen, nicht lebensfähig ist. Dieser Befund besitzt unmittelbare Auswirkungen auf menschliches Verhalten. Dabei scheint das Ausmaß des Identitätsproblems in reflexivem Bezug zu dem Zustand der Gesamtgesellschaft und der in ihr vermittelten (ideologischen) Gewißheiten zu stehen. Verschiebungen legitimierenden Identitätsbewußtseins können sozialwirksame oder individuelle Ursachen haben und sind zur jeweiligen wissensbegründenden Sedimentierung relativ. Von besonderer Krisenhaftigkeit ist es, wenn die sozialen Prämissen tradierter Erlebnisverarbeitung ihrerseits als bewußt problematisch empfunden werden. Inwieweit alsdann substituierende Identitätshilfen kurzfristig aufgebaut werden können, läßt sich kaum verallgemeinernd sagen. Die zum Teil empfundene Intersubjektivität sozialen Verhaltens erfordert jedenfalls baldige Stabilisierung des sozialen Sinnsystems. Dabei sind Radikalisierungen nicht ausgeschlossen, indes von der Offenheit bisheriger oder neuer Sinnsysteme und deren spezifischen Fähigkeit zur bewußtseinserhaltenden Integration abhängig. Die Erwägungen im Text versuchen, die Frage der sozialen und individuellen Identität als eine auch kultur- und sozialgeschichtliche Problemstrukturierung thematisch zu akzentuieren.

15 Reinharz (wie Anm. 7), S. XXX f. Reinharz betont, daß die zionistische Ideologie ein Weltbild zu vermitteln vermochte, das geeignet war, eine Kontroversität von «deutscher Kultur» und jüdischer Identität zu vermeiden.

16 Vgl. Eloni (wie Anm. 8), S. 633; Pinchas E. Rosenblüth, Die geistigen und religiösen Strömungen in der deutschen Judenheit, in: Mosse, Paucker (wie Anm. 8), S. 549–599, hier S. 550 ff.

17 Zur kulturellen Assimilation in wilhelminischer Zeit vgl. Peter Gay, Begegnung mit der Moderne. Deutsche Juden in der deutschen Kultur, in: Mosse, Paucker (wie Anm. 8), S. 241–311, hier S. 243 ff.

18 Vgl. Avineri (wie Anm. 10), S. 233.

19 Vgl. Graupe (wie Anm. 12), S. 321.

20 Vgl. zum Uganda-Projekt die Erörterungen auf dem VII. Zionisten Kongreß in Basel (1905), in: Stenographisches Protokoll der Verhandlungen des VII. Zionisten Kongresses, 1905, S. 61 ff; vgl. ferner Michael Heymann (Hrsg.), The Minutes of the Zionist Council. The Uganda Controversy, Bd. 1, Tel Aviv 1970.

21 Freimark (wie Anm. 9), S. 48; Reinharz (wie Anm. 7), S. XXI. – Zum Programm

des «Bundes» und seiner Geschichte vgl. Simon M. Dubnow, Die Grundlagen des Nationaljudentums, Berlin 1905. Kritisch gegenüber dem «Bund» Ber Borochov, Die Grundlagen des Poale-Zionismus, (1906), Frankfurt a. M. 1969, S. 65 ff.

22 Vgl. Peretz Merchav, Die israelische Linke. Zionismus und Arbeiterbewegung in der Geschichte Israels, Frankfurt a. M. 1972, S. 25 ff.

23 Merchav (wie Anm. 22), S. 27.

24 Vgl. Nachman Syrkin, Die Juden und der Sozialismus, in: Ben Elieser (d. i. Nachman Syrkin), Die Judenfrage und der sozialistische Judenstaat, Bern 1898, S. 27–38, abgedruckt auch bei Schoeps (wie Anm. 8), S. 165–179. Syrkin zählt neben Borochov zu den bedeutendsten Denkern und Führern des diasporalen sozialistischen Zionismus.

25 Borochovs materialistisch-marxistische Analyse war klassenkämpferische Grundlage der jüdischen Sozialrevolutionäre. Der Versuch, die jüdische Nationalbewegung mit einem Sozialismus-Marxismus zu begründen, führte bei Borochov zu der Annahme, daß nur wirkliche Sozialisten Zionisten sein könnten; vgl. Ber Borochov, Das Klasseninteresse und die nationale Frage, (1905), dt. Übers. in: Klasse und Nation. Zur Theorie und Praxis des jüdischen Sozialismus, Berlin 1932 (1. Heft der deutschen Schriftenreihe «Jessodoth» des Welt-Verbandes Hechaluz und Brit Hanoar), S. 8–46. – Kritisch zur Position Borochovs vgl. Mario Offenberg, Kommunismus in Palästina. Nation und Klasse in der antikolonialen Revolution, Meisenheim a. Gl. 1975 (Marburger Abhandlungen zur Politischen Wissenschaft Bd. 29), S. 50 ff.

26 Vgl. Merchav (wie Anm. 22), S. 42–45.

27 Vgl. Eloni, in: Mosse, Paucker (wie Anm. 8), S. 639.

28 Vgl. Hertzberg (wie Anm. 6), Einleitung S. 62 ff.

29 Vgl. zu dem Versuch einer Integration von «Sozialismus und Nation» die gleichnamige Abhandlung von Hermann Heller, (Berlin 1925); wiederabgedruckt in: Hermann Heller, Gesammelte Schriften, Bd. 1, Leiden 1971, S. 437–527; die Analyse von Heller, die in dem hier behandelten Jahre 1925 entstand, versucht aus kritischer Sicht zum einen die nationale Idee als einen den Staat nach außen konstituierenden Faktor darzustellen, zugleich zum anderen in ihm einen antidemokratischen Verteilungsmaßstab der politischen Macht im Inneren kritisch zu reflektieren. Dagegen bildet die sozialistische Idee für Heller den realen Ansatzpunkt zur gesellschaftlichen Koordination des politischen Systems (vgl. a. a. O. S. 480). Damit war eine strukturverwandte Fragestellung ähnlich dem Verhältnis von Zionismus und Sozialismus aufgeworfen.

30 Vgl. Offenberg (wie Anm. 25), S. 56–65.

31 Siehe Eloni, in: Mosse, Paucker (wie Anm. 8), S. 686 mit Hinweis auf Martin Buber.

32 Vgl. Theodor Herzl, Der Judenstaat, (1896). Neue Auflage mit einem Vorwort von Otto Warburg, Berlin 1918, S. 32 f.

33 Zur Entwicklung der landwirtschaftlichen Kolonisation vgl. Arthur Ruppin, Der Aufbau des Landes Israel. Ziele und Wege jüdischer Siedlungsarbeit in Palästina, Berlin 1919, S. 34 ff., (vgl. unten auch Anm. 35). Ruppin, Volkswirtschaftler und Soziologe, galt als hervorragender Kenner der Materie; zu Ruppin vgl. Alex Bein, Arthur Ruppin: The Man and his Work, LBYB 17 (1972), S. 117–143.

34 Vgl. Eloni, in: Mosse, Paucker (wie Anm. 8), S. 654, 677 mit Fußnote 193.

35 Zum J. N. F. siehe Ruppin (wie Anm. 33), S. 236–244. – Vgl. ferner zur Kolonisationsplanung ebenfalls Arthur Ruppin, Dreißig Jahre Aufbau in Palästina, Reden und Schriften, Berlin 1937, S. 56–90.

36 Zur Vierten Alija vgl. Hermann Meier-Cronemeyer, Kibbuzim. Geschichte, Geist und Gestalt. 1. Teil, Hannover 1969, S. 116–129 mit weiteren Nachweisen. Zur gesellschaftlichen Struktur der Neueinwanderer vgl. den prägnanten Artikel «Der Auf-

stieg der Mittelklasse» in der Jüdischen Rundschau, Jg. 30, Nr. 26 v. 31. 3. 1925, S. 237.

37 Die Zahlenangaben 1920 bis 1926 beruhen auf den amtlichen Zählungen, zitiert nach Alfred Wiener, Kritische Reise durch Palästina, Berlin 1927, S. 34 mit Fußnoten 4 und 5; Wiener war Syndikus des Centralvereins deutscher Staatsbürger jüdischen Glaubens und stand dem Zionismus durchaus skeptisch gegenüber. – Vgl. auch Arthur Ruppin, in: Protokoll der Verhandlungen des XIV. Zionisten-Kongresses vom 18. bis 31. August 1925 in Wien, London 1926, S. 83 ff.

38 In EJJ, Bd. 2, Sp. 634 wird die Gesamteinwanderungszahl der Vierten Alija mit etwa 67 000 angegeben. Die starke Rückwanderung ist statistisch nur unvollkommen erfaßt.

39 Siehe Walter Laqueur, Der Weg zum Staat Israel. Geschichte des Zionismus, (dt. Übers.) Wien 1975, S. 333. – Vgl. auch Josef Sprinzak, in: Protokoll (wie Anm. 37), S. 289 «Unsere Lage ist derzeit sehr gut. Es gibt *keine Arbeitslosen* in Palästina ...».

40 Merchav (wie Anm. 22), S. 79; Nipperdey (wie Anm. 5), S. 396.

41 Siehe Ruppin (wie Anm. 33), S. 145.

42 Vgl. das Referat von Ruppin auf dem XIV. Zionistenkongreß in Wien, in: Protokoll (wie Anm. 37), S. 82–95; vgl. ferner den Bericht der Exekutive der Zionistischen Organisation an den XIV. Zionistenkongress, London 1925, über die «Palästina-Arbeit» S. 187–304.

43 Vgl. Laqueur (wie Anm. 39), S. 227–251; Zur «Politische[n] Verständigung mit den Arabern» vgl. Ruppin (wie Anm. 33), S. 124–135; im Sinne einer «völligen Gleichberechtigung» beider Völker Ruppin, in: Protokoll (wie Anm. 37), S. 438 f.

44 Siehe Freimark (wie Anm. 9), S. 58.

45 Vgl. Ruppin, in: Protokoll (wie Anm. 37), S. 88. – In einem ausführlichen Artikel «Bodenpolitik und Bodenspekulation» in der Jüdischen Rundschau, Jg. 30, Nr. 22 v. 17. 3. 1925, S. 197, stellt Ruppin die Forderung auf, daß der Erwerb von Boden in Palästina durch private Gesellschaften grundsätzlich erst möglich sein solle, wenn der J. N. F. auf seine Priorität verzichtet habe. Als Folge der Vierten Alija hätten sich durch «jüdische Kapitalisten» und «private Makler» die Bodenpreise innerhalb eines Jahres verdreifacht.

46 Vgl. allgemein zu Jabotinsky EJJ, Bd. 9, Sp. 1178–1186; Laqueur (wie Anm. 39), S. 372–403; Nipperdey (wie Anm. 5), S. 397 ff.; Ben Halpern (wie Anm. 9) S. 33 ff.

47 Vgl. die 2. bis 12. Sitzung des XIV. Zionistenkongresses in Wien 1925, in: Protokoll (wie Anm. 37), siehe insbes. die kontroverse Palästinadebatte S. 354 ff.

48 Vgl. Merchav (wie Anm. 22), S. 86 ff.; Tamar Bermann, Produktivierungsmythen und Antisemitismus. Eine soziologische Studie, Wien 1973, hier: «Modelle zionistischer Berufsumschichtung» S. 97–112 mit Untersuchungen zu Aaron David Gordon und Ber Borochov.

49 Vgl. Nipperdey (wie Anm. 5), S. 395 f. Vgl. ferner den Artikel «Trumpeldor – Deutsche Chaluzim» von Robert Weltsch in der Jüdischen Rundschau, Jg. 30, Nr. 22 v. 17. 3. 1925, S. 199 mit der Sentenz «Alles, was heute in Palästina besteht, ist fast ausschließlich Werk des russischen Judentums».

50 Vgl. Walter Preuss, Die Legion der Arbeit (Gdud Awodah), in: Der Jude, Jg. 7 (1923), S. 1–33; ders., Die kommunistische Bewegung in Erez Israel und der proletarische Zionismus, in: Der Jude, Jg. 8 (1924), S. 445–455.

51 Das literarische Werk Tollers wird im folgenden zitiert nach der Gesamtausgabe Ernst Toller, Gesammelte Werke, hrsg. v. John M. Spalek, Wolfgang Frühwald, Bd. 1–5, München, Wien 1978 mit einem Zusatzband von Wolfgang Frühwald, John M. Spalek (Hrsg.), Der Fall Toller. Kommentar und Materialien, München, Wien 1979. –

Nach Tollers Ausbürgerung (1933) fand bis 1961, als Kurt Hiller einen Band «Prosa Briefe Dramen Gedichte» (Reinbek b. Hamburg 1961), veröffentlichte und Bodo Uhse und Bruno Kaiser «Ausgewählte Schriften» (Berlin-Ost 1961) herausgaben, in Deutschland achtundzwanzig Jahre eine Publikation Tollerscher Werke nicht statt. – Zu Tollers literarischem Werk vgl. die literaturwissenschaftlichen Analysen: (1) Thomas Bütow, Der Konflikt zwischen Revolution und Pazifismus im Werk Ernst Tollers. Mit einem dokumentarischen Anhang: Essayistische Werke Tollers. Briefe von und über Toller, Hamburg 1975; (2) Carel ter Haar, Ernst Toller. Appell oder Resignation?, München 1977; (3) René Eichenlaub, Ernst Toller et l'expressionisme politique, Paris 1980; (4) Jost Hermand (Hrsg.), Zu Ernst Toller; Drama und Engagement, Stuttgart 1981; jeweils mit ausführlichen weiteren Verweisen. – Zur «politischen» Biographie Tollers zuletzt Daniel Bell, Erste Liebe und frühes Leid, in: Der Monat, Nr. 284, Jg. 1982, H. 3, 27–39, hier S. 32 ff. – Eine sehr gründliche, ausgezeichnete Bibliographie bietet John M. Spalek, Ernst Toller and his Critics. A Bibliography, Charlottesville [Va.] 1968.

52 Siehe den Artikel «A Soul Out of Prison. Ernst Toller: Problem Playwright, Poet of Protest, and Rebel of the Social Order» by Franklin Gordon, in The American Hebrew, Jg. 120, 7. 5. 1926, S. 867, 909–911, hier S. 911: «Last spring he attended the opening of the Jewish University in Jerusalem and made observations of the Jewish situation in Palestine.» – Eine Bestätigung dieser Aussage erfolgt ein Jahr später durch «Ernst Toller Discusses Palestine. Playwright and Social Rebel Is Ardent Spirit in German Intellectual Arena», in: The American Hebrew, Jg. 121, 3. 6. 1927, S. 178, 192, hier S. 178: «The first extensive trip he made [nach der Haftentlassung 1924] was to Palestine where he attended the celebration that marked the opening of the Hebrew University on Mt. Scopus.» – Zu den Eröffnungsfeierlichkeiten vgl. The Hebrew University Jerusalem. Inauguration April 1, 1925, Jerusalem 1925.

53 Siehe Ernst Toller, Ankunft in Afrika, in: Gesammelte Werke, Bd. 1, S. 221–226; Erstveröffentlichung in: Zwischenakt. Theater in der Königgrätzer Straße, Komödienhaus / Die Tribüne, Jg. 6, H. 6, März 1926, S. 4–7.

54 Die nähere Datierung erweist sich angesichts der bislang erkennbaren Quellenlage als schwierig. Es steht fest, daß Toller Ägypten mit dem Schiff erreichte, vgl. Darstellung in: ders., Ankunft in Afrika (wie Anm. 53). Eine Schiffsreise dauerte von Venedig etwa 2 ½ Tage, von Marseille etwa 3 Tage (vgl. Darstellung bei Arthur Holitscher, Reise durch das jüdische Palästina, Berlin 1922, S. 9 ff.). In Ägypten hielt Toller sich vermutlich etwa 2 Tage auf. Die weitere Reise nach Palästina dauerte nochmals einen Tag. Wenn Toller mit seiner gegenüber dem «American Hebrew» 1926 abgegebenen Äußerung meinte, er habe an der Einweihung der Hebräischen Universität teilgenommen, so mußte er Europa etwa um den 25. 3. 1925 verlassen haben. Damit stimmt eine Notiz in der jüdischen Zeitung Hapoel Hazair (Tel Aviv) Nr. 25, v. 31. 3. 1925, überein. Toller wird darin als ein leider nur «vorübergehender Gast» begrüßt und als einer der «besten unter den neuen Dichtern Deutschlands» bezeichnet. Diese Datierung steht zu einer von ihm an Betty Frankenstein geschriebenen Postkarte (Deutsches Literaturarchiv – Schiller National-Museum, Marbach a. N.) in Widerspruch, die von ihm mit dem Datum «1 April 25» gekennzeichnet wurde, ein Portrait des Hafens von Marseille darstellt und in Marseille auch zur Post gegeben wurde; vgl. Spalek, Bibliography (wie Anm. 51), Nr. 853, der die Karte, deren Poststempel unleserlich ist, deshalb auf den 1. 4. 1925 datiert. In diesem Falle müßte Toller sich um den 1. 4. 1925 noch in Marseille befunden haben. Möglicherweise meinte Toller in seiner Äußerung gegenüber dem «American Hebrew» nur, er habe Jerusalem während der Zeit der Eröffnung der Hebräischen Universität besucht, um damit gegenüber Dritten eine ungefähre Zeitangabe zu machen.

55 Frühwald, Spalek, Der Fall Toller (wie Anm. 51), S. 18 verzeichnet in der Lebens-

und Werkchronik irrtümlich für den *März 1925* «Palästinareise Tollers mit Vorträgen und Lesungen. Die Reise wird wegen Krankheit vorzeitig abgebrochen.» – Eine Karte an Betty Frankenstein (Deutsches Literaturarchiv – Schiller National-Museum, Marbach a. N.) per Adresse Haifa bei Dr. Elias Auerbach zeigt gemäß Poststempel «Venezia 28. IV. 1925» zweifelsfrei das Rückkunftdatum in Italien. Die Annahme von Spalek, Bibliography (wie Anm. 51), Nr. 722, Toller habe unter dem 2. 5. 1925 in Jerusalem ein kurzes Gedicht datiert, ist daher unzutreffend. Tatsächlich weist das Original lediglich die nicht weiter erklärbare Zahl «25. 25.» auf (The Jewish National and University Library Jerusalem).

56 Lediglich eine Parabel «Gott bei den Beduinen», die in der Jüdischen Rundschau, Jg. 32, Nr. 41/42 v. 25. 5. 1927, S. 297 erschien, ermöglicht einen Bezug zu Tollers Palästinareise; sie ist (in engl. Übers.) wiederabgedruckt in der amerikanischen Zeitung The American Hebrew, Jg. 121, No. 4, 3. 6. 1927, S. 178. – Auch eine Durchsicht der Jahrgänge «Die Weltbühne» von 1925 bis 1933 ergab ein negatives Resultat; der Anlaß zu der Glosse «Unromantische Erotik» im Hafenviertel von Marseille mag in einem der mehrfachen Ferienaufenthalte Tollers in Südfrankreich zu finden sein. Die Weltbühne. Vollständiger Nachdruck der Jahrgänge 1918–1933. Jg. 24, 2. Halbjahr, 1928, Königstein/Ts. 1978, hier S. 794.

57 Frühwald, Spalek, Der Fall Toller (wie Anm. 51), S. 17; Toller, Eine Jugend in Deutschland, in: Gesammelte Werke, Bd. 4, S. 233.

58 Vgl. dazu etwa Toller, Gesammelte Werke, Bd. 1, Amerikanische Reisebilder (1930), S. 226–233, Russische Reisebilder (1930), S. 233–240, Das neue Spanien (1932), S. 240–268. – Vgl. ferner ter Haar (wie Anm. 51), S. 18.

59 Vgl. Anm. 52. Eine weitere Bestätigung von Siedlungsbesuchen findet sich in der englischen Zeitung The New Leader, Jg. XIV, 11. 12. 1925, S. 3: «Conversations turned on Herr Toller's travels in Palestine and his visits to the Jewish Communist colonies.»

60 Siehe Anm. 55. – Vgl. auch Elias Auerbach, Pionier der Verwirklichung. Ein Arzt aus Deutschland erzählt vom Beginn der zionistischen Bewegung und seiner Niederlassung in Palästina kurz nach der Jahrhundertwende, Stuttgart 1969 (Veröffentlichung des Leo Baeck Instituts), S. 139, 164; Spalek, Bibliography (wie Anm. 51), S. V. bezeichnet Betty Frankenstein in seiner Einleitung als «the managing editor of Jüdische Rundschau in Berlin».

61 Vgl. Elias Auerbach, Palästina als Judenland, Köln 1910, S. 121.

62 Vgl. Elias Auerbach, in: Die Welt. Jüdische Illustrierte, 1910, S. 1101.

63 Siehe Jüdische Rundschau, Jg. 36, Nr. 3 v. 13. 1. 1931, S. 18 «Judenstaat und binationaler Staat. Von Dr. Elias Auerbach».

64 Vgl. «Junge Menschen», Jg. 3, H. 13/14 (Hamburg, Juli 1922), S. 179, wiederabgedruckt in: Walter Oschilewski (Hrsg.), Junge Menschen. Monatshefte für Politik, Kunst, Literatur und Leben aus dem Geiste der jungen Generation der zwanziger Jahre. Faksimile-Auswahl, Frankfurt a. M. [1981] S. 71. – Ähnlich bezeichnete sich Toller sieben Jahre später in einem Schreiben an Karl Kraus v. 4. 12. 1929 aus New York als einen «radikalen Sozialisten», in: Die Fackel, Jg. 31 (1930), Nr. 827, S. 106.

65 Vgl. dazu ausführlich ter Haar (wie Anm. 51), S. 120–151.

66 Siehe Toller, Deutsche Revolution, in: Gesammelte Werke, Bd. 1, S. 159–165, hier S. 162.

67 Bütow (wie Anm. 51), S. 289; ter Haar (wie Anm. 51), S. 120 ff.

68 Merchav (wie Anm. 22), S. 252; Offenberg (wie Anm. 25), S. 119 ff.

69 Zur Reise Tollers in die Sowjetunion im Frühjahr 1926 vgl. Toller, Russische Reisebilder (1930), (wie Anm. 58), S. 233–240. Dieser Bericht, vier Jahre nach der Reise veröffentlicht, ist dagegen aus durchaus kritischer Distanz geschrieben.

70 Vgl. Merchav (wie Anm. 22), S. 51.

71 Siehe The American Hebrew (wie Anm. 52), S. 178: «Toller had intended to write a book of his impressions as the result of his trip through Palestine. But unfortunately he lost his notes and he never could make up his mind to attempt a detailed and comprehensive work of this kind on account of the loss.»

72 Toller, Eine Jugend in Deutschland, in: Gesammelte Werke, Bd. 4, passim.

73 ter Haar (wie Anm. 51), S. 6f., 134f.; insbesondere das frühe Drama «Die Wandlung» behandelt den Aspekt der Befreiung aus Isolation.

74 Zur Parteinahme Tollers im Kunstbereich vgl. Hans-Helmuth Knütter, Die Juden und die deutsche Linke in der Weimarer Republik, Düsseldorf 1971, S. 54, 120f., 203.

75 Siehe den Artikel von Margaret M. Green in The New Leader (wie Anm. 59).

76 Frühwald, Spalek, Der Fall Toller (wie Anm. 51), S. 18; vgl. auch den Bericht «Ernst Toller in England» in: Die Volksbühne v. 1. 1. 1926, abgedruckt a. a. O. (wie Anm. 51), S. 169f.

77 Siehe Anm. 59.

78 Siehe Jüdische Rundschau, Jg. 30, Nr. 100/101 v. 23. 12. 1925, S. 834.

79 Vgl. Wiener (wie Anm. 37), S. 81ff. zur «englischen Frage».

80 Zur Zweinationalitätenfrage in Palästina 1925 vgl. hier nur die Stellungnahmen von Ruppin und Weizmann; Ruppin, in: Protokoll (wie Anm. 37), S. 328f.: «Der Schlüssel liegt darin: *In wirklicher Freundschaft und Zusammenarbeit mit den Arabern den Nahen Osten der jüdischen Initiative zu eröffnen.* Palästina muß aufgebaut werden, *ohne daß den legitimen Interessen der Araber ein Haar gekrümmt wird.*»

81 Siehe Ruppin, in: Protokoll (wie Anm. 37), S. 438ff.: «Palästina wird ein *Zweinationalitätenstaat* sein.» – Vgl. das grundlegende Werk von Susan Lee Hattis, The Bi-National Idea in Palestine during mandatory times, Haifa 1970.

82 Zur Politik der P. K. P. vgl. Alexander Flores, Nationalismus und Sozialismus im arabischen Osten. Kommunistische Partei und arabische Nationalbewegung in Palästina, 1919–1948, S. 245ff., unter Analyse des jüdisch-arabischen Gegensatzes; Merchav (wie Anm. 22), S. 73ff.; Offenberg (wie Anm. 25), S. 279ff.

83 Vgl. Avineri (wie Anm. 10), S. 245f.; Bermann (wie Anm. 48), S. 97ff.

84 Zum Verhältnis von Z. V. f. D. und Jüdischer Rundschau vgl. die kontroverse Generaldebatte des XXI. Delegiertentages des Z. V. f. D. vom 22. / 24. 8. 1926 in Erfurt, in: Jüdische Rundschau, Jg. 31, Nr. 66/67 v. 27. 8. 1926, S. 477–482.

85 Vgl. Stenographisches Protokoll der Verhandlungen des XII. Zionisten-Kongresses vom 1–14. September 1921 in Karlsbad, Berlin 1922, S. 715.

86 Die in den nachfolgenden Anmerkungen zitierten Schriftstücke befinden sich im Besitze von Dr. B. Jacobson, siehe Vorwort S. 9. – Fritzi Chwolles, geb. 23. März 1905 in Hamburg, gest. am 5. Februar 1981 in Petach Tikva (Israel), entstammte aus einer ostjüdischen Familie, die seit etwa 1900 in Altona ansässig war. Ihr Vater war Dr. phil. Abram Chwolles, Chemiker (vgl. Adreßbuch des Kartells Jüdischer Verbindungen e. V., Berlin 1932, S. 17). Fritzi Chwolles, seit 1929 verheiratet mit dem Zahnarzt Dr. Bernhard Jacobson, wanderte 1933 nach Palästina aus.

87 Nachweisbar aufgrund einer auf den 27. Januar 1924 datierten Mitgliedskarte des Hechaluz-Deutscher Landesverband für Fritzi Chwolles.

88 Dies ergibt sich aus einer auf den Namen Fritzi Chwolles ausgestellten Gästekarte und einem «Führer-Ausweis» des Blau-Weiß vom 14. Juli 1925.

89 Dies läßt sich aus Schreiben der Bundesleitung des Blau-Weiß an Fritzi Chwolles vom 21. 1. 1926, 29. 1. 1926, 8. 3. 1926 und vom 10. 6. 1926 entnehmen. Nach dem Inhalt dieser Schreiben ist davon auszugehen, daß in Hamburg spätestens seit der Jahreswende 1925/26 eine arbeitsfähige Mädchengruppe des Blau-Weiß nicht mehr bestand. Die Bundesvertretung des Blau-Weiß beschloß am 26. /27. 6. 1926, die wanderbündi-

sche Tätigkeit im Gesamtbund zu beenden; vgl. Hermann Meier-Cronemeyer, Jüdische Jugendbewegung. Zweiter Teil, in: Germania Judaica, Jg. 8 (1969), H. 3/4, S. 57–123, hier S. 71.

90 Vgl. das persönlich gehaltene Handschreiben von Georg Lubinski vom 31. 11. 1926 an Fritzi Chwolles, in dem der Beitritt zum J. J. W. B. bestätigt wird. Zu Lubinski, einem der Führer des J. J. W. B., vgl. Reinharz (wie Anm. 7), S. 360, 393, 420, 511, 545.

91 Vgl. Reinharz (wie Anm. 7), S. 436.

92 Der im Text wiedergegebene Inhalt beruht auf einer Rekonstruktion, die sich aus einem mit zahlreichen Verbesserungen versehenen Briefkonzept Fritzi Chwolles', das erhalten geblieben ist, ergibt.

93 Wiedergabe eines von Fritzi Chwolles als Kopie gekennzeichneten, handschriftlichen Schreibens. Das Schreiben ist undatiert.

94 Vgl. Frühwald, Spalek, Der Fall Toller (wie Anm. 51), S. 18.

95 Der Junge Jude, Jg. 1, Nr. 1, November 1927, S. 1–4; S. 1: «Wir sind die dritte Generation des Zionismus» und S. 2: «Wir, die junge zionistische dritte Generation, die eben das Geschlecht des zionistischen Sozialismus ist ...» zeigen deutlich die Schwerpunkte des Programmes dieser jüdischen Jugendbewegung.

96 Siehe Reinharz (wie Anm. 7), S. XL; vgl. auch Meier-Cronemeyer (wie Anm. 36), S. 75 ff.

97 Vgl. den Bericht «Die Palästina-Debatte» in: Jüdische Rundschau, Jg. 31, Nr. 69 v. 3. 9. 1926, S. 497; Reinharz (wie Anm. 7), S. 368.

98 Zu den Satzungen vgl. Reinharz (wie Anm. 7), S. 328 f.; Meier-Cronemeyer (wie Anm. 89), S. 65.

99 Meier-Cronemeyer (wie Anm. 36), S. 76; vgl. ferner Walter Preuß, Die Kwuzah, in: Der Jude, Jg. 8 (1924), S. 716–727. In einem Bericht des Israelitischen Familienblattes zur 3. Jahreskonferenz des deutschen Hechaluz «mit mehr als 50 Delegierten, die ca. 800 organisierte Chaluzim vertraten», heißt es: «Die Konferenz nahm das Statut an, laut welchem sich jeder Chaluz verpflichtet, Mitglied der Histadrut zu werden.» (FB, Jg. 27, Nr. 1 v. 12. 3. 1925, S. 2)

100 Zum Palästina-Arbeiterfonds vgl. Jüdisches Lexikon. Bd. 4, Berlin 1930, S. 748; Walter Preuß, Die jüdische Arbeiterbewegung. II. Teil: Das Werk der organisierten Arbeiterschaft und seine Problematik, Berlin 1933, S. 84–97; «Aufruf für den Palästina-Arbeiter-Fonds», in: Der Junge Jude, Jg. 2, Nr. 6, Februar 1930, S. 27.

101 Vgl. Merchav (wie Anm. 22), S. 70 mit Hinweis auf Ber Borochov, Zionisten und Poalei-Zionisten, in: Borochov, Gesammelte Schriften, Bd. 2, New York 1928, S. 292.

102 Vgl. hierzu Bericht der Exekutive der Zionistischen Organisation an den XIV. Zionistenkongreß, London 1925, S. 409 f.

103 In einem Rundschreiben des J. J. W. B. Ortsgruppe Hamburg vom Juni 1927 heißt es hierzu: «Aus einem Brief des K. K. L. an unseren Bund ist ersichtlich, wie die Helferzahl für die Sammlungen von 21 J. J. W. B.ern auf 8 zurückgegangen ist. Ihr wißt offenbar nicht, daß die Zugehörigkeit zum Bund zur Teilnahme an allen K. K. L. und P. A. F. Sammlungen *verpflichtet!*»

104 Vgl. den Artikel «Mitteilungen der Liga für das arbeitende Palästina in Deutschland», in: Der Junge Jude, Jg. 2, Nr. 2, Juni 1929, S. 55.

105 Eine Angabe der Adresse Hechaluz, Zionistisches Zentralbüro, Berlin W 15, Sächsischestr. 8, erfolgt erstmals in der Jüdischen Rundschau, Jg. 23, Nr. 41 v. 11. 10. 1918, S. 318.

106 Meier-Cronemeyer (wie Anm. 89), S. 64 f.

107 Siehe Protokoll (wie Anm. 37), S. 676 f. – Vgl. auch Bericht der Exekutive an den

XV. Zionistenkongreß Basel, 30. August 1927, London 1927, S. 270 über «Die Ausbildung der Chaluzim».

108 Nach einem Bericht «von unserem Spezialagenten» in der Jüdischen Rundschau, Jg. 30, Nr. 24 v. 24. 3. 1925, S. 220 betrug im Jahre 1924 in Hamburg die Zahl der Mitglieder der Chaluzgruppe 20, von denen 15 nach Palästina gingen; im März 1925 habe es in Hamburg 40 Chaluzim und Chaluzoth gegeben. Dies sind die detailliertesten Zahlenangaben, welche sich für Hamburg 1925 belegen lassen.

109 Nr. 4 der angenommenen Resolution vom 29. Mai 1928; vgl. Jüdische Rundschau, Jg. 33, Nr. 42/43 v. 1. 6. 1928, S. 306.

110 Siehe die Mitgliederliste des vorbereitenden Ausschusses in der Jüdischen Rundschau, Jg. 23, Nr. 41 v. 11. 10. 1918, S. 318.

111 Meier-Cronemeyer (wie Anm. 94), S. 64f. – Vgl. ferner Hans Tramer, Jüdischer Wanderbund Blau-Weiß. Ein Beitrag zu seiner äußeren Geschichte, BLBI 5 (1962), S. 23–43, hier S. 28f.

112 Führer-Blätter des Esra, Jg. 4, H. 5, Tammus/Aw 5690, S. 11–13, zitiert nach Reinharz (wie Anm. 7), S. 493.

113 Meier-Cronemeyer (wie Anm. 89), S. 63.

114 Meier-Cronemeyer (wie Anm. 89), S. 60f.; Abdruck des Prunner Bundesgesetzes des Blau-Weiß vom 6.–8. August 1922 bei Reinharz (wie Anm. 7), S. 312–315.

115 Vgl. Meier-Cronemeyer (wie Anm. 89), S. 63; vgl. ferner Jüdische Rundschau, Jg. 27, Nr. 76/77 v. 29. 9. 1922, S. 517f.

116 Vgl. Richard Markel, Brit Haolim. Der Weg der Alija des Jung-Jüdischen Wanderbundes (JJWB), BLBI 9 (1966), S. 119–190, hier S. 124f.

117 Meier-Cronemeyer (wie Anm. 89), S. 65.

118 Abdruck eines Rundschreibens des Brit Haolim vom 1. Januar 1923 bei Reinharz (wie Anm. 7), S. 330–332.

119 Zur Entwicklung des Hechaluz vgl. Leo Kaufmann, Von den Anfängen der Hechaluz-Bewegung, in: Werk und Werden. Eine chaluzische Sammelschrift, Berlin 1934, S. 35–41, hier S. 39f.

120 Vgl. Markel (wie Anm. 116), S. 26ff.; Reinharz (wie Anm. 7), S. 330–332 mit *Fußnote.

121 Siehe Markel (wie Anm. 116), S. 126.

122 Vgl. die Aufstellung der ersten Richtlinien bei Markel (wie Anm. 116), S. 18 mit Fußnote 18.

123 So Hugo Rosenthal, Fragen des Brith Haolim, in: Jüdische Jugendblätter, Jg. 3, Nr. 14, (Januar 1924), S. 3 mit dem persönlichen Bekenntnis «Und Gustav Landauer geben wir den Ehrentitel eines Propheten».

124 Markel (wie Anm. 116), S. 130.

125 Meier-Cronemeyer (wie Anm. 36), S. 83, 88; zum Emek Jesreel vgl. Ruppin (wie Anm. 35), S. 219–229.

126 Für ein sog. Dienstjahr entsandte man die Vettern Manfred und Chaim Ullmann nach Hamburg, um dort Werbearbeit für die Chaluziut zu leisten, vgl. Markel (wie Anm. 116), S. 131.

127 Die Stadt Hamburg – ohne Altona, Wandsbek, Harburg – verzeichnete bei der Volkszählung vom 16. Juni 1925 19904 Einwohner jüdischen Glaubens, von denen etwa 9500 steuerzahlende Mitglieder der Deutsch-Israelitischen Gemeinde Hamburg waren. Die zionistische Volkspartei erwies sich bei den Wahlen zum Repräsentanten-Kollegium vom 12. 3. 1925 bemerkenswerterweise als drittstärkste Partei, indem sie mit 547 Stimmen 3 von insgesamt 21 Mandaten für sich gewann (siehe Jüdische Rundschau, Jg. 30, Nr. 24 v. 24. 3. 1925, S. 220f.).

128 Siehe Zahlenzusammenstellungen bei Meier-Cronemeyer (wie Anm. 89), S. 66 nach Angaben der Jüdischen Rundschau und bei Reinharz (wie Anm. 7), S. 473 f. nach Angaben der Z. V. f. D.

129 Über die Mitgliederzahlen der Bünde liegen widersprüchliche Angaben vor. Für 1924 werden 410 Chaluzim (Blau-Weiß: 270, J. J. W. D.: 40, Brit Haolim: 100) genannt (vgl. Jüdische Rundschau, Jg. 29, Nr. 71 v. 5. 9. 1924). Nach einer Mitteilung des J. J. W. B. von Anfang 1925 gab es außer dem Hachschara-Zentrum in Hameln in Deutschland zehn Orte – darunter Hamburg –, in denen der Brit Haolim vertreten war.

130 Vgl. die Darstellung bei Meier-Cronemeyer (wie Anm. 89), S. 69 f.

131 Siehe Anm. 108.

132 Die um die Jahreswende 1925 / 26 bestehenden Auflösungstendenzen der Hamburger Gruppe des Blau-Weiß (vgl. Anm. 89) förderten dies; vgl. auch zur Zusammensetzung des «Komités» das Schreiben von Fritzi Chwolles v. 12. 2. 1926 (wie Anm. 93).

133 Markel (wie Anm. 116), S. 130.

134 Vgl. die «Abrechnung über die von der ‹Hechaluz› Ortsgruppe Hamburg durchgeführte ‹Sammlung zur Beschaffung von Werkzeugen› für die Tischlerwerkstatt des ‹Gdud Awodah› in Jerusalem», gezeichnet von Fritzi Chwolles

135 Zur Fusion von J. J. W. B. und Brit Haolim, siehe Markel (wie Anm. 116), S. 143–146; Meier-Cronemeyer (wie Anm. 89), S. 70 f; Reinharz (wie Anm. 7), S. 360 mit Fußnoten 4–8.

136 Siehe Mitteilungen des J. J. W. B., Mai 1925, H. 4, zitiert nach Markel (wie Anm. 116), S. 130.

137 Hugo Rosenthal, Zur Geschichte des Brith Haolim, in: Der Junge Jude, Jg. 3, Nr. 4, Juli-August 1930, S. 128–130, hier S. 130.

138 So Markel (wie Anm. 116), S. 153.

139 Zur Hamburger Situation der religiösen zionistischen Jugendbewegung vgl. den weiterführenden Aufsatz von Joseph Walk, The Torah va-Avodah Movement, in: LBYB 6 (1961), S. 236–259, hier S. 243.

140 Meier-Cronemeyer (wie Anm. 89), S. 69.

141 Vgl. zum folgenden Meier-Cronemeyer (wie Anm. 36), S. 83–95; Merchav (wie Anm. 22), S. 56–68, 162 ff.

142 Vgl. Leo Kaufmann, Gdud Awodah al Schem Josef Trumpeldor, in: Jüdische Jugendblätter, Jg. 4, H. 4–5, (November–Dezember 1924), S. 16 f.

143 Arthur Holitscher, (wie Anm. 54), S. 31. Holitschers große Sympathie für den Gdud ha-Avoda als Verwirklichung seiner Lebensideale tritt in dem Reisebericht deutlich zutage. Die Bekanntschaft mit Toller bezeugt ein Brief Tollers aus der Festungshaft vom 9. 1. 1924, in: Gesammelte Werke, Bd. 5, S. 174; vgl. auch Anm. 166. Zu Holitschers Reisebericht vgl. die wohlwollende Besprechung von Robert Weltsch, Bemerkungen. Reise zu den Chaluzim, in: Der Jude, Jg. 6, (1922), S. 624–626.

144 Vgl. Felix Pinner, Das neue Palästina. Volkswirtschaftliche Studien, Berlin 1926, S. 44–49.

145 Siehe Meier-Cronemeyer (wie Anm. 36), S. 84.

146 Vgl. Walter Preuß (wie Anm. 99), S. 11 ff.

147 Zu den Ereignissen um den Gdud ha-Avoda vgl. im einzelnen Meier-Cronemeyer (wie Anm. 36), S. 89–95; Merchav (wie Anm. 22), S. 158, 162.

148 Zur Kontroverse siehe die Darstellungen bei Meier-Cronemeyer (wie Anm. 36), S. 91 ff., 124 ff., 130 ff.; Merchav (wie Anm. 22), S. 161 ff.; Markel (wie Anm. 116), S. 129 ff.

149 Leo Kaufmann (wie Anm. 142), S. 20.

150 Vgl. mit weiteren Nachweisen Meier-Cronemeyer (wie Anm. 36), S. 134.

151 Meier-Cronemeyer (wie Anm. 36), S. 75.

152 So etwa Hugo Rosenthal, Uri Rosenblatt und Oskar Lebenbaum; vgl. deren Vorstellungen, mitgeteilt bei Markel (wie Anm. 116), S. 128 ff.

153 Vgl. Rundschreiben des J. J. W. B. vom 14. 9. 1925 abgedruckt bei Reinharz (wie Anm. 7), S. 358–361.

154 Zur Magdeburger Führertagung vom Dezember 1925 siehe Markel (wie Anm. 116), S. 149.

155 Markel (wie Anm. 116), S. 151 f.

156 Zur Einschätzung des Jehuda Kopelewitsch, «Freund und Kerkergenosse(n) von Josef Trumpeldor» vgl. Holitscher (wie Anm. 54), S. 31 ff.; Meier-Cronemeyer (wie Anm. 36), S. 88.

157 Siehe Holitscher (wie Anm. 54), S. 34.

158 Zum Ausschluß der Kommunisten aus der Histadrut vgl. Offenberg (wie Anm. 25), S. 329 ff; Flores (wie Anm. 82), S. 256 ff.

159 Offenberg (wie Anm. 25), S. 333

160 Wahrscheinlich ist, daß in erster Linie Mitglieder der Poalei Zion, die gleichzeitig dem Komitee und der Hechaluz Ortsgruppe angehörten, zu den «Chaverim» zu zählen sind und die nötigen Verbindungen besaßen.

161 Siehe Hugo Rosenthal (wie Anm. 123), S. 130.

162 Mündliche Bestätigung von Aharon Lahav, ehemals Mitglied des Gdud ha-Avoda, in Tel Josef am 13. 10. 1982 gegenüber der Verf. über seine Teilnahme an einer Dichterlesung Tollers in deutscher Sprache in der Kvuza Tel Josef im Jahre 1925.

163 Vgl. The America Hebrew von 1927 (wie Anm. 52), S. 178.

164 Margarete Turnowsky-Pinner, A Student's Friendship with Ernst Toller, in: LBYB 15 (1970), S. 211–223, hier S. 221 mit Fußnote 6.

165 Vgl. mündliche Auskunft der Bibliothekarin des Archivs von Tel Josef (Bet Trumpeldor), Tamar Knani, vom 13. 10. 1982 unter Benutzung der hebräischen Textsammlung: Mechajenu [Aus unserem Leben], 1921–1929, Tel Aviv 1971.

166 Interview von Jehuda Kopelewitsch vom 25. 9. 1966, gegeben Nathan Bacharach; Niederschrift dieses Interviews befindet sich im Archiv von Tel Josef (vgl. Anm. 165). Kopelewitsch berichtet darin unter anderem (in dt. Übers.): «Ich war einige Zeit in Berlin ... Es gab zwei Männer, die beide in Israel gewesen waren. Es waren Arthur Holitscher und Ernst Toller. Beide waren sehr angesehen in Deutschland. Sie waren meine Freunde. Zu ihnen kam ich. Wir haben viel miteinander gesprochen.» Aus diesem Bericht wird man entnehmen dürfen, daß Toller und Kopelewitsch sich bereits in Palästina kennenlernten. In jedem Falle wird durch den Bericht bestätigt, daß die Annahme der hamburgischen Hechaluzgruppe, Kopelewitsch und Toller seien freundschaftlich miteinander bekannt, berechtigt war.

167 Vgl. Walter Preuß (wie Anm. 99), S. 86.

168 Wie Anm. 142.

169 Siehe Markel (wie Anm. 116), S. 133, 153.

170 Von jüdischer Seite wurde dennoch des öfteren auf «das Jüdische» in der Person und im Werk Tollers hingewiesen; vgl. etwa Ernst Pinner, Der Dichter Ernst Toller, in: Der Jude, 8 (1924), S. 483–487; Felix Weltsch, Vorlesung Ernst Toller, in: Jüdische Rundschau, Jg. 30, Nr. 6 v. 20. 1. 1925, S. 35; darin wird ausgeführt: «Dieser Dichter mag ein deutscher Dichter sein, als Mensch gehört er zu uns»; Herbert Freeden schreibt anläßlich des von Kurt Hiller 1961 herausgegebenen Sammelbandes mit Werken von Toller in den MB Irgun Olej Merkas Europa, Jg. 30, Nr. 3 v. 19. 1. 1962, S. 4: «Ernst Toller war der jüdischste unter den Expressionisten seiner Zeit – sein Zorn, seine Anklage, sein Pathos, seine ethische Anforderung hatten biblisches Format; sein Aussehen

war jüdisch ...» – Der Exil-Verleger und erklärte Freund Tollers, Fritz H. Landshoff, teilte unter dem 27. 4. 1982 der Verf. über seine und Hermann Kestens Erinnerung an Tollers Verhältnis zu Palästina und zum Zionismus mit: «Die Tatsache, daß wir beide – die wir von der zweiten Hälfte der zwanziger Jahre an stets in engem Kontakt mit Ernst Toller standen und ihn in manchem dieser Jahre täglich, wöchentlich oder monatlich gesehen haben – Ihnen keine Auskunft geben können, macht es wahrscheinlich, daß Toller sich nicht allzu intensiv mit dieser Frage beschäftigt hat.» Zum Querido Verlag siehe zuletzt den Artikel von Elisabeth Wehrmann in: Die Zeit, Jg. 37, Nr. 11 v. 12. 3. 1982, S. 45. – Zu Tollers schriftstellerischer Tätigkeit im Exil vgl. Eike Middell u. a., Exil in den USA. Mit einem Bericht «Schanghai – Eine Emigration am Rande!», Frankfurt a. M. 1980 (Kunst und Literatur im antifaschistischen Exil 1933–1945, Bd. 3); Klaus Hermsdorf u. a., Exil in den Niederlanden und in Spanien. Frankfurt a. M. 1981 (Kunst und Literatur im antifaschistischen Exil 1933–1945, Bd. 6); Hans-Albert Walter, Asylpraxis und Lebensbedingungen in Europa, Darmstadt, Neuwied 1972 (Deutsche Exilliteratur 1933–1950, Bd. 2).

171 Ende der 2oer Jahre modifizierte Toller die im Text erörterte strikte Auffassung. So nahm Toller an einer Führertagung des J. J. W. B. als geladener Referent im Jahr 1928 oder 1929 teil (mündliche Auskunft von Arie Goral [Walter Sternheim], vom 15. 9. 1982 an die Verf.; vgl. auch ders., Führerkurs des J. J. W. B. in Zossen, in: Der Junge Jude, Jg. 1, Januar 1928, H. 2, S. 68 f). Ein weiterer Hinweis ergibt sich aus der Teilnahme Tollers als Referent auf dem 1. Kongreß für das arbeitende Palästina (27.–30. 9. 1930), gemäß einer mündlichen Auskunft von Naftali Unger (Rechovot / Israel) vom 5. 10. 1982 an die Verf. Danach war während des Tagungsverlaufs umstritten, ob man Toller als einem «assimilierten Juden» das Wort erteilen solle. Josef Sprinzak (Mitglied des A. C. der ZWO) war der Ansicht, daß weniger entscheidend sei, was Toller zu sagen habe, als vielmehr, daß er überhaupt das Wort ergreife, werde die Erinnerung an den Kongreß mitbegründen. Diese Auffassung setzte sich durch.

172 Dr. jur. Margaret Muehsam-Edelheim war Journalistin (Berliner Morgenpost, C. V.-Zeitung) und Verbandsfunktionärin (Mitglied des Ehrengerichts des Reichsverbands der Deutschen Presse, Präsidentin der Demokratischen Frauenorganisation für Großberlin). Parteipolitisch der DDP zugehörig nahm sie aktiv an der deutschen Frauenbewegung teil.

173 Vgl. Hermann Kesten, Meine Freunde die Poeten, München 1953, S. 157: «Nie war er Sozialist aus Theorie, stets nur aus Gefühl».

174 Vgl. ter Haar (wie Anm. 51), S. 75 ff.

175 ter Haar (wie Anm. 51), S. 20 f.

176 Toller, Eine Jugend in Deutschland, in: Gesammelte Werke, Bd. 4, S. 227. – Das Verhör durch den Staatsanwalt Lieberich im Jahre 1919 schildert Toller folgendermaßen: «Welche Konfession haben Sie? – Ich bin konfessionslos. Er wendet sich zur Stenotypistin: – Schreiben Sie: Jude, jetzt konfessionslos» (ebenda S. 173).

177 Siehe oben S. 228 f. – Gustav Landauer, Aufruf zum Sozialismus, Berlin 1919, S. 4–24, 145 ff.

178 Vgl. Wolff Kalz, Gustav Landauer. Kultursozialist und Anarchist, Meisenheim a. Gl. 1967, S. 143.

179 Martin Buber, Pfade in Utopia, Heidelberg 1950, S. 28 ff.

180 Gustav Landauer, Skepsis und Mystik. Versuche im Anschluß an Mauthners Sprachkritik, Berlin 1903, S. 4.

181 Landauer (wie Anm. 180), S. 16 f. – Vgl. Ruth Salinger Hyman, Gustav Landauer: German-Jewish Populist and Cosmopolitan, Ph. D. City University of New York 1974, S. 112 ff.

182 Prägnant etwa das Motto zum Drama Hinkemann: «Wer keine Kraft zum Traum hat, hat keine Kraft zum Leben» (1921/1922); ähnlich in einem Schreiben an Stefan Zweig vom 13. 6. 1923: «Nur der Schwache resigniert, wenn er sich außerstande sieht, dem ersehnten Traum die vollkommene Verwirklichung zu geben» (abgedruckt in: Toller, Gesammelte Werke, Bd. 5, S. 152).

183 Wie Anm. 64.

184 Vgl. Schreiben aus dem Gefängnis an Paul Z. vom 4. 5. 1924, in: Toller, Gesammelte Werke, Bd. 5, S. 192.

185 Siehe Schreiben von Nahum Goldmann an Gustav Landauer vom 14. 3. 1919, abgedruckt bei Reinharz (wie Anm. 7), S. 262ff; vgl. auch Hyman Salinger (wie Anm. 181), S. 87ff; Paul Breiners, Gustav Landauer, in: LBYB 12 (1967), S. 75–85, hier S. 82f.

186 Wie Anm. 54.

187 Landauer, Die Siedlung, (1909), in: Beginnen. Aufsatz über Sozialismus, [Telgte] 1977, S. 67–74, hier S. 71; vgl. ferner Buber (wie Anm. 179), S. 81–99.

SIGELVERZEICHNIS

AJWZ	Allgemeine jüdische Wochenzeitung
AZJ	Allgemeine Zeitung des Judenthums
BLBI	Bulletin des Leo Baeck Instituts
CAHJP	Central Archives for the History of the Jewish People, Jerusalem
DK	Bestand *Danske Kancelli* des Rigsarkivet, Kopenhagen
EJB	Encyclopaedia Judaica. Berlin 1928–1934
EJJ	Encyclopaedia Judaica. Jerusalem 1971–1972
IFB	Israelitisches Familienblatt
JE	The Jewish Encyclopedia. New York, London 1901–1906
JG	Bestand *Jüdische Gemeinden* des Staatsarchivs Hamburg
LAN	Landsarkivet for Nørrejylland
LASH	Landesarchiv Schleswig-Holstein, Schleswig
LBYB	Leo Baeck Institute Yearbook
MWGJ	Monatsschrift für Geschichte und Wissenschaft des Judentums
RAK	Rigsarkivet, Kopenhagen
Rtk	Bestand *Rentekammer* des Rigsarkivet, Kopenhagen, und des Landesarchivs Schleswig-Holstein, Schleswig
StAH	Staatsarchiv Hamburg
TKIA	Bestand *Tyske Kancellis Indenrigske Afdeling* des Rigsarkivet, Kopenhagen
ZGDJ	Zeitschrift für die Geschichte der deutschen Juden
ZHG	Zeitschrift des Vereins für Hamburgische Geschichte
ZSHG	Zeitschrift der Gesellschaft für Schleswig-Holsteinische Geschichte

Personenregister

Das Register erfaßt die in Text und Anmerkungen begegnenden Personennamen mit Ausnahme von Autorennamen, die im Zusammenhang bibliographischer Angaben erscheinen. Im vorliegenden Band nicht genannte, aber aus anderen Quellen ergänzte Vornamen stehen in eckigen Klammern. Für «Anmerkung» ist das Kürzel A verwendet.

Abraham, L. 142 f. A 34
Adler, Alexander Sussmann 33; 60 A 71;
62 A 89
Ahrensburg, Graf Ernst zu 46
Ahrons, Joseph 174 ff.; 216 A 33; 217 A 39
Arlosoroff, Chaim 235; 246; 255
Aroni, Friederike 175
Aschkenasi, Zwi 17 f.; 20; 30
Auerbach, [Aron], *Oberrabbiner in Bonn*
60 A 71
Auerbach, B[enjamin] H[irsch] 60 A 71
Auerbach, Elias 240 f.; 270

Bacharach, Nathan 290 A 166
Ballin, Elia 78
Ballin, Mirjam 78 s. a. Hamel(n), Mirjam
Bamberger, Seligmann Bär 25; 32; 33; 60
A 69 f.; 66 A 148
Bamberger, S[imon] 49; 65 A 147; 66 A
148
Baur, Johann Daniel 117; 152 A 106
Bensa, Lorette 167 A 225
Berdyczewski, Micha Josef 15
Berendsohn, B. S. 174; 193; 216 A 30 f.
Berger, Alfred 249 f.
Berger, Peter L. 281 A 14
Bernays, Isaac 187; 219 A 58
Bernstein, Aron David 16; 57 A 21
Bernstorff, Johann Hartvig Ernst von
117; 119; 123; 145 A 41
Bonn, Juda u. Samuel (= Gebrüder Bonn)
174; 215 f. A 29
Borochov, Ber 229; 282 A 21, 25
Breuer, Isaak 53
Buber, Martin 275 f.

Carlebach, Salomon 33; 62 A 91
Carstenn-Lichterfelde, Johann Wilhelm
Anton von 45 ff.; 64 A 136
Carstens, Adolf Gotthard 123
Chorn, Leitzer 142 f. A 34
Christian IV., *König von Dänemark* 37;
159 A 174
Christian V., *König von Dänemark* 19; 36
Christian VI., *König von Dänemark* 105;
155 A 133; 162 A 198
Chwolles, Abram 286 A 86
Chwolles, Fritzi (Elfriede) 248 ff.
Cleve, Elia 75
Cohen, Abraham Leyser (auch: Abraham
Leitzer Cohn) 144 A 34 (3)
Cohen, (Isachar) Bär (oder: Berend) 157
A 153
Cohen, Lazarus Abraham 143 A 34 (3);
153 A 125
Cohen, Raphael 150 A 91
Cohn s. a. Kohn
Cohn, Abraham Leitzer s. Cohen, Abraham Leyser

David, Meyer Michael 167 A 225
Dilleben, [Christian Gottlieb] 23
Dreyer de Hofmann, Hans 112; 116
Dubnow, Simon 228

Eisner, Kurt 241 f.; 274 f.
Elkind, Menahem M. 265
Emden, Jakob 17; 157 A 153; 159 A 184;
161 f. A 195
Engel, Hertz 165 A 217
Enoch, [Samuel] 60 A 71
Ettlinger, Jacob 25; 34; 60 A 71 f., 76; 67
A 162